在日朝鮮人資料叢書15

井上學／樋口雄一編

日本朝鮮研究所初期資料

一九六一～六九

1

緑蔭書房

凡　例

一、本復刻版の判型（Ａ５判）にあわせて原文を縮小使用した。

一、原本中、今日不適切と思われる表現があるが、歴史的文献であることを考慮し原文のまま掲載した。

一、原文中の書込みはそのまま残した。

一、原文が手書き原稿で読みにくいもの及び不鮮明のものは新組にした。

一、解説１・２及び「日本朝鮮研究所のあゆみ」は第３巻の巻末に収録した。

一、縦組のものはⅠの末尾（19～32頁）、Ⅱ―１の末尾（125～132頁）、Ⅱ―２―②（342～374頁）、Ⅱ―２―④の末尾（457～474頁）、Ⅱ―２―⑤（483～486頁）に付した。

目　次

Ⅰ　準備から設立まで　1961年 ———— 1

今日までの経過報告（7月末現在）……3
［発足の検討会］日本朝鮮研究所準備会事務局（別紙省略）　８月16日……5
朝鮮研究所設立準備に関してのお願い（別紙省略）［８月］……6
今日までの経過と世話人会についての御報告（別紙省略）　朝鮮研究所設立発起人世話人一同　８月31日……8
日本朝鮮研究所参加者名簿（10月末日現在）……9
設立総会御案内　日本朝鮮研究所設立発起人一同［11月］……12
（日本）朝鮮研究所設立趣意書（案）　11月……13
日本朝鮮研究所設立の経過（『朝鮮研究月報』創刊号　1962年１月１日）……15
日本朝鮮研究所概要（冊子）……*1*（32）

Ⅱ　設立から各事業の展開 ———— 33

1　研究所関係資料 ———— 35

第２回在京理事会資料　於古屋法律事務所　1962年５月18日
創立一周年記念事業御案内（『朝鮮研究月報』第９・10合併号　1962年10月25日）……39
日本朝鮮研究所設立１周年に際して　古屋貞雄（『朝鮮研究月報』第11号　1962年11月）……40
日本朝鮮研究所からのおねがい　1963年１月15日（『朝鮮研究月報』第14号　1963年２月）……41
所内報№３　日本朝鮮研究所　1963年３月30日……45
訪朝日本朝鮮研究所代表団の派遣について　理事長古屋貞雄　1963年４月９日……65
日本朝鮮研究所代表団を朝鮮へ派遣するにあたって／団員名簿　1963年

５月１日……………………………………………………………………………67
訪朝にあたって　訪朝代表団々長　古屋貞雄（『朝鮮研究月報』第19号　1963年７月）……………………………………………………………………………69
所員臨時総会　1963年５月２日……………………………………………………72
所内報No.４　日本朝鮮研究所　1963年５月20日…………………………………73
訪朝代表団より研究所宛通信　1963年８月５日…………………………………81
香港より第一信　1963年７月29日…………………………………………………82
1963年８月２日、日本朝鮮研究所訪朝代表団平壌到着記事と写真…………83
８月20日、金日成首相と訪朝代表団の接見記事と写真…………………………84
彙報　当研究所訪朝団全員金日成首相と会見他（『朝鮮研究月報』第20号　1963年８月）………………………………………………………………………86
彙報　当研究所訪朝・訪中代表団の帰国他（『朝鮮研究月報』第21号　1963年９月）……………………………………………………………………………87
アンケートのおねがい　日本朝鮮研究所　1963年９月25日……………………88
彙報　第２回総会開催決定他（『朝鮮研究月報』22号　1963年10月）………………89
日本朝鮮研究所創立二周年を迎えて　日本朝鮮研究所（『朝鮮研究月報』第23号　1963年11月）………………………………………………………………90
彙報　創立二周年第三回総会他（『朝鮮研究月報』第24号　1963年12月）…………91
趣意書　1963年10月19日（『朝鮮研究月報』第25号　1964年１月）…………………92
朝鮮からの便り（1964年５月11日　『朝鮮研究月報』第28・29号　1964年５月）………93
おしらせ（『朝鮮研究』（改題）第31号　1964年７月）…………………………………94
創立３周年第４回総会の報告（『朝鮮研究』第35号　1964年12月）…………………95
日本朝鮮研究所事務所建設基金募金のお願い　日本朝鮮研究所　1965年７月１日（『朝鮮研究』第41号　1965年７月）……………………………………96
最近の日本と朝鮮の関係についての声明／「日韓条約」についての声明８月14日（『朝鮮研究』第43号　1965年９月）……………………………………97
日本朝鮮研究所事務所建設基金募金のお願い　（『朝鮮研究』第44号　1965年10月）………………………………………………………………………………99

日本朝鮮研究所1965年活動状況(『朝鮮研究』第45号　1965年11・12月)…………100
在日朝鮮人の民主的民族教育への迫害に反対する声明　1966年5月16日
　日本朝鮮研究所全所員集会(『朝鮮研究』51号　1966年6月)…………107
研究所だより(『朝鮮研究』第52号　1966年7月)…………109
日本朝鮮研究所5周年記念によせられた祝電(『朝鮮研究』第56号　1966年11月)…………110
「日韓条約」一カ年の回顧と朝鮮研究者の任務　畑田重夫(『朝鮮研究』第58号　1967年1月)…………111
総会のお知らせ(『朝鮮研究』第58号)…………116
日本朝鮮研究所5年間の総括(『朝鮮研究』第59号　1967年2・3月合併号)…………117
第1回理事会　1968年10月11日…………123
古屋貞雄氏の喜寿と「朝鮮文化史」出版記念　木元賢輔(『朝鮮研究』第61号　1967年5月)…………*7*(126)
庶民のなかの朝鮮観—事務所移転始末記　佐藤勝巳(『朝鮮研究』第61号)……*1*(132)

2　研究事業関係資料——————133

①部会報告・動向——————135
現代朝鮮研究部会の活動状況　編集委員会(『朝鮮研究月報』第18号　1963年6月)…………137
朝鮮近代史研究部会の活動状況(『朝鮮研究月報』第19号　1963年7月)…………140
教育研究部会報告(『朝鮮研究月報』第22号　1963年10月)…………144
日本朝鮮研究所における各研究部会活動の総括と展望　編集部(『朝鮮研究』第34号　1964年11月)…………148
現代朝鮮研究部会(農業)の動向(『朝鮮研究』第56号　1966年11月)…………151

②シンポジウム——————153
日本における朝鮮研究の蓄積をいかに継承するか(全13回)…………155
　第一回　明治期の歴史学を中心として　1962年3月22日(『朝鮮研究月

報』第5・6合併号　1962年6月）……………………………………………………157

第二回　朝鮮人の日本認識について―主として植民地時代を中心に　1962年4月27日（『朝鮮研究月報』第7・8合併号　1962年8月）……………………175

第3回　日本文学にあらわれた朝鮮観　1962年6月23日（『朝鮮研究月報』第11号　1962年11月）……………………………………………………………190

第4回　「京城帝大」における社会経済史研究　1962年7月31日（『朝鮮研究月報』第12号　1962年12月）……………………………………………………210

第5回　朝鮮総督府の調査事業について　1962年9月21日（『朝鮮研究月報』第13号　1963年1月）………………………………………………………224

第6回　朝鮮史編修会の事業を中心に　1963年［月不明］（『朝鮮研究月報』第14号　1963年2月）……………………………………………………………241

第7回　日本の朝鮮語研究について　1963年［月不明］（『朝鮮研究月報』第22号　1963年10月）…………………………………………………………253

第8回　アジア社会経済史研究―朝鮮社会経済史研究を中心に　1963年［月不明］（『朝鮮研究月報』第23号　1963年11月）……………………………270

第9回　明治以後の朝鮮教育研究について　1964年［月不明］（『朝鮮研究月報』第28・29合併号　1964年5月）…………………………………………292

第10回　総括討論　1964年［月不明］（『朝鮮研究』第30号　1964年6月）………321

第11回　朝鮮の美術史研究について　1965年［月不明］（『朝鮮研究』第44号1965年10月）……………………………………………………………………333

第13回　日本と朝鮮（そのまとめと展望）（終）　1968年［月不明］（『朝鮮研究』第80号　1968年12月）………………………………………………*13*(362)

第12回　朝鮮の考古学研究　1968年［月不明］（『朝鮮研究』第71号　1968年3月）……………………………………………………………………………*1*(374)

丁若鏞（茶山）の思想の理解のために　1962年［月不明］（『朝鮮研究月報』第9・10合併号　1962年10月25日）…………………………………………………375

③講座――――――――――――――――――――――――――――――――393

朝鮮語講座案内(『朝鮮研究月報』第12号　1962年12月)……………………………395
アジア・アフリカ講座の御案内(『朝鮮研究月報』第16号　1963年4月)…………396
アジア・アフリカ講座第2部案内(『朝鮮研究月報』第17号　1963年5月)………397
アジア・アフリカ講座第3回　日韓会談反対運動の歴史的意義と役割
　畑田重夫(『朝鮮研究月報』第20号　1963年8月)……………………………398
アジア・アフリカ講座第4回　南朝鮮の政治と経済　川越敬三(『朝鮮研究
　月報』第20号)……………………………………………………………………404
語学講座・研究会のおしらせ(『朝鮮研究月報』第22号　1963年10月)…………408
朝鮮語講習会ご案内(『朝鮮研究』第47号　1966年2月)…………………………408
講座のお知らせ(火曜講座・朝鮮語講座)(『朝鮮研究』第60号　1967年4月)………409
火曜講座のお知らせ(『朝鮮研究』第61号　1967年5月)…………………………409
火曜講座のお知らせ(『朝鮮研究』第62号　1967年6月)…………………………409
火曜講座のお知らせ(『朝鮮研究』第64号　1967年8月)…………………………410
火曜講座のお知らせ(『朝鮮研究』第66号　1967年10月)…………………………410
新講座を一月から開講(『朝鮮研究』第68号　1967年12月)………………………411
研究生と講座のうごき(『朝鮮研究』第70号　1968年2月)………………………412
研究所のうごき(『朝鮮研究』第72号　1968年4月)………………………………412
研究所のうごき(『朝鮮研究』第75号　1968年7月)………………………………413
研究所のうごき(『朝鮮研究』第77号　1968年9月)………………………………414
『日本朝鮮研究所第二期研究生文集』№1　1969年2月……………………………415

④出版物案内――――――――――――――――――――――――――――――449
最近発行されたパンフレット案内　「日韓会談」他(『朝鮮研究月報』第14号
　1963年2月)………………………………………………………………………451
新刊パンフレット紹介　『ポラリス戦略と日韓会談』(『朝鮮研究月報』第17
　号　1963年5月)……………………………………………………………………451
パンフレット「私たちの生活と日韓会談」について(手書き　1963年)…………452
パンフレット「日本の将来と日韓会談」の編集・発行について(手書き　19

63年）……………………………………………………………………453
新刊パンフレット案内　日本の将来と日韓会談（『朝鮮研究月報』第19号　1963年７月）……………………………………………………………………454
複刻資料案内（『朝鮮研究月報』第19号）……………………………………455
朝研シリーズ刊行案内　『訪朝報告集第１集』他（『朝鮮研究』第33号　1964年10月）……………………………………………………………………456
『文化史刊行ニュース』第三号　朝鮮文化史刊行会　1966年５月16日…*13*（462）
『文化史刊行ニュース』第二号　朝鮮文化史刊行会　1966年３月20日…・*7*（468）
『文化史刊行ニュース』第一号　朝鮮文化史刊行会　1966年２月10日…・*1*（474）

⑤その他――――――――――――――――――――――――――――――475
学生懸賞論文審査報告（『朝鮮研究月報』第18号　1963年６月）…………………477
読者アンケートの報告　編集部（『朝鮮研究月報』第25号　1964年１月）…………478
資料　朝鮮民主主義人民共和国　社会科学院からの寄贈図書目録(1)（『朝鮮研究』第60号　1967年４月）……………………………………………481
一二月号（68号）の「座談会」を読んで　つるまき　さちこ他（『朝鮮研究』第70号　1968年２月）……………………………………………*3*（484）
私の意見　自分のことで一杯？　斎藤　力（『朝鮮研究』第65号　1967年９月）
……………………………………………………………………*1*（486）

Ⅰ　準備から設立まで　1961年

今日までの経過報告

かねがね日本人の手による朝鮮研究所の設立の必要を主張していた寺尾五郎の提唱により藤島宇内、鶴田三千夫、中川信夫が集ったのは今年三月であった。その結果単なる研究会の繰り返しではなく常設的な研究機関の設立に関して意見がまとまり準備会としての事務所をもち藤島・寺尾が常勤的に設立準備に当ることになった。さらに、川越敬三、秋元秀雄、安藤彦太郎がくわわり、また畑中政春、旗田巍、相川理一郎、石野久男、古屋貞雄、上原専禄、永井道雄、森下文一郎、蝋山芳郎等が参加して発起人世話人会が構成された。世話人会の下に朝鮮語の堪能な日本人をふくむ小事務局が設けられ、南朝鮮発行の若干の新聞をふくむ小事務局設けられ初歩的な資料の蒐集と整理がはじめられた。目下発起人となることを中保与作・三宅正一・古岡尊之助氏等に交渉中である。

それから今日まで研究所活動への参加の要請の活動が各人によってなされた。

現在（七月末）三十名の参加承諾者を得てさらに四十余名に交渉中である。

一方その間実質的な研究活動の積み重ねも継続された。主として次のような研究会がもたれた。

一　日朝関係現状分析　　自由討論

二　同　　同

三　日韓会談の現状と展望　　藤島宇内報告

四　池田・ケネディー会談と日韓関係　　川越敬三報告

—主として方法論的問題提起—

五　軍事的にみた日朝問題　　林茂夫報告

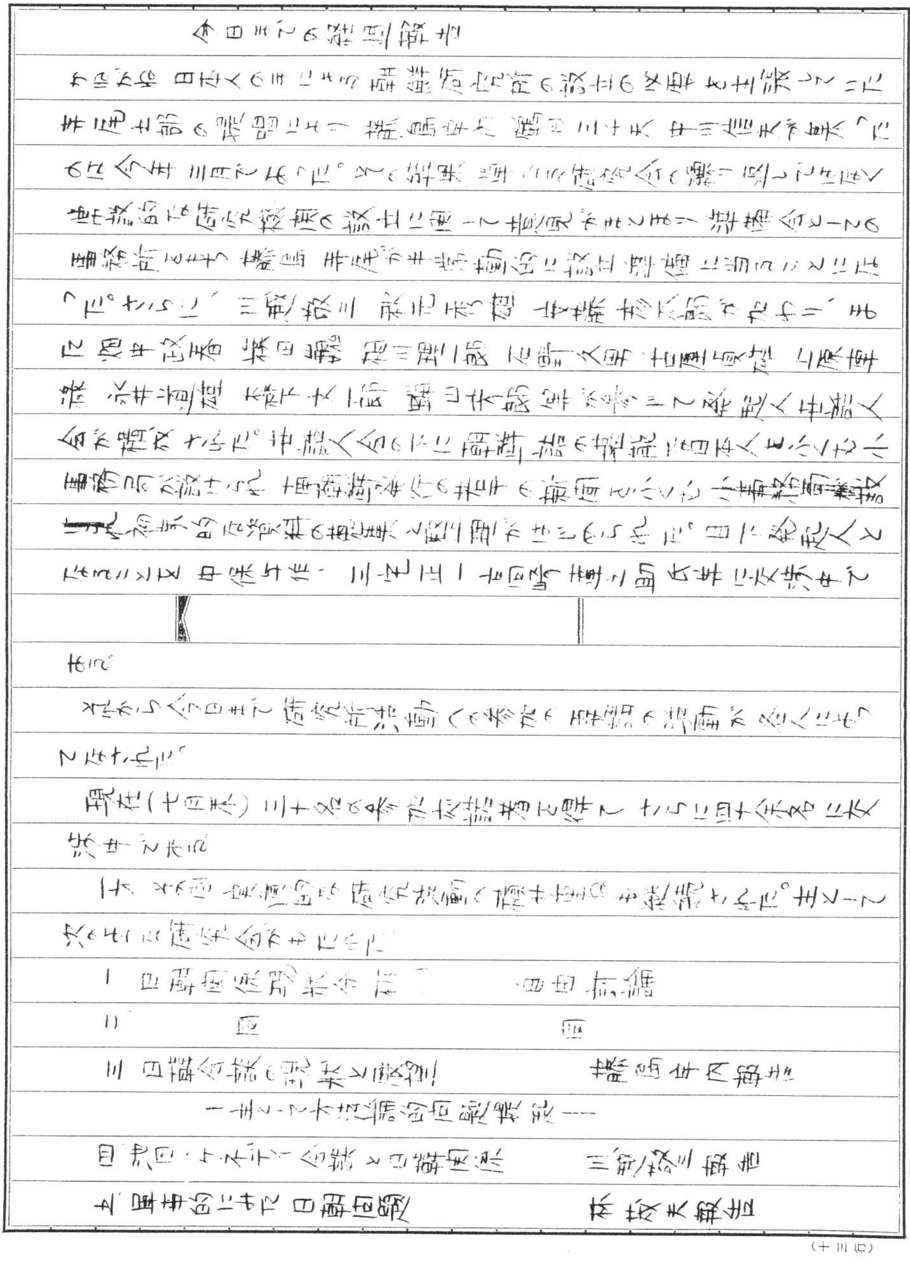

(十三号)

コクヨ 243

[発足の検討会]日本朝鮮研究所準備会事務局　8月16日

拝啓

[illegible]

[illegible]

[illegible]

[illegible]したいと思います。

[illegible]

[illegible]

[illegible]

[illegible]

記

一 日時 八月二十日(日)午後[illegible]より（時間厳守）

一 場所 古屋法律事務所（別紙）[別紙省略]

一 [illegible]

[illegible]

[illegible]

一

以上

[illegible]

[illegible]

[illegible]

八月十六日

~~古屋貞雄~~ [illegible]

日本朝鮮研究所準備会事務局

コクヨ 243

(十三元)

朝鮮研究所設立準備に関してのお願い

猛暑の折より貴下にはいかがお過しですか
別紙のごとき設立趣旨(案)にて「日本人の手による日本人の立場での日本人のための朝鮮研究所」の設立をたてその準備活動に入って約半歳を経ました。その間遅々として事が進まなかったのは世話人一同の非力にもよりますが、しみじみと日本における朝鮮研究の事業の困難さを感じさせられるような事柄もありました。にもかかわらず、刻々と動いてやまない諸事情はますます当研究所設立の緊急性を物語ってやみません。すでにこの半歳の間に南朝鮮では軍事クーデターあり さらにその内変あり 北朝鮮ではソ・中との相互援助協定の締結ありと政治的な面でだけでも聳動すべきことの連続でありました。池田ケネディ会談において朝鮮問題が極めて大きな比重をしめたこともはや衆知のことであります。

今年の秋には国連でも朝鮮問題が緊迫した議題となります。さらに貿易問題・帰国問題等があります。もはや日本人の手による朝鮮研究所の設立は一刻も延引を許さぬ状況にあります。一日も早くその設立を実現せねばなりません。すくなくとも、八月一五日から廿一日までの間に、正式発足の運びに致したいと存じます。

貴下が当研究所の設立のための発起人として御力をかして下さるようお願い致します。また設立後は所員もしくは賛助会員として、一緒に当研究所の研究活動ならびに運営に当っていただきたいことをお願い致します。

そこでまず第一に貴下の御意見を借りたいと存じます。~~設立~~

設立趣意は同封の草案でよいかどうか?

事業計画も同封の草案でよいかどうか?

6 朝鮮研究所設立準備に関してのお願い

コクヨ 243

今日までの経過と世話人会についての御報告

前略。

私どもは 「日本人の手による、日本人の立場からの、日本人のための」朝鮮研究の必要性を痛感し、今春以来 朝鮮研究所の設立準備活動を続けてまいりました。準備活動に着手してからだけでも、朝鮮を中心として御承知のような数々の事件が生起し、私どもは 研究所設立の急務であることを一層確信するにいたりました。寺尾 五郎、藤島 宇内の二人が 常任的に準備会の仕事にあたり、その下に事務局を設けて若干の資料の蒐集と整理がはじめられ、又、南朝鮮の政治経済の分析を中心に発起人や有志を中心に 研究会を数回かさねてまいりました。

現在までのところ、発起人となることを正式に承諾された方々は三十名に達し、更に多くの方々に交渉中です。

さる八月二十五日には、相川 理一郎、青山 公亮、安藤 彦太郎、石野 久男、川越 敬三、寺尾 五郎、野口 肇、古屋 貞雄、藤島 宇内、村上 貞雄、森下 文一郎、蝋山 芳郎 の各氏十二名の出席のもとに世話人会を開き、別紙印刷物の如き設立趣意書案、研究所所則案、事業計画案を審議、決定いたしました。[別紙省略]

当日の会合においては、朝鮮研究所設立という事業の困難さにもかゝわらず、その緊急なる重要性にかんがみ、科学的な朝鮮研究を、主体性を堅持しつゝ 広く研究者を結集するよう努力すべきことが確認されました。

当日の決定により 再び九月中旬に発起人会をもち、あらためて諸文書を検討し、正式発足の運びに致したいと存じます。

同封いたしました書類一式は 御検討の上、当日に御意見、御修正を加えていただきたくお送りする次第です。

一九六一年 八月三十一日

朝鮮研究所設立発起人世話人一同

様

(日本)朝鮮研究所参加者名簿

（十月末日現在、○印は発起人）

○相川理一郎	日朝貿易会事務理事	東京都中央区日本橋江戸橋一の九 宝光ビル内 日朝貿易会
○青山公亮	明治大学教授	川崎市中幸町三の二六 三号館三一四
○秋元秀雄	読売新聞社経済部	東京都世田谷区世田谷一の九一五
○安藤彦太郎	早稲田大学教授	東京都世田谷区烏山町一八七
○石野久男	日韓会談対策連絡会議事務局長	東京都世田谷区砧町二四五の三
印南広志	在日朝鮮人帰国協力会事務局長	東京都世田谷区烏山町二八二 公団住宅一三の一〇六
○上原専禄	国民教育研究所	武蔵野市吉祥寺二八九二
幼方直吉	中国研究所理事	三鷹市牟礼 公団住宅一、九四一
尾崎庄太郎	中国研究所理事	東京都渋谷区代々木初台町七一〇
○小田切秀雄	法政大学教授	東京都目黒区清水町五五八
金沢幸雄	ジャーナリスト会議国際部	埼玉県入間郡福岡町一、五〇〇 上野台団地一〇四の四
川越敬三	ジャパン・プレスサービス社	北多摩郡小平町小川一、五六二の二の二三
小林勇	日本労働組合総評議会国際部	小金井市前原四の七七二
○小松久麿	毎日新聞社エコノミスト編集部	東京都練馬区東大泉町一八八
佐藤剛弘	日朝貿易会	中央区日本橋江戸橋一の九 宝光ビル内 日朝貿易会
新名丈夫	毎日新聞社論説委員	藤沢市片瀬二、七三四
○末松保和	学習院大学教授	東京都豊島区目白一の一、〇五七
○鈴木一雄	日中貿易促進会専務理事	東京都大田区田園調布五の一一の二
○田辺誠	衆議院議員	東京都千代田区富士見町二の五 衆議院議員宿舎
高橋甫	原水爆禁止日本協議会専門委員	東京都台東区光月町二二 浦安会館内
○竹内好		武蔵野市吉祥寺四二六
竹本賢三	「アカハタ」編集部	東京都練馬区旭ケ丘一の五三
鶴崎友亀	社会新報編集部	東京都練馬区旭町四四三
唐笠文夫	日朝協会事務局長	東京都渋谷区幡ケ谷本町二の二九四

○寺尾五郎		東京都世田谷区羽根木町一八六四
中神秀子	「新しい泉」編集部	東京都新宿区弁天町一六七
中野良介	日本朝鮮研究会幹事	東京都港区芝浜松町二の一〇。日本朝鮮協会内。
新島淳良	早稲田大学講師	東京都杉並区永福町一〇三
○野口肇	日本平和委員会理事	埼玉県大宮市上小町八三三
土師政雄	数学教育協議会	東京都世田谷区代田二の八四〇
○旗田巍	東京都立大学教授	東京都世田谷区玉川瀬田町四八六
○畑中政春	日朝協会理事長	藤沢市鵠沼六一二
林茂夫	日本平和委員会理事	北多摩郡小平町鈴木新田一四三五 ヤ三号
原一彦	全日本金属鉱山労働組合連合会	茅ヶ崎市新町五の五七四六
○平原直	荷役研究所所長	東京都世田谷区祖師ヶ谷三の六三七
○藤島宇内		小金井市小金井五六一
○古屋貞雄		東京都杉並区永福町三六八
○星野安三郎	東京学芸大学助教授	東京都目黒区上目黒七の一一四〇
牧瀬恒二	沖縄問題懇談会	東京都新宿区百人町四の四五〇の一七〇
○牧野内武人	日本アジア・アフリカ連帯委員会代表委員	東京都港区芝西久保巴町一
宮原正宏	日朝貿易会	東京都中央区日本橋江戸橋一の九 宝光ビル内 日朝貿易会
宮森繁	日本共産党本部	東京都杉並区高円寺一の四七七
村上貞雄	日朝貿易会	東京都板橋区蓮根町二の八 公団住宅三五一三
村岡博人	共同通信社社会部	東京都文京区小日向台町三の六二
森下文一郎	日朝協会東京都連合会理事長	東京都港区芝白金三光町五二
山本進	毎日新聞社経済部	東京都中野区鷺ノ宮一の三八八
○蠟山芳郎		東京都新宿区上落合一の五〇六

植村進	日朝協会愛知県連合会事務局長	名古屋市中村区小鳥町七五 日朝協会愛知県連合会
木元賢輔	日朝協会京都府連合会事務局長	京都市左京区川端通丸太町上ル 教育会館内
○斉藤秋男	北海道大学教授	札幌市北八条西五丁目 北大教育学部
○指川謙三	日朝協会大阪府連合会理事長	大阪市東区道修町四の四 栄ホープ株式会社
○四方博	岐阜大学々長	名古屋市千種区徳川山町三の十二
○新川伝助	農林省下関水産講習所	下関市幡生町山の田公団住宅二〇三号
○鈴木朝英	北海道大学教育学部長	札幌市北二八条東三丁目 北大住宅
○玉井茂	岐阜大学教授	守山市小幡宮の腰一三の一四
塚本勲	大阪外国語大学講師	京都市左京区田中春菜町一〇(三三) 勝馬方
○中井宗太郎	元京都美術大学校長	京都市伏見区桃山羽柴町一六
中野礼三	日朝協会福岡県連合会事務局長	福岡市天神町九二 県庁前天満ビル 日朝協会福岡県連合会
○畑田重夫	名古屋大学助教授	名古屋市千種区北千種町 公務員アパートRB15号
堀江壮一	日朝協会大阪府連合会事務局長	大阪市東区北久太郎町二の十五 北久太郎ビル 日朝協会大阪府連
○三品彰英	大阪市立博物館々長	京都市北区小山南上総町二三
○武藤守一	立命館大学教授	京都市左京区浄土寺馬場町二四
○和田洋一	同志社大学教授	京都市左京区下鴨下川原町四六

設立総会御案内

ますますお元気にご活躍のことと存じます。

かねて準備中の朝鮮研究所の設立に関し　さる十月廿七日　世話人会を持ち　諸般の事情を検討した上　早急な正式設立を　全員一致で決定致しました。もとより　充分な準備がと々のったとはいえない点も多々ありますが　しかし完璧を期する余りいたずらに遅延をかさねることは　本来の趣旨目的から却って外れることにもなり　かつまた　朝鮮に関する本格的な研究の組織化が急務とされる情況は　ますます進展しつゝもあります折から　来る十一月十一日には発足をしたいと決断した次第でございます。

みなさまには　約半年にわたる间、準備会の研究会その他の活動において　ひとかたならぬ御援助をいただきましたが、今後も現代南北朝鮮の政治・経済の分析を中心に歴史・文化の研究などのために資料を整備し　事業を進めて行きたいと存じますので、よろしく御援助下さるよう　お願い致します。

記

(日本)朝鮮研究所設立総会

一、日時　一九六一年十一月十一日（土曜日）午後一時から三時まで

一、場所　日本橋精養軒　（三越の前）　電話　二四一・二七四一

一、総会次第

1　開会あいさつと座長指名

2　経過報告

3　設立趣意書案審議

4　所則案審議

5　事業計画案審議

6　財政計画案審議

7　当面の研究活動

8　役員選出

9　役員あいさつ

10　閉会

続いて　同じ場所で　三時から五時まで　各方面の方々をお招きして　さゝやかな記念の会をもちたいと考えております。

御多忙中のこととは存じますが　御参席いただけますことを希望しております。

(日本)朝鮮研究所設立発起人一同

設立準備会事務所　文京区湯島四の一八

（国電お茶の水　都電湯島三丁目下車）

電話　九二九・〇三七八

（日本）

朝鮮研究所設立趣意書（案）

今日、朝鮮は最も近くて最も遠い国となっています。日本の歴史は　朝鮮ときりはなせない関係で進んできたにもかかわらず、明治以来、日本人の眼は常に西洋にむけられており、隣国朝鮮の政治・経済・文化の科学的研究はほとんど無視されてきました。

このため、隣国同志の相互理解の必要がますます大きくなっている現在、いまだに少なからぬ日本国民の朝鮮観は、誤解と偏見にみちたままであると断じても過言ではないありさまです。

われわれ日本国民は、北朝鮮で行なわれている建設事業についても、南朝鮮のあいつぐ政治的激動の本質についてもよく知つているとは申せません。特に最近、在日朝鮮人帰国問題、日韓会談、日朝貿易の問題など、アジア全体に対する日本の政策に根本的なかかわりをもち、今後の日本の進路を左右する重大な問題が、次々に日本人の前に投げかけられてきております。われわれが、これらの問題に対し判断を誤まらず、両国民の共通の利益を追求できるようになるためには、朝鮮に対する理解と認識を深めなければなりません。

だから今こそ、過去の誤れる統治政策に由来する偏見を清算し、日本人の立場からの朝鮮研究を組織的に開始することが必要な時であると考えます。

日本の大学には、西欧に関する限り何千人もの研究者がいるのに、現代朝鮮に関しては、信頼できる研究者はほとんどいないといえます。

われわれ発起人は、微力ながら、日本人朝鮮研究者をひろく結集し、朝鮮に関する諸般の研究を行ない、その成果を広め、朝鮮研究の水準向上に資することによつて日朝友好に寄与するため、最大限の努力を払いたいと思い、ここに朝鮮研究所の設立を決意致しました。

一九六一年十一月

設立発起人（アイウエオ順）

相川理一郎　青山公亮　秋元秀雄　安藤彦太郎　石野久男　上原専祿　小田切秀雄　小松久磨　斉藤秋男　指川謙三　四方博

新川伝助　末松保知　鈴木一雄　鈴木朝英　竹内好　田辺誠　玉井茂　寺尾五郎　中井宗太郎　野口肇　畑田重夫

旗田巍　畑中政春　平原直　藤島宇内　古屋貞雄　星野安三郎　牧野内武人　三品彰英　武藤守一　森下文一郎　蠟山芳郎　和田洋一

日本朝鮮研究所設立の経過

第５、６次日韓会談の急速な進展、北朝鮮への帰国事業や日朝貿易の展開、そして６０年の４・１９政変から６１年の５・１６軍事クーデターに至る南朝鮮の情勢のめまぐるしい転変は、日本人にとつての朝鮮問題の重要性をあらためて認識させる一つのきつかけとなりました。敗戦後特にアメリカの占領政策によつて「最も近くて最も遠い国」になつていた朝鮮への、かつての植民地主義的な意味とは全く異つた次元での関心がたかまつてきました。このような状況の中で、広く研究者を結集し、日本人の手によるしかも科学的な立場を堅持した朝鮮研究の必要性が痛感されるに至り１９６１年３月以米有志の手で日本朝鮮研究所設立のための準備活動が開始されたのです。

単なる研究会のくりかえしでは不十分であり、常設的な研究機関が設立されねばならないという観点から、準備会の事務所が持たれ、寺尾五郎、藤島宇内の二人が半常勤的に準備会の仕事にあたり、その下に小事務局を設けて、組織活動のかたわら、初歩的な資料蒐集作業も開始されました。

準備活動開始後も、情勢の進展は益々この事業の必要性を確信させるものでありましたが、種々の困難のため設立は予定よりは多少遅れました。しかし各方面からの御好意、御激励と志を同じくする人々の多方面多地域からの参加によつて、８月２５日に１２名の世話人が集つて設立趣意書、所則、事業、財政計画等の概略を審議し、更に１０月１６日の発起人会で最終的に総会にかける議案として決定し、１１月１１日の設立総会にこぎつけることができた次第です。

１１月１１日日本橋精養軒で開かれた設立総会には参加者中３０名余が出席して、前掲議案を検討しましたが、一二の点を除いて殆んど準備会の原案通り決定しました。ただ、趣意書及び所則中の「日本人の手による、日本人の立場からの」というくだりと、朝鮮研究所の名称の上に日本をつけるか否かについて活潑な討論が行なわれ、日朝両国民更に世界諸国民に共通の普遍的課題の一環を追求するという問題意識については一致しましたが、その上で、日本人のおかれている特殊の立場を重視すべきだという見解と、「日本人の」を強調することによつて普遍的な科学性を見失ない反動的な立場と区別できなくなることを恐れる見解とが出されました。この点は結局理事会一任ということになりましたが、当面従来のように在日朝鮮人のしごとに依存することなく全く日本人の力だけで事業を進めていくことが必要であるという点から、後者の意見を十分銘記しつつあえて前者をとるということになりました。

続いて総会は、役員選出を行ない、古屋貞雄理事長、四方博、鈴木一雄旗田巍三副理事長、寺尾五郎専務理事以下の役員を決定し藤島宇内を研究ならびに所報編集の責任者とすることなどを決めました。なお総会に続いて同じ場所で開かれた祝賀会も丁度当日が朴正熙訪日と重なるという悪条件であつたにもかゝわらず、百余名の方々の出席をえ、盛会でした。学界、報道界その他各方面から、種々の立場の方々の御出席を得ることができたのがこの日の集りの一つの特色でした。特に東大　近藤康男教授、東

大東洋文化研究所　仁井田陞教授、東大文化人類学研究室　泉靖一教授、中国研究所　三島一先生、アジアアフリカ連帯委員会　坂本徳松氏、田中寿美子氏、読売新聞論説委員　宮崎吉政氏、日朝貿易会　秀島司馬三郎氏から、好意あるはげましのあいさつをいただきました。又在日朝鮮人及び中国人の諸団体からも立派な立場の方々の出席をえ、朝鮮大学　金宗会先生コリアニュース　趙尚洙編集長、朝鮮総連　尹鳳九氏、在日華僑総会　甘文芳会長から広い視野からの日本人の朝鮮研究の発展のために祝辞をいただきました。こゝに紙上をかりて厚く御礼申しあげます。

一方設立準備の活動と並行して、資料の整理もすゝめられ発起人内部での現状分析や方法論を中心とする研究会も、月１～２回程度の割合で続けられていましたが、その成果としてできた「当面の朝鮮に関する資料第一集」を、設立祝賀会当日来会者にお配りし、更に１２月１５日には、続いて「同上第二集」を発行しました。

これらの資料の編集の経験を基礎にして「朝鮮研究者をひろく結集し、朝鮮に関する諸般の研究を行ない、その成果をひろめ、朝鮮研究の水準向上に資することによつて日朝友好に寄与する」という研究所の目的を遂行すべく今年１月からこの「朝鮮研究月報」が創刊される運びとなつたわけです。

日本朝鮮研究所は、当面、南北朝鮮の政治・経済の分析に重点をおきつつ、歴史・社会・文化等の研究部会を持ち、それぞれの研究成果をこの「朝鮮研究月報」に発表し、又資料の蒐集・紹介に重点をおき速報性を加味した旬報を発行し、更に朝鮮関係文献目録及び年鑑を刊行するほか、委託調査に応じ、公開講座の開催・依頼に応じての講師の派遣等の事業をすゝめていく予定であります。大方の御援助と御忠告をいたゞきたいと考えます。

朝鮮研究月報　創刊号　１９６２年1月２５日　（毎月１回２５日発行）
編集　藤島宇内　　発行所　日本朝鮮研究所
東京都文京区湯島４の１８　振替　東京３４９８４　TEL９２９—０３６２

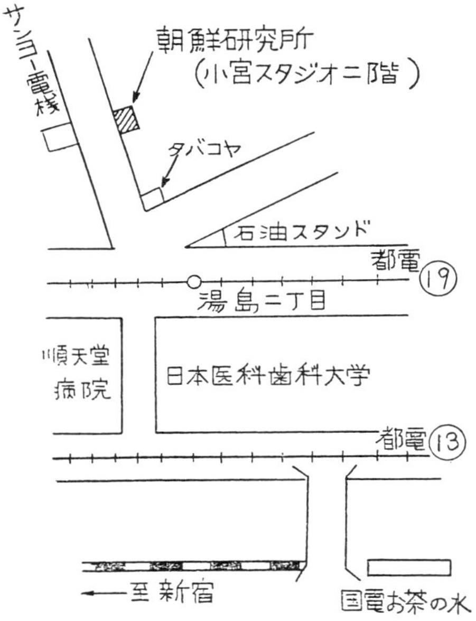

日本 朝鮮研究所

東京都文京区湯島4～18

電話（929）0362番

将来は朝鮮研究資料センターないし図書館として常設するよう努力します。これらの事業のかたわら国内・国外の関係研究機関や団体との研究資料や成果の交流をはかり、各種の委託調査・委託飜訳や研究者の養成等必要な事業を行ないます。

これらの事業計画は、当初は政治、経済の現状分析に努力を集中し、ついで次第に歴史・社会・文化の研究に拡大するみこみであります。

事業計画の概要

所内の研究会として、現代朝鮮に関する情勢分析や各々の専門による分野別の研究会、必要に応じて北朝鮮部会・国際部会・貿易部会・歴史部会等をもちます。また問題に応じ公開研究会をもちます。

朝鮮に対する理解と認識を深めるために、各層の要求に応じ各種の講演・講座ならびに朝鮮語の講習会を開設し、これらは将来しだいに拡充し常設的なものとする予定です。

定期刊行物としては、月刊の所報と旬刊の資料を発行します。所報の編集方針は流動する現状を適確に把握する材料としての情報や資料の提供・所内外の研究者の論稿や解説・研究所の研究成果や南北朝鮮の出版物の飜訳等をのせます。これと並行して速報的な旬刊資料を発行します。

また一般刊行物では研究所の研究成果を公表するために研究紀要を定期的に刊行し、単独ないしはシリーズとして各分野あるいは時局の問題ごとに解説・資料等を発行します。その他年鑑・便覧・文献目録等を早急に発行し、年次ごとに続行する予定です。

朝鮮研究を組織的に発展させるために、日本、南北朝鮮及びその他諸外国の朝鮮に関する新旧文献を蒐集し

名古屋大学助教授　畑田　重夫

東京学芸大学助教授　星野　安三郎

立命館大学教授　武藤　守一

同志社大学教授　和田　洋一

会計監査

荷役研究所々長　平原　直

日本アジア・アフリカ連帯委員会 代表委員　牧野内　武人

理事

日韓会談対策連絡会議事務局長　石野久男
在日朝鮮人帰国協力会事務局長　印南広志
東京都議会議員　岡謙四郎
「前衛」編集長　岡正芳
「エコノミスト」編集部　小松久麿
北海道大学教授　斎藤秋男
日朝協会大阪府連合会理事長　指川謙三
農林省下関水産講習所　新川伝助
北海道大学教授　鈴木朝英
原水爆禁止日本協議会専門委員　高橋甫
評論家　竹内好
岐阜大学教授　玉井茂
元京都美術大学校長　中井宗太郎

岐阜大学々長　四方　博

専務理事

寺尾五郎

常任理事

日朝貿易会専務理事　相川理一郎

読売新聞社　秋元秀雄

早稲田大学教授　安藤彦太郎

ジャーナリスト会議国際部幹事　金沢幸雄

ジャパン・プレス・サービス社　川越敬三

衆議院議員　田辺　誠

「新しい泉」編集部　中神秀子

日本平和委員会理事　野口　肇

評論家　藤島宇内

日朝協会東京都連合会副会長　森下文一郎

評論家　蠟山芳郎

7

九、所則改廃

この所則は、研究所総会の議を経て改廃することができる。

役員名簿

顧問	明治大学教授	青山公亮
		上原専祿
	衆議院議員	風見章
	学習院大学教授	末松保和
	日朝協会理事長	畑中政春
	前神戸大学々長	古林喜楽
理事長		古屋貞雄
副理事長	都立大学教授	旗田巍
	日中貿易促進会専務理事	鈴木一雄

理事会は、理事長（一名）、副理事長、専務理事等を選出し、事務局長を任命する。

③ 常任理事会　理事会は常任理事を互選し、日常事務を代行させることができる。常任理事会は、理事長が必要に応じて召集する。

④ 会計監査　総会で選出され、研究所の会計を監査する。

⑤ 理事長は、研究所の活動を掌握し、総会・理事会の決議に基く事項を処理する。

副理事長は、理事長を助け、理事長支障あるときは代理する。

専務理事は、理事長を助け、日常事務を代行する。

⑥ 役員の任期は、全て一年とする。但し、留任をさまたげない。

七、賛　助　会

研究所の目的と事業に賛同し、援助する法人・団体・個人によって賛助会を構成する。

賛助会の運営等については別に定める。

八、財　　政

本研究所の財政は、所費・賛助会費・寄付金・事業収入等をもってあてる。

本研究所の会計年度は、毎年四月一日にはじまり、翌年三月三十一日に終る。

⑦ 各種委託調査、委託飜訳の実施

⑧ 研究者の養成

⑨ その他必要なる事業

第五条　構　成

本研究所の構成員は　所員・顧問である。

① 所員　朝鮮に関する各分野の研究者にして、研究所の活動に一定の義務を負って参加し、一定の所費を納める。所費額は総会において定める。

② 顧問　本研究所の活動の大綱について助言し、必要なる指導と援助を与える。

第六条　機関と役員

① 研究所総会　全構成員をもって年一回ひらき、研究所の研究、経営上の前年度計画を総括確認し次年度計画を審議・決定し、予算・決算・人事等をきめる。

総会は、理事長が召集する。

総会における議決権は、全構成員によって平等に行使される。

② 理事会　総会は理事若干名を選出し、理事会は研究所の運営にあたる。理事会は年一回以上開く

本研究所は、朝鮮研究者を広く結集し、朝鮮に関する諸般の研究を行ない、その成果をひろめ、朝鮮研究の水準向上に資することによって日朝友好に寄与する。

第三条　目　　的

本研究所は、日本人の手による、日本人の立場での朝鮮研究を目的とする。

本研究所は、朝鮮研究者を広く結集し、朝鮮に関する諸般の研究を行ない、その成果をひろめ、朝鮮研究の水準向上に資することによって日朝友好に寄与する。

第四条　事　　業

本研究所は、その目的（第三条）を遂行するため、左の事業を行なう。

①　各種研究会の開催

②　各種の講演、講座、講習会の開催

③　定期刊行物の発行

④　各種単行本、研究紀要、年鑑、便覧類の発行

⑤　関係資料の蒐集

⑥　関係研究機関、団体との国際的、国内的交流

だから今こそ、過去の誤れる統治政策に由来する偏見を清算し、日本人の立場からの朝鮮研究を組織的に開始することが必要な時であると考えます。
日本の大学には西欧に関する限り何千人もの研究者がいるのに、現代朝鮮に関しては信頼できる研究者はきわめて少ないといえます。
われわれ発起人は、微力ながら、日本人朝鮮研究者をひろく結集し、朝鮮に関する諸般の研究を行ない、その成果を広め、朝鮮研究の水準向上に資することによって日朝友好に寄与するため、最大限の努力を払いたいと思い、ここに朝鮮研究所の設立を決意致しました。

日本朝鮮研究所

第一条　名　称

本研究所は日本朝鮮研究所といい、事務所を東京都におく。

第二条　性　格

本研究所は　朝鮮に関する各分野の研究者によって構成される民間研究機関である。

設立趣意書

今日、朝鮮は、最も近くて最も遠い国となっています。

日本の歴史は朝鮮ときりはなせない関係で進んできたにもかかわらず、明治以来、日本人の眼は常に西洋にむけられており、隣国朝鮮の政治・経済・文化の科学的研究はほとんど無視されてきました。このため、隣国同志の相互理解の必要がますます大きくなっている現在、いまだに少なからぬ日本国民の朝鮮観は、誤解と偏見にみちたままであると断じても過言ではないありさまです。

われわれ日本国民は、北朝鮮で行なわれている建設事業についても、南朝鮮のあいつぐ政治的激動の本質についてもよく知っているとは申せません。特に最近、在日朝鮮人帰国問題、日韓会談、日朝貿易の問題など、アジア全体に対する日本の政策に根本的なかかわりをもち、今後の日本の進路を左右する重大な問題が次々に日本人の前に投げかけられてきております。

われわれが、これらの問題に対し判断を誤まらず、両国民の共通の利益を追求できるようになるためには朝鮮に対する理解と認識を深めなければなりません。

日本
朝鮮研究所概要

Ⅱ　設立から各事業の展開

1　研究所関係資料

第2回在京理事会資料

1962年5月18日　於 古屋法律事務所

1. 経過ならびに現状報告　寺尾五郎氏.

2. 研究事業活動について　野口肇氏.

①研究活動の諸問題

イ.基本的考え方

ロ.研究活動と学術交流

ハ.企画委員会

②月報の定期発行の問題

③事業計画案

3. 業務活動について　穂積

①月報の件

②賛助会の件

③宣伝・広告活動の件

4. 藤島編集長の訪朝報告　p.m 3.30

月報 2−1 3−2 4−3 | 5…④ → 収支の上では安定ではない.

業務上. 賛助会員の組織.

目下のところ10万位づつ赤字.

役員名簿：

顧問　1　青山公亮
2 欠 上原専禄
3 欠 末松保和
4 畑中政春
~~古林喜楽~~

理事長　5 欠 古屋貞雄

副理事長　6 欠 旗田巍
7 出 鈴木一雄 [illegible] 欠近
~~四方博~~

専務理事　8 (出) 寺尾五郎 ○

常任理事　9 (出) 相川理一郎 ○ 、
10 出 秋元秀雄 ○
11 出 安藤彦太郎 ○ 欠近
12 (出) 川越敬三 ○
13 欠 田辺誠
14 出 中神秀子 ○
15 出 野口肇 ○
16 (出) 藤島宇内 ○
17 出 森下文一郎 ○
18 (出) 蠟山芳郎 ○
19 出 金沢幸雄

会計監査　26 平原直
27 出. 牧野内武人

理事　20 出 石野久男
21 欠 印南広志
22 岡謙四郎
23 欠 小松久磨
~~24~~ ~~斎藤秋男~~
~~指川謙三~~
~~新川伝助~~
~~鈴木朝英~~
24 出 高橋甫
25 欠 竹内好
~~玉井茂~~
~~中井宗太郎~~
~~畑田重夫~~
星野安三郎
~~武藤守一~~
~~和田洋一~~

創立一周年記念事業御案内

来る１１月１１日は日本朝鮮研究所の創立１周年の日です。この日を中心にいろいろと記念の事業を計画しました。研究所の誕生をよろこび合い、次の発展を約束するものにしたいと考え、御案内致します。

1. 総会　　１１月１６日午后１時（所員）
2. 創立１周年記念の会　　１１月１６日午后６時・於虎ノ門商工会館ホール（所員ならびに一般）
3. 創立１周年記念公開学習講座
   １１月９日午后６時　於全自交会館
   １１月１０日午后１時　新宿奨学会館
4. 朝鮮研究月報１周年記念号発行　１１月１５日
5. 公開研究講座「朝鮮問題の今日的意義」１１月下旬～１２月初旬
6. 「日韓問題」ハンドブックの発行予定
7. 朝鮮語初級（第２期）速習講座の開催１１月１３日より２月２６日まで
8. 朝鮮語中級講座　１１月中毎週土曜日

日本朝鮮研究所設立１周年に際して

内外多事多端な中に、ここに日本朝鮮研究所は設立１周年を迎えることになつた。

顧りみれば、この１年間、次々に起つて来る問題ととりくみながら、日本人の立場からの科学的な朝鮮研究を深めることによつて日朝友好に資するという設立の趣意に基づいて、研究並びに事業活動に我々として精いつぱいの努力を重ねてきた次第である。本年１月からは、朝鮮研究月報を発刊し、朝鮮の問題、日本と朝鮮の関係について基礎的な研究と資料の発表、紹介を行なつてきた。またそのような研究成果をひろく一般に普及するため公開講座等の事業を行なつてきた。朝鮮の問題を深く研究するために何をおいても基礎的な朝鮮語の学習講座にも、ことのほか力を注いできた。

これらの活動ができたのは、ひとえに所内外の諸君の暖いご支援と熱心な研鑽のたまものである。深く感謝の意を表する。

来るべき一年、日本国民の前に日本と朝鮮との関係が、日本の命運を左右する大問題として次々と起つてくるであろう。そのようなことがらの本質を科学的に追求し、また朝鮮人の真実を認識することによつて日本国民の未来に寄与すべき研究所の任務はますます重大となろう。我々は日本人の主体的立場にたちつつ、基礎的な資料に基づいて科学的な理論を示すという点において、過去において不十分であつた面は嫌虚に反省しながら、一層の努力を重ねて行きたい。

去る１０月、国慶節慶祝日本使節団々長として、４年ぶりに中国を訪れ、結束した人民の力の偉大さに再び感銘を新たにした。その際朝鮮民主主義人民共和国を訪れることができなかつたのは大変残念であつた。今後、主体的立場を持しつつ、相互に学術交流を進めることは、日朝両国の友好に対し大きな寄与となると信ずる。

それと同時に、朝鮮の歴史、文化等広い範囲の基礎的な研究に継続的な努力を重ねて行くことの必要はあらためて指摘するまでもない。

このような研究所の事業に賛同する諸君ならびに関係者諸君の倍旧のご指導、ご鞭撻をまつものである。

日本朝鮮研究所設立１周年に際して

理事長　古屋貞雄

日本朝鮮研究所からのおねがい

1963年1月15日発表

わたしたち日本朝鮮研究所は、研究所の第二回総会で決定した共同研究事業計画にしたがい、次の二つのことについて、みなさまに訴え、ご協力をお願い致します。

一つは、在日朝鮮人殉難資料の蒐集であり、一つは地方別日朝文化交流史料の蒐集であります。

≪その1≫

わたしたち日本朝鮮研究所は、在日朝鮮人が旧日本帝国主義の下にいかに圧迫され、残虐な支配を受けたかの事実を明らかにし、その資料を蒐集し、発行することを決めました。

それを朝鮮人が朝鮮人の立場で、旧日本帝国主義の暴虐をあばくというやり方ではなく、日本人が日本人の立場で、自らの歴史の非道をあばき出すという方法で、あわせて、朝鮮に対する植民地支配が同時に日本をいかに歪め、日本の歴史をいかに汚し、日本人をいかに狂わせたかということをいっしよに明らかにするという立場で行いたいと思います。

日本の中国に対する侵略戦争の罪悪を明らかにする仕事は、日本人自身の手によつて充分ではないとしても、相当程度行われてきました。しかるに、朝鮮に対する36年間の侵略の罪悪を、日本人の手によつて日本の側からあばき出す仕事は、ほとんどなされておりません。この無反省こそが、現在、日韓会談による再進出を助ける作用として働いているのを考えると、この事業は極めて今日的意義があると思われます。

しかし、この事業は、渺たる一研究所の単独の事業として行うには、余りに尨大な仕事であります。そこで、みなさま方のご協力を切に願うものです。

在日朝鮮人のさまざまな殉難の事実—たとえば、朝鮮独立運動への弾圧、また、日本の解放運動の前衛後衛となつて虐殺された多くの朝鮮人活動家の犠牲、さらに、戦時中に強制連行され苛酷な労働の中で倒れた朝鮮人労働者等々—を明らかにする仕事の中で、さしずめ、当面の仕事としては、関東大震災時における朝鮮人虐殺の事実に限つて、全国各地での資料を集めたいと思います。特に、今年は、関東大震災40周年に当りますので、年内という区切りの中でこれを行いたいのです。

すでに、日朝協会群馬県連では「悲しみと怒りと悔みを明日のために」という小冊子を発行したという模範的な活動を行いました。群馬県連のこの活動に対し敬意を表し、かつこれにならう必要があると思います。日朝協会の各支部が、これと同じような調査活動を展開され、その成果を、日朝協会独自でご活用になると共に、わたしたちの日本朝鮮研究所にもご提供下さるならば、わが研究所では、その全国的な資料をもとに、日本近代史研究家の人々を網羅して、一定の整理、編集をし、評価と註釈と解説を付して発行したいと願つております。

このことは一見地味ではありますが、日朝友好運動に限りない思想的深味を与えるのみならず、日本史の研究にもまた限りない実践的意義を付与するでしょう。

わたしたちの研究所が提案するまでもなく、日朝協会は当然この種の仕事にとりくまれるでしょう。また一部の先進的支部では、すでに始められていると仄聞しています。

どうか、日朝協会において充分検討され、他団体にもよびかけ、成果多き調査運動として展開され、わたしたちの研究所の協力要請を受け入れられるようお願い致します。

具体的には、本年7月末を目途として、研究所の計画は実行されるのです。したがつてみなさんの独自な調査がすすめられ、その結果をお知らせいただければ幸いです。

≪その2≫

日本人と朝鮮人の何千年来の関係は、近代にみられるようないたましい関係ばかりではありません。中世や古代においても日本の朝鮮侵略がありましたが、しかし、日本と朝鮮が、平和で友情にみちた、交易や文化交流を行つていた時期もあれば、また、朝鮮が日本の師として、先輩として文化的指導を行つた時期もあります。とまれ、何千年かの日朝の交流の史跡・遺跡・遺品・文化財は、日本各地に実に豊かに散在しています。

これらを、各県毎に、調べ、発掘し、明らかにしようではありませんか。

すでに、日朝協会第7回大会のみぎり、日朝協会の京都府連と滋賀県連の努力によつて県下の日朝交流の遺跡めぐりが行われましたが、これは単に両県にとどまらず、全国各地いたるところにあります。

著名な神社、仏閣や古墳のみならず、ちよつとした地名にも朝鮮に由来するものは各地にあります。ある伝統的な地方産業全体が朝鮮からの渡来者によつておこされたものも数多くあります。

これらのことを、各地毎に郷土史研究会や他の研究者などと共同して調査発掘して、それを全国的に集大成するなら、日朝友好の文化運動にとつても、また、それ自体の学術的意義からしても、はかり知れぬ大きな役割をはたし、成果をあげるでしょう。

しかし、この場合、重要なことは、それらの遺品、文化財の中には、文化的指導者としての朝鮮人が日本にもたらしたものもあれば、日本が侵略した際に掠奪してきたものもあればであつて、相当厳密な糾明と評価を必要とすることです。そうでないと、往年の「日朝同祖論」のような誤つた見解を裏打ちすることに使われる危険性もあります。

同時に充分考えなければならぬことは、この種の仕事を政治的には反動的な立場にある日本人や朝鮮人が共同で熱心に行つているという事実です。この分野の仕事にわれわれが無関心でいるなら、決して日朝両国民のためによい結果にならないでしょう。日朝協会の各地支部のみなさんが、地域ごとに、このような調査活動を展開していただくことを提案すると共に、わたしたち日本朝鮮研究所は、その必要に応じ、その時期時期の学者に力添えを願うことによつて、全面的に協力したいと思います。しかしこれは、先の殉難資料蒐集よりはるかに困難で尨大な仕事になります。そして、この種の仕事は、一地域で深く専門的に行われることもさることながら、たとえ薄くとも、全国的に網羅的に一覧される状態をまずつくり出すことが重要です。具体的には、仕事の第一として全国日朝交流史跡一覧を作りたいと考えます。そこで「その1」とあわせて次のような方法が手がかりになると思います

1. 群馬県で行われた経験をとり入れ、一般化する。
1. 在日朝鮮人、日本人の体験談、追憶談を集めて記録する。
1. 朝鮮人殉難者慰霊準備会の今までの成果を評価し、その活動に協力する。
1. とくに、例えば九州、北海道等の炭鉱における強制労働の実態を調べる。そのため関係者より聞いたり、資料を集めたりする。その他第二次大戦中の各地の軍用道路、地下工場等の強制労働について調べる。
1. 郷土史家の蓄積や地方図書館の資料を新たな観点から評価する。すでに発行された文献、さまざまな立場の研究者の蓄積をとり入れ、日朝友好運動の立場から生かすこと。
1. その他さまざまな調査を全国的にあつめ整理する。
1. とくにこのような調査が日韓会談とどのような関係にあるかという自覚の上に立つことが大切である。例えば、植村経団連副会長発言にみられる「南朝鮮低賃金労働力の利用」という構想、池田首相の「人づくり政策」でいわれている低開発国からの低賃金労働力の輸入という考え、これらは、かつての植民地時代の朝鮮人労働力の強制使用の思想と同じ発想である。こういう観点からみれば朝鮮人殉難者の慰霊一つを行うにしても、そこには、つよい現代的意義があることを自覚する必要がある。要するにこのような調査事業も日韓会談の根本思想に対す批判を日本人の中に確立するという立場から行われるべきであることを自覚する必要がありましよう。

所内報

日本朝鮮研究所

目　次

私たちは二歳		1
研究所に想う		4
「民族教育」参観記		7
研究活動レポート	1	8
〃	2	9
〃	3	10
〃	4	11
パンフに対する読者の声		14
月報配布状況		13
＜特　報＞		13
活字にみる所員の動向		17
講師斡旋一覧		15
所日誌		3
パンフレットの発行報告		12

わたしたちは二歳

――研究事業活動における自力更生と主体性について――

去年の１１月に研究所は創立一周年を迎えた。しかし、私の実感では、今年の２月が創立２周年のような気がする。というのは、正式な設立総会の前に約１年間の準備会の時期があったからだ。丁度、今から２年前の１９６１年の２月に今の事務所で最初の準備会を持ったのである。２年間という時間は、懐古談をするにはいささか短かすぎるが、しかし、敢て懐古じみた話を全関係者に聞いていただきたいと思うのは、この過去２年間の経過が、わが研究所の性格を非常によく物語っていると思われるからである。

準備会時代の１０カ月に、約５０万円の費用がかかったが、これは古屋先生の支出と私の金策だけであって、どの個人どの団体からもビタ一文もお世話になっていない。その代り当時の事務員には大変な犠牲を強いている。

ついで、創立からの一カ年、去年の１０月までの間、総額約２００万円の費用がかかっているが、これは、大づかみに言って、３分の１は、古屋理事長の負担と、３分の１は私の金策と、３分の１は全関係者の共同負担でやってきている。この間もまた特定の団体・個人に、特別の応援を得ていない。朝鮮関係の団体の創立初期にありがちな朝鮮人（団体）えの財政的依存、ないしは、日朝貿易業者からの財政的支援を受けないでやってきた。また、日朝協会の財源と重複しないことに専心の気の配りをした。つまり、研究所として言えば、全く「自力」で支えてきたのである。このことは、よかったのか、悪かったのか。よいとも言えるし、悪いとも言える。よかれあしかれ事実である。（こうした実情を知りもしないで、設立総会が余りに盛大だったので驚いた某朝鮮問題評論家――世界週報にしばしば朝鮮問題解説を執筆している――は、てっきり朝鮮総連が蔭のスポンサーだと勘ぐって、わざわざ岸信介のグループにかけつけ、「朝鮮総連が数百万円を投じて研究所を日本人にやらせているが、これに対抗してわれわれもやる必要がある」などと見当外れの御注進に及んでいる。なにごとによれ、スポンサーなしには仕事が出来ないと考えている人間の憐れな姿である）

しかし、スポンサーなしの、「自力」の仕事というものは、目も当てられぬ程につらいものであることも事実である。危機は設立後半年目にやってきた。金策はつかず、賛助会員にはなりてがなく（これは現在もそうだ）、「

月報」読者は増えず、つまり、一銭の金も入ってこず、にっちもさっちも行っかなくなった。この危機を乗りきった力は、外部の支援でもなく、金でもなく、まさしく「意地」と「根性」であり、また、特に若い研究所員たちの努力と頑張りであった。

設立1周年を過ぎ、2年目に入った現在、わが研究所はすこぶる殷賑を極めている。各種の研究会が頻繁にもたれ、なかんづく、研究所発行のパンフレット「私たちの生活と日韓会談」が大変な好評で、刷っても刷っても間に合わない状態である。また、日韓会談の問題や朝鮮問題一般の講師の依頼が殺到している。多い日は1日に10数件の申し込みがあるありさまだ。まさに、門前市をなしておる。現在、研究所の財政を支えているものはこのパンフの収入である。

この経過をまとめて言えば、準備会は発起者の力だけで支えた。設立後の1年は、全関係者だけの「自力」で支えた。2年目に入って、「大衆」が支えている。終始一貫、スポンサーなしでやってきた。

さて、そこで、今後の問題だ。

今後もこの調子で果してやっていけるか。今後もこの状態でやっていってよいのか。いや、今までや、現在の状態が、研究所として好ましい姿であったかどうか。

私は決してこれがこのまま続くとも思わないし、また、これがノーマルな研究所の姿だとも思わない。

ただ、次のことだけは、当初からの信念であったし、また、過去2年間の実績でますます裏付けられた。

それは、現在の日本における朝鮮研究なるものは、その研究活動の継続を可能にさせるような情況を、先ず自らの「自力」でつくり出すという厳しい努力によってはじめられるべきだということである。「情況が許せば研究しよう、情況が許さなければ仕方がない」。というものではないのである。「スポンサーが見つかったら研究しよう。なければ見合せよう。」というものではないのである。情況を先ず作り出すということが研究の第一歩である。本来、研究ないし研究所というものはかくあるべきであるなどという特定のイメージをもって、それに研究所活動のスタイルを近づけようとすべきではない。また、本来、研究とは金を貰うものであって、金を産み出すものではない」などという、思い上った高みにいるべきものでもない。先ず、研究できる環境を自らの力で作り出すことである。その努力の過程で、はじめて研究の方向も、学問の内容も豊かで自由で頑健かつ厳密なものになるのである。

2

今や、研究所は、「自力」と「大衆」の直接の支えによって、どこからも紐のつかない主体を確立しつつある。主体が確立されたなら、今度はできるだけ柔軟に巾広く野放図に自在に運営したいものである。

だから、これからは、大いにスポンサー歓迎です。外資歓迎です。政府資金でも、アメリカ資金でも、なんでも持ってこい。いくらでも使ってやる。全関係者のみなさん。大いに資金を探して下さい。私が本当に言いたかったのは、実は、このことかも知れません。

寺尾五郎（専務理事）

研究所日誌

11月

9日　公開講座

10日　〃

13日　朝鮮語初級第2回開講

16日　朝研総会。1周年記念

20日　総会報告発送

[redacted]

12月

1日　総集会議

4日　日朝部連大会

8日　百船記念

15日　パンフレット"私たちの生活と日韓会談"第1版発行

24日　阿部氏帰朝談。第1回幹事会

26日　年賀状印刷

29日　忘年会

1月

12日　第2回幹事会。現代朝鮮研究部会

14日　"ベトナムの少女"

15日　日朝全国理事会で提案（藤島氏）。パンフレット第2版発行

23日　第1回常任理事会

25日　現代研究

27日　近代朝鮮史研究部会

28日　パンフレット第3版発行

2月

7日　別盟の記録、打合せ会

8日　第2回現代朝鮮研究部会

9日　映画"日韓会談"試写会

20日　パンフレット第4版発行

21日　月報編集委員会

22日　第3回現代朝鮮研究部会。朝鮮近代史研究会

24日　朝鮮スケート選手団レセプション

3月

4日　朝鮮近代史編集委員会

5日　パンフレット編集委員会

7日　牧野内武人氏AA大会帰国報告会

8日　第4回現代朝鮮研究部会

14日　厚生省に朝鮮人遺骨を慰霊

22日　第5回現代朝鮮研究部会

23日　フィルム贈呈式

〃　ほんやく委員会

29日　中研、AA研、朝研の三研究所合同会議

研究所に想う

昨年はわたくしにとって、変化のはげしい年であった。13年間在職した名古屋大学を辞して、ふたたび東京へ帰ってきただけでなくて、夏には2大社会主義国（ソ連、中国）への訪問旅行のため日本をはなれた。のみならず、当研究所と密接な関係をもちはじめたのも昨年であった。研究所の設立以来の所員にはちがいないが、半ば常勤的に所へ出入りするようになったのは、外国から帰ってからだから、昨年の秋からということになる。間もなく創立1周年記念の諸行事が催されたが、満1年間、困難をのりこえて研究所を維持し発展させてこられた先輩・友人の苦労のことを想うと、わたくしにかぎって、基礎づくりの完了したところへ横すべりをするようで気がひけてならなかった。苦労をともにした間柄の友情はいちばん固いという。その意味では、わたくしはこれから友人たちとともに、この研究所の充実のために骨身をおしまずに微力を注ぎたいと決意しているところである。

さて、当研究所にかんする感想を、という求めであるが、むろん、わたくしに民間研究所運営の経験があるわけではないし、比較できるほど他の民間研究機関の事情に通じているわけでもない。ただ、これまでわたくしが国立大学にいた関係上、国立（公立）と純然たる民間のちがいはいともはっきりわかるし、しみじみとその異同を感じている。日本では 研究者といえば大学教授、研究機関といえば大学もしくはせいぜいその付置研究所というのがふつう連想される順位である。官学偏重というプロイセンばりの伝統ともいうべきなのだろうか。わたくし自身、修学したのも官学、卒業後、ほんの数カ月であるが就職したのが旧内務省という官僚の牙城、再就職したのもまた官学であっただけに、何だか一種の自己嫌悪におちいっていることも事実である。しかし、大切なことは、そういう主観的、感情的な問題ではなくて、実質的にもつぎのようにいえるのではなかろうか。国立大学にいる研究者自体にしてみれば、とくに、社会科学のばあい、研究予算もけっして多くは与えられているわけではない。自然科学、なかんずく直接間接に軍事科学や日本の独占の求めに合致する講座や学科には莫大な予算の裏づけがされているが。そのうえ、国立であれば、国家公務員法や人事院規則にしばられるので、研究や発表（表現）の自由が「自己検閲」によってどうしても制限されがちになる。わたくしの経験では、大学院の担当手当といってもほんの申訳程度のものであって、さして「大学院大学」としての利点を味あうことができなかった。それどころか、わずかばかりの金が、各種大学の差別、分裂政策につかわれているのかと思うと不愉快でたまらなかったものである。ただよかった点といえば、大学には同学もしくはそれに近い学者がたくさんいて、たとえ専門がちがっていても、おのずから学問的雰囲気を高め合えるような話題の交換ができ、また、文献上のインフォーメーションの交流をしたりすることができたことである。そしてまた、純真な学生諸君との接触を通じて自分自身、たえず若さを保ちうるといういい面があった。これらは、わたくしの13年間の大学生活における収穫のうちのもっとも大きな部分を占めていたといえよう。

ひるがえって、当研究所はどうだろうか。研究費、これはいまのところ皆無に近い。わずかではあっても、大学のばあいは、研究費（本代）が予算化されていた。それがゼロだとなると、いかにもそのハンディキャップは大きくみえよう。ところが、そこにはこういう具体的事情がある。他の大学はいざ知らず、わたくしのいた大学の例ではこうであった。わたくしには国際政治史の教学としての予算が与えられていた。しかし、年間数万円であった。しかも、この金でもって、わたくし自身の研究テーマである「朝鮮戦争」関係の本ばかりを買うわけにはゆかなかった。わたくしのところの助手、大学院の学生はそれぞれ異なった研究テーマをもっていた。たとえば一人の助手はユーゴの、他の助手はインドの地域研究、そして、大学院学生はラテン・アメリカの歴史的研究に、というふうに。だから、わたくし一人の興味や関心でもって予算を消化するということは道義上できなかった。そのうえ、学部の学生たちがつかう可能性のあるスタンダードな国際政治関係のテキスト・ブックのようなもの、たとえば、イギリスのCarr、アメリカのSchumanやMorgenthanなど著名な国際政治学者の代表著作のようなものは一通りそろえておかねばならなかった。それは、大学の図書館として当然要求される最低の線である。だとすると、わたくしのように、朝鮮戦争史の研究をライフ・ワークとしたいと願っている者にとっては、現在の大学にいても、それほど予算的にめぐまれているとはいえないわけである。朝研もいまでこそ、予算化された研究費は皆無であるが、近い将来予算が組める潜在的可能性が多いにあると、わたくしは信じている。先日、わが研究所は分割払いという条件ではあったにせよ、全4巻の「韓国動乱史」（朝鮮戦争関係の「韓国」唯一の代表的文献）を購入することができた。何万円という高価なこの文献は、恐らく大学ではそう簡単に購入はできないはずである。わずかな予算であっても、それを朝鮮関係の資料・文献に集中できるというのはこういう研究所のみがもつ利点であろう。しかも、面白いことに、当研究所発行のパンフレット「私たちの生活と日韓会談」が日本人大衆にひろく読まれるのと平行して、資料を購入し、整備しておこうという話題が出てくるようになったということである。してみると、こういうことをこそ、国家予算や財界の援助にしばられるのではなくて、大衆に支えられて研究所が運営されるということの具体的なあらわれといえるのではないか。その意味で、わたくしは、無限のエネルギーをもつ無数の大衆とともに、無限の発展の可能性をひめている当研究所にたいし無限の期待をよせたい、と思うのである。なお、わたくし個人の計画との関係でいうならば、他の研究機関では望めない特殊な能力、つまりわたくしに朝鮮語をマスターさせる能力をこの研究所はりっぱにそなえているのである。問題はわたくしの決意如何にかかっているのである。

この研究所には大学を出たばかりの若い研究者や大学の学部学生までひんぱんに出入りしている。これは、所が若い人の関心や魅力をつないでいることの反映である。この若々しさは将来性に生きようというわが研究所にとっては貴重な宝である。しかも、先輩の学者たちから教訓をひき出そうという試みとして、「研究遺産を継承するための連続シンポジューム」に全力が集中されている。ゆかしくもあり、うるわしいことである。このように、朝鮮研究における先輩も後輩も、有無相通じ、相励まし合って、研究水準を高め合うことに努力しつづけたいものである。設備もお粗末で、資料も乏しいのであるから、せめて所員の団結と協力だけは保証してゆくという作風をうちたてたいものである。

さいごにわたくしの要求（当分は夢であってもかまうまい）を書いておこう。第一に、広くなくてもよい、最低限度、研究所事務室、図書閲覧室（研究室）および応接室の三ツに仕切った建物がほしいということ、第二に、わずかではあっても、研究費（図書購入費）という費目でもって一定の予算が組めるという状態を一日も早くつくり出すことである，しかしこれらはすべて座して待つべきものではない。われわれ全所員の奮斗いかんにかかっているのである。

畑田重夫（副所長）

「民族教育」参観記

（幹事　小沢有作）

昨年の１０月、在日朝鮮人の民族教育を実地に勉強しようと、矢川徳光氏と二人で、大阪に出かけました。大阪にすむ朝鮮人の子どもは、大別して、日本の公立学校、総連（在日本朝鮮人総連合会の略・編集者注）の自主学校、それに中立の（というが韓国に傾斜している）白頭学院に通学しています。われわれもこの三種の学校を参観し、その父兄とも話し合ってきたわけです。

このなかで最も多くの問題をはらんでいるのは、日本人学校における朝鮮人教育でしょう。朝鮮人の子どもを「区別しない」という名目で日本人として扱い教育するのですから、朝鮮人の民族教育とは敵対する、といってわるければ、無縁の教育をすすめていることになります。

最初に訪問した日本人中学校で、たまたま居合わせたＰＴＡ会長の挨拶をうけて、アゼンとしましたが、そのことばはひきつづいて訪ねた他の日本人中学校のどこにも共通する教育方針を表明するものでありました。彼は一気カセイにこうのべました「日本の子どもと朝鮮の子どもを区別するようなことは全くありません。ともに人類であるのであります。ただ朝鮮の子どもには＜朝鮮＞の観念をとってもらえれば、一層教育はナダラカにいきます。子どもには日本人朝鮮人の区別がわからないでいます。大人が教えこむものです。これからも一層なごやかにすすんでいきたいと思います。」日本人教師の大部分は、「朝鮮」を知らないし、無関心であって、日本人学校における朝鮮人児童への教育をどうすすめるかの手ダテは今のところ皆目つかめないでいるといった状況です。これは日本人の子どもに日本の民族教育をしない事態とウラハラの関係にあります。

自主学校では、民族的課題が教育実践のすみずみにいたるまで貫き生かされていました。それで一層、日本人学校における朝鮮人教育の非教育性について実感させられ、さらにそのこと以上に日本教育における民族目標の欠落がもたらす衰弱した教育機能について考えさせられました。大阪に行って、朝鮮人教育のありかたは日本の子どもをどう育てるかという日本教育の方向に関する問題をウラガワから提起しているものだ、と改めて考えこまされました。

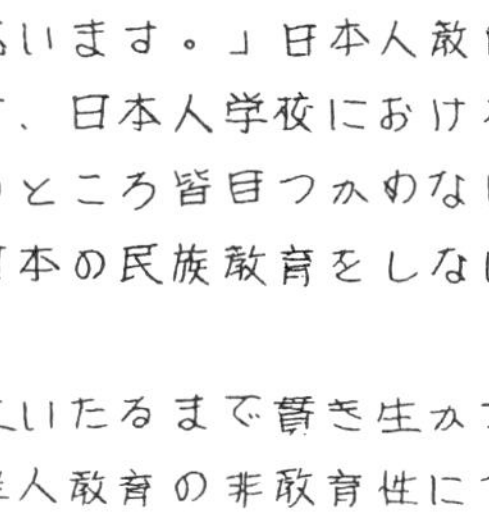

研究活動レポート 1

現代朝鮮研究部会の発足と経過ならびに問題点

軍事政権の後退が日韓会談とどう関連してくるのか？南朝鮮の経済構造とその危機の進展に対して世論はどう反応しているのか？北朝鮮の社会主義建設はどこまで進んでいるのか？等々日本と朝鮮の間に結ばれている現在の諸関係の中から生じて来る種々の問題関心に日本人の立場から答えることを某朝鮮研究所は要請されている。そのような疑問に答えるための基礎作業の場として現代朝鮮研究会はこの1月から発足した。

研究会は広く関心を持つ所員の参加により、原則として毎月第2、第4金曜午後6時から研究所で開かれている。

研究者の層の薄い日本人の朝鮮研究の中でも特に解放後の朝鮮の研究はたちおくれた分野であったといえるが、そのため「権威」のいないことが幸してか、却って種々の職業、世代、問題視角を持つ所員がフランクに討論できるような雰囲気がかもし出されている．また、報告・討論の終った後必ず朝鮮についての最近のできごとに関して雑談し知識を交換することが不文律になっている．

報告者についても原則として多少無理でも所外に求めない方針をとっている。現在までに次のようなテーマで研究会が持たれ、毎会10名内外の参加者があった。

- ○第1回　1月25日　スカラピノ論文（世界週報1・20、コンロン報告）を中心としてみたアメリカの朝鮮政策（報告野口肇氏）
- ○第2回　2月8日　内外情勢の変化と日韓交渉の問題点の変遷（軍事政権成立以後を中心に（報告川越敬三氏）
- ○第3回　2月22日　朝鮮民主主義人民共和国の千里馬作業班運動（主に経済的側面から）（報告桜井浩氏）
- ○第4回　3月8日　南朝鮮における新しい局面について（軍事政権の後退をどう判断するか）（報告藤島宇内氏）

当面必ずしも系統だった研究会とすることに固執せず、第4回のようなトピカルなテーマとその背景を示すより長期的な問題を（南北それぞれの経済、政治、日本と朝鮮との関係、国際関係）を適宜にくみあわせて運営して行く方針ですが、研究会でとりあげるべきテーマについての提案をもって積極的に参加して下さるよう所員の皆様にお願いします。それに基づいて、漸次、まとまった仕事が蓄積されて行くように進めて行きたいと思います。（幹事　梶村秀樹）

研究活動レポート　2

連続シンポジウム

「日本における朝鮮研究の蓄積をどう継承するか」の講想

戦後の朝鮮研究出発点は、戦前の研究を否定することにはじまつた。日本が朝鮮を植民地支配していた時は、朝鮮人には自国の歴史を研究する自由が全くなかつたし、日本人研究者も日本の植民地支配を肯定する限界内でしか研究することが出来なかつた。したがつて戦後の、特に若い研究者達が、その否定を自己の出発点としたことは当然である。

しかし研究の進展にしたがつて、戦前の研究の中にも汲み取るべき多くの成果があること、また真に否定し、のり越えるためには何よりも否定すべき対象を十分に知らねばならないことが認識されはじめた。

そのような時期に「日本における朝鮮研究の蓄積をいかに生かすか」というシンポジュウムが持たれた事は実にタイムリーであつたと思う。

このシンポジュウムはすべて「月報」に発表しているので、その内容についてふれる事はさしひかえたい。只この間の幹事会でこのシンポジュウムを今年一杯継続することになつたのでむしろ私なりに感じた今までの問題点を整理して、所員諸氏の御批判、御意見をおうかがいしたいと思う。

まずこのシンポジュウムははじめ1回か2回の予定で出発し、ついに6回もつづいてしまつた。したがつてシンポジユウムも一貫した計画の下に行なわれたのではなくその時々次のテーマを選ぶという事になつた。勿論出来得る限りの関連をもたせはしたが……何といつても場あたり的になつたことは否めない。そこでこれからは従来まだ手をつけていない分野を整理し、たとえば目下予定しているものは考古学（東大教授三上次男氏）、言語学、美術史等々をとり上げ、その後で中国、ソ連、アメリカにおける朝鮮研究の状況をとりあげ、一番最後には、このシンポジュウムの最終目標である、日本における朝鮮研究の蓄積の中から、何を、どのように吸収し、何を否定しなければならないか、即ち今後の研究のあり方、研究者の姿勢について私達なりの結論を出して、しめくくりたいと思つている。

（幹事　宮田節子）

日韓会談問題資料の動向

△幻灯文化社発売のテープ（寺尾五郎吹込）は3月6日現在で56本売れた。△日朝協会と勤視連で製作した映画「日韓会談」は、3月26日現在で75本売れた。

研究活動レポート　3

朝鮮近代史研究会について

朝鮮近代史研究会（仮称）は去る２月２２日、都立大で旗田、幼方両先生を中心に５人の日本人・朝鮮人学生で準備会をもった。

まず、各自が自分の研究テーマ、またはそれをとり組む自分の姿勢等について話し合った。この話し合いの中でとくに感じられた事は、これから朝鮮近代史をとり組もうとしている人は、単なる学問的関心のみからではなく、むしろ、どうしても近代史ととり組まざるを得ないやむにやまれぬ熱情をもっているということであつた。それは研究テーマの選択の中に端的にあらわれている。日本人側の多くは「日韓会談」の進展の中で、一層あらわになつて来た、日本の植民地支配の本質を知らない、または、知ろうともしない所から来る誤まり、あるいは、かつての支配者意識がいまだに日本人の意識の中に生きつづけているという現状把握の中から、それらを打破するために、自らのテーマを選ぶという傾向がみられた。

一方、朝鮮人側は、在日朝鮮人の女性史にとり組みたいとか、あるいは、日本の植民地支配の中で挫折した人びとにスポットをあてて究明したいというテーマによくあらわれているように、自分自身が現在つきあたっている問題の中から、研究対象を選択しているのは興味あることであつた。

この研究は、毎月第三土曜の午後５時から、会場は未定であるが、定期的にもつことになつた。どのような方法で研究会を運営するかについては様ざまな意見が出たが、おそらくはある概説書をテキストとしながらも、その範囲に限定される事なく、自由に研究をつづけて行くことにするだろうと思う。むしろはじめは、近代史の問題点がどこにあるのか、問題の所在を明確にして行くような方法をとることになろう。

この研究会のメンバーの近代史にとり組む姿勢が、おそらくは研究所の所員諸氏の朝鮮にとり組む姿勢と共通しているものと思うので、近い将来近代史研究会の成果を月報に発表して、研究所の活動をより多様なものにして行くと同時に、所員諸氏の参加、あるいは批判を迎いで近代史研究会もより多様に成長して行きたいと思っている。

（幹事　宮田節子）

＜消　息＞

◆楠原利治（所員）　東大大学入学

研究活動レポート 4

ほんやく部会
の
いままでとこれから

1　昨年からひきつづき、ほんやく研究として「現代朝鮮文学選集」（朝鮮作家同盟発行）第一巻中の羅稲香の短篇ほんやくにかかつていたが、2月研究会で一応の訳ができ、3月いっぱいに原文ならびに訳注つきのほんやく文を印刷する予定。予価百円。ぜひ朝鮮語講座のかたがたに買つていただきたい。

なお研究会には2月より在日朝鮮人文芸同の李殷直氏にアシスタントとして出席していただくことになり、ほんやく研究は一段とふかまることと思う。

2、昨年あたりから日本での朝鮮歌曲の流行？はおどろくほどだ。青年たちのあつまり、婦人たちのあつまりで2曲や3曲それがうたわれないことがない。在日朝鮮人をまじえたあつまりや日朝協会関係のあつまりでは以前からのことだが、そのへんにまつたく関係ないところでそういう現象がおきているということは注目していい。そしてそこからおこつてきている要求は、日本人が手軽にうたえる「朝鮮歌曲集」がほしいということだ。ほんやく部会はこれにこたえて、約20曲の朝鮮現代歌曲、民謡などをえらび、楽譜、原詩の日本假名表記、歌の訳、歌の解説などをふくめた、たのしい、役にたつ、そして朝鮮への理解をふかめる内容をもつた「朝鮮歌曲集」を企画編集していたが、メンバーの一員桜井防氏が主としてこれにあたり、4月中には最終原稿ができあがるみこみ。期待していただきたい。

3、もう一つのしごととして、誰にでもわかる、やさしい「朝鮮現代文学史」を発行するよていで、現在準備をすすめている。朝鮮現代文学の生命は一貫して日本帝国主義、アメリカ帝国主義への怒りと抵抗のなかでかかれている。現代朝鮮文学こそフルシチョフの「芸術には平和共存はない」という思想を如実に示した文学ということができる。その観点で「現代朝鮮文学史」を書きたい。

常任幹事　中神秀子）

〈消　息〉

◆新　川　伝　助（理事）　北海道大学へ転任

◆牧　野　内　武　人（会計監査）　タンガニーカで開かれたＡＡ大会出席

◆金　沢　幸　雄（所員）　フンボルト大学で活躍

パンフレット発行について

初版発行から現在まで――

パンフレット「私たちの生活と日韓会談」は、初版発行の１９６２年１２月１５日より第５版発行の１９６３年３月１０日までのわずか３ヶ月間に、約５万４千部が売れ、全国的な好評をえております。

過去１年にわたるこの問題を追究した成果を内容としたことはもちろんですが、「日韓会談」を日本人の問題として理解すべき必要性をつよくおしだし、それが、読む人の側に充分浸透するような形式を考え出したところによく売れた理由があります。つまり、ページを上下２段にわけた、新しい企画が、読者の心をとらえたといえます。（１４ページの読者からの手紙参照のこと）

次に、ちようど安保共斗国民会議が、この問題を正式にとりあげ、運動として全国的なとりくみが開始されていたこと、とくに資料不足（パンフは社共両党と安保批判の会の三種類）の為、統一行動に参加した人をはじめ多くの人びとが、明解なパンフ、学習意欲をかりたてるパンフを求めていたという客観的条件が、よく売れたもうひとつの原因です。研究所の第２回総会以降のパンフレット発行計画の正確さを証明したものでもあります。

さらに、編集――印刷――配布という出版物とりあつかいについて、全くの素人ばかりでとりくんだわけですが、例えば、宣伝問題などを最初、必ずこれを広めてくれるであろうと考えられる、所の関係者や多くのいわゆる「積極分子」をリストアップし、案内を送り依頼するといつた方法をとりました。それが成功へ導いたものとなりました。１、２月は、註文が殺到して、増刷がまにあわず、パンフにあけパンフにくれる有様でした。この間の所員の方がたの努力も並大低なものではありません。但し、全所員が、どのようにこの事業活動に参加したか或は参加すべきであつたかについては、よく反省しなくてはならぬと思います。この３カ月の間に各階層にわたる数多くの人びとと知りあい、同時に研究所の存在を広くアピールすることができました。１５ページ掲載の「講師斡旋一覧」をみればその一端が判ると思います。こうしたなかで、パンフの第２段が必要とされ、更に「テキスト朝鮮近代史」を求める声も届き、出版活動の見通しが定まつてきたのです。しかし、２月末以降の「日韓会談」をめぐる動きが、「私たちの生活と日韓会談」の消化に影響してきました。これをどう打開するか。当面私たちの目にとどかぬところに対してこのパンフを宣伝し、配布しなければなりません。１万５千部の在庫を所員全体で解決しましょう。

朝鮮研究月報配布明

3月25日の現況（No.14を期準に）

所員		83
準所員		8
賛助会員		37
（予定）		11
	計	139
寄贈	日本	50
	朝鮮	16
	外	3
	計	69
交換	日本	39
	朝鮮	15
	計	54

購読（個人）

日本	個人	59
〃	組織	9
朝鮮	個人	33 33
〃	組織	5
	計	106

購読（大口）

日本		96
朝鮮		82
	計	178

（うち未収 108,375.–）

総計	546

《特報》

研究所代表団訪朝の道開く！

最近届いた、朝鮮民主主義人民共和国対外文化連絡協会の宋影委員長より、日朝協会畑中政春理事長（当研究所顧問）宛の手紙によれば、本年度の人事交流計画のうち、日本朝鮮研究所代表団を招請する用意があるといつてきました。要旨は「約5名の代表団を迎えたい。正式招請状は、後送する。」です。

昨年来、学術交流の円満な推進を要請してきた努力がみのつたものと考えそれは、第2回総会で提案、可決された「研究事業活動計画案」の「全面的な学術交流をするため、まず調査・打合せの必要があるので、小人数の代表を派遣するよう受入れ方を要請する。」という方針と合致し、かつ早期実行可能となつたといえるものです。

パンフレットに対する 読者の声

愛情にみちた労作

上段について．

何十回か大衆の前で、大衆の理解度の反応を試しながら行われた講演の成果の結晶のようなもので．まことに全く敬服のほかない見事な説得である。３４ページあたりからテンポが非常に早くなっている。

第一のねらいの説得で理解の基礎、基盤を設定しておいてその上につぎつぎと明快な見透しと断定、バクロを繰返し打出し、そして最後に、ではどうすべきか、どう斗えばよいかを明確に指示してある。人びとの意表をつくような自信にみちあふれた、愛情にみちた（理解を深めるためにわかりよい）労作に対して深く敬意を表します。　（田中良雄）

「日韓会談」のパンフ、大変評判がよいです。ジャンジャン売りますから、新潟も県内連鎖集会をやりますが、私が一応講師になつていますので、集会で売ります。目標は800～1,000部です。処で、わが方は、１部８０円で販売しております。もし新潟県下から直接研究所に注文が行くようでしたら、新潟支部経由で取扱つて欲しいと処理して頂きたいと思います。（日朝協会新潟支部事務局長 佐藤勝巳）

お願いの品．昨日受取りました。

早速ページをくつて読みましたが、序文にある通り、平明で簡潔、とてもよく解るように書かれて居りました。難かしく書かれた書物には苦手の小生には、大きな活字で、読み易く．肩のこらない文章が、有難いものです。

この〝私たちの生活と日韓会談〟を読んで恐るべき資本家どもの謀略を知り、むしように腹立たしさがこみ上げてきて仕方がありません。戦争なんてまつぴらです。少しも早くこの日韓会談が粉砕されるのを願つてやみません。

さて、申込みの際．送料封入するのを忘れ、まことに失礼致してしまいました。ここに切手２０円同封させて頂きます故、どうぞ悪しからずお受取り下さい。

では．民主的．文化的日本への向上のため、貴社の御発展を．心からお祈り申上げて居ります。

（川村　徹）

所内報　NO.3
１９６３年３月３０日発行
発行所　日本朝鮮研究所

講師斡旋一覧 （1月〜3月）

§労仂組合関係

釜石地区労	（2.8）	印南
大町地区労	（2.13）	〃
国公共斗東日本団結大会	（3.9）	〃
全農林労組平和の会	（1.29）	藤島
石川県評労仂学校	（3.9）	〃
文京区労組青年婦人協議会	（1.23）	畑田
全逓労組中央郵便局支部	（1.30）	〃
全農林労組本部	（1.21）	〃
東京都職労中央斗争委員会	（2.22）	〃
全自交新宿交通労組	（2.11,12）	〃
全日自労本部	（2.7）	〃
第一相互銀行労組	（3.5）	〃
鉄鋼労連日本特殊鋼労組	（2.27）	〃
つるみ製鉄所労組	（4.5）	〃
全印総連本部	（1.26）	寺尾
アジア通信社労組	（2.1）	梶村
全逓労組小石川支部	（2.13）	〃
全印総連東京印書館労組	（2.15）	野口
全逓労組西南支部	（2.18）	〃
全逓労組西南地区	（2.19）	〃
練馬区労協	（2.22）	〃
紙パ労連支部代表者学習会	（3.2）	〃
全逓労組婦人部3.8デー集会	（3.10）	〃
全港湾労組港ブロック	（1.25）	（都連）

§民主団体関係

山形県安保共斗会議	（2.19）	寺尾
静岡県富士地区共斗会議	（4.3）	〃
岩手原水協	（2.20〜23）	〃
中国研究所	（2.5）	畑田
墨田区平民共斗会議	（2.5）	〃

川崎学習サークル	(3. 7)	畑田
ジャーナリスト会議	(3.26)	〃
三鷹青年講座	(2. 7)	印南
三鷹青年講座	(2.12)	藤島
港区地域学習会	(2.16)	小沢
千葉県母親連絡会	(3. 3)	野口
鎌倉地区3.3実行委員会	(2.28)	〃
敦賀市民会議	(3. 9)	〃
三鷹の会例会	(2.24)	梶村
§平和委員会		
愛知県平和委員会	(2.26)	寺尾
足立平和委員会	(2.18)	〃
広島平和委員会	(2.25)	〃
北海道平和委員会	(2.5～12)	〃
大宮平和委員会	(3. 1)	〃
川崎平和委員会	(3.29)	〃
静岡平和委員会	(〃)	〃
沼津平和委員会	(〃)	〃
§日朝協会		
日朝協会群馬県連	(1.26)	畑田
〃　栃木県連	(2. 3)	寺尾
〃　仙台支部	(2.20)	〃
〃　福岡県連	(3.13～24)	〃
〃　大阪府連	(2.15,16)	〃
〃　兵庫県連	(〃)	〃
〃　尼崎支部	(〃)	〃
〃　和歌山支部	(〃)	〃
§学校・学生関係		
教育大学民青	(2. 6)	小沢
東京大学民主主義研究会	(1.19)	梶村
津田塾大自治会	(1.23)	畑田
中央労仂学院講座	(3.29)	〃
東京芸大自治会	(1.19)	(都連)
杉並平学共斗会議	(3.29)	(〃)

活字にみる所員の動向

安藤彦太郎（副所長）　「日本読書新聞」　3.18号
　批判の眼が光る――中国詩人の眼に映った明治日本

印南広志（理　事）　「日本と朝鮮」NO.133（3.1）
　朝鮮スケート選手団の入国に際して

小沢有作（幹　事）　「ソビエト教育科学」NO.8（4月号）
　戦前の教育における朝鮮教育の認識

梶村秀樹（幹　事）　「機械工業」1962年
　朝鮮民主主義人民共和国の機械工業

竹内好（常任理事）　「思想」2月号
　学術の国際交流

塚本勲（所　員）　「朝鮮学報」第26輯（1月）
　批判、紹介：碩六三・青山秀夫共篇朝語の学習

寺尾五郎（専務理事）　「学習の友」3月号
　日韓会談と合理化<学習訪問>

中神秀子（常任理事）　「樹木」NO.1
　朝鮮文学の翻訳と私

野口肇（月報編集長）　「全医労新聞」'62.11.5
　キューバから日韓へ

畑田重夫（副所長）　「読書の友」54号
　パンフにみる日韓会談の紹介

畑中政春（顧　問）　「思想」3月号
　思想の自由と統一戦線の形成

星野安三郎（理　事）　「現代の眼」NO.12（'62.12月号）
　平和のなかの冷戦

宮田節子（幹　事）　「朝陽」創刊号
　なぜ朝鮮史を学ぶか

宮森繁（理　事）　「日本と朝鮮」NO.134（2.15）
　"金日成選集"を学ぼう

蝋山芳郎（常任理事）　「現代の眼」4月号
　緊張する極東状勢

和田洋一（理　事）　「思想」3月号
　日本における思想の自由――朝鮮戦争以降の系譜――

訪朝日朝鮮研究所代表団の派遣について

理事長　古屋貞雄

四月三月日の役員会で、朝鮮訪問日本朝鮮研究所代表団の派遣について、次のように決りました。

一、経過　「本協会は　一九六三年に朝鮮研究所代表団約五名を招請しようと思います。正式招請状は後日送ろうと思います。朝鮮研究所代表団は、わが国訪問問題で、昨年同研究所から、わが国の科学院に提起されていたものであることをご参考としてお知らせいたします。　朝鮮対外文化連絡協会委員長宋影」という内容の招請にかんする通知を三月下旬に受けとった。

この招請にこたえるため早急に代表団を編成し、全所的な協力のもと派遣を実現する。

二、派遣のための具体的な準備活動は左の通りである。

㈠ 代表団は学術交流を目的に、日本ではじめて派遣される研究者の団である。昨年末、日韓会談をめぐるはげしい情勢の推移の中で、われわれが果した役割の大きさを自覚し、未開拓ともいうべき日朝間の学術交流の現状を打開し、今后の交流事業の基礎を固め、日朝友好親善を深めることに貢献する団でなければならない。

現在、日朝間の往来のきわめて困難な中で、しかも一九六三年という時期に、創立二年余の研究所に招請がきた点も、全所員がこれを受けとめ、これにこたえることが研究所の発展にとっても意義あるものであるまた、これを機会に研究所が、各学界、各方との接触をさらに深め具体化する必要がある。

㈡ イ、代表団は研究所を代表し、研究事業の現実を正しく反映する、研究所の中心的なメンバー（所員）で構成する。

ロ、団は、日本における朝鮮研究の実情ならびに両国間の文化問題、友好運動の状況等を正しく朝鮮につたえ、同時に朝鮮の学術文化の情況その他を正しく日本にひろめ、こんごの学術文化交流の基礎的な打合せを行うことを任務とする。したがって、各研究分野、世代等を考えた上で強力な団を厳密に編成する。従来の日本からの訪朝団の場合、時として見られた安易な観光的ないし、便宜的な人選にならぬよう細心の注意を払う。

ハ、人数は団員五名、通訳一名とする。

ニ、団員は、所員からの希望者・推せん者のなかから、常任理事会が選考する。

臨時総会を開き、団派遣についての諸事業を全所的に展開する。

㊂ スケジュール

四月二十日　同封アンケートならびに「希望（自薦）推せん（他薦）」のしめきり。

四月下旬　常任理事会（選考委員会）・所員臨時総会で結団

この間、派遣活動を全所的に展開

六月中旬　出発

㊃ 滞在期間は未定であるが、任務遂行に必要な日数を考え、折衝のうえ決める。

渡航方法は、現在可能な方法を採用し、合理的にすすめる。しかし、この点についてだけでも多くの困難な情況があることを考え、全所的な協力体制がつくられねばならない。

右のことを考慮したうえで費用も決定されるが、当面一名三〇万円を目標に派遣基金を集める。

以上

一九六三年四月九日

幼方、(1. そのなかに困難の条件を明示
2. 35万の内容を書き加える.

日本朝鮮研究所代表団を朝鮮へ派遣するにあたって

わが国における朝鮮研究は、戦前の植民地支配の必要性にもとづく特殊の研究以外は、いちじるしいたちおくれをもっていました。日本人の立場からの朝鮮研究の水準を高めることを目指し、日本朝鮮研究所が創設されてからようやく一年余りが経過したばかりですが、今回、朝鮮民主主義人民共和国科学院は同国対外文化連絡協会を通じ当研究所代表団を招待する旨の連絡をしてまいりました。われわれとしてはこの招待を感謝をこめて検討した結果、つぎのような所員による代表団を送ることにいたしました。

日本と朝鮮とは、地理的にいちばん近い関係にあるのみならず、文化的にもまた芸術面においてもきわめて深いむすびつきがあります。にもかかわらず、現状は、人為的な障碍のため、学問の相互交流はけっしてめぐまれた条件におかれていません。その意味で、今次代表団は、両国の学問各野における今後の接触・交流の道をきりひらくと同時に、相互の協力体制の基礎づくりをするという重要な使命をおびているわけであります。この任務は、ひとり当研究所や代表団員の力だけによっては遂行することができないほど重いものだと考えます。ひろく皆さんのご協力とはげましがなければ、この派遣運動は成功をおさめることができないでしょう。

前述の不幸な幸情のため、平壌に行くには、香港、北京経由のコースをとることを余儀なくされています。そのための旅費、準備費、帰国後の報告活動費など、出費もかなりかさむことが予想されます。先方への連絡希望事項、手渡すべきみやげ品などを遠慮なく当研究所までおもちこみ下さることを望むとともに、基金カンパニアにもひろくご協力下さいますようお願いいたします。カンパ額目標は、一人三十五万円、計約二百五十万円と予算をたてています。なお派遣によせっての各学会その他研究機関などの要望、希望、注文などをうけたまわるために、代表団員との懇談会などをご計画いただけますときには、よろこんで団員がお邪魔いたしますことを申し添えて、

ご後援かたがたお願いに代えさせていただきます。

1963年5月1日

日本朝鮮研究所

団員名簿

古屋貞雄　（理事長）
日中友好協会本部顧問、AA連帯委理事
日朝協会副会長

寺尾五郎　（専務理事）
日朝協会常任理事
A・A連帯委員会常任理事
アジア・アフリカ研究所所員

安藤彦太郎　（副所長）
早稲田大学教授　現代中国学会常任理事
中国研究所理事

畑田重夫　（副所長）
日本国際政治学会幹事
アジア・アフリカ研究所所員
労働者教育協会常任理事

川越敬三　（幹　事）
ジャパンプレス~~社~~サービス記者

小沢有作　（幹　事）
国民教育研究所研究委員

菅野裕臣　（幹　事）

訪朝にあたつて

訪朝代表団々長　古屋貞雄

今年の3月、わが研究所に、朝鮮から招待の意が示されてから、4ヶ月の準備の上で代表団はやつと出発することになつた。

この4ヶ月の間に、研究所と代表団は、日朝学術交流の課題につき、多くの経験をし、さまざまのことを学んだ。

いうまでもなく、わが団は、研究所を代表するとともに、広く、今後の日朝間の学術交流を実現すべく、その基礎的な諸問題につき朝鮮側と懇談するという希望をもつて訪朝するのである。

だが一口に、日朝学術交流と言いはするが、それは、欲する人が欲する日からすぐはじめられるほどに、しかく単純なものではない。早い話が、学者の交流といつても、往来の自由はない。日本からはなんどか出かけても、朝鮮の学者を呼べないのでは交流ではなく、一方的なおしかけである。この不幸な事態は日本の責任である。この不都合な事態の上でなされる交流とは、そもそも、いかなるものであり、いかなる必要があり、いかなる意義があるのか。このことに関し、日本の側に、よほどしつかりとした根本理念が定つておらないと、事は志とたがう結果にならぬとも限らぬ。このことなくして、ただ、資料を送れ、もつと詳しいものを送れ、もつと沢山送れなどと要望するのは、思いあがりであり、学問の世界における大国主義態度と言えよう。

代表団は数次の団会議の結果、次のようなことがらを確認した。

1. アジアの平和を乱し、諸民族の独立を脅やかし、諸民族間相互の自由な人事・経済・学術・文化の交流を妨げ、アジア人同士を反目させている勢力・政策・思想に対し、断固たる斗いをすすめるために、日本・朝鮮・中国等の学者・研究者・知識人の連帯・経束を固め合うという共通の基調の上に、はじめて学術交流が可能となるし、また生きてもくること。

2. 同時に、日本と朝鮮の歴史的な関係の特殊性について、正しい理解ときびしい内省を必要とすること。

1. その上で、交流事業は、巾の広さと、奥の深さと、鋭さとをもたねばならぬこと。知りたいとの欲求を充たし、好ましいとの愛着に答え、かくあるべしとの意慾に応ずるもの、この知・情・意をあわせ行なわねばならぬこと。

このような態度をもつて、朝鮮側の意向を十分に聞き、隔意のない懇談をしたいとわれわれはねがつて出発するものである。

かつて仏教を介して日・朝・中の間にきわめてさかんな文化交流が行われた古代に

山川、域を異にすれども

風月、天を同じうす

諸々の仏子に寄せて

共に来縁を結ばん

なる詩句が、日本の僧によつて記されていると聞く。年月は１２００年を距てるも、共通の目標に「来縁を結ばん」とするわれわれ「天を同じうす」る者の、新しい学術文化交流の思いは、これと変わるものではない。

この４ヶ月の間、代表団は、哲学・歴史学・経済学・国際法・教育学・物理学・気象学・農学・地質学・美術・医学・薬学等々の分野での団体・個人との接触を積みあげた。また、朝鮮学会・東洋文化研究所・歴史学研究会・国民教育研究所・アジア経済研究所・ユネスコ東アジア研究センターをはじめ各種の研究機関ならびに学術会議、国立国会図書館などと接触した。在日朝鮮人の学術団体の意見も聞いた。

特徴的なことは、一般に各分野での交流の要望は意外に強かつたこと、しかし、日朝間の学術交流が現在どのように不自由で不自然な形のまま放置されているかについての認識がきわめて不足していることであつた。

また、概して、日朝間の学術交流が根本的にはどのような態度でなされるべきかについての真面目な思索が、自然科学の分野の人々の中で深められており、これに反し意外にも社会科学の分野の人々の間ではこの問題が素通りされている傾向がめだつた。

代表団に寄せられた多くの財政的支援について、代表団を代表し、紙上をかりて心からお礼を申しあげたい。日朝学術交流と研究所とに対する一般の支援が、いかに大きいものであるかを、今さらの如く痛感させられるものがある。このうち、一口５０

円未満の小額の応援が、総計実に3,825口あつたことを思うとき、われわれはただ大衆的支援の力の偉大さとその尊さの前に、深く頭を垂れるものである。この大衆的支援と結びつくことなしに、いかなる民間研究所活動があり得るであろうか。われわれが、3、4の有力者にたよらず、計約5,000口の募金に依拠したことで、この5,000人の人々に、日朝学術交流の現状と、日朝間の不正常な関係について、関心を呼びさまし、注意をたかめたのである。

代表団の派遣が、わが研究所にとつて、一つの飛躍的な発展の契機となり得る情況がある。ここで研究所が一伸びも二伸びもするかどうかは、かかつて、代表団の仕事ぶりと、それを送り支えかつ迎える所全体ならびに関係者全体の努力の如何にもよる。

われわれは重い責任を感じている。変わらざる御支援を心から期待するものである。

所員臨時総会 1963年5月2日

5月2日、午后2時30分より所員臨時総会を参議院議員会館で開いた。訪朝代表団の派遣問題を中心に、活発な討論が行われ、左記のような事項について決定した（当日の議長は旗田巍副理事長で）

①経過報告（寺尾五郎専務理事）

3月下旬、朝鮮民主主義人民共和国の対文協を通して、研究所代表団を約5名招請するとの連絡をうけ、直ちに合同役員会（常任理事会・幹事会）を開き、この問題について検討し、代表団派遣のための諸原則について決め、「お知らせとお願い」ならびに「アンケート」を全所員に配布しました。4月20日までに多数のアンケートならびに自他薦の文書も事務局に届けられました(旗田巍副理事長に圧倒的多数の推薦が集り、この他、寺尾、畑田、安藤、川越、小沢、宇田、梶村、藤島、四方、玉井、木元等の所員が推薦されました)。これを4月22日の選考委員会（常任理事会がこれに当るということは合同役員会で決定）で慎重に討論した。推薦書の通り、多くの所員がおす旗田副理事長を団長として訪ずれてもらうべく、事前の努力も行ったが、副理事長は主治医より国内旅行も差しとめられているような体の具合を考慮され、次回、健康体となって所を代表して訪問されたいとの意向が示されました。そこで合同役員会における団の性格規定と些かニュアンスがかわらざるをえない状況となり、改めて、朝鮮側の招請内容を検討した上で、所を代表する中軸メンバーあげて団を編成し、その性格を学術・文化交流の基礎的な道をきりひらくための団とすることにした。具体的には理事長、専務理事、副所長は必ず団に参加することは決めた。そして、以下の7名を団員として選考した。

（承認）

②決定された団員

団員は古屋貞雄、寺尾五郎、安藤彦太郎、畑田重夫、川越敬三、小沢有作の6名。なお、随員兼通訳として菅野裕臣を加えることに決定した。

この団の編成に対して、幼方幹事か提案された団員名簿を完全に賛成する。とくに第1回目の団だけに、こんごの交流の円滑ならんことを折衝し、話しあうことが重要であり、古屋理事会を中心に選ばれたことは、そのいみから妥当である。また、旗田副理事からも議長の座をおり、古屋理事長の訪朝をたたえ、こんかいはこまかな［以下欠］

所内報

日本朝鮮研究所

No.4　1963.5.20

目次

総会報告　1.

訪朝代表団派遣活動に関する協力要請　6.

朝研かぞえ歌　7.

所日誌　7.

受贈誌紙目録　8.

古屋理事長を団長に訪朝代表団員七名決定

——朝鮮側の招請にこたえてただちに全所的な派遣活動を——

５月２日午后２時より参議院議員会館で、臨時所員総会を開き、訪朝代表団の派遣について熱心に討論、次のような結論をえたので報告いたします。（当日の議長は旗田巍副理事長）

Ⅰ　訪朝代表団派遣について

①　経過報告（寺尾専務理事）

３月下旬、朝鮮民主主義人民共和国の対文協を通して、研究所代表団約５名を招請するとの連絡をうけ、ただちに、合同役員会（常任理事会・幹事会）を開き、この問題について検討し、代表団派遣のための諸原則について決め、「お知らせとお願い」ならびに「アンケート」を全所員に配布した。４月２０日までに多数のアンケート・自他薦の文章が届けられ（旗田副理事長に大多数の推せんが集り、この他、寺尾・安藤・畑田・川越・小沢・宮田・梶村・藤島・四方・玉井・木元等の所員が推せんされた）２２日の選考委員会（常任理事会）で慎重に討論した。推せん書の示す通り、旗田副理事長を団長として訪朝してもらうべく事前の努力をつづけたが、副理事長は主治医より国内旅行も禁止されているほどの健康状態を考慮され、次回訪朝を期したいという意向を示されたため、再度、朝鮮側の内容を検討した上で、今回は所を代表する中枢メンバーあげて団を編成し、その性格を学術・文化交流の基礎的な道をきりひらくための団とした。具体的には、理事長・副所長・専務理事全員は必ず団に参加することに決めた。そして、次のような7名を選考決定した。　《承　認》

②団員名簿発表（寺尾専務理事）

理事長	古屋貞雄
専務理事	寺尾五郎
副所長	安藤彦太郎
〃	畑田重夫
幹　事	川越敬三
〃	小沢有作

このほか、随員通訳として菅野裕臣幹事を加えることに決定した。

この団編成に対して、幼方直吉幹事より、提案された団員名簿を完全に賛成する　とくに第1回目の団だけに、こんごの交流の円滑を期するための政治的な問題を折衝し、話し合うことが重要であり、古屋理事長を中心に選ばれたことは妥当であるとの支持発言もあり、全員一致で承認された。《議長より団員紹介》

③団規約の提案（川越敬三幹事）　《承　認》

第一条　（名称）本団は訪朝日本朝鮮研究所代表団と称する。

第二条　（目的と任務）本団は

1. 日本における朝鮮研究の実情ならびに日本朝鮮研究所の現情と意義を正確に伝え、
2. 朝鮮の南北分断という状況の中における、社会主義建設と学術文化の情況を正しく日本に伝え、今後の学術交流事業の発展のための基礎的な打ちあわせを行い、真の友好・連帯と尊敬の精神にもとづいて相互の研究事業活動の発展に資する。

第三条　（性格と構成）本団は

1. 日本朝鮮研究所が派遣する代表団であり、日本朝鮮研究所がすべての責任を負い、団は所の指示に従う。
2. 本団の構成は次の通り

団長	1名
秘書長	1名
団員	4名
随員	1名

3. 団役員は所が任命する。

第四条　（団員）

1.団の成員は、訪朝日本朝鮮研究所代表団の目的と任務に忠実であり、団規約に従って行動する。

2.団長は団を代表し、団員を統轄する。

3.秘書長は団長を補佐し、本団の団務の処理にあたる。

4.団員は適宜に業務を分担する。

第五条　（団会議）

1.団会議は、全団員をもって開き、訪朝に関する行動計画、予算、決算、人事をきめ、あわせて任務遂行のための学習も行う。

2.団会議は、団長が召集する。

3.団会議における発言権は全団員平等であり、全員一致を原則とする。

4.国内（出発前、帰国後）では定期的に開き、訪朝期間中は、一つの行動の前後に必ず開く。

第六条　（団財政）

1.団の財政は、研究所の派遣基金による。

2.ただし、団員は派遣基金募集については、一定額の責任をもち、募金活動の中心となり活動する。

第七条　（随員）

1.随員は通訳を兼ね、団の指示に従い、実務を行う。

2.随員は団財政で派遣する。

3.随員は団会議に出席することができる。

第八条　（団の解散）

1.本団は、訪朝の任務を終え、帰国後一定の仕事を行い、解散する。

2.本団の解散については団会議で決め、研究所の承認を得なければならない。

第九条　（付則）

1.この規約は所の承認なしに改めることはできない。

2.この規約は１９６３年４月２６日より発効する。

④団役員の任命（旗田議長）

団規約にもとづいて次のような団役員を決定した。

団　長　　古　屋　貞　雄

秘書長　　寺　尾　五　郎　　《承　認》

任命に対して団長より力強いあいさつが行われた。

⑤派遣活動方針案（畑田重夫副所長）

イ．派遣基金カンパ活動について

所員全体の問題としてとりくみ、第２次、第３次訪朝団のための先例を、つまり、所がおくり出すという原則をうちたてることをはっきりさせ、ひろくカンパを訴え、次の通り目標を達成するように努力する。

(1)代表団派遣募金の目標総額　２５０万円

(2)団員としては、／名３５万円を目標にとりくみはじめるが、所としては目標をつぎのように決める

所員／名　５.０００円以上

このカンパ活動のために、所員／名に「私たちの生活と日韓会談」を５０部配布するので、活用する。

カンパ活動は、所ならびに後援会で作成する「訪朝日本朝鮮研究所代表団派遣についてのお願い」＝主旨と名簿と募金帳を配布し、所員はこれをもって行う。大口カンパ者に対しては、『朝鮮通覧』『写真帖』を贈り、募金に応えたすべての人びとと共に、朝鮮認識を深めるための活動を行い、自由往来実現のための一事業であることを明らかにする。

(3)募金の事務局結集は当面第／次を５月末日、第２次を６月／０日とする。

ロ、代表団員はそれぞれ、日本における研究活動の成果をまとめて報告書を作成し、持参する。

ハ、渡航まで、国内の各学界、研究所・団体等とひろく接触し、意見交換を行い、かつ、団に対する要望をまとめる。とくに団の性格上この仕事は重要であり、所員がこれに協力しなければならない。団はただちに交流計画をたて実行する。　《承　認》

⑥　訪朝代表団派遣のための活動を展開し、円滑にこの事業を遂行しなければならない。そのために、事務局体制を強化する必要がある。そこで、随員に選ばれた菅野幹事が訪朝問題に関する実務を担当する臨時事務局員として専任することに決定された。

全所員の協力で在庫パンフを一掃し、新篇パンフを成功させよう

Ⅱ．当面する所活動の問題について（木元事務局長）

①　昨年／２月末以来、パンフレットを発行し、日韓会談反対運動のなかに、ひろく配布した。そして日本人の立場から問題を考え追求し日本人の責任において問題解決にとりくむという方向を明確にし、運動全体を強める役

割を果した。数字でいえば、7万部印刷し、現在までに5万5千部消化した。上下二段という新形式と、適確・明瞭な主文と厳密な註釈文とをもつ内容とが、一般の人びとに理解され受けいれられ、運動の波にものり、いわゆるかくれたベストセラーになったのである。しかしながら3月末の南朝鮮における朴軍事政権の動揺と、マスコミによるそれに対する過大な報道、そして続いてはじまった地方選挙によって、この問題が、時と主題から後退するとともに、パンフレットの消化率も下降線をたどり、停滞気味のまま今日に至った。現在約1万5千部が在庫している。

さて、印刷費は総額120万9千7百10円で、支払残額が63万8千940円となっている。未収金が約40万、在庫総額が約60万（1部40円として）円であるから、未収金の回収と在庫本の消化がどうしても必要なこととなっている。過去5ヵ月間の所財政を支えた経験を尊重しつつ、当面する財政上の克服すべき状況を全所員の協力で打開しなければならない。したがって、所員1名が50部を受けもち消化するように決定したい。運動に対し大きな影響を与え、所の将来の進むべき方向の一端を学びえた成果が、この残部消化問題でつまづき、うち消されることのないよう全所員に呼びかける次第である。

《承　認》

② パンフレット「日本の将来と日韓会談」の編集発行が予定より遅れているが、「私たちの生活」の段階から「日本の将来」を展望する段階へ理論を発展させる時期にきている。で、早急にまとめることが重要である，とくに日朝協会全国大会が6月1、2、3月に開かれるが、それにまにあわせ、その大会で配布し、全国の活動家とより密接に結び合う必要がある。さらに「私たちの生活と日韓会談」の財政的停滞をこの二冊目発行で打開するようにしたい。

《承　認》

③ 当面の所の運営上いくつかの問題をかかえているが、「朝鮮研究月報」の編集発行体制が十分でないので、改善強化を計りたい。　《承　認》

いま北朝鮮でよくうたわれている歌　"천리마 달린다"

백전 백승 로동당 새 시대를 열었다
천리마의 가상을 온 세상에 떨치자
어서 가자 빨리 가자 천리마 타고서
칠개년 계획을 앞당겨 나가자
에 헤 에야차 에야차 공산주의 새 언덕이 저기 보인다!

《懸賞》この歌に日本語の訳詩をつけて下さい。優秀作には歌集を贈呈！

訪朝代表団派遣活動に関する全所員各位への協力要請

臨時総会の決定にもとづき、派遣活動を展開するにあたり、次の諸点について協力をお願いいたします。

第一、全所員が、派遣活動に参加すること。とくに1名5千円以上の派遣基金カンパ活動を行うこと。

第二、基金カンパ活動のため「訪朝日本朝鮮研究所代表団派遣についてのお願い」（募金帳）を活用し、1部で10人記名できるから、金額の大小を問わず、ひろく訴える。用紙不足の際は事務局へ申込むこと。

第三、総会決定のパンフレット「私たちの生活と日韓会談」を所員1名につき50部を送付するので、基金カンパ活動に運用すること。なおこの代金（2千五百円）は、前記5千円の割当額に含まれたものであるから、別にパンフ代として納入する必要はない。つまり、募金者へのお礼として使用しても可、また、販売しても可、但し、販売した場合も基金カンパ分として納入していただく。

第四、募金の納入は、5月末を第1次として以下、集った分から事務局へ集中していただきたい。

第五、団員または事務員が同行して募金活動にまわっていただけるならば、日時をおしらせ下さい。この点よろしくお願いいたします。併せて募金活動推進のための良いアイディアやプランもどしどしお寄せ下さい。

次に、学術・文化交流のはし渡しのために訪朝する最初の団であることから、日本国内の学界（者）、各研究機関、団体等と幅広い接触を行い、みのり豊かな訪朝成果をねがっています。そこで、できる限り、所員各位の関係している、それぞれの専門分野の方々や、研究機関に紹介して下さい。また、資料交換や朝鮮に対する要望などまとめて下されば幸いです。とくに自然科学分野は当研究所の生いたちをみれば判るように、全く弱い分野であり、団は可能な限り、この分野における現状や成果をぜひともむこうに持参したいと考えていますので、ご協力を願う次第です。

最後にお土産としてもっていくものに、学術文献等を中心に考えています。朝鮮へ持って行くべきものでお気付きのものがありましたら、文献名、発行所、寄贈を受けられるか、購入しなければならないか等を詳細にご連絡下さるようお願い致します。

6

朝研かぞえ歌 —— 川越敬三作詞

一つとせ　東の朝風背に受けて、進むわれらの研究所（そいつあ豪気だね）
二つとせ　双葉のうちから香しい湯島の丘の白梅か
三つとせ　見ればみるほど好い男ばかりそろった賛助会
四つとせ　読んでひざ打ち売り歩きベストセラーがまた一つ
五つとせ　いつも追われる金策に青息吐息はうわべだけ
六つとせ　むかしの歴史いまのこと、わからぬことはなにもない
七つとせ　七階建でホール つき、文化会館の青写真
八つとせ　やれば出来るぞやりぬくぞ、六十の手習い朝鮮語
九つとせ　心をつなげ手をつなげ、日韓会談ぶちこわせ
十とせ　遠くされてる隣国に、わたそう平和のかけ橋を

所日誌

4/2日　震災記念堂見学参加
3日　合同役員会（常任理事会、幹事会）
5～7日　常磐炭鉱地帯における朝鮮人労働者殉難者の現地調査
8日　編集委員会
9日　在日朝鮮人殉難問題に関する三団体会議
12日　現代朝鮮研究部会「新しいアメリカの極東政策」（畑田）
13日　殉難史委員会
16日　第三回幹事会。翻訳委員会
20日　朝鮮近代史研究部会
22日　常任理事会（選考委員会）
25日　現代朝鮮研究部会「最近の北朝鮮」（相手）
26日　シンポジウム日本における朝鮮研究の蓄積をいかに生かすか第七回（ゲスト河野六郎氏）
30日　「朝鮮研究月報」四月号発行
5/1日　メーデー
2日　所員臨時総会（参議院議員会館）
2日　日朝友好と民族教育座談会参加（小沢辻本）
3日　第三期朝鮮語初級講座開講
5日　第二回訪朝代表団会議
7日　関東大震災問題座談会（日朝主催）に参加
8日　帰国船新潟歓送（寺尾）
　　アジア・アフリカ講座打合会
9日　日朝都連中北ブロック会議（朝研支部より参加）
10日　現代朝鮮研究部会「進展する日韓経済協力」（奥村）
　　天理市にて朝鮮学会幹部と寺尾専務理事と懇談。訪朝代表団に関し全面的協力の確約をえた。なおこれには四方副理事長が同行した。
11日　中国研究所総会へメッセージ（畑田参加）
12日　朝鮮人殉難者問題埼玉県本庄市の現地調査に参加
15日　アジア・アフリカ講座第一部開講
16日　訪朝代表団会議
　　天理教真柱中山正善氏と寺尾専務理事は東京本宅にて歓談。このたびの訪朝に対し応分の援助を行いたいとの話があった。
17日　殉難史委員会

7

研究会一覧

現代朝鮮研究部会　毎月2回。第2、4金曜．P.M.6.　研究所
朝鮮近代史研究会　毎月1回。第3土曜．P.M.6.　大安会議室
翻訳委員会　毎月2回。隔週火曜　P.M.6.　研究所
「教育学」輪読会　毎月2回。隔週火曜。P.M.6.　研究所
「朝鮮通史」輪読会　毎週1回。土曜日。P.M.6.　研究所
教科書「国語」輪読会　毎週1回。水曜日。P.M.6.　研究所
第三期朝鮮語初級講座　毎週2回。月、金曜。P.M.6.　社会福祉会館
殉難史委員会　不定期
アジア・アフリカ講座（共催）　第1部　毎週水曜（6月5日まで）、P.M.6.
参議院議員会館
第2部　毎週3回。月.水金．P.M.6.
中国研究所会議室

朝鮮科学院よりの受贈誌紙目録

下記の定期刊行物が航空便で朝鮮民主主義人民共和国より届けられています。所員のみなさんのご活用をお願いいたします。

《雑誌》

朝鮮文学	歴史科学	経済知識
朝鮮芸術	文学研究	人民教育
朝鮮女性	哲学研究	科学院通報
朝鮮語学	経済研究	勤労者
言葉と文学	党事業	労仂者
文化遺産	考古民俗口伝文学	

《新聞》

労仂新聞	文学新聞	祖国統一
民主青年	民主青年	農民新聞

日朝協会第8回[illegible]全国大会　6月1.2.3日　東京全電通会館で開催。

所員で傍聴したい方は朝研支部へ申しこんで下さい。傍聴大歓迎です。

訪朝代表団より研究所宛通信　一九六三年八月五日

暑さのきびしい毎日が続いておりますが、みなさま方には、おかわりなく御健勝にてお過しのことと存じます。

みなさま方の力強いご協力によつて、当研究所の「訪朝・訪中代表団」古屋貞雄、安藤彦太郎、寺尾五郎、畑田重夫、川越敬三、小沢有作の六名は、七月二十八日正午羽田発のルフトハンザーで元気よく旅立ちました。約一ケ月半に亘る訪問旅行では、「日本における朝鮮研究の実情ならびに日本朝鮮研究所の現状と意義を正確に伝え、今後の学術交流事業の発展のための基礎的な打ちあわせを行い、其の友好・連帯と尊敬の精神にもとずいて相互の研究事業活動の発展に資する」（団規約第二条）ために全団員が最大限の努力を払うと誓つて出発しました。そして香港・広州・北京と快適な旅をつづけ、早くも八月した。

団員一同の元気な姿をお届けするとともにみなさま方のお力添えに対し、心からのお礼を申述べる次第です。

渡航申請を行つてから一ケ月有余、招待状を受けとつてから約四ケ月、数多くの困難にあい、苦労もいたしましたが、そのあとをふりかえり朝鮮への道のけわしさ、きびしさを再確認いたしました。いよいよもつて、朝鮮との自由往来を実現するための事業が、いかに重要であるかについても教えられました。わたしたちは、学術文化交流の諸活動を通して、人為的につくられた往来不自由の壁をうち破るための仕事に参加する必要に迫られていると考えます。代表団の活躍を期待するとともに、それに呼応しつつ、研究所の発展を願う諸活動をよどみなく進めて参りたく存じます。

右かんたんながら御報告とお礼まで
みなさま方の御健康を祈りつつ　敬具

一九六三年八月五日

香港より第一信　一九六三年七月二九日

〝香港より第一信〟

盛大なお見送り有難うございました、お蔭様で古屋団長以下六名無事香港に到着しました。連絡がよろしかつた証拠に空港には中国旅行者の鐘さんが出迎へてくれました。空の旅は極めて快適でした。ホテルは金門ホテルですが、水がないのには閉口しています。

昨日は八・六大会に出席する予定の中国代表の一部の方に会いました。又中国訪門を終へて帰国の途次同宿している建設産業労組代表団とも観談しました。今月（二九日）か明日いよいよ中国へ入る予定です（二日）

〝北京より第二信〟

二日ピョンヤンヘタツヨテイ　フルヤ

〝平壌より第三信〟

ミナゲンキデツイタ　フルヤ

一九六三年八月二日、日本朝鮮研究所訪朝代表団平壌到着記事と写真（次頁）

朝鮮 訪問 日本 朝鮮 研究所 代表団 平壤에 到着 8/6

【조선 중앙 통신=조선 통신】조선 대외 문화 련락 협회의 초청에 의하여 우리 나라를 방문하는 일본 조선 연구소 대표단이 2일 오후 공로로 평양에 도착하였다.

대표단은 일본 조선 연구소 리사장 후루야 사다오를 단장으로 하고 전원 6 명으로 구성되여 있다.

이날 저녁 조선 대외 문화 련락 협회 서 철 위원장은 대표단을 위하여 만찬회를 배설하였다.

※日本 朝鮮 究研所 (리사장 古屋貞雄)는 1961년 11월에 창립되였다.

이 연구소는 일본 인민 자신의 손으로 인민적 립장에서 조선에 대한 전반적인 연구를 하며 그것을 일본 인민에게 소개하고 있다.

Photo. No. 4. Pyongyang. [illegible]
The delegation of the Korean Affairs Institute of Japan arrived in Pyongyang this afternoon by air at the invitation of the Korean society for cultural relations with foreign countries.
The six-member delegation is led by [illegible], President of the Korean Affairs Institute of [illegible].

1963年８月20日、金日成首相と訪朝代表団の接見記事と写真（次頁）

조선 신보 No 2390
8/23

김 일 성 수 상 께 서

日本《일본》 朝鮮《조선》 研究所《연구소》 代表団《대표단》을 接見《접견》

【조선 중앙 통신=조선 통신】 김 일성 수상께서는 20일 오후 우리 나라에 체류하고 있는 일본 조선 연구소 대표단을 접견하였다.

접견 석상에는 일본 조선 연구소 리사장 후루야 사다오를 단장으로 하는 대표단 전원이 참석하였다. 조선 로동당 중앙 위원회 국제부장 박 용국 동지, 조선 대외 문화 련락 협회 위원장 서 철 동지가 이에 동석하였다. 석상에서 수상 동지는 대표단 성원들과 친선적인 담화를 나누었다.

Photo No. 36. Pyongyang. Aug. 20. KCNA.
Premier Kim Il Sung received this afternoon the delegation of the Korean Affairs Institute of Japan led by Sadao Furuya, President of the Institute, now staying in our country.

彙報

当研究所訪朝団全員
金日成首相と会見

平壌２０日発朝鮮中央通信によれば「金日成首相は２０日午後、朝鮮滞在中の日本朝鮮研究所代表団と会見した。席上には、古屋貞雄理事長を団長とする代表団全員が参席した。またこれには労働党中央委員会朴容国国際部長、朝鮮対外文化連絡協会徐哲委員長も同席した。席上、金日成首相は代表団となごやかな談話をおこなつた（ＫＮＳ＝東京）」とのことです。７月２８日、羽田より出発した団員一同元気で、訪朝の旅を続け、多大の成果をおさめ、８月２３日北京へ到着したことを報告いたします。

関東大震災４０周年記念
朝鮮人犠牲者慰霊祭第２回実行委員会の報告

９月１日１２時より日比谷公会堂で慰霊祭を行うが、この成功のため、８月２日第２回実行委員会を開き次のことがらを決定した。研究所からは渡部幹事が出席した。

(1) 慰霊祭の内容については次のとおりとする。

イ　開会、全員による献花

ロ　黙　禱

ハ　実行委員会代表挨拶

ニ　来賓並びに各界代表挨拶

ホ　朝鮮人虐殺および経過報告、地方報告

ヘ　追悼の言葉

ト　大震災の思い出

チ　映画「日本海の歌」上映

(2) 慰霊実行委員会はつぎのような構成とする。

代表委員・・・若干名で常任実行委員会で推せん決定する。

常任実行委員会・・・羽仁五郎、穂積七郎、塩田庄兵衛、青山良道、国民救援会、日朝協会、日朝貿易会、日本宗教者平和協議会、総評、社会党、共産党、東京地評、民青、婦人団体

現在実行委員会は、個人７１名、３４団体ですがさらに各界各層にうつたえて、実行委員をふやしていく。

(3) 宣伝は、とくに大切であるから、とりあえずリーフレット、ポスター、〝ハガキ報告〟を大量に運用する。

(4) 予算については、つぎのとおり。（略）

彙報

○　当研究所訪朝・訪中代表団の帰国

代表団は９月１３日全員帰国、直ちに報告講演活動にはいつた。研究所主催の報告会は、９月２６日夜、一ツ橋学士会館で開催した。１３０余名の参加をえて、盛会であつた。すでに、研究機関、学校、労組、民主国体等で１０数回の報告がおこなわれた。北京で結ばれた三国学術共同声明は、中国研究所の「アジア経済旬報」に全文発表され、「日本と中国」や、中国学術代表団歓迎実行委の機関紙にも報ぜられている。

○　日朝往来自由実現連絡会議結成

去る８月２８日、日朝協会、日朝貿易会をはじめ、政党・労組・民主団体等が参集し、日朝間の往来の自由を実現するための共同行動の組織として、連絡会議を結成した。１０月２１日には東京で全国会議をひらき、運動をいつそう強力にすすめることになつている。

○　朝鮮語第２期中級講座開講

９月４日より当研究所主催の中級講座をはじめた。月曜と木曜の週２回で、講師とテキストは次の通りである。

月曜：菅野裕臣　　初級学校六年用「国語」

木曜：梶井　渉　　朝鮮近代革命運動史

この他火曜は隔週毎に、文学研究会と「教育学（大学テキスト）の輪読会、毎週火曜夜「朝鮮通史」、毎週水曜夜「国語（小学５年用）」の学習会がひらかれている。

○　在日朝鮮人の人権を守る会結成

９月２１日、発起人総会がひらかれ、正式に、結成することを決めた。事務所は参議院の稲葉議員の部屋におき、最近再び惹起されている朝鮮中高生に対する暴行事件の調査活動を中心にひろく国民へ訴えていくことになつている。

アンケートのおねがい

「朝鮮研究日報」編集長　渡　部　学

研究所創立以来つづけてまいりました〃朝鮮研究月報〃も20号を数えるようになりました。

日本人の立場から過去の日本と朝鮮の不幸な関係をみつめ、正しい朝鮮認識を確立して行くため、所員一同がんばってまいりました。今、所内では、現代朝鮮研究部会をはじめ各種の研究活動が活発に行われ、又、朝鮮語講習会をはじめ公開講座にもとりくんでまいりました。又、此度朝鮮、中国科学院より招待を受け、日・朝・中三国の学術交流のため彼地に参りました六名の使節団も、八月三十一日、北京にて日、朝・中三国の学術交流に関する共同声明に調印し、無事その大任を果して帰ってまいりました。わが研究所もこれを契機に更に研究内容を多彩に深めてまいりたいと思っております。

つきましては、今後の月報を更に充実させていくため、続者各位の忌憚なき御意見をおきかせいただきたいと思い、アンケートをお送りいたします。御回答のほどよろしくおねがいいたします。

一九六三年九月二十五日

読　者　各　位　　殿

（ハガキ送り先）　文京区湯島四の十八

日本朝鮮研究所

電話　813-二四二七　812-〇三六二

≪彙　報≫

○十月は帰国した訪朝・中代表団の報告活動は活潑に展開され、その回数８０余回に及びました。これからも、要望に応えて団員一同積極的にとりくむよう決意をかためています。なお、成果のいくつかは、新聞、雑誌に発表されましたが、朝鮮研究月報別冊ならびに単行本でまとめて発表すべく計画しています。

○１０月１８日、訪朝団後援会の上原専録・中島健蔵・福島要一・岡倉左志郎・旗田巍・矢川徳光の諸先生と代表団の懇談会・また在日朝鮮人科学者協会の方々とも懇談会をもった。

○朝鮮対外文化連絡協会より、このたび５００冊にのぼる図書の寄贈を受けた。報告とあわせて、感謝の意を表する次第である。

○当研究所創立2周年第二回総会は、来る１２月１１日（水）に東京で開催することに決定した。

日本朝鮮研究所創立二周年を迎えて

1961年11月11日、日本朝鮮研究所を設立してより、はや2年の歳月がすぎた。

日本人の立場から、日本人の手で研究をすすめ、その成果を日本人のなかに生かしてゆこうとの決意をもつて、この2年間、精いっぱいの努力をつづけてきた。朝鮮にたいする日本人の関心が高まり、とくに学術文化界が、かつての日帝植民地支配にたいする反省と北朝鮮における社会主義建設への尊敬を基礎にして、両国間の友好と交流を望む声があがりつつあるといつた状況のなかで、当研究所の果すべき役割の大なることを自覚し、研究・発表・普及の諸活動を行い、多大の成果をあげることができた。これらは、所員をはじめとする所内外関係者一同の協力と研鑽ならびに多くの方々の激励と支援のたまものである。深く感謝の意を表する。

去る8月、日本朝鮮研究所訪朝・中代表団団長として、4度目の朝鮮訪問をし、歴史的な社会主義建設の現実、とそれを支える朝鮮人民の偉大な魂について学んできた。同時に代表団としては、朝鮮との間に学術交流を行うためのいとぐちをひらいてきた。中国とも話し合い、三国の「学術文化交流促進に関する共同声明」を発表し、今後の学術文化交流における姿勢と方向を明らかにしてきた。われわれの努力が、日・朝・中三国の友好と交流にたいし大きな寄与となるであろうことを信ずる。

日本朝鮮研究所は、これからも朝鮮と朝鮮人の真実を認識することによつて、朝鮮問題の正しい解決に研究活動を通じていささかでも貢献をしたいと考える。

そのためにこそ、過去2年間における不十分であつた諸点を謙虚に反省しながら新しい年度を迎えたい。このような研究所に賛同する方々の広くかつ深い御指導と御支援をお願いする次第である。

日本朝鮮研究所

理事長　古屋貞雄

彙　報

○当研究所の創立二周年第三回総会は、１２月１１日本郷の学士会館で開催された。過去一年間における研究事業活動のすべてを総括し、新しい三年目の事業計画、予算、人事を決定し成功裡に閉会した。１９６４年度における当研究所の果さねばならぬ任務の重大さを深く認識し、不十分であつた研究活動の深化、蓄積に力を傾注しつつ、他方、共同研究ならびに学術交流等の事業にも努力をつみ重ねて行くことになつた。理事長古屋貞雄、副理事長鈴木一雄、旗田巍、四方博、専務理事寺尾五郎、副所長安藤彦太郎、畑田重夫、渡部学（新任）の三役と常任理事８名、幹事１０名、監査２名が選出された。

○日本朝鮮研究所訪朝・訪中代表団の報告書を近く「朝鮮研究月報」別冊　　として発行することになつた。日・朝・中三国「共同声明」をはじめ「団長報告」「活動日誌」等をふくむ、Ｂ５判４０頁の予定である。

購入希望者は、一部１５０円の代金を添えて至急お申込み下さるようお願いする。

○訪朝・訪中代表団の撮影、製作になる**八ミリカラー**映画　が完成しました。**「朝鮮スケッチ」**と題し、これからみなさま方のご活用に供したいと思います。（朝鮮篇・中国篇各３０分の上映時間。貸出料は一篇千円）

○先般来読者諸氏にお願いした「朝鮮研究月報読者アンケート」は、多大のご協力にあずかり、相当数を回収することができた。次号でそのまとめを報告する予定である。ご協力にたいし、心からのお礼を申述べます。

○諸般の事情から、とくに年末年始の多忙な状況によつて、月報の発行が遅延し、みなさまにごめいわくをおかけしたことをお詫びします。ご了承下さるようお願いします。

日本と朝鮮民主主義人民共和国両国間の自由な人事往来が開かれ　両国の学術交流が活潑に行われることを要望する。

趣　意　書

わが国と朝鮮とは数千年にわたる学術交流の歴史をもち、それぞれ特色ある文化遺産を保持してきました。しかし現在では、わが国と朝鮮、とくに朝鮮民主主義人民共和国との学術交流は、人為的につくり出されている不正常な関係によつて妨げられております。

しかも、自由往来の道は、わが国に在住する朝鮮人でさえ、朝鮮民主主義人民共和国に向つては閉ざされている状況であります。

このことは人道上からも一日も早く解決されなければならない重大な問題であります。

第二次世界大戦後１８年をへた今日にいたるまで、日朝両国の学者、研究者の自由な相互往来や、留学生の相互派遣や、学術文献の相互交換や、共通の主題にかんする共同研究なども実現されておりません。

私ども学者、研究者は、それぞれ特色をもつた文化遺産を守りながら、その土台の上に新しい学術・文化を創造していくため、日朝両国の正常な学術交流を妨げている障害を除去することに努めなければならないと考えます。

私どもは、両国民の自由な人事往来が開かれ、両国の学術交流が活発に行なわれるよう努力したいと思います。

１９６３年１０月１９日

家永　三郎	城戸　又一	高島　善哉	福島　要一
石井　友幸	木下　半治	高橋幸八郎	福原満洲雄
今中　次麿	具島兼三郎	谷川　徹三	堀　　豊彦
弥永　昌吉	桑原　武夫	恒藤　　恭	前芝　確三
上原　専祿	小平　吉男	都留　重人	三島　　一
大内　兵衛	古林　喜楽	豊崎　　稔	宮原　将平
大河内一男	近藤　康男	中村　吉治	務台　理作
大塚　節治	坂田　昌一	野上茂吉郎	山田　無文
岡田　　実	正野　重方	野村　平爾	我妻　　栄
戒能　通孝	末川　　博	旗田　　巍	
勝田　守一	住谷　悦治	林　　　要	
城戸幡太郎	高桑　純夫	日高　孝次	

（五十音順）

朝鮮からの便り

朝鮮研究所　貴下

今般朝鮮民主主義人民共和国社会科学院が新設されるにつき、社会科学院図書館が新設されました事を貴下にお知らせする様に成りましたことを甚だ光栄に存じます。

同時に社会科学部分に該当する一切の図書交換事業は新設された本図書館が遂行する事に相成りました。

現在本図書館名儀で貴下に出版物を発送致しました。引き続き密接なる連結の下で図書交換事業が進行されるよう希望致します。

貴下の御事業に多くの御成果を祝願致します。

朝鮮民主主義人民共和国社会科学院図書館

館長　廉　二　石

１９６４年５月１１日平壌

おしらせ

☆活版第２号（返巻31号）をおとどけします。前号で「多くの購読・賛助会員を募り，内容・形式ともに充実させつつ，朝鮮研究誌として発展させるため，編集委員一同努力いたします。みなさまの遠慮のないご意見をおまちいたします」と述べました。このことばを，もういちどくりかえし，みなさま方のお力添えをお願いする次第です。
☆次号は８月なので，朝鮮解放の月間にあたります。そこで，朝鮮民族の解放闘争の歴史を中心に編集する予定です。御期待下さい。
☆当研究所発行の「日・朝・中三国人民連帯の歴史と理論」（Ｂ６判　192頁，250円）は，読者のみなさんから御好評をいただいております。本紙上をかりて，お礼申しあげます。なおこの本の内容は，「北京シンポジウム」で報告される主題を，わかり易くかつ詳しく論述したものです。したがって，「北京シンポジウム」の代表派遣の活動とあわせて，この本を広める為に努力しています。いっそうの御協力をお願いいたします。
☆「日本朝鮮研究所所報」を再刊いたしました。所の研究活動をはじめ，日本の研究活動や友好運動の動向など，新しい記事をまとめたものです。
所員，会員に配布いたします。これは，所員，会員，みなさんとの連携をいっそう緊密にする為のものですから，みなさんの「声」を反映させたいと思います。お便りをどしどしお寄せ下さい。

創立3周年第4回総会の報告

創立3周年（1961年11月11日設立）を迎え，12月，5，6日の2日間，熱海市の熱海園で第4回総会をひらいた。地方所員をふくむ余40名の所員が参加した。総会では，年次報告と3カ年の総括をおこない，成果と欠陥を明らかにしたのち，1965年周の研究・事業活動方針を採択した。新しい態勢のもとに諸活動の一層の発展強化をはかるため，規約改正を行い，新役員を選出した。3カ年間　総括では，当研究所は，苦難の道を歩んできたが，日・朝友好増進をのぞむ広範な日本国民の支持と全所員の奮闘によって，確固とした基礎をきづくことができ，これを土台として，こんどより活発に学術研究を深めなければならないことを強調した。とくに新年度を飛躍発展の年とすべく，全所員が協力関係を強化しなければならない点が明らかにされた。とにもかくにも，朝鮮研究の組織が，日本人の手によって3年間維持されてきた事実を十分に評価しつつ，自信をもって進むことの重要性が認められたのである。

新年度の方針では，研究活動をより重視するために，研究会議を新設し，そのもとに，現代朝鮮研究部会をはじめ，数部会を増設し，常勤所員による事務局の確立，公開ゼミナール・講座の定期・連続的開催，国内外における学術交流の展開等を決定した。機関誌「朝鮮研究」の内容充実と拡大を中心に，研究活動の成果を反映するための書籍出版活動計画を協議決定した。目下進行中のものに，「学術訪朝報告集——日朝学術交流のいしずえ」，「朝鮮民主主義人民共和国経済統計集」，「民族教育の諸問題」等があり，1965年度には「朝鮮文化史」（朝鮮科学院発行）の翻訳刊行を実現する計画も全員一致で確認した。

総会には国外から朝鮮科学院歴史研究所，対外文化連絡協会，国内から歴史評論編集委員会，在日朝鮮人科学者協会等をはじめ各界から多数の祝電が寄せられ，朝鮮総聨中央本部，中国研究所，アジア・アフリカ研究所等より祝辞が述べられた。また朝鮮からの記念品の贈呈も行なわれ，盛会のうちに閉会した。新役員はつぎのとおりである。

理事長古屋貞雄／副理事長鈴木一雄／四方博／石野久男／研究会議々長旗田巍／常務理事　畑田重夫・川越敬三・渡部学中神秀子・森下文一郎・寺尾五郎・秋元秀雄・安藤彦太郎・理事蠟山芳郎以下20名

日本朝鮮研究所事務所 建設基金募金のお願い

日朝両国の関係は，いまや，この20年来かってなかった重要な転機をむかえるにいたりました。日朝両国人民のねばり強い努力によって，国民各界・各層のあいだに，朝鮮問題に対する関心がとみに高まり，日朝友好の機運が新らたな高揚を示してきました。半面，最近にいたり，日朝両国の歴史を画する日韓基本条約と関係諸協定の調印が強行され，その批准問題はわ国が内政外交上の当面最大の焦点の一つになってきたのであります。

この時期にあたって，わが国民が正しい進路をとるならば，日朝関係の将来のみならず，日本自体の前途にも洋々たる展望が期待されることは必然であり，反対に，もしその道を誤まるならば，ふたたび悔いを千載に残すことは明らかであります。

日本国民は，いまこそ朝鮮問題への正確な認識を確立せねばならず，したがって私共朝鮮研究者の責任は，まことに重かつ大であるといわねばなりません。今回，わが日本朝鮮研究所が，事務所の移転，拡張を，充分な資金準備のいとまもないまま，あえて断行いたしましたのも，緊迫した情勢下に急ぎ態勢をととのえ，任務の達成に最善を尽したいとの所員一同の決意の現われにほかなりません。

わが研究所が，文京区湯島にささやかな事務所を開きましたのは，安保闘争たけなわの1960年でありました。それから5年，文字通りいばらの道をたどりながらも，各分野の研究活動，出版事業，学術交流等にすくなからぬ成果をおさめてきました。その結果として今日，事務所の拡張が焦眉の問題としてとりあげられるにいたりましたことは，ひとえに皆様がたのご文援の賜物と厚く感謝いたしております。

幸い，新設の事務所は，わが研究所の活動に充分な広さを備えております。従来，心ならずも断念するほかなかった図書，諸資料の整備やその公開利用も可能となり，小さいながら研究集会，映画試写会などにも使用できる広さをもちました。設備，体制の充実をみるならば，所内はもちろん，朝鮮に関係ある団体，個人の方々にも，広く研究所を利用して頂けるものと期待いたしております。

わが研究所は，このように活動の一層の充実を期して事務所新設にふみきったわけでありますが，ここに，事務所新設に伴う諸費用はじめ，研究活動・資料・書籍等々の充実のための資金の調達という問題をかかえております。これは，情勢の要請にこたえるため，万事，不足不充分のまま，移転を急がざるを得なかった結果でもあります。私共は，これへの対策として，役員はじめ全所員が力を合わせて，従来からの諸活動を一層充実させ，意欲的な新事業に取り組んでおりますが，あわせて各方面の理解あるご援助をあおぎ，名実ともに立派な研究所を完成し，真の日朝友好に寄与したいと思います。

つきましては，貴下におかれましても，事情ご賢察のうえ，しかるべきお力添えを賜りたく，ご案内かたがた，ここにお願い申し上げる次第であります。

なお，新事務所の所在地は表記のとおりであります。この方面へおでかけの際は，ぜひお立寄りくださいますようお待ちいたしております。

1965年 7月 1日

日本朝鮮研究所

理事長 古屋貞雄

感謝

（7月 末日 現在）

2,000	朝鮮新報社
10,000	朝鮮大学
2,000	教職員同盟
3,000	日朝協会
2,000	中研
1,000	ＡＡ研
2,000	あけぼの社
1,000	日朝都連
2,000	新日本出版社
2,000	勁草書店
5,000	科協
10,000	中央教育会
1,000	岸陽子
5,100	梶村秀樹

以上の方々から事務建設資金の御協力を頂きました。

(1)　最近の日本と朝鮮の関係についての声明

さる六月二十二日,日韓会談の本調印が強行され,その批准が日程にのぼっています。これは，日本と朝鮮との今後の関係に,永続的で決定的な影響をもたらすものであり,私たちはこの事態にたいし深い関心を払わないわけにはいきません。

ソウルの三百数十人の大学教授団の声明，歴史学三団体の声明などにもみられるように，私たちが学問的な交際を深めたいと望んでいる南朝鮮の真摯な研究者・知識人が，日本の再侵略・朝鮮統一の阻害という意味をもつものとして，日韓条約・協定の批准に反対する意味を明らかにし，学生・大衆とともに行動にたちあがっています。朝鮮の学者たちのこの警鐘は，根拠のないものとは思われません。なぜなら，現在進められているような両政府の結合は，両国の社会経済的条件とアメリカの極東軍事体制からみて，日本国民を不本意な道にひきこみ，朝鮮統一を阻害するような関係を展開せざるをえないと認められるからです。それは，その質はちがうとしても，両国の大衆に多くの苦難と苦悩をもたらし，私たちの研究条件についてみても，南北朝鮮の研究者と私たちの真に率直な交流による研究の深化を妨げるものになると考えられます。私たちは，日本人の朝鮮研究者として，このような政治動向と自分の研究とのかかわりについて深刻に考えなければならないと思います。

かつて，わが国における朝鮮研究は，一定の進展を示しましたが，個々の研究者の意図はどうであれ，植民地支配の中に位置づけられていたために，大きなゆがみが生じ，朝鮮人の心に通わないものとなったのでした。私たちは，日大の朝鮮研究者として，植民地支配時における朝鮮研究のあり方を反省するとともに，この若い経験に学び，再びそのようなことをくりかえさない責任があると思います。

今後，私たち朝鮮研究者のばあい特に，両民族が真に対等で自主的な交流を行なうさまたげになることに，さまざまなかたちで加担をせまられる事態が予想されます。

私たちは，これら予想される事態にたいして，それにまきこまれないようにただ身を守るばかりでなく，進んではっきり批判をしなければならないと思います。私たちは，現在進められているような日韓関係のあり方に反対し，侵略に奉仕せず，それを阻止するためにそれぞれの持場の条件のもとで，それぞれのしかたで，今後の厳しい状況に主体的に対処し，日本と朝鮮の研究者が真に対等に研究を深めあっていく条件を探求し続けていきたいと思います。

一九六五年九月六日

署名参加朝鮮研究者　（五十音順）

秋元　良治	浅田　喬二	阿部　洋	有井　智徳	有光　教一	安藤正士	安中　聰	井ケ田良治
泉　靖一	泉谷　康夫	市原　亮平	犬丸　義一	井上　秀雄	○今西春秋	岩井　大慧	岩村登志夫
上田　正昭	幼方　直吉	梅田　欽治	江口　圭一	江原　正昭	遠藤　順昭	大浦　敏弘	大塚　鐙
大槻　健	大友　信一	大村　益夫	大和田文三郎	岡崎　精郎	岡崎　敬	小笠原淳子	小笠原師孝
奥村　和郎	長田　夏樹	小沢　有作	鴛淵　一	小野山　節	掛谷　宰平	梶井　陟	梶村　秀樹
片岡　公正	加藤　千代	加藤マユミ	門脇　禎二	金関　義則	川越　敬三	河内　良弘	河音　久子
河音　能平	神田　信夫	菅野　裕臣	北原　衛	北村　秀人	木下　礼仁	木元　賢輔	楠原　利治
国井　重雄	熊谷　宣夫	黒川　直則	黒田　俊雄	桑ケ谷森男	河野　六郎	国分　直一	小林　英夫
小林　行雄	近藤　康男	斉藤　秋男	佐伯　有清	坂本　孝夫	桜井　浩	笹川儀三郎	佐竹　靖彦
佐藤　宗諄	沢浦　健	塩田庄兵衛	○四方　博	新川　伝助	新村　出	杉村　壮三	鈴木　二郎
鈴木　武雄	鈴木　靖民	鈴木　良	周藤　吉之	関野　真吉	副島　種典	反町　茂雄	高尾　一彦
田川　孝三	武田　幸男	竹本　賢三	田中　年子	棚橋　利光	谷浦　孝雄	谷田　啁望	玉井　茂
田村専之助	塚本　勲	附田　鎮	都竹通年雄	東上　高志	藤間　生大	富永　英一	鳥居　久靖
内藤　戊申	中吉　功	中沢　順子	永島暉臣慎	中瀬　寿一	中塚　明	中野　良介	永淵　隆志

中村　暎枝	中谷　隆亮	難波田　徹	新島　淳良	仁井田　陞	西岡　進	西谷　正	西本　昭治
二宮　啓任	野口　孝一	野口　肇	野田　嶺志	野原　四郎	萩野　芳夫	長谷川長昭	畑田　重夫
○旗田　巍	羽根田　明	林屋辰三郎	浜中　昇	原　一彦	原　秀三郎	原　征夫	樋口　鈞士
樋口　雄一	平井栄次郎	平野　陽彬	広川　淑子	福島　武兵	福田　勉	福原　明知	藤塚　将一
藤村　道生	藤本　幸夫	古川　充伸	松尾　尊兊	真野　陽	前田　征信	丸山　忠幸	○三上次男
三木　栄	三島　格	三宅　英利	宮城　初枝	宮田　節子	宮原　兎一	村田　修三	村山　正雄
八木　充	矢沢　康祐	安江　良介	安井　良三	山形　友郎	結城　康宜	横田　健一	吉村　克之
吉田　晶	吉田　和起	米田　伸次	脇田　修	脇田　晴子	渡部　学	和田　洋一	六角　恒広
江原　謙	金森　襄作	清水　慶秀	○印は代表者				

「日韓条約」についての声明

六月二十二日，「日韓会談」の本調印が強行され，その批准は日朝両人民にとって，きわめて重大な問題になっております。

このとき，さる七月十二日，三百五十四人にのぼる在ソウルの大学教授団一同が批准反対の宣言をされたことは，私たちにとって見すごすことのできない出来事といわねばなりません。

教授団は，「日韓基本条約」と諸協定が，過去の日本帝国主義侵略を合法化したばかりでなく，請求権，漁業協定，在日朝鮮人の法的地位，文化財の返還について，民族の自主性と国交正常化にそむく不当なものであると指摘しております。

きびしい状況のもとでおこなわれた教授団の宣言と署名に接して，真に対等で自主的な立場で南北朝鮮の研究者との学術交流の実現を願っている私たちは，今日の事態をいっそうしんけんに考えなければならないとおもいます。

日本が朝鮮にたいし，植民地支配をおこなっていた約四十年間，朝鮮にかんする日本人の研究には一定の進展はあったといわれていますが，しかし日朝研究者のあいだに学術交流といえるものがあったといえるでしょうか。

私たちはこのことを深刻に反省するとともに，真に対等でたがいに民族的自主性をみとめあう政治経済的関係が，確立されないところに学術交流もまた必須の前提条件を失うことが教えられています。

目下批准がすすめられている「日韓基本条約」と諸協定は，日朝間の過去の不幸な関係をまじめに反省するものでなく，かえって激しい対立や緊張，憂慮すべき不幸を日朝両人民にもたらすものであると，多くの日朝両人民によって指摘されております。すでにこのことは幾多の事実となってあらわれております。私たち研究者は南北朝鮮人研究者との実のりある学術交流を願う心から，またとくに過去の経験の反省から「日韓条約」の批准を座視することは許されないと考えます。日朝学術交流を促進する基本的前提の問題として，しんけんに問題を考え，学術交流促進の死活的問題として，批准阻止の為の活動に取りくむ事を決意するものであります。

１９６５年8月１４日

日本朝鮮研究所事務所 建設基金募金のお願い

日朝両国の関係は，いまや，この20年来かってなかった重要な転機をむかえるにいたりました。日朝両国人民のねばり強い努力によって，国民各界・各層のあいだに，朝鮮問題に対する関心がとみに高まり，日朝友好の機運が新らたな高揚を示してきました。半面，最近にいたり，日朝両国の歴史を画する日韓基本条約と関係諸協定の調印が強行され，その批准問題はわが国が内政外交上の当面最大の焦点の一つになってきたのであります。

この時期にあたって，わが国民が正しい進路をとるならば，日朝関係の将来のみならず，日本自体の前途にも洋々たる展望が期待されることは必然であり，反対に，もしその道を誤まるならば，ふたたび悔いを千載に残すことは明らかであります。

日本国民は，いまこそ朝鮮問題への正確な認識を確立せねばならず，したがって私共朝鮮研究者の責任は，まことに重かつ大であるといわねばなりません。今回，わが日本朝鮮研究所が，事務所の移転，拡張を，充分な資金準備のいとまもないまま，あえて断行いたしましたのも，緊迫した情勢下に急ぎ態勢をととのえ，任務の達成に最善を尽したいとの所員一同の決意の現われにほかなりません。

わが研究所が，文京区湯島にささやかな事務所を開きましたのは，安保闘争たけなわの1960年でありました。それから５年，文字通りいばらの道をたどりながらも，各分野の研究活動，出版事業，学術交流等にすくなからぬ成果をおさめてきました。その結果として今日，事務所の拡張が焦眉の問題としてとりあげられるにいたりましたことは，ひとえに皆様がたのご支援の賜物と厚く感謝いたしております。

幸い，新設の事務所は，わが研究所の活動に充分な広さを備えております。従来，心ならずも断念するほかなかった図書，諸資料の整備やその公開利用も可能となり，小さいながら研究集会，映画試写会などにも利用できる広さをもちました。設備，体制の充実をみるならば，所内はもちろん，朝鮮に関係ある団体，個人の方々にも，広く研究所を利用して頂けるものと期待いたしております。

わが研究所は，このように活動の一層の充実を期して事務所新設にふみきったわけでありますが，ここに，事務所新設に伴う諸費用はじめ，研究活動・資料・書籍等々の充実のための調達という問題をかかえております。これは，情勢の要請にこたえるため，万事，不足不充分のまま，移転を急がざるを得なかった結果でもあります。私共は，これへの対策として，役員はじめ全所員が力を合わせて，従来からの諸活動を一層充実させ，意欲的な新事業に取り組んでおりますが，あわせて各方面の理解あるご援助をあおぎ，名実ともに立派な研究所を完成し，真の日朝友好に寄与したいと思います。

つきましては，貴下におかれましても，事情ご賢察のうえ，しかるべきお力添えを賜りたく，ご案内かたがた，ここにお願い申し上げる次第であります。

なお，新事務所の所在地は表記のとおりであります。この方面へおでかけの際は，ぜひお立寄りくださいますようお待ちいたしております。

１９６５年　７月　１日

日本朝鮮研究所

理事長　古屋貞雄

感謝

（11月　末日　現在）

（単位円）

桜井清		15,000
金一勉	（渡部学取扱）	2,000
愛知県民青	（畑田重夫取扱）	2,000
桜井浩		3,000
大槻健	（大村益夫取扱）	3,000
堤留吉	（　〃　）	1,000
片岡公正	（　〃　）	1,000
稲田三吉	（　〃　）	1,000
洞高雄	（　〃　）	1,000
中村敬子	（　〃　）	1,000
大村益夫		2,000
副島種典		10,000
近藤康男		10,000
旗田巍		6,908
古林喜楽		1,000
原一彦		3,000
桑ヶ谷森男		6,000
畑田重夫		225
中西五州	（畑田重夫取扱）	1,000
中神秀子		3,000
守屋典郎		10,000
末松保和		5,000
寺尾五郎		2,000
田村専之助		1,000
二橋真棹	（田村専之助取扱）	1,000
積堆勝	（　〃　）	1,000
青木きく	（　〃　）	1,000
星野重雄	（　〃　）	1,000
広井敏一	（　〃　）	1,000
長岡四郎	（　〃　）	1,000
鈴木誠也	（　〃　）	1,000
姜大億	（　〃　）	2,000

以上の方々から事務建設資金の御協力を頂きました。

報　告

日本朝鮮研究所1965年活動状況

研究活動　研究ならびに教育活動の一年をふりかえって

1）研究会議の発足とその役割

前年度の総会において，若干の所機構改革がおこなわれたが，そのなかでもっとも注目されるべきもののひとつが研究会議の新設ということであった。

これは，朝研が，教育団体でもなく，ましてや国際的親善の運動団体でもなく，文字通り研究団体であることの内容的裏づけをもつためにも，さらにさらに研究面を重視するにふさわしい組織形態をもつべきであるという全所員の総意にもとづくものであった。そのために，同会議を常務理事会から独立した存在とし，形式的にもその比重を強めるという方針がとられた。そのうえで，会議議長に旗田巍所員を選任し，研究担当常務理事の畑田，川越両所員が常務理事会との連絡その他の任務をおびることが決定された。

おたがいに民間研究所の研究会議なるものの運営経験に乏しいため，会議の構成メムバーを何名にし，誰と誰にするかについても方針が定まらいままに，旗田議長を中心にとりあえず各研究部会の責任者に集まっていただいて，研究情況の交換程度のことを重ねてゆくという状況が当分つづいた。若い所員のなかには，研究会議にもっと具体的な指導性を望む声がないわけではなかったが，焦りは禁物という旗田議長の方針も手伝って，ゆるやかな話合いの場という感じの会に終始していた。ときには，『アジア・アフリカ研究入門』（青木書店刊）の朝鮮にかんする部分の執筆などを，所として組織的にひきうけることなど，出版計画にかんする問題も討議された。

そのうちに，何か研究会議の構想のもとに仕事をしようということになり，じゅうらいの全所員集会に代り，『火旺講座』という名の所員の研究発表兼大衆啓蒙の恒常的公開講座を開催することをきめた。日やテーマによって，起伏はさけられないが，平均して20名前後の受講者が参加している。ただ，問題なのは，これが対外的な啓蒙講座に流れ，所員の参加が少ないために，相互の研究水準を高め合う場になり切らないという弱点が存在することである。以下が，最近までに行なった火旺講座の講師とテーマである。（何れも場所は朝研3階会議室）

9月7日　川越 敬三「南朝鮮の日韓条約反対運動と日本人」

9月21日　寺尾 五郎「激動するアジアと日韓条約」

10月19日　藤島 宇内「朝鮮統一の展望」

11月16日　旗田　巍「朝鮮併合の思想」

12月15日　渡部　学「近世・近代の朝鮮の教育」

理由はともあれ，研究会議として，所の研究活動全般に積極的に貢献できなかったことにたいし，深く反省を加える必要があろう。

2）各部会の状況

①　現代朝鮮（農業）研究会

各部会のうち，この研究会がもっとも着実に，長期の蓄積をもってきた。すでにその模様は「朝鮮研究月報」第18号および同34号に報告されたことがあるが，ここでは主として本年度の動向を中心にその概況を報告しておこう。

参加常連メンバーは，梶村秀樹，桜井浩，楠原利治の3名であるが，時とテーマなどにより，近藤康男，福島裕氏その他の所内外の諸氏の参加をえている。研究会は原則として月1日，毎月最終土旺日の午后となっている。

本誌34号所載以降の報告者および報告（討議）テーマはつぎのとおりである。

’64，12，12　桜井 浩　朝鮮の農機械作業所について

’65，1，29　桜井 浩　書評洪達善「わが国農業経営部門での物質的関心の原則の創造的適用」

’65，2，27　楠原利治　紹介日帝下社会経済の構成に関する若干の問題（李東鐸「経済研究」1958年2号所収

’65，4，3　梶村秀樹　全人民的所有制への移りに関する論争（1959）についての紹介

’65，5，8　「朝鮮研究第38号農業特集の合評会（近藤康男氏出席）

’65，6，12　桜井　浩　郡綜合農場について

’65，7，24　梶村秀樹　郡協同農場経営委員会の構成

と機能

'65, 9.25　桜井　浩　北朝鮮農業における「物質的関心の原則」の適用の特徴について

'65, 11.27　梶村秀樹　朝鮮の郡協同農場経営委員会について

'65, 12.15　桜井　浩　里統合の問題と青山里現地指導（1965）について

この研究会のメンバーは，その共同研究（討議）の成果を近く一冊の書物にまとめて出版する計画をもっている。（東大出版会刊の予定）形式的名目的ではなく実質的な共同研究書であるだけに，所内外からその刊行に大きな期待がよせられている。

なお本研究会はもともと朝鮮社会主義経済・政治一般を研究するためにまず中心の環である農業問題からということで発足した研究会であって，ゆくゆくは計画制度，工業，財政価格制度など経済全般のテーマを扱うようにしたいという抱負をもっている　。

この部会のもうひとつの班である現代朝鮮（現状分折）研究部会の方が活動を停止していることは批判の対象とすべきであろう。現代朝鮮（農業）研究会は，単に現状分折部会の内部のみならず，研究所内のすべての眠りつづける研究会の模範とすべき存在である。

②　文学部会

上記農業研究会とならんで共同研究活動をつづける貴重な部会である。

参加常連メンバーは初期においては大村，梶井の両所員のみであったが，現在は任展慧，尹学準の両氏を加え4名である。時として安宇植，崔淑子氏にも出席していただいた。研究会は原則として月1回，第3水旺午后6時からおこなわれている。

当初は，朝鮮民主主義人民共和国出版の「文学通史」を各章ごとに分担，内容を要約し，問題点を提起するという方式をとっていたが，本年4月以降は各人の研究発表・報告の形式にきりかえている。

報告テーマの一部を紹介すれば，下記のとおり。

趙潤済著「朝鮮詩歌の研究」をめぐって ………梶井
近代詩の発生と時調 ………………………………梶井
朝鮮プロレタリア文学と「民族主義文学」……大村
在日朝鮮人の文学運動と文学作品 ………………任
「文学」11月合評会 ………………………………全員

その他，本研究会がおこなっている仕事としては，朝鮮文学関係資料の保存・収集がある。研究の成果は，「朝鮮研究」第44号の各氏論文をはじめ，雑誌「文学」（岩波書店）11号月その他に逐次発表されている。今後は，共通テーマのもとに，共同研究をおしすすめることも考えている。

③　「日朝中三国人民連帯の歴史と理論」にかんする研究部会も年度の当初には組織されていたが，他の活動停止状態の部会とともに一時閉ざされている。一般に部会活動が不活発になっている原因としては，研究会議の指導性の不足，所員の多忙（日韓条約）をめぐる情勢や，文化史刊行準備などに影響されるという条件などが考えられよう。根本的な検討を要するところであろう。

3）**教育活動**

①　語学講習会

日韓会談の推移にともない，日本人の朝鮮への関心が高まるにつれ，朝鮮語学習の意慾も深まった。一般の要望にこたえて，例年所は，語学講習会を設けてきたが，従来は会場が不定であるという悪条件が原因で必らずしも盛況とはいえなかった。今度，現在の建物に移って以後は会議室が講習会の会場として常時使用できるので，恒常的に講座を開催できる条件にめぐまれているわけである。

9月から3カ月の予定で，初級・中級の両コースの受講生を幕集して開講しているが，現在は，初級のみか実際におこなわれている。人数は少数であるが，地味に教授・学習がおこなわれている。講師には主として朝鮮人があたっている。

②　ゼミナール

「帝国主義と民族・植民地問題」をテーマとして毎月2回ずつ，11名の固定参加者によって9月以降継続されている。（1カ年間の予定）参加層は都内大学の学生を中心とし，会社員，団体職員など。担当は畑田所員。主要テキストは，レーニンの論文「マルクス主義の漫画と帝国主義的経済主義」。

わが国における朝鮮研究者の層がきわめてうすいことは周知のところである。各所員が条件に応じて，この種のゼミナールを開設し，若手の研究者の養成に努め合うことが切望されている。

4）**まとめ**

以上のとおり，所の研究教育活動はきわめて不活発である。研究所であるかぎり，研究活動がさかんにならないかぎり，日本の朝鮮研究の水準を高めることに貢献できないことはもとより，「朝鮮研究」誌の内容を充実させることも不可能である。所員各自の各個のテーマによる研究はそれぞれ深められつつあることは信じて疑わないが，それらが適時発表され，所員相互に

研さんし合える機会が増えることが望ましい。財政上の理由から，所の資料・文献は乏しく，研究者の魅力をつなぐにはまだ不充分であることは自明であるが，朝鮮にかんする古書の値段も格列に高くなりつつある折でもあるし，事情がそのようであればあるほど所内研究者相互の接触の緊密化がはかられなければならない。新年度総会においては，研究会議のあり方をもふくめて，じゅうぶん討議すべき問題であろう。

（畑田重夫）

機関誌活動

機関誌「朝鮮研究」について

過去1ヵ年にわたって機関誌の編集の責任を私が負ってきたわけであるが，編集責任者といっても要するに編集委員会の議長をつとめてきただけで，これといった明確な方針が私にあったわけではない。もしこの「朝鮮研究」誌にこんにちなにほどかの性格らしいもがのできてきているとしたら，無言のうちにかよいあい一致しあった編集委員の「呼吸」とでもいうようなものの凝結であろう。そういうものの具体的な姿は別掲の総目次を一覧して頂ければあるていど自明となるというほどのものであろう。

ただ編集部の方針らしきものをとりたててあげてみよと言われれば，次のような5つをあげることができるであろう。それは

1．つみあげ
2．かきのこし
3．ときあかし
4．ほりおこし
5．みとおし

の5つである。1と3，つまり，専門学術的なこまかい研究のつみあげになるようなものをのせようという考え方と，現時点において重要なとくに実践上の問題点に直接かかわりをもつような解説や提言を主としてのせて行こうという考え方とは，時により人によりいくらかの変遷があった。このどちらか一方にかたよることは，現在の研究所の実力からしても，また日本における朝鮮への関心の実情からしても，まだ時期が早すぎる。それで，号によって重点の配り方に濃淡はあっても，だいたいこの2つのバランスをとりながら編集していこうということになっている。

2の「かきのこし」，つまり朝鮮に関する研究や調査や運動の事実を活字に書きとどめて後世にのこしていこうという記録性，たとえば強制連行について各地の実情調査の記録や教育の実践記録などはそれが右から左へとすぐに「役に立」ったり，それだけで「おもしろ」かったりは必ずしもしないが，やはり機関誌の重要な使命のひとつであろう。

機関誌で弱いのは，4の「ほりおこし」と5の「みとおし」とである。1966年はこれにもっと努力を注ぎたいと考えている。「ほりおこし」というのは各地方における良心的な朝鮮研究者の研究成果を誌上に定着させて行くということである。多忙な職務と運動とのかたわらでの研究であれば，気ばかり先に走っても実質内容がそれについて行けないという場合もあろうかと思う。その場合には，関連研究に1日の長のある所員から積極的な助言と援助の手をさしのべてでも，その研究をひとまずまとめあげてもらって，誌上に反映させて行きたいものと考えている。これは今後のひとつの努力目標である。

5の「みとおし」とは，占い師の予言のようなことをさして言っているのではない。つまり日韓条約は批准されるかしないか，というようなことは八卦見にまかせておけばよい。そうではなくて，日韓条約批准という問題が，大きく国際政治・経済からみて，また大きく世界史の進展からみて，どのような地位を占めるものであるかということにたいする論定である。それがきまれば実践行動の着手点や方向はおのずから定まってくる。まぢかの結果への予測はあるにしても，それによって必ずしも一喜一憂することはないわけである。第42号は，こういうものへのひとつの試みであった。批准反対のたたかいは目下のところ現象的には敗れたようにみえるけれども，42号の果した役割は今後も生きるのではなかろうか。

しかし，批准を了えたこんにちの段階では，了えたというそのことをおさえふまえたうえでの「みとおし」論定が総合的に，だが深く，行なわれなければならないであろう。けれどもこれは，簡単に1日や2日でできるものではなく，やはり「つみあげ」て「つみあげ」てはじめ

て可能となるものと考える。そうすると，地味に黙々と研究している，一見して迂遠なような研究も，じつはたいへん尊いものなのである。

それから4の「ときあかし」も時事的な解説のほかに，もっと広い分野にわたって，例えば，美術，工芸，演劇，音楽，民俗などについての解説，それも読みもの風のそれ，がどうも必要のようである。ながいたたかい，それも日本人の心の中に広く深く定着しているものとのたたかい，それは肩ヒジ張ってばかりいたのではもたない。ここらへんへの配慮もそろそろ編集部にとって必要となってきているようだ。（渡部学）

出版活動

出版活動について —— 報告・展望 ——

昨年の第4回総会の方針案で，「研究成果の出版的定着」という表現が用いられた。これは，わが研究所の研究活動を一つのまとまったものに仕上げて行き，活字化することの必要に目覚めたことから用いられたのであった。過去3年間の実績のうえに立っての発言であったともいえる。これまで朝鮮関係の出版が，ごく限られた分野のものを除いて，売れないために，企画にさえのらなかったという日本出版界の通説をうち破り，ひろく朝鮮研究の発表の場を築きあげたいと望むわれわれの心意気もそこに示されていた。すでに「朝鮮研究」の項で述べられているように研究所の出版活動の中心は，この月刊機関誌にあった。

困難な状況のうちに刊行のために努力を重ねつつ，研究活動との関連において，2冊のパンフレットと1冊の単行本を上梓した経験から1965年度の出版活動が展開されたのである。

まず，自力で出版したものをあげる。第4回総会で提起された第1次訪朝代表団の報告集「日朝学術交流のいしずえ」（A5判115ページ300円）を2月1日に発行した。これは，古屋理事長を団長とする最初の研究者代表団の報告をまとめたものである。日・朝・中国の『学術文化促進に関する共同声明』をはじめ，各代表団員の専門別の報告がまとめられ，今後の日朝学術交流に多くの示唆を与え，あわせて朝鮮民主主義人民共和国の実情を正確に伝える書物であった。報告活動のしめくくりとして団員諸氏が大いに活用するとともに，数少い訪朝記のひとつひとつとして，約10カ月の間に発行部数のほとんどを消化したのである。

つづいて4月には「朝鮮民主主義人民共和国国民経済発展統計集」（A5判73ページ）を5名の所員の協力作業でつくりあげ，出版した。これは朝鮮側から提供された資料を翻訳編集してだしたという点に第一の持徴がある。第二に，ダイレクトメールによる註文の多数が，銀行，大企業，研究機関，図書館等であったことは特筆すべきだと思う。公的な発表によるきちんとした資料を求める対象がわかったのであるが，それまで，未開拓であった分野とのつながりのいとぐちをもった事実は，研究所にとって画期をなすといわねばならない。欠陥としては，より統一されより詳しくみ易いものに仕上っていなかったことである。配布の面では，頒価にもよるであろうが，十分なる成功をおさめ得なかった。民主的な諸団体や，とくに日朝友好運動関係者の求めが極少であったのはなぜか。今後の課題となるであろう。今年は，昨年後半より再開された「日韓会談」が条約調印批准へと急速度で進んだ年であった。これに対し，わが研究所は，第6次会談につづいて，精力的な啓蒙活動を展開した。講師派遣活動をくりかえし行なう仕事からパンフレット「アジアの平和と日韓条約」（B6判64ページ）を発行した。9月10日の初版から1カ月のちの10月15日には再版を出さねばならぬほど，日韓条約反対運動の前進と平行し，短期間・多量に配布された。すでに「私たちの生活と日韓会談」が反対運動に貢献した経験を踏襲したものだが，日本人の立場から日本人の問題として，そして日本人の責任において論究され，やさしく叙述されたために再び，研究所の声価を高める小冊子となったのである。

単なる解説パンフではなく，いまなにをなすべきかを日朝友好と国際連帯の観点から訴えたのが特色であり，わかり易さとともに，理論上の問題提起をおこなっていることが，研究所の出すこの種のものとして一大特色をなしている。他に追従を許さぬものを築きあげたといえよう。既刊の2冊のパンフとあわせて3部作をなしている。それは日韓問題小辞典の内容を備えたものでもある。

日本国会で，自民党の強行採決により，条約批准へと進められている時，日韓問題をより具体的に理解するための素材を出した。それが「資料その1　日韓条約・協定集」(A 5判50ページ）である。付属文書全文に，基本条約の英文，朝鮮文を収録したこの資料集は，政府の未発表箇処も含まれていることから注目をあびる結果となった。またやや突こんだ「日本の漁業と日韓条約」（B 6判94ページ朝研シリーズNo 1）という小冊子を作成し，終らぬ闘いへの寄与を深めているのである。

日韓闘争のさなか，10月15日には，「日・朝・中三国人民連帯の歴史と理論」を再版した。いまなお，読まれていることも，今年の出版活動中特記すべきことである。内容の不十分な点をこれからの研究で補い，読者・研究者の批判に耳を傾けて，より完備した理論書としてまとめあげることが課題となろう。

以上再版を含む6点の出版物はいずれも，研究所員の力で研究所が独力で世に送り出したものである。この他中国研究所，AA研究所とのいわゆる三研究所の協力によるアジア・アフリカ講座」全4巻も完結に近ずきつつある。第三巻「日本と朝鮮」（勁草書房）は3版を数えるという成績をあげ，朝鮮関係書籍の出版市場に堂々と乗り込む地歩をきずいたのである。また，所員を中心とした共同執筆による日本読書新聞社刊「朝鮮人」も3版を重ねたという。情勢ということもあろうが，この他朝鮮関係書の刊行には，わが所員の活動が大きく反映していることを否定するものはないだろう。

このような本年度の活動から来年度は，所として独自の企画による「朝研シリーズ」を逐次継続刊行したいと考え，「日本の漁業と日韓条約」にひきつづき準備中である。例えば，「朝鮮近代史の手びき」，「国連問題と朝鮮」「日本の労働運動と朝鮮問題」，「朝鮮の美術工芸」等々がある。一大事業である「朝鮮文化史」（上・下2巻）の翻訳・編集ならびにその刊行は新年度初頭にかけられた夢であり，ぜひとも成功させねばならないのである。この他「アジア・アフリカ叢書」(第1期，全10冊，勁草書房）をはじめ，朝鮮関係書の出版への参画・執筆等はいよいよ本格化する見通しである。（木元賢輔）

運　動　日韓条約反対運動について

1　日韓条約についての講師派遣

6月22日に日韓条約が本調印されたが，6．7月通も研究所に講師の要請があったのは，それぞれ，わずか数回であった。表にあらわれているように，各地，各団体から講師の要請が本格化してきたのは8月からである。

8月から11月までの4ヶ月間に，研究所を通じ，講師活動に参加した所員数13名，その他（所員外の人）3名，計16名となっている。

この期間講師の派遣回数は194回，聴衆者の数，約26,532名となっている。

月別にみると，8月が15回，平均2日に1回講師を派遣した。9月は，53回と派遣数が急速に多くなり，平均1日1.8回となった。10月は，さらにふえて，78回，1日平均2.6回となり，11月は46回，1日平均1.6回となって下降線をみせてきたし，12月はさらに少なくなってきている。

以上が講師派遣活動のあらましであるが，9月中旬から10月下旬にかけての事務局は，講師のあっせんとパンフレット等の発送作業に追われ，他の仕事がほとんどできない状態であった。なお，9月，10月の2ヶ月は，講師の不足から講師要請に応ずることができず，断った記録がないので正確ではないが，全体の約2/5は要請に応ずることができなかったのではないかと思われる。

日韓条約の講師の要請先をみると，8．9月中旬頃までは，職場・地域の「実行委員会」が圧倒的に多いことが特徴であった。

9月下旬頃から労働組合，学生，文化団体など各種団体からの要請が急に多様となってきた反面，最後まで婦人団体と商工団体からの要請が少なかったこと。労働組合の場合も講師要請がふえたとはいえ，国公・公労協関係及び民間の大組合からの要請が少なかったことは色々な点で注目されることであろう。

この4ヶ月間に情勢の面でも，運動の面でもいくつかの変化発展がみられた。講師個人は，その都度それに対応すべく研究，努力を行ってきたが，研究所全体としての意志統一，とりわけ講師団の意志統一が必要あったことはいうまでもない。しかし，何分，関係者が連日の講演，文筆活動等に多忙を極めていたためこの面では最後まで充分処置がとれたとはいわれなかった。

1962年から63年上旬にかけて日韓会談反対闘争が広汎に盛上ったとき（赤表紙のパンフを発行した頃）わが研究所の講師派遣回数は約90回であったが，そのときに比較すれば，すべての面で大きく前進していることがわかる。ここに記されたものは，研究所を通じたものだけであり，各所員が，職場，地域，団体などから直接要請されたものを含めると日本朝鮮研究所及び所員がこの面で日韓条約粉砕闘争に寄与した点は，不充分さはあったにせよ決して少ないものではなかったといえる。

日韓問題学習会講師派遣回数（8月～11月）

		8月	9月	10月	11月	計
所員	佐藤勝己	7回	18回	22回	11回	58
〃	寺尾五郎		14〃	16〃	10	42
〃	藤島宇内	2〃	3〃	8〃	2〃	15
〃	小沢有作		3〃	9〃	1〃	13
〃	中野良介		5〃	4〃	3〃	12
〃	木元賢輔		1〃	7〃	3〃	11
〃	川越敬三	3〃	2〃	3〃	3〃	11
〃	畑田重夫	2〃	1〃		5〃	8
〃	加藤卓造	1〃	3〃	2〃	2〃	8
〃	原　一彦			3〃	2〃	5
〃	吉岡吉典		3〃			3
〃	大村益夫			1〃		1
〃	樋口雄一			1〃	2〃	3
	比嘉俊爾				2〃	2
	寺本光郎			1〃		1
	その他			1〃		1
		15回	53回	78回	46回	194

2　文書によるけいもう宣伝活動

6月上旬日朝協会福岡県連合合会発行のパンフレット『激動するアジアと日本の進路』（寺尾五郎講演記録，定価70円）を5,0000部仕入，6，7，月の3ケ月間かかって販売した。

9月13日，研究所発行の『パンフレットアジアの平和と日韓条約』（B6判，64頁，50円）初版3,000部，10月27日に2版10,000部，11月2日に3版10,000部，計50,000，部を印刷した。12月10日現在の販売部数46,500部である。

9月20日『朝鮮研究』42号—日韓条約緊急特集号—（A判，定価200円）を発行，3,000部印刷，12月10日現在，所員，定期講読者も含め，2,800部を販売している。

10月20日，資料その1『日韓条約・協定集』（A5判定価1,000円）6,000部印刷，12月10日現在，2,650部販売した。

『日朝鮮中三国人民連帯の歴史と理論』はこの期間，従来からあった在庫約2,000部全部を販売し，11月上旬新らたに3版を3,000部印刷して現在に至っている。

その他，研究所外の出版物，『朝鮮題問入門』約400部をはじめとし，かなりの書籍が売れている。

また，日韓条約について，研究所にきた原稿依頼は『教育評論』より3回（佐藤勝己・吉岡吉典）『民青新聞』（川越敬三・樋口雄一）『明大学生新聞』（藤島宇内・佐藤勝己）『青年運動』（畑田重夫）『部落』（藤島宇内・佐藤勝巳・吉岡吉典）『東大新聞』2回（佐藤勝己）『全農協』（吉岡吉典）『国学院大学新聞』（比嘉俊じ）『太陽』（宮田節子・梶村秀樹）『経済評論』（川越敬三）『平和新聞』『朝鮮時報』『日本と朝鮮』などに所員が執筆し，その他いくつかの雑誌の座談会にも出席している。

以上が文書によるけいもう宣伝のあらましである。『激動するアジアと日本の進路』5,000部が実際に売れ出したのは8月に入ってからで，講師要請の方も8月に入ってからであることを思い合せると，この度の日韓条約粉砕運動が本格的に大衆化してきたのは，大体8月頃とみられよう。

『アジアの平和と日韓条約』は9月中旬に発行してより約1ケ月間は，1日平均1,000部づつ大衆の手に渡って行った。

同じ時期に『朝鮮研究』42号は1日平均40部という具合であった。パンフレットの1日1,000部は大体想像し得たところであったし，内容，時期，運動の発展の様子からみて，むしろ少なかったのではないかとすら思われる。

しかし，42号は，どうみても大衆性の少ない〝研究誌〟であり，従来より多少宣伝したとはいえ，正直にいってこんな早いテンポで読者の手に渡るとは予想できなかった。その原因を色々総合判断すると，要するに，あの時期にあって，他のいかなる出版物よりも水準が高かったということ，運動の盛上りと時期的に合致したということにあったと思う。42号は部数こそ3,000部であのが，日本の反対運動の理論的側面に寄与した点は，客観的にみて高く評価されるべきものであろう。

さてこれらの出版物が，どのような人たちの手にわたり，どのような働きをしたかということであるが，『朝鮮研究』『日韓条約・協定集』の約2/1は次取店を通じ読者にわたっている。残りは，直接研究所で扱っている。『朝鮮研究』42号が，各大学生協よりまとめて注文のあったことが若干の特徴で，他は民主団体からの注文が圧倒的に多かった。取次店で扱ったものも取次店の性格からみて，ほぼ同じ傾向とみられる。

（14ページへ続く）

（38ページより続く）

従って活動家といわれる人達に最も多く読れたものと推察される。しかし，パンフレットは，多くの場合，1冊のものが職場・地域で回覧され沢山の人に読まれるのが常であり，かなり広範な人達の目にふれているものと思われる。

3　むすび

日韓基本条約が仮調印された2月段階で，その時期に対応した，けいもうパンフ，資料など精力的に発刊していたなら，運動の全局面により肯定的な影響を与えることができたのではなかっただろう。

2月に基本条約が仮調印され，4月上旬に懸案が仮調印され，6月に本調印という一連の進行のなかで，日本の平和民主勢力のこれに対応する行動が，具体化してきたと思われるのは，8月からであった。2月下旬から7月までの期間，もっと具体的にいうなら，6月の本調印段階で，8月頃の反対運動の状況になっていたなら，かなり事態は違った方向をたどったであろう。しかし，それは一研究所の力をもってしてはいかんともしがたいことである。

それはそれとして，所員のほとんどが職業をもち，他団体，諸運動に関係しながらも，〃しやべり〃〃かき〃反対運動に少なからず貢献してきたといえる。そのことによって研究所の存在が広く注目されるようになり，加えて，研究所の財政が一定の前進を示すなど大きな成果を上げることができたといえよう。（佐藤勝巳）

在日朝鮮人の民主的民族教育への迫害に反対する声明

いわゆる「外国人学校制度」創設に対し，60万在日朝鮮人と日本各界の広範な人びとは，強くこれに反対している。それにもかかわらず，佐藤内閣と自民党は依然その企図を捨てようとせず，閣議はすでに学校教育法改定案要綱に承認を与えたという。在日朝鮮人の民主的民族教育への迫害を目的とする法案の国会上程が強行される危険はなお濃く，事態はひきつづき緊迫している。

しかも他方で，政府ならびに関係当局は，行政的手段によって，在日朝鮮人の民主的民族権利に対する一連の抑圧政策をあらゆる分野にわたっておしすすめている。

「韓国」籍の押しつけ，帰化の事実上の強要，さらに悪意に満ちたデマ宣伝や卑劣な脅迫等々，在日朝鮮人に精神的，物質的打撃を与え，あるいは朝鮮人民主団体の攪乱や日朝両国民の離間をねらった策動が権力を利用して執拗にくり返されている。これは，われわれが学校教育法改定案の成行きにのみ目を奪われてはならないことを示すものである。

在日朝鮮人の民主的民族教育は，日本国民の側からみれば，真に親日的な朝鮮公民を育てあげ，日朝親善を促進する平和的な事業である。これを守り発展させることは，日本国民とアジア諸国民との友好連帯の基礎を強めるものであり，アジアと世界の平和を保障する力をつくり出すものである。だからこそ，日本の民主的な人びとは，過去20年，在日米軍局のと日本官憲の絶えざる圧迫から民族教育を守る在日朝鮮人の努力を一貫して支持してきたし，いまもその擁護のために立ち上っているのである。

佐藤内閣と自民党がこのような事実を無視し「日韓条約」実施の一環として朝鮮人学校弾圧の暴挙を敢えて試みようとしていることは，この内閣と「日韓条約」の好戦的，侵略的本質を，いま一度内外に示したものといわなければならない。とりわけ注目すべきは，朝鮮人学校干渉の理由として，「わが国民に対する誤った判断を植えつけ」「わが国の国際的な友好親善関係を著しく阻害し」「わが国の憲法上の機関が決定した施策若しくはその実施をことさらに非難する教育」「わが国の利益を害する」等々の抽象的概念を羅列していることである。つまり，これは現実の日本政治に関与することは一切教育してはならない。現在の自民党内閣の戦争と侵略の政治に従えということにほかならない。

一方「反日教育がおこなわれている」とか，「パルチザン教育が行なわれている」とかの全く事実に反した誹謗がもちだされていることである。この逆宣伝は，在日朝鮮人を不当に傷つけるばかりでなく，朝鮮民族に対する日本国民の反感を煽り，これを排外主義と大国主義のとりこにすることをねらったものである。日本国民をふたたび軍国主義の復活へと思想動員しようとするこのような策動が「学校制度整備」の美名のもとにおこなわれていることを黙視しえない。

米占領軍が直接手を下して強行した1948年と1949年の在日朝鮮人学校大弾圧は米政府による李承晩政権のでっち上げおよび朝鮮侵略戦争準備にそれぞれ対応する措置であった。

今回の朝鮮人学校弾圧は，ベトナム侵略戦争に加担しつつみずからも対外侵略の歩をすすめようとする佐藤自民党政府の野望と明らかに不可分なものである。もしこれを許すならば，歴史が物語るように日本人自身の民主的教育も，学問，言論の自由も否定され，日本の平和と民主主義は重大な危機に直面せざるを得ないであろう。

われわれは，昨年なによりもまず，祖国の将来を憂える見地から「日韓条約」に反対した。不幸にして当時の予想が現実のものとなり，「日韓条約」の実施が日朝両国民への凶暴な攻撃としてたち現われてきたこんにち，われわれは決意を新らたにしてこの粉砕のため奮闘しなければならない。

佐藤内閣と自民党は，「外国人学校制度」創立のための法案をただちに廃きし，在日朝鮮人の民主的民族教育に対する一切の迫害を中止すべきである。さらに，在日朝鮮人の民族教育の権利を完全に保障するため必要な措置をすみやかに講じなければならない。

この要求の実現のため，われわれは「日韓条約」批准に反対した各界各層のすべての勢力と提携して積極的に努力することを，ここに声明するものである。

１９６６年５月１６日

日 本 朝 鮮 研 究 所 全 所 員 集 会

研　究　所　だ　よ　り

総会後，次の方々が新しく所員となりました。

井上秀雄	大阪工業大学助教授	朝鮮古代史
鎌田　隆	立命館大学大学院生	朝鮮社会主義農業
木原正雄	京都大学助教授	経済学
清水慶秀	広島女学院大学助教授	教育学
西川禎哉	文学研究家	中国現代詩，朝鮮史
三宅鹿之介	東洋大学教授	財政学
山下　哲	大阪産業大学経営学部講師	社会主義企業経済学

○　所員・桜井浩さんが，この度結婚されました。おめでとうございます。

○　待望の『朝鮮文化史』上巻は印刷を終り，製本中です。この号の文化史特集がおてもとにとどくころは配本が出来ます。なお，下巻は9月下旬発行の予定で作業がすすんでいます。

○　6月30日で研究生募集を締切ました。45名が応募し，7月7日の研究生全員集合には40名が参加しました。三つのグループ，日朝関係史，朝鮮史，現代朝鮮論にわかれ，7月末より活動をはじめました。新しい研究者を全所員の力で育てましょう。

○　研究所が創立されてから5年になり，記念事業が計画されています。記念研究論文集，記念集会，等が計画されています。

○　出版は，川越敬所員の『日本経済の対韓進出』（仮題，新書版）民族教育のパンフ。朝鮮語のテキストが作成されています。この他計画中のものに「金玉均論文集」のほんやく等があります。

日本朝鮮研究所5周年記念によせられた祝電

私たちは日本朝鮮研究所創立5周年に際し，貴方たちに熱烈なお祝いをおくります。

貴研究所はすぐる期間「韓日条約」の侵略的本質を暴露し，日本人民にわが国の現実を紹介宣伝することによって，朝日両国人民間の理解と親善関係を発展させて参りました。

私たちは今後の貴研究所の高貴な事業において新しい成果があることを祈っております。

朝鮮民主主義人民共和国
対外文化連絡協会

私たちは貴研究所創立5周年を熱烈にお祝い申上げます。

貴研究所は日本人民の間にわが国に関する紹介宣伝と〝朝鮮文化〟刊行事業において大きな成果をなしとげられました。

私たちはこんご貴研究所の事業において新しい成果をあげられますようおいのりいたします。

朝鮮民主主義人民共和国
社会科学院

「日韓条約」一ヵ年の回顧と朝鮮研究者の任務

所員　畑　田　重　夫

1）あらためて「日韓条約」の本質をみきわめよう

14年間にわたる日「韓」交渉ないし「日韓会談」の形のうえでの所産が，7カ条の条文をもつ「日韓条約」であったことは誰の眼にも明らかであった。したがってまた，同条約につき，条文の解釈を法律論的に試みるだけならば，さほどの困難はないはずである。

問題は，その本質がどういうものであるかの規定の仕方であった。われわれは，せまい視野，たとえば，日本と「韓国」，いや日本と朝鮮の関係だけを視界においたみ方において「日韓条約」の本質をとらえようとしたのでは事態の本質に迫ることはできないという点に注意を払った。これは，おうおうにして，そういうせまいワクだけで日本と朝鮮の関係を考えやすい朝鮮研究者にとっては格別に重要な教訓であった。もちろん，わたくしがここで朝鮮研究者といっているのは，日朝関係史（論）を研究の対象として意識する歴史学者だけを意識しているのではない。日本人として朝鮮の全分野――政治，経済，歴史，地理，技術，文化，芸術，思想その他――にわたる研究を深めようとしている人および一日も早く日本と朝鮮の正しい関係を回復すべきだとして日夜心をいためながら，その具体的道すじを科学的に検討しようとしている日朝友好運動家のなかの理論家をもふくめて考えているつもりである。

「日韓会談」が開始されたのが，第2次世界大戦後における最初の世界的性格をもつ大戦争――朝鮮戦争――のさなかであったし，それが妥結をみた瞬間もまた，同じく世界的規模と性格をおびつつあるベトナム戦争のまっただなかにおいてであった。したがって，「日韓条約」の背景を，日本人民の立場から正しくとらえようとするばあい，われわれとしてアメリカ帝国主義のアジア侵略戦争，さらに日本人の立場からみるさい，日本を主たる根拠地としておこなったアジア侵略戦争との関係がまず見おとされてはならない重要な点であった。同時に，朝鮮戦争中のアメリカの特需をテコとして，日本独占資本が戦争前の水準に復活し，日本再軍備（警察予備隊創設）の開始とサンフランシスコ・安保両条約の締結がいずれも朝鮮戦争の期間中のできごとであったということ，および，復活した日本独占資本が，ふたたびベトナム特需をきっかけに，ますます国家独占資本主義の性格をつよめ，日本経済の軍事化を促進し，対米従属下の日本軍国主義の総固めを急ピッチで歩みつつあることに注目しないわけにはゆかなかった。

同時に，以上のことは，朝鮮の国内諸事情を無視して，ひとり外在的な諸条件に着目すべきであるということだけを強調しているのではなくて，むしろ基本的には朝鮮，とりわけ第2次世界大戦後，アメリカ帝国主義の完全植民地と化してきた南朝鮮の経済的，政治的危機の度合いを終始一貫重視し，それとの関係で，米日支配階級の政策がどう変化，発展したかを考察すべきであったということをとうぜん内包していた。

以上のような全面的な考察にもとづき，われわれは「日韓条約」の本質を，アジア社会主義国の東北の前哨に位する朝鮮の南半部（ベトナムの位するインドシナ半島はその東南部）の政治的危機にテコいれをするという目的をもちつつ，アメリカ帝国主義が指導・監督する米・日・「韓」の軍事同盟の結成，対米従属の条件のもとでの日本独占資本の南朝鮮経済侵略および南北朝鮮の統一阻止と朝鮮民主主義人民共和国敵視政策の具体化にほかならない，とみたのであった。わが日本朝鮮研究所の所員ならびにその影響下にある理論家・思想家の過去数カ年間における著作・言論活動は，ほぼこの本質規定のうえにたちながら，それぞれの個別専門分野の深い蓄積をはき出すという形において展開されてきたのであった。

ただそのさい，わたくし自身，形而上学的な考え方，つまり日本と「韓国」の支配・被支配，侵略・被侵略の問題だけを他からきりはなしてとらえようとしがちであったために，日本人研究者としての主体性，つまり日本の社会的・歴史的変革のコースを日本人研究者としてどう考えるべきかという観点，さらに具体的にいえば，日本みずからが第2次世界大戦後，アメリカ帝国主義との関係でどういう立場におかれているのかというもっとも基本的な外ワクを無視ないし軽視してしまうという偏向をおかしたり，朝鮮側，とくに朝鮮民主主義人民共和国の労働党や政府の公式見解を日本人の立場として正しく読みとることができなかったり，あるいは，朝鮮にたいする帝国主義的旧支配国である日本の一人民としての反省だけが一面的，部分的に深められすぎた結果，日本人の朝鮮認識のゆがみを是正することがすべての国際問題解決の唯一の基礎——このことはわれわれのように理論・思想闘争を主たる任務とする者にとってはきわめて重要なのであるが——であるかのように理解し，日本の権力問題をもふくむ政治・経済分析などにおいても〝心〟や〝思想〟の問題に解消してしまうという誤ちをおかしたことが一再ならずあった。

いうまでもなく，教育的観点から，民族的・階級的に日本人民の思想を正しく変革し，そのなかで，ゆがめられた朝鮮観を是正してゆくべきことはますます重要になっている。しかし，そのことと，日本の国際的地位の性格規定という社会科学的分析とを混同したりすることは方法論的にも厳格にいましめてかからねばならぬところであった。日本人の正しい朝鮮観の確立は，歴史的反省や抽象的な説教だけによって可能なのではなくて，基本的にはあくまで日本人民の現在の生活や権利の要求にねざしながら，独自の民族的・階級的な課題を追及してたたかうなかでこそ，日本と朝鮮との関係の本来あるべき姿も正しくうけとめられてゆくのであろう。その意味で，安保闘争につぐ大闘争としての「日韓条約」反対闘争が，日本人民の朝鮮認識に一定の前むきの変革をもたらしたことは正しく評価されなければならない。事物の発展や変化はいっきょにとげられるものではないのであって，とくに広はんな人民大衆の思想というものは，具体的な経験や実践をとおし，長い時間をかけながら，徐々にではあるが，着実に変化と発展をとげるものなのである。その意味では，われわれは，さいきん，日本人民のなかに朝鮮と朝鮮問題を正しく理解したいという層が増加しつつあることを心からよろこびたいとおもう。もちろん，米日支配層の側からは，逆に，ゆがんだ朝鮮観を日本人民のなかにひろめようとする思想攻撃がはげしくなりつつあることを瞬時も忘れてはならない。

2）「日韓条約」締結以後1カ年間の情勢はどう推移したか

第1節でみたように，「日韓条約」が政治的危機にひんする「韓国」の朴「政権」にたいするテコいれであったことは，同条約締結1カ年間における朴「政権」の対米・対日売国・迎合政策のなかにはっきりとよみとることができた。

まずアメリカにたいしてであるが，これまで南朝鮮にたいしておこなわれていたアメリカの余剰農産物をはじめとする援助が1970年の2500万ドルを最後として原綿をのぞいて打ちきられることが予想されるにあたり，朴「政権」は，アメリカ帝国主義にとりいるため，「韓国」の国軍ならびに民間人（技術者・労働者）を多数南ベトナムへ送りこみ，かつ，アメリカが計画している新しいアジア・太平洋同盟構想実現の土台づくりに積極的な「指導性」を発揮しょうと努めた。

1966年6月，ソウルでひらかれたアジア・太平洋地域閣僚会議から同年10月にマニラでひらかれたベトナム参戦国会議にいたるまで，「韓国」はその主導権を国際的に誇示することにつとめた。その他，9月のアジア議員連盟（ＡＰＵ）第2回総会をはじめとする官民の諸会議の会場をソウルでひきうけたことも，「日韓条約」後1カ年間のきわだった特徴であった。これらは，国内政治的危機から人民の眼をそらすという朴正熙一派の政治的意図にもとづいていた。

このように，アメリカ帝国主義に歓迎されるような行動をあえておこなうことにより，アメリカからの軍事的・経済的援助を継続的にひき出そうとつとめたのであった。と同時に，アメリカの援助があまり期待できないという条件をも考慮し，代りに日本の「資本協力」にたよろうとして，日本の資本と商品の「韓国」への導入の国内的条件をととのえることにも腐心した。「韓国」の政治的危機は国際的にもいっそう深まり，7月にはトルコが駐「韓」国連軍から最終的に軍隊をひきあげ，8月には国連「韓国」統一委員会（ＵＮＣＵＲＡ）からチリが脱退した。この傾向はさらにひきつづき深まる形勢にある。国連の影響下に朝鮮の国内的・国際的条件をととのえようという路線が困難になるということは，朝鮮人民のなかに南北統一の願望が潜在的にみて強烈である以上，朝鮮人民による自主的・平和的統一という道が相対的にみてより深く全朝鮮人民のなかへ浸透するであろうことを意味した。「韓国」においては，歴史的にも，また支配層の主観においても，南北の自主的・平和的統一気運の高揚即政治的危機であってみれば，「韓国」ならびに米日の支配層にとっての事態の深刻性は容易に想像されるであろう。

アメリカ帝国主義が指揮する米日「韓」軍事同盟という点では，「日韓条約」後，日米合同軍事作戦計画であるブル・ラン作戦計画（三矢一月光—フライング・ドラゴン諸作戦の延長・強化）が，第2次朝鮮戦争を前提とし，かつ，日本の自衛隊の国連協力の名による朝鮮派兵を予定したものであること，および，第51通常国会にさいして，佐藤内閣が国連協力法案を準備していた事実などによってうらづけられたし，たび重なる米「韓」，米日合同演習は，「日韓条約」がもともとベトナム侵略戦争を国際化し，極東全域に拡大しょうとするアメリカ帝国主義のアジア侵略計画の重要な部分をなすものであることを実証した。それは，10月の下旬，マニラ会議の帰途，ジョンソン大統領が訪「韓」した時期を中心に，38度線付近が極端に緊張したことでもっていっそうはっきりとうらづけされた。

郷友連（在郷軍人の会）の代表をよそおう日本防衛庁幹部の訪「韓」や，駐日「韓国」大使館に武官府がおかれ，「韓国」の駐在武官が着任し，日本側も，1967年度にソウルに駐在武官を派遣しょうとしていることなど，すべて「日韓条約」が米日「韓」の共同軍事体制の強化をめざすものであったことを物語るものであるといえよう。

対米従属下，日本独占資本の南朝鮮進出についてみれば，石油，鉄道，火力発電という産業の基幹部分はアメリカ独占ががっちりおさえており，それをのぞく部門，つまりアメリカ独占の利益と競合しない部門への日本独占資本の進出——各種プラント輸出をはじめとする事実上の経済侵略の開始は，2月の「日韓合同経済懇談会」3月の「日韓貿易協定」，4月の「請求権資金初年度使用計画」，「日韓経済合同委員会」，9月の「日韓経済閣僚懇談会」，10月の「日韓保税加工貿易促進協議会」などによって急速に軌道にのせられつつある。とりわけ，「日韓条約」締結のさい，3億ドル以上と約束された日本からの民間商業借款が，66年10月までに「韓国」政府が受入れを認可したものだけでも63件，3億7千800万ドルにたっし，初年度で早くも供与予定額を上回るありさまであるということは，いかに日本独占の対「韓」進出のテンポがすざましいかを物語る一例である。

朝鮮の統一阻害や，朝鮮民主主義人民共和国敵

視政策についてみれば，条約の第３条において，「韓国」政府を，「朝鮮にある唯一の合法的な政府である」として，政治的・軍事的・経済的に「韓国」政府とのみ接触を深めることにより，事実上南北の統一をより困難にし，日本政府の政策の実際においても，朝鮮民主主義人民共和国の在外公民である在日朝鮮人への一連の権利攻撃（「韓国」籍の強要，民主主義的民族教育への干渉と弾圧，祖国への自由往来の禁止，朝鮮民主主義人民共和国技術者の入国拒否，在日朝鮮人帰国協定の１年後打ちきりの閣議決定など）によって，日本政府は，朝鮮民主主義人民共和国敵視政策を露骨に示した。それらは，対米従属のもとでの日本軍国主義の復活・強化とふかくむすびつく一連の措置でもある。

かくて，幸か不幸か，「日韓条約」締結後１カ年の事態は，われわれがあらかじめ分析していたとおりの経過をたどったといえるであろう。

われわれが「日韓条約」の粉砕――ひとつひとつの具体化政策とたたかうことが重要――のためにたたかわないかぎり，以上の傾向は，いっそう強められるにちがいないし，そのことは，アジアの平和，とくに日朝両国人民の利益と基本的に矛盾することもまた明らかである。

３）日本と朝鮮の関係をめぐる思想攻撃と日本人民の思想状況

「日韓会談」が大詰に近づくのとほぼ同じ段階で日本の思想界，歴史学界，論壇に登場してきたのは大東亜戦争肯定論を中心とする反動的思想であった。それら一連の思想宣伝のなかには，「高杉発言」に典型的にみられたような，旧日帝の朝鮮支配を，朝鮮近代化に貢献したものとして，それを美化するという思想攻撃がふくまれていた。

これらの一連の思想と理論の体系のなかには，欧米の先進列強のアジア侵略に抗して，同じくアジアにある日本がそれを防衛したのであるから，日本はアジア諸民族解放のためにアジア政策ないし大陸政策をおこなったものとみるべきである，という論理が基礎にすわっている。だが，それは歴史の事実に合致しない主観的なみ方にすぎない。

たとえば，旧日帝の朝鮮支配の過程についてみよう。1876年の「江華島条約」，1905年の「乙巳保護条約」，1910年の「日韓併合」という，帝国主義的な朝鮮の支配過程は，まさに，「先進列強」たるアメリカの支持と承認のもとにおこなわれたのであった。たんなる支持や承認というより，アメリカ帝国主義は，歴史的に日本の朝鮮侵略の共犯者であった。それは，1905年の「タフト・桂秘密協定」が，アメリカのフィリピン占領の代償として，朝鮮を日本にゆだねることにし，日本帝国主義の朝鮮占領を積極的に支持した事実によって明白に証明されていた。別の言い方をすれば，日本帝国主義は，不平等条約による「列強」からの圧力や矛盾のはけ口を「大陸侵略」に求めたということであった。要するに，おくれて資本主義的国際競争の渦中に投じた日本帝国主義は，アジア諸国を略奪する可能性をもっていたが，先進列強の支持がなければ，金融上，軍事上のどんな自主的な力ももつことができなかったのである。

旧日帝の朝鮮支配を美化する思想は，いままた，「日韓友好」「日韓親善」の合言葉にかくれ，経済的に苦しむ「韓国」にたいし，日本が援助・協力をするのであるという米対従属のもとでの日本独占資本の対「韓」再進出を肯定し，美化し，促進する思想となってひきつがれ，再生しつつある。これらの思想は，たんに，日本の独占ブルジョアジーや保守的政治家の言動のみならず，マス・コミ一般の論調のなかにも大量にあらわれつつある。

旧日本帝国主義の朝鮮統治を，日本の善意の発露とみるみ方にたいし，「韓国」の主体性ある一人の知識人はこうのべている。「その論法は，いわば，人の家の壁をうがって侵入した悪盗のむれが，主人をはじめ全家族をしばりあげ一部屋におしこんだすえ，その家の財貨を自分の家に搬出したばかりでなく，さらによくばって，その家に滞在しながら，そこを根拠として犯行をつづけ，ついに警察に逮捕されたときに，われわれがこの家を侵犯しなければ，べつの強盗がはいって，もっと凶悪な行為をしたはずなのに，どうして逮捕するのかとひらきなおっているような恥知らずで，つじつまのあわないものである」と。（『日本に訴える』96〜97ページ）

「日韓条約」締結後2年目にあたる1967年においても，日本と朝鮮をめぐる米日支配層による思想攻撃は，もっぱら朝鮮民主主義人民共和国を敵視し，近代化の美名のもとに，日本と「韓国」との「友好・親善」を無条件に美化・礼讃するという新植民地主義的なものに彩どられるであろう。なおその背後では，アメリカ帝国主義が，日本は近代化に成功した典型であるという論法を基礎にして，いわゆる日本大国論を宣伝し，アメリカが支配するアジア・太平洋経済圏（1966年における東南ア開発閣僚会議，アジア諸国開発銀行会議，インドネシア債権国会議，東南アジア農業開発会議における日本の比重とアメリカの態度をみよ）確立の方向を日本にになわせる路線が思想的にも準備されてゆくであろう。同時に，大国日本に不足しているのは，防衛上の努力のみであるとして，ベトナム戦争にたいする「韓国」の貢献を模範にして，日本はさらにさらに軍事力を増強せよ，という圧力がアメリカからかけられることもまちがいあるまい。

このような思想攻撃の激化が予想されるなかで，日本人民の思想状況はどうなのか。すでにのべたように，日韓闘争のなかで，日朝両国の真の独立の重要性，日本と朝鮮とのあるべき正常な関係，日本人としての正しい朝鮮観などにつき，画期的な関心の高まりをみることができた。しかし，それはあくまでも，歴史的にみて相対的にいえることであって，自覚した部分というのは絶対的にはごく少数にとどまっており，広はんな大衆は依然として旧日帝時代につちかわれた朝鮮にたいする蔑視・軽視・差別の思想を身につけたままである。これは純然たる戦後世代にぞくする若い人びとのなかにも，あらゆる方法・径路によってもちこまれ，ひきつがれつつあるといってもよいであろう。もっとも，若い層のなかには，社会主義朝鮮の建設状況を映画でみたり，話をきいたり，かつ在日の朝鮮大学校や朝鮮高校生との交流などにより朝鮮人民のはげしい祖国愛の態度に圧倒され，日本人であることに劣等感を覚えるという主体性のない、あわれむべき青年もいないわけではない。

圧倒的多数の日本人は，米日支配層の思想宣伝のワクにはめられつつあるというのが実状である。主観的には善意であっても，せいぜい不幸な朝鮮に同情するという立場におちいっている人が多いというべきであろう。各民族は自主・平等であって，相互の立場を尊重し合い，内政に干渉し合うことなく，各国人民の生活向上と世界の平和のために支持・激励し合うべきであるという原則が日本と朝鮮の関係においてもあらためて確認される必要があろう。

4）1967年における朝鮮研究者の任務

第3節でのべたような米日支配層の思想攻撃のなかで，われわれ朝鮮研究者の任務はどうあるべきなのだろうか。

日本朝鮮研究所の設立趣意書にはこうのべられていた。「今こそ，過去の誤れる統治政策に由来する偏見を清算し，**日本人の立場**からの朝鮮研究を組織的に開始することが必要な時であると考えます。」（ゴヂックは畑田）この基本態度は，過去1年間の朝研の実績のなかに，たとえ部分的には不十分さやまちがいはあったにせよ，ほぼ一貫して堅持され，一定の所内における所風と伝統なるものをきずきあげ，ひろく所外にも影響力を及ぼすことができたと確信している。

問題は，この朝研の精神ともいべきものを，「日韓条約」下の新段階にどう具体的に発展させるかにかかっているといえよう。つまり，たえず発展する情勢のなかで，それを正しく科学的に分析しながら，朝鮮研究者ならびに朝研として，各専門別研究を通じて日朝両国民の利益にどう貢献するかということである。

同じく朝鮮にかんする専門的研究者といっても，その部門は多岐にわたっている。各研究者が日本人としての主体的立場と観点を堅持しつつ，朝鮮にかんする各部門別研究を徹底して深めることがまず第1である。独自研究と，相互研究・集団研究とを統一的に発展させることも意識的に追及されなければならない。その研究の深化を通じて，それを大衆的に普及・宣伝することはこれまでにまして必要となっているので，わたくしはあえて大量宣伝・大量普及の重要性を強調したいとおもう。でなければ，権力側やマスコミによるゆがんだ大量宣伝の洪水に対抗することは不可能だからである。そのための方法は，すぐれた論文，著書の大量発行，学習会や学校の開催，講演会や小講座（いまの火曜講座の類）やゼミナール研究生制度の拡充など，あらゆる条件を生かした多面的なやり方が考案されるべきであろう。朝鮮語講習にしても，ただ言語としての朝鮮語の指導にとどまらず，すくなくとも朝研でやるものは，語学を通して正しく朝鮮認識の普及に貢献するという方向を目ざすべきであろう。

第2には，歴史的にみても，また，平和と社会進歩をのぞむ日本人の立場からみて，あきらかにまちがっていると思われる朝鮮にかんする思想や理論にたいする妥協のない思想闘争や理論闘争をいどむという研究者的戦闘性を身につけることである。もともと，理論はたたかいのなかで進歩し，発展してきたのであるが，日本人の朝鮮観をめぐる問題も，きびしい思想闘争ぬきには，広はんな日本人民のなかに正しい朝鮮観をうちたてることはできないからである。

第3には，それらの活動を通じて，われわれは若い日本人のなかに，朝鮮研究者を大量に養成してゆく課題を追及しなければならないであろう。ちかごろ，朝鮮語熱，朝鮮の歴史，技術，文化あるいは日朝関係史にたいする学習熱が高まりつつあることはよろこぶべき傾向であるが，他の研究分野にくらべた場合，まだ朝鮮研究者の数はきわめて少ないといわざるをえない。われわれの朝研に結集する朝鮮研究者が、裾野をひろげ，底辺を拡大するという仕事をすすめないかぎり，日本における朝鮮研究者の拡大再生産は不可能である。なぜなら，前記設立趣意書にもあるように，「日本の大学には西欧に関する限り何千人もの研究者がいるのに，現代朝鮮に関しては信頼できる研究者はきわめて少ない」からである。

ベトナム戦争拡大化のもとで，日本とアジアの情勢はますますきびしさをますであろう。あたかも，日本とアジアの情勢のきびしさに比例するかのように，われわれ日本における朝鮮研究者の任務も日に日に重要性をましてゆくであろう。そのうえ，朝鮮の北半部は社会主義の世界体制の一角を形成しているのであるが，国際共産主義運動の内部における不団結は，はねかえって，直接間接に，社会主義国を研究対象にもつ日本人研究者にも影響が及ばないという保障はない。その場合にも，各研究者は，あくまで日本人民のひとりとしての主体性をつらぬきとおすだけの確信と勇気がなければならない。日本の労働者階級（全就業人口の56パーセント）と人民を信頼できないままで，朝鮮研究をどれだけ深めても無意味であることをあらためて銘記したいものである。

（1967. 1.9）

総会のお知らせ

日韓条約締結1年後，複雑な状況の中で研究所は設立趣旨にもとづき多方面にわたり活動をつづけてまいりました。朝鮮問題は今年さらに重要な問題をはらんでおり，心ある国民の期待が寄せられています。ここに下記のごとく総会を開会し，一層充実した研究，普及活動を推進したいと存じますおいそがしいとは存じますが御出席下さい。

記

日時　2月12日（日）10時より

場所　日本朝鮮研究所会議室

☆☆ 日本朝鮮研究所5年間の総括 ☆☆

創立5周年を迎え，新しい機構で第6年目を発足しようとするに当り，機関誌「朝鮮研究」を中心とする過去5年間のわが研究所の歩ゆみを評価と反省，回顧と展望をも加えて，総括してみることとした

思想状況

「日本」朝鮮研究所の果しえたもの

藤　島　宇　内

日本朝鮮研究所が発足してからすでに5年を経た。

この研究所は，その設立の趣旨に1つの特色をもっていた。それは，その名前にまず「日本」という文字をつけたところにあらわれている。それは，とりたてていうほどのこともない問題にみえるかもしれない。しかし，それがなかなか重要な意味をもっていたのである。

そこに重要な意味が含まれているということは，すでに設立以前から明らかであった。従って，もしも，「日本」という文字をつけない研究所であるならば，なにも新しく設立する必要はない，といえるほどの自覚性が，この研究所の設立意図には含まれていたのである。

たとえば，日本につくられている世界の各国についての研究所の中で，そのような発想のもとにつくられたものが，ほかにあるだろうか。恐らくあるまい。そこに，「日本朝鮮研究所」設立の特異性があり強味がある。

最近のように国際的なイデオロギー状況の複雑な時期にはいってくると，その理由は説明するまでもなく明らかになってきたといえよう。

いうまでもなく，発足当時は，なぜ「日本」という文字を冠する必要があるのか不思議に思い疑惑をもつむきもないではなかったと思う。そのような疑惑は，それまでの日本における社会主義圏との交流の思想状況からすれば当然のことであった。たとえ，疑惑があろうとも，それを説得し，押し切って，日本人の立場から，日本人の手による，日本人のための朝鮮研究を行なう，という姿勢を樹立すること，そこに設立趣旨の最大の眼目があったのである。

つまり，そこには，国際関係の中での日本人としての自主性，日本の社会の中での研究所としての自主性，という二つの問題がふくまれていたわけである。

それがまた，真の友好にもおのずから役立つということを，朝鮮民主主義人民共和国や在日朝鮮人に理解してもらえたことは幸いであったといわねばならない。理解に乏しい思想状況は，むしろ日本人の中にあったというべきであろう。それは単なる思想状況ではなく，実践によって克服してゆかねばならぬものであった。

いくつかの実例について検討してみよう。

日本には，朝鮮が日本の植民地であった時代の朝鮮研究の遺産がある。日本が完全に植民地化した唯一の外国が朝鮮であったという関係上，その時代の日本人の朝鮮研究は，植民地支配と無関係なものは有り得なかったといってよかろう。このような遺産があることは，他の諸外国を研究する場合には有り得ない特徴である。今日，日本で，朝鮮研究学者といわれるほどの人は，いずれも朝

鮮が植民地であった時からの朝鮮研究学者であった人が多く，その業績をいかに評価して新しい時代に接続してゆくかという課題は，現代の日本に特有の課題である。この課題は，現代の日本人が，日本人の立場から，日本のために解き明かす以外に，誰がはたすことができようか。

この課題に対する一つの取組みは，研究所月報に長らく分載された座談会討論において行なわれたが，もちろんそれで終るべきものではない。今後，さまざまな角度からの取組が要請されているのである。

この課題は，一見したところ，単なるアカデミックな問題のように思われ勝ちであるけれども，実は現代における日本人の朝鮮研究に直接に影響してくるするどい政治的な問題をもはらんでいる。

たとえば，近年，研究者の需要が高まっているために，日本政府あるいは朝鮮総督府関係の朝鮮統治に関する外交文献・調査文献の復刻がさかんに行われている。それらの文献の中には，朝鮮の独立運動に関する当局の調査文献で，昔は秘密にされていたものが数多い。朝鮮が植民地であった時代の朝鮮研究は，政治上の制約があったので，このような文献にふれることができなかった。ということは，朝鮮が植民地であった時代には，朝鮮の独立運動に関する研究は学者の手によって行なわれなかったことを意味する。だが，朝鮮の独立運動をのぞいた朝鮮研究が有り得ないことは，今日では常識であろう。しかし，そのために残された遺産は，大体において，当時の日本政府・総督府当局の，その立場から作成した文献なのである。その時代に，たとえばアメリカ人の中からは，ニム・ウェールズ「アリランの歌」のような独立運動の側から独立運動をみた文献が生れた。しかし，日本人の中からは，それは生れなかったのである。生れなかったという朝鮮研究の在り方自体が一つの遺産である。

このような過去をもしも批判的に相続することがないならば，それは今日においても危険をもたらす。

たとえば，昨年，坪井汕二著「朝鮮民族独立運動秘史」の改訂版が出版された。その序文において，著者は，佐藤内閣の日韓条約の強行妥結を祝賀するという政治的態度をはっきりと打ち出しており，この本を書くについては，アメリカにも行って，ハーバード大学のワグナー教授の支援をうけたことをのべている。ワグナー教授は，第二次大戦後，占領軍の一員として日本，朝鮮にきた人で，そのとき以来，朝鮮に興味をもって研究するようになり，今日，アメリカでは指折りの朝鮮研究学者として知られている。ワグナー教授は，1961年，クーデターの後に朴政権を批判する論文を発表したことがある。このことは同教授の立場をくるしいものとした。すなわち，国務省からお座敷がかからなくなったのである。同教授の作成した朝鮮語教科書が教材として使われているアメリカでは，これは学者としての生活をおびやかす問題となる。その後，同教授は韓国を訪問し，その説を改める見解を発表した。

坪井氏は，今日では一学究としてこの研究を発表しているのだが，むかし朝鮮が日本の植民地であった時代には，学者ではなく，一つの特殊な政治的立場，すなわち，今日のアメリカ的表現でいえば総督府のＣＩＡ責任者ともいうべき地位にあった人であり，それだからこそ朝鮮独立運動を取り締まる立場から，その情報を収集できる立場にあった。その資料自体は今日では学問的研究の資料となったのである。坪井氏の場合，そういう自分の資産が，今日の研究の基礎にあるわけだが，その場合にも，単なる客観的研究を行なう学者としてではなく，わざわざ先のような政治的立場をとることを明らかにしているのである。

これは一つの例にすぎないが，このような過去と現在のつながりをどのように考えるべきなのか，その検討が十分に行なわれなければ，今日においても，新たな植民地主義に奉仕する学問的研究を生み出してしまう危険性が日本にはあるのだ。これは外国人の研究によっては克服できる問題ではなく，日本人自身の研究によってこそ克服されなければならない問題である。

日本朝鮮研究所は，その設立の初めから，日韓会談を研究することを大きな主題とした。

これは，総督府時代の，なるべくならば現実の政治にはかかわるまいとした研究学者の当時としては正統的であった態度からみると，アカデミックではないという印象をも受けるであろう。しかし，かつての朝鮮支配時代の朝鮮研究が，総督府による植民地支配の研究を欠いていたこと自身が一つの遺産であるとするならば，今日，その「在り方」をそのまま遺産として受けとらずに，逆転させてゆくことが必要になるのではあるまいか。マイナスがマイナスとして受け継がれては，植民地主義から解放されつつある今日の朝鮮の研究にはなりえないといえるであろう。

日韓会談，日韓条約は，今日の現実の政治問題であり，日本人の中にもそれを推進する勢力とそれに反対する勢力がある。従って，日本朝鮮研究所において行なわれる研究も，現実の政治運動に対して一定の影響を及ぼす。また逆に，現実の政治運動とのかかわりなしには，その研究も進めることができないという性質をもたざるをえなかった。だが，そのような性格の研究をあえて行なったということは，日本における外国に関する研究所の在り方としては，まったく独特のことであり，それが，これから成長してゆく新しい朝鮮研究者の在り方に対して，一つの刺戟となったことは，大いに意義のあることであろう。

こういう性格の研究課題においては，何人もしろうとである。専門家などはいるはずがない。しかし，そこには，過去の日本と朝鮮の交渉史，植民地支配の歴史，現実の政治・経済・軍事・文化の諸問題，今日の日本の国内情勢と今後の日本の進路についての問題，南北朝鮮の現状，アメリカの戦略などがはげしく交錯しており，その考察には豊富な知識の蓄積を必要とする。従って，日本朝鮮研究所のやった研究が万全であったなどとはとてもいえない。むしろ，大いに不十分であったというべきであろう。その力量の不十分さについての自覚こそ，これからの朝鮮研究に対して切実な刺戟を与えるものである。現実のこのような大問題の研究には，ただちにはね返りのくる責任がともなう。それだけに，ゆたかな研究者の力量の蓄積が要求されるのである。

1960年，日米安保条約の改訂が強行された当時，日本では多くの各方面の有力な学者が反対運動に参加した。従って，さまざまな専門的分野からみた発言もあったはずであり，またパンフレットの作成などには条約に直接関係をもつ専門分野の学識が生かされた。しかし，反対運動の大波が過ぎ去ってしまったのち，当時の専門的学識の生かし方にどのように不十分な点があったかということが検討されたという話はきかない。だが，それでことは済まないのであって，今日，私たちが日韓条約の検討を曲りなりにもやってみたのちに，改めて安保改訂当時の専門学者の知識を生かした文書類を読んでみると，明らかに欠陥が発見できるのである。

たとえば，当時，政府は，安保改訂の最大の眼目は，「国連憲章の原則」によって日米が協力することを明らかにするところにある，と説明していた。ところが，反対運動側には，それが一体なにを意味するのかということについての検討は，ほとんど欠けていたのである。「吉田・アチソン交換公文等に関する交換公文」は，在韓「国連軍」に対して，戦争再発の場合に日本が基地・資材・役務を提供して協力することを再確認しているが，その裏づけとなっているのは，国連において日米両政府がとっている対朝鮮政策である。ところが，奇妙なことには，この政策についての解明は，当時は全く行なわれていなかったのである。しかし，そのことについての再検討もまた行なわれなかった。

それには，複雑な，あるいは深刻な理由があるとみられる。植民地支配時代に形成された日本人の心情——朝鮮問題軽視の心情が無意識のうちに作用したこともあるであろう。日本の敗戦，アメリカ軍による占領支配をへたのちの国連加盟による「国際的立場の向上」に対する甘い認識もあるであろう。また宮崎繁樹教授が指摘しているように，朝鮮についての国連政策を突込んで研究する場合に外務省などから学問的研究を資料提供の拒否によって阻害されはしないかという懸念もあるであろう。そこには，学問的研究を阻害するさまざまな原因があったのである。つまり安保条約族という現実の政治問題について，専門的能力が十分に生かされなかったということは，それが学問研究からかけはなれていた問題であったからではなく，むしろ，学問研究がその専門的分野自体で阻害を受ける事情があったことを意味している。それは学者が政治的問題にタッチしたことがよかったかわるかったかというより以前の，専門的分野での学問が十分にできているかどうかの問題でもあったともいえるのである。

安保条約の検討においてこのような欠点があったということは，それにひきつづいておこってきた日韓条約の本質をすこぶるわかりにくいものにした。問題を連続して理解することをできにくくしたのである。安保条約の構造についてはよく理解できたつもりでいた人々―安保改訂当時出されたパンフレットやその他の解説文書はその条約自体の構造分析を中心としていた―は，安保条約と日韓条約の構造上のつながりを理解するのに手間どってしまったのである。日韓条約反対運動の中心となっていた各政党自体がそういうありさまになっていたのである。

日本朝鮮研究所が，安保改訂の行なわれたすぐ後からそれに連続して日韓会談を研究せねばならぬという問題意識を，研究所設立の準備段階から持っていたことは意義のあることだったといえるであろう。

もしも，逆に，日韓問題，日韓条約に取り組まなかったとしたらどうであったろうか。おそらく，いまごろは深い悔恨にとらわれ，日本と南北朝鮮との今後のつながりをどう考えるべきかを判断することにおいても自信を失なっていたことであろう。この問題に対して乏しい力ではあったが，優先的になにはともあれ取り組んだことは，研究所の日本の社会における基盤を確立してゆくのになくてはならぬ活動であったことが今日では確認できるのである。また，それが国際的な情勢の激動期に対処する上においても，この研究所の立場を堅固なものにしているのである。

日本人の世界観，アジア観を検討し，日本人の学問に対する姿勢を検討する作業が行なわれたのも，日韓問題に取り組んだからである。日本の対朝鮮とのかかわりあいには明治以降の日本文化の性格，とくに日本の教育の性格がもっとも露骨にあらわれており，日本人自身にとって，ふれることのいとわしい部分がそこにある。在日朝鮮人の朝鮮人としての民族教育が，日本の教育政策の中でいかに扱われているかを研究することは，日本朝鮮研究所のはたすべき当然の役割であった。それは，ヨ本研究としての要素を多分にもっている朝鮮研究だからである。

昨年4月，自民党――文部省は「学校教育法の一部改正案」を作成した。日韓条約が一昨年強行妥結されると，その実行段階でたちまち一連の問題を政府は表面化し始めたわけであるが，この学校教育法「改正案」は，そのもっとも重要な一環とみるべきものであった。

植民地統治において，支配者の側がつくり出し，強制する教育思想とそれにもとづく教育制度は，植民地支配権力を長期にわたって確保してゆくための実践的な理論的根拠となるものである。それは権力をにぎる人間とそれに従属することを恥じぬ人間を次々に再生産してゆく役割をはたす。初代朝鮮総督となった伊藤博文以来，武力によって弾圧した独立運動の根を断とうとする者は，植民地教育制度の確立を必要とした。武力を理論的に保障したのが教育であったといえる。これに対し，独立のためにたたかう朝鮮民族側が，その独立の火種をどのような嵐の下においても保つために必要としたものが民族教育であった。その火種さえ絶やさなければ，独立の火は消えることなく，くり返し燃え上がって，いつかはその目的を達成するものである。

日本においては，朝鮮に対する植民地支配が正当化される思想がはびこるにつれて，自由民権思想は歪みおとろえた。それは切りはなすことのできない関係にあったので，自由民権思想一つを研究するにしても，それを朝鮮に対する侵略思想と分離してはならないのである。第二次大戦後の日本の民主主義についてもこのことはいえるであろう。朝鮮に対する侵略思想，在日朝鮮人に対する迫害思想が強まることは，民主主義の退潮，軍国主義化の肥大を意味するのである。在日朝鮮人民教育問題はその焦点となる。「法案」は作成されたが，昨年は国会には提出されず，今年に持ちこされた。昨年は，全国の有力大学総長たちをはじめ，各学界，文化各界，ジャーナリズムなどにこの「法案」に対する反対論はひろがり，政界では社会，民社，公明，共産各党が反対の態度をとるなど，その問題の大きさが示されたけれども，実は問題はまだ火がついたばかりであり，これからするどい局面を迎えるのである。このときに当ってとくに大切なことは，この問題は日本の法律の中につくられる日本の制度であるから，それに対する日本人自身の考え方を確立することが問題を正当に処理するための決め手になるということなのである。日本朝鮮研究所は，これまで限られた能力であってもその作業に努力してきたわけだが，今後の役割はますます重いといわねばならない。

日韓条約にもとづく対韓経済協力の問題を考えてみよう。これは日本政府にとっては両刃の剣となりうる性質をもっている。しかし，これは「なりうる」という可能性があるということであって，国民の理解の仕方がゆきとどかない場合は，現在政府が考えている通り，片刃の剣としてふたたび軍事侵略をよびおこすかもしれないのである。この国家資本，民間資本の輸出の構造，それが相手国においてひきおこす反抗の性質について，もしも日本の国民が理解できていない場合はその破綻をぬりかくして「日本の在外権益を守ろう」という口実を政府が唱えたときに，国民はそれによって「正当性あり」と錯覚して侵略へ誘導されるのである。かつての日本の朝鮮植民地化，大陸侵略はそのようにして行なわれた。その反面，もしもこの「経済援助」が，侵略としての構造，結果をもち，それが相手国民の反抗を呼びおこすのだという道理が日本において一般によく理解されているならば，侵略を正当化する大義名分は失なわれる。いま実際に進行している状況はどうであるかといえば，池田首相は「日本の資本投下によって韓国にも日本のような〝高度成長〟がおこり，韓国経済は安定して反共の防波堤となる」と考えたのが，今日では「韓国経済の日本資本への従属化」が進み，インフレは激化し，民衆生活の向上はなく，ベトナム戦争への派兵のはね返りなどと重なって，朴政権の破局がくる可能性が強い。すでに今年4月の大統領選挙に統一候補を立てようと努力している野党側では，日本政府・自民党，アメリカの妨害にもかかわらず，「ベトナム派兵反対・撤兵，日韓条約のやり直し，南北統一の促進」が共通のスローガンとなる可能性が増している。朴政権自身の行なった世論調査が新聞にすっぱぬかれたところによると，韓国軍のベトナム派兵に対する国民の支持はわずかに20%しかないのである。

日本人にとっては，もしも相手国民の反抗をよびおこすとすればその原因が日本の資本進出の構造によるものであるということが理解されていなくてはならない。さもなければ破局がきたときには「援助したのに善意をふみにじられた」という曲解が日本にはびこり，日朝両民族の対立をよびおこし，日本自体の軍国主義化が激烈な段階にはいるであろう。

かつて，在日朝鮮人大虐殺が「不逞鮮人襲来」の言葉で「合理化」され，「自力更生」の名のもとに朝鮮を大陸侵略基地として収奪し，朝鮮民族文化抹殺を「文化統治」「内鮮一体化」と称し，「国民精神総動員」によって朝鮮人強制連行・奴隷労働強制を行なったような，言葉の上の「合理化」は，今日もまた進行している。

朝鮮民衆からは「侵略」と非難された日韓条約は軍隊出動で民衆を弾圧しつつ強行されたにもかかわらず，佐藤内閣はこれを「日韓友好」「国連憲章の原則尊重」ととなえた。昨年，韓国系のＣＩＡ新聞となった「京郷新聞」は，今年に入って社告を出し，「時事用語の浄化——刺戟的・殺伐な表現の止揚」をとなえており，そこでは「経済進出」は「経済協力」「経済援助」に言いかえることになっている。これは，もしも日本の資本進出による破局，民衆の抵抗がおこった場合（前述のようにすでに保守系野党すら日韓条約の再調整をとなえている），日本政府が，「協力」「援助」の善意をふみにじられたと宣伝し，「日本の権益擁護」をとなえる場合の下準備ともいうべき思想工作の意味合いをおのずからもってくるのである。

日本朝鮮研究所は，この資本進出の構造，性格を明らかにするため，やはり一連の力をそそいではきたが，まだ大へん不十分である。問題はこれからなのである。

この問題は，日本の経済学界では重大な盲点であって，近代経済学，マルクス経済学を通じてそれはいえることである。日本朝鮮研究所も弱体ではあるが，しかし，この問題は，軍国主義・植民地侵略の激化阻止という点からみると，いま問題になっている資本自由化以上に重大であり，日本政府のめざしている東南アジア政策ーアメリカとの「協力」による「アジア・太平洋新時代」の検討の場合にもその根底となる問題なのである。

以上，実例として，日韓条約に即して，「日本」という文字をつけるような朝鮮研究所がなぜ必要であったか，またその5年間の歩みの中で，その思想的姿勢をいかに生かしたかを，私なりに，簡単にふれてみたにすぎないが，問題は，このように現代に限ってみても，いかにも大きく，力にあまるものであり，それは今後ますます大きくなるであろう。この5年間，このように日本人としての立場を通して南北朝鮮への理解のある程度の蓄積が行なわれる中で，日本人の朝鮮研究の欠陥であった朝鮮語習得の軽視の克服が進み，最近ではほんやく陣がある程度はそろってきた。この能力ある人々の力が，今後の日本朝鮮研究所にとっては強力な武器となるであろう。たとえば，昨年刊行された「朝鮮文化史」上下二巻はいうまでもないが，これからのち，機関誌を十分に活用して，これら能力ある人々自身の業績ともなる南北朝鮮文献の掲載を行ない，それを単行本にまとめてゆくこともできるはずである。実をいえば，そのような業績の十分な蓄積なくしては，アカデミックな朝鮮研究が成り立たないことは自明の理であるにもかかわらず，これまで日本ではそれができる態勢がなかったのである。その意味でこの能力ある人々の力を研究所としても個人の社会的学問的業績としても生かしてゆくことは，これからの日本朝鮮研究所の望み多い課題である。近く出版される予定の，梶井陟氏による朝鮮語人門書は，研究所の朝鮮語講座実践の中から生み出された，日本人の手による，日本人の立場から入りやすい，日本人のための朝鮮語人門書として価値あるものとなるであろう。

これまでの日本朝鮮研究所の活動においては，自然科学関係には力はまったく及んでいない。この方面においても，まず朝鮮発行の文献を生かす努力が行なわれなければならないであろう。この研究所は，日本ではここだけという朝鮮民主主義人民共和国の文献がいろいろ送られてくる唯一の研究所という立場をもっている。その有利さを，今後ほんやくによって活発に生かしてゆくことが必要な時期にはいってきたのではなかろうか。

この方面でも，設立当初からそうであったようなこの研究所の「組織者」としての機能がますます生かされてゆかねばならないであろう。文化交流という点からみても，日本国内各方面の期待に応ずるという点からみても，日本国内各方面の期待に応ずるという点からみてもその責任は大きいといわねばならない。

自主的な財政の確立が，思想的な自主性確立を保障するという道理から考えてみた場合，その面での年間の歩みは，はなはだ心もとないものであったといえる。所費納入はまったく不十分であり，かといってその取り立てもろくに行なわれず，特定少数の人々の肩に金策が重くのしかかり，ついには不相応な借金が蓄積された。つまり，借金によって自主性を保ってきたという怪しげなものであった。もちろん，今日の日本の社会で，基金もなしにこの種の研究所をはじめたなどというのは日本朝鮮研究所ぐらいのものであって，それが赤字を出すことも社会的常識なのだという理由も成り立つのではあるが，いまやそれではすまない時期に立ち至った。

そこで，今回の移転，健全経営による発展をめざすことに衆議一決したわけだが，これは，この5年間のささやかな努力によってつちかわれた，一定の社会的地盤があるからこそ可能であるという見通しも立つのである。

その合理的な運営によっては，従来にまさる活動もそこから生れることになるであろう。

第1回理事会　　10/11　於事務所

出席者　村越、桜井、古屋、小沢、富田、佐藤、桜林、三宅（以上理事）

岡田、鈴木、井上、樋口（以上運営委員）

運営委員でない理事に対し電話連絡で、あらかじめ出席のおねがいをしたが
結局、古屋理事長（在京）と三宅理事の二名の出席だけだった。

報告

1. 経過報告　佐藤（略）

2. 総括　小沢（第1回の討論内容を文書にまとめたものが報告された）
報告に対し「研究技法はそれでよいと思うが人間関係が批判をうけたはずだ。それを加える必要がある。作るべき作風として相互批判を上げるべきだ」また「特殊部落」的発想は、たんに相互批判や自己批判だけでは、かたづかない。きびしい実践を前提にしたものでなければならない」との意見などがでて、それらをめぐり若干の討論がなされた。

3、縮少・再編案（梶村・樋口両氏から、それぞれ文書で提案された）

それに対し次のような意見がでて討論された。

① 理事長より、22回運営委員会にのべられたと同じ理由をあげて縮少に反対の意思表示があった。

それに対し「現在の規模（員役など含め）を維持するために、所員のほとんどのエネルギーが使われ、かんじんな仕事ができなくなってきている。例えば、気がつきつつも戦略的理由で『シンポジウム日本と朝鮮』その他を発刊し、批判をうけることになっている。それらを整理することは、一見縮少にみえるが、実は発展につながる」という意見がのべられた。

② 上記意見に対する異論として、理事長及び他の運営委員から、自発性によって、事務所もなく、常勤もなく、そして雑誌を発行するといっても、それはむつかしい。結局解散ということになる心配大である。いまひとつ賛成できないことは、誰が中心になってやるか人間の問題がある。

というように、上記二つの考は、研究所の整備の必要を認めつつも、研究所のために、どれほどの時間をさきうるのか、さく気があるのか。いいかえれば、それは限度があると自己規定をするか、困難でもしなければならないから、やるということになるのかの違いのように思える。しかし、前者の考えのなかには、後者の考に、全体がなるためには、論理や路線よりも、中心にすわる人間によって、それが大きく左右されるとの考えが含まれている。

③ 再編研究所に参加すると意思表示した運営委員会四名であった。ただし健康上の理由など参加できないが研究は続けたいという人は若干いた。佐藤より、既に辞表がでているし、疲労こんぱいしている。とにかく整理事は全力を上げてやるが、引続き事務局長をやることはできない。後任としては、井上学氏をすいせんする。また、梶村氏よりは、佐藤をこれ以上続けさせると体がつぶれてしまう。再編の中心は、井上・梶村両人をすいせんする等々の発言があった。

古屋理事長が所用のため中座したので、引続き日を改めて討論することで理事会は、結論をえないまま終った。

日本人の朝鮮観（3）

庶民のなかの朝鮮観

――事務所移転始末記――

佐藤勝巳

朝鮮にこだわる家主

「素直にいって、朝鮮の二字がつくと、なかなか事務所はみつかりませんよ」

「それもあるかも知れない、しかし、それよりもなによりも、君の人相が問題だ」などという声をあとに、事務所を求めて三千里、ではない、二ヶ月、以下その体験記をもとに、庶民のなかの朝鮮観をさぐってみたい。

わが研究所は創立以来、三年余を文京区湯島で過した。『朝鮮文化史』出版にあたり、新宿御苑前に事務所を移し、一年余を費やし、無事出版を終えた。これを機会に研究を元の規模にもどすことになり、移転先を急ぎ探すこととなった。

まず手近な新宿附近の周旋屋を通じ数ヶ所あたってみた。ところが役員会で決まった、家賃三万円、敷金三十万円以内、広さ十五坪などというものは、倉庫ですらないことがわかった。しかし、そこは大東京、新宿のようなところだけではない。「戦災にあわず、旧い建物が残っており、かつ交通の便の比較的よくないところは、都心といえど安いものがある」とその道の通人が教えてくれた。

なにごとによらず、ものごとはねばるものだ、飯田橋一丁目附近に、木造二階であるが、十八坪、敷金三十万円、家賃四万五千円、坪二千五百円という間違いではないかと思われる安い事務所がみつかった。予算より少々高いが、独断で決めても所内から異論がでないという確信があった。ここにくるまで十ヶ所近く物件をみてきたが、そのどれにくらべても破格の値段だ。安くてよいものと、美人でしっかりしている女性は、誰もが狙うものらしく、多くの競争者がいることがわかったので、いちはやく手付金を払って押えた。

処がである、翌朝、管理人から研究所の取引銀行の問い合せがあり、数時間後に、周旋屋を通じ、(1)書籍を大量にもちこまれると家が傷む、(2)家主と同じ出版関係だから困るという、およそ理由にならない理由をあげて契約を取消してきた。貧乏人の悲しさ、直感的に「さては研究所の財政状態が見破られたか」と思ったが電話でのやりとりのなかで「今朝管理人が、お宅の取引銀行（同和信用組合）に電話をし、理事長はどちらの人ですかと尋ねたところあちらの人（朝鮮人）と答えたそうですね」というくだりがあった。なるほど、そういわれてみると管理人に始めて会ったとき、私の名刺を手にし

「お宅さんは北の方ですか、南の方ですか」

と質問をされたことを思い出した。

わが研究所は、日韓闘争を通じ、革新勢力のなかでは多少、名前が知られた。それでも、講演などによばれ、司会者に名刺を渡しても、日本朝鮮研究所と正確に紹介する人は、約半数ぐらい。まして朝鮮問題と関係のない市民が、わたくしを朝鮮人ないし、朝鮮人団体と感違いしても少しも不思議なことではないから、気にもかけずにいたが、どうも電話の様子からおして、「朝鮮」にこだわっている気配が感じとられた。

かりに朝鮮人だったとしても、たいしたことではないではないか、会って話をすればわかってもらえるだろうと、渡部先生に御足労を願い管理人に会ってみたが、家主が承知しないの一点ばりで、一向に要領をえず、遂に契約は不調に終った。腹の虫がおさまらない。今度は周旋屋に対し「手付金までとって、契約を実行せぬとは怪しからんではないか」と迫ったところ、家主が「朝鮮」にこだわって承知しなかった事実を知らされた。

金を山とつまれても

この頃は、まだ、わけのわからない人間もいるものだ、ぐらいに軽く考えていた。数日後、知人を通じ、九段上にわが研究所向きの手ごろの事務所のあることを知った。早速、電話で借入を申しこみ、具体的な話合をする時間の打合せまで終った後で、「御宅の会社の名前を正確に教えて欲しい」というので、研究所の名称はいうに及ばず、主な役員名や簡単な事業内容の説明をした。ところが、わたしの話をきく相手の電話口の声が、だんだん小さくなり、〝朝鮮〟〝朝鮮〟とつぶやく声がきこえてくる。わたしの説明が終ると、最初の愛想はどこえやら、きわめて事務的に

「少し考えさせて下さい。家族にも、相談しなければなりませんから」といって電話を切った。このときはじめて事態の深刻さに気がついたのであった。今更のように腹もたったし、あきれもした。だが、総会までにはどうしても移転先を決めなければならない。その貸事務所は、家賃も、広さも、交通の便も、まず申分ない。どうしても欲しい。急ぎ近くの周旋屋に行き、事情を話し、打診を依頼した。この業者を通じ、家主からの回答は

「日本人のなにさまが研究所をやっていようと〝朝鮮〟と名の付くものは一切お断りだ。例え金を山と積まれてもいやです」

というものであった。それが縁で、その後、その周旋屋と懇意になったが、彼もまた。

「実は、初めて名刺をもらったとき、まずいお客がきたと思った。信用しないわけではなかったが、あなたからきいた役員名を、知名

人録で調らべてみた。あなたの名前はみあたりませんでしたが、殆んどの役員名があったので、それから本気で斡旋する気になりました」

と述懐していた。業者が、家主の処に案内し、わたしを紹介するとき、ほとんどの人が、「研究所の方です」といって、いい合せたように「朝鮮」の二字を抜かして紹介していることに気がついたのもその頃であった。

体験が支える朝鮮観

新宿、飯田橋、四ッ谷、池袋、神保町附近と二十数件みてまわったが、事務所は決らない。内部から

「失業しても大丈夫だ、周旋業でめしがくえる」

などと冗談がでるほどまわった。そうこうしているうちに、何人かの業者と親しくなった。人は親しくなると本当のことを話すものである。

「佐藤さん〝朝鮮〟の二字があるとむつかしいよ」

「なぜです」

「朝鮮人に斡旋したものは、紛争の起きるものが多い、というのが、わたしたち業者の一致した意見です」

「日本人だって、裁判騒ぎをしているのは珍らしくないではないか、朝鮮人に特別な感情をもっているから、多いように感ずるのではないか」

「そうかも知れない、しかし、それは、身からでた錆で非常識なことをやっておれば、当然そういうふうにみられても仕方ないではないか」

こんなやりとりのあと、彼は、戦後の混乱期に「第三国人」からの被害を体験をまじえて語り出した。色々の具体例をあげての話の結論は

「彼ら（朝鮮人）と紛争・対立が発生したとき〝長い間、人の国を奪っておいて、これぐらい（紛争の原因）のことがどうしたというのだ〟といって自分の〝悪事〟を合理化する」

「しかし国を奪ったことは事実ではないか？」

「なにも、わたしやあなた個人が奪ったのではない。結局、彼らは日本人と違う道徳観をもっているのだ、だから気をつけなければ」

と力説してやまない。こうまでいわれ、かりにも研究所の所員の一人として、おとなしく引さがるわけには行かない。懸命な反論を試みたが、容易なことで相手は納得しなかった。わたしの説明のまずさもあったかも知れないが、確固不動の信念ともみられる、この人の朝鮮観は、明らかに、自からの体験がそこにあった。

国民にも責任はある

「人の国を奪っておいて……」という追及に「奪ったのは自分ではない」と責任を回避し、一方朝鮮人に対しては、その現象面をとらえて、非をならす、という途方もない独善的な発想がここにみられる。

日本の支配階級は、支配階級で、日韓国会その他で、しばしば明らかにしているように「日韓併合」は「合法的」なものであり、朝鮮人民に与えた被害は、「寡聞にして存じません」という徹底した無責任論であることは、広く知られている。一方これとは別に、「侵略や戦争は、支配階級のやったもので（やるもので）主なる責任

は人民にない」という見解もある。そのいずれも責任不在、このような日本民族の姿が朝鮮民族にアジアの諸民族に、どのように映っているだろうかと……移転先のめどはたたず業者は説得できず、砂をかむような思いで、都電にゆられ、乗越したことを憶えている。

ところで、朝鮮植民地化の過程をみると、侵略を立案・計画・指揮したのは間違いなく支配階級であるが、それを実行したのはおもに「忠勇無双のわが兵」、つまり善良なる国民であった。そもそも国民の協力なくして、「侵略や戦争」などありえないのである。

ベトナム特需が直接・間接合せて何十億ドルとか騒がれている。その物資は、労働者が生産し、労働者が輸送しているものだ。労働者が拒否したら、特需などありえないのではないだろうか。侵略を阻みえなかった責任、特需を許しているという責任はわれわれのなかに厳然として存在していると思う。

この自覚が弱いとアジア諸民族との連帯・友好はむつかしいと考えられる。本誌五七号の座談会「日韓条約発効一年」のなかで、畑田重夫氏が指摘しているように、日本がベトナム侵略戦争の「総合基地」（三一頁）であればあるだけに、ベトナム人民は考えるであろう。「基地を取除けるのは日本人民だけだ」と、本当に祈るような気持ではなかろうか。この場合、ベトナム人民支援の行動がなんであるか、多言を要しまい。

朝鮮戦争のときも同じであった。朝鮮北半部に投下された爆弾の総量は、五十五万トン「われわれが太平洋戦争で経験した三年間の日毎、夜毎のあの空襲の十倍の惨害を想像したらよい。あの空襲が三十年！続いたと仮定したらよろしい」（寺尾五郎 著『38度線の北』）この大空襲をやったアメリカ帝国主義の飛行機はどこから飛びたっていたのだろうか。その大半は日本の基地からであった。爆弾の雨によって、親・兄弟・友人がつぎからつぎへと傷つき、倒れてゆくなかで、当時の朝鮮人民は、日本人民に何を期待したであろうか。しかもこの朝鮮戦争こそが、戦後、日本史の逆流のはじまりであったという歴史の教訓を忘れてはならない。日本人民に責任がないなぞ、夢々考えてはならないと思う。

共通の被害者？

「ひどいものだ、いくらなんでも、こんなにひどいものとは知らなかった」

というわたしのグチに

「それもあるかも知れん、しかし、それより君の人相が問題だ、どうみたって、金のある顔をしていないぞ」

というT氏の発言のむきもたしかにあろう。理由はどうあれ、いつまでたっても移転先は決らず、引越ししなければならぬ日時は刻刻と近づいてくる。尤も、お金さえだせば、事務所などいくらでもあるのだが、肝腎のものはないし、早急に人相もなおりそもない。さりとて、こんな馬鹿化たことで、研究所の名称をかえることなどできる筈がない。幸い、知合になった、周旋屋さんが、根気よく紹介してくれたのが、せめてものなぐさめであった。

そんなある日、例によって事務所の件での帰り道、偶然、知合の朝鮮人に出会った。そのことで頭が一杯のわたくしは、早速、ことのてんまつを、まくしたてたが意外と反応が少なかった。わたしの心のどこかに、彼も当然一緒になって、この現実に同情、かつ憤慨してくれるものとの期待があったのだろう。それだけに彼の態度が

ふにおちなかった。しかし、考えてみれば、彼らの場合（在日朝鮮人）食・住はいうにおよばず、一切の社会保障から見離され、朝鮮人であるというそのことが、ときによっては生命までをおびやかされるという日本社会にあって、事務所の一つぐらい借りることができなくとも、命に別状あるわけではなし、驚かないのはあたりまえである。わたしのグチなぞ、多分、彼らからみれば、甘っちょろい、女学生のタワゴトみたいなものに映ったに違いない。彼れとかわれ、しばらくたってから、やっとそのことに気がつくという間抜け振りであった。

わたしもいってきたし、他の人たちもいってきた。「日朝両国人民は共通の被害者であり、従って共通の敵と闘う基盤がある」と。この認識は、いささかのあいまいさも、不充分さもないと信じて疑わない。しかし、なま身の人間が具体的に生活している場合は、言葉や活字通りには行かないものである。日本という共通の社会に住み、共通の被害をうけながら、前記のように、二人の認識はいちじるしく違う。なぜだろうか。同じ被害者といっても、両者の間には、比較のしようもない距離があるからだ。日本人が一銭五厘で侵略戦争に狩出されているとき、彼らは、祖国を奪われていた。朝鮮戦争で日本の革新勢力が弾圧をうけていたときは、彼らの国は瓦れきの山と化していた。日本の学校教育が反動化を強めるときは、彼らの民族教育が根本から否定されかかっている。われわれが事務所を借りることができないときに、彼らは、就職の道を一切閉ざされている。このことは、なにも朝鮮人だけに限ったことではないのだ。多少の差はあれ、アジア諸民族全体についていえることなのである。この相違をわきまえず、己の被害のみに目がむくと飛んでもない独りよがり、思い上がりにおちいるということを、いやというほど思い知らされたのである。

朝鮮観再検討の時期

日本政府は、日韓条約の発効を合図に「民族教育」の弾圧「帰国協定」の打切、その他不法・不当なことを矢つぎ早に、ことあらたにはじめてきた。

しかしながら、朝鮮戦争当時と異なり、そのどれもが、政府の思惑通りにことが運んでいないことに注目しなければならない。それは、在日朝鮮人の団結、日本国民の進歩、朝鮮民主主義人民共和国の力量、この三つの力が政府の意図を押えて、今日に至ったことは周知の事実である。

ところが、最近、日本国内に急速に成長しつつある軍国主義、排外思想に今みてきた日本人の誤まれる朝鮮観が、相呼応する形すらとって、うごめき出しているとみられる。同じ業者は、わたしの質問に答えていう。

「困っている韓国に、なけなしの金を援助してやろうというのに、デモで日の丸を焼いて反対している。まったくいい気なものだ」と、植民地支配無自覚論の必然として、日本の侵略行為に対する抵抗の闘いが、かくのごとく映ってくるのである。こんな考えが、国民の多くを捉え出しているとすれば、事態は容易なことではない。なんのことはない「忠勇武双のわが兵」が形をかえてあらわれているということではなかろうか。この種の考えが、例外的なものであればそれでよし。そうでないとすればこれへの克服を声を大にして強調せざるをえないのである。

このたびのささやかな体験を通じ、誠によい教育をうけた。所詮、わたしなどが、友好だ親善だといっておったのは、仲間うちでの話し、紹介者もなく、うしろだてもたず、ひとたび一般社会に入れば、事情が違うことがよくわかった。最近、東京の日朝協会豊島支部青年部が、地域住民を対象に行ったアンケートの結果は、わたしの体験より、もっときびしいものであった。いずれにしても、自分の認識にきびしい反省を加えなければならぬ時期にきているようだ。偏見・蔑視が現実の政治にいかなる影響をおよぼし、かつ将来なにが予見されるかなどについては、別な機会にゆずるとして、日韓条約の発効という情況下で、日本人の朝鮮観、日本人のアジア観を改めて検討しなければならぬ時期にきているということだけは指摘できそうだ。

いよいよ事務所さがしも終りに近づいてきたある日、国電お茶の水駅から三分、駿台予備校の近くに、六畳（洋間）、四・五畳、五畳、二階は、九畳（洋間）、八畳の一軒家で、権利・敷金なし、家賃五万円というとほうもない安い家がみつかった。渡部編集長も乗気で、二人で五万の家賃を安くする（また貸）方法まで立案したが、ここも結局駄目になった。誤解なきよう正確にお伝えする。これは「朝鮮」の二字ではなく、文字通り「金のなさそうな人相」がわざわいしたのであった。

「あなたの紹介する人なら誰でも結構です」という家主の言葉にみられるように、周旋屋の信用で今の事務所に入ることができたのである。遂に、独力で事務所を借りることができなかった。だからこそ、益々わが研究所が必要なのだと、自分をなぐさめ、張切っている次第である。

（研究所所員）

古屋貞雄氏の喜寿と「朝鮮文化史」出版記念

去る三月二八日ヒルトンホテル（現ホテルジャパン東急）において、「朝鮮文化史」日本語版完成記念、古屋貞雄国旗勲章受勲と喜寿の祝賀会が開かれた。風雪七七年の苦節に耐えこの日を迎えた古屋貞雄氏の人柄と活動歴を反映し、日・朝・中の各階各層の人々が多数参加した。

「いまみる古屋貞雄はおどろくほど若い、その若さの秘密はなにか、古屋は答える。限りなく休みなく闘いつづけることだと。」朗読された献詩にうたっている通り、わが研究所理事長古屋貞雄は、若々しい熱情をもってたたかう研究所の先頭にたって過去五年間、われわれを導かれた。「よし困難は多く、陋屋にあっても、節操は正しく、志は大きく、というのが私たちの理想であります」（日朝学術交流のいしずえ十九頁）と声高く語ったことばそのままやってきたのであった。清潔に、徹底的に、そしてあくまでも働く者への献身が古屋氏の身上であり、それは朝研の存立を支える精神ともなっている。朝研設立にあたっては、日本人の立場にたって日本人のためにということを忘れた研究はありえないと、研究事業活動における主体性を主張された。戦前からの長い朝鮮での中国（台湾）での活動とその経験からうち出されたものであった。ややもすると国際関係の中では、相手国に対する愛情過多となりやすいものだが、共通の敵への共同の闘いを明示し、実践しぬいた人であるからこそ、そういえるのであろう。

さて、「朝鮮文化史」上下二巻の豪華本を完成しつつある時、朝鮮民主主義人民共和国より国旗勲章二級を贈られた。日本人として二人目の栄誉であった。祝賀会の当日、在日本朝鮮人総聯合会中央常任委員会李季白副議長がこの栄誉をたたえ受勲の意義を披露したが、ここに共和国最高人民会議副議長白南雲氏（朝鮮文化史の題字を揮筆）からの書簡をあげることにする。

「……前略……過去朝鮮の社会運動当時に於ける朝鮮人闘士たちの為の貴殿の熱烈な御弁論は、夙に知られたのでありますが、解放后は在日朝鮮人子女の教育権利擁護の為にわざわざ御身を投ぜられ、朝鮮大学の建設・発展の為にも種々御尽力なされたばかりでなく、在日朝鮮同胞達の無条件協定問題、自由往来問題等と共に朝日両国民間の友好親善関係の礎石を固める為に日本朝鮮研究所の理事長として精力的に御奮闘なされる由、誠に感謝に堪えない次第であります。貴殿のかような御功労に対するわが国家的褒彰としての国

旗勲章二級授与の法令が最近裁決されました。就いては早速貴殿の格別の栄誉に対しはるかに心から御祝申します。

現世紀の象徴である解放の流れは如何なる濁流も清められるようです。今後とも何卒お変らずますます御健闘の程お頼み申します。

敬具

一九六六年十月二十日

白南雲」

わが古屋理事長は、日本人民の一人として闘いつづけることを表明し、あわせて政治の現局面がいかに複雑化しようとも、態度一貫いささかの変化もなく、朝鮮人民・中国人民との友好連帯のため身を挺するのだと語っている。

祝賀会の当日、参会者から多くの祝辞が述べられた。自由法曹団岡崎一夫氏からは、戦前戦后にわたる労農人民への弁護士としての献身が語られ、総評副議長兼田富太郎氏からは、戦後日朝間の交流に尽した社会党代議士古屋氏の業績がたたえられた。

在日華僑の一人劉明電氏は、古くからの知己でもあり、とりわけ、台湾における活動を詳しく話した。戦前すでにいまいわれている戦闘的友誼の花をひらかせた戦友とたたえ、勲章制度のない中国だから心だけで、しかし真心でもって祝賀すると結んだ。

わが研究所では、三年前「日・朝・中三国人民連帯の歴史と理論」という本を世に送り日韓闘争の渦中にある日本人より拍手をうけたが、いまこそ国際連帯の精神と行動が必要であろうと、参会者は認識したのではなかろうか。古屋理事長の半生がそれを物語っているからである。

朝鮮文化史刊行会の諸先生も多数出席されそのうち、科学史学会長加茂儀一氏、東大名誉教授近藤康男氏、日中文化交流協会長中島健蔵氏、岐阜大学々長四方博氏らが祝辞をのべ、日本語版出版を高く評価、日朝学術交流の重要性を指摘、より大胆な啓蒙普及活動の必要等を説き、朝鮮文化史普及版などにまで言及されたのである。

この他、友好運動、旧友、貿易関係等の方方からも祝いをうけたが主な出席者は、宇都宮徳馬、岡田宗司、野溝勝、猪俣浩三、帆足計、穂積七郎、石野久男〃稲村隆一等国会議員をはじめ、大河内隆弘、塙遼一、田中脩二郎、川瀬一貫、平原直、高野実、福島要一、宮崎世民、高津正道、大槻健氏ら一五四名、外国人は、朝鮮総聯副議長李季白氏、中央教育会長洪鳳寿氏、朝鮮大学副学長李珍珪氏、科学者協会副会長金圭昇氏、同和信用組合金教義、雀正斗氏、朝鮮新報・時報、商工新聞学友書房、九月書房、朝鮮問題研究所の代表ならびに華僑総会副会長陳焜旺氏ら二八名であった。

（所員木元賢輔）

2　研究事業関係資料

① 部会報告・動向

現代朝鮮研究部会の活動状況

(日本朝鮮研究所内の各研究部
会の活動の概要を今後適宜報告
します＝編集委員会)

現代朝鮮研究部会はこの1月以来、毎月第2、第4金曜に定期的に研究会を開いてきた。そのテーマと内容を紹介すると次の通りである。

o第1回(1月25日)

スカラピノ論文を中心としてみたアメリカの朝鮮政策(報告者　野口　肇)

世界週報1月20日号に訳載の論文とその背景としてあるコンロン報告を素材として、そこに流れる思考方法等を報告者の独自の視角で整理した。

o第2回(2月8日)

内外情勢の変化と日韓交渉の問題点の変遷 ── 軍事政権成立以后を中心に(報告者　川越敬三)

池田、ケネディ会談を契機として新展開をみた日韓問題のその后の経過を、それぞれの権力の内部事情からくるすれちがいにも焦点をあてつつ、おさらい的に検討した。

o第3回(2月22日)

朝鮮民主主義人民共和国の千里馬作業班運動(報告者　桜井　浩)

社会主義経済建設における朝鮮の千里馬班作業班運動の役割と特質を他の国の場合と比較し、その経済的側面に限定して具体的経過を実証的にあとづける報告がなされた。

(朝鮮研究月報16号所載論文参照)

o第4回(3月8日)

南朝鮮における新しい局面について(報告者　藤島宇内)

この時点に顕在化してきた軍事政権の一時的後退をどう判断するかを、アメリカ側の意図に関するニュースなどにもとづいて報告、討論した。

o第５回（３月２２日）

南朝鮮の諸階層の現状（報告者　梶村秀樹）

労働者、農民その他諸階層の現在の社会経済的状態の素描、それが政治諸勢力の動向をどう規定していくかについての試論が提起され、いわゆる「ナショナリズム」論をめぐつて討論がなされた。

o第６回（４月１２日）

最近のアメリカの極東政策（報告者　畑田重夫）

クレイ報告、ケネディ教書にあらわれた最近のアメリカの日・中・朝三国を含む極東地域に対する政策とその根拠が多面的に分析され、おいつめられたものの高姿勢の危険について注意が喚起された。

o第７回（４月２５日　拡大研究会於参議院議員会館）

日朝貿易の現在の問題点（報告者　相川理一郎）

最近３ケ月の朝鮮滞在をおえて帰国された相川氏に、日朝貿易の一層の拡大を阻んでいる問題点（人間的政治的な障害、特に人事交流の認められぬこと）、また滞在中の直接の見聞（市民の購買力の盛んなことなど）を話していただいた。

o第８回（５月１０日）

「日韓経済協力」の最近の特徴（報告者　立山一夫）

政治的局面におおいかくされつつ潜行的に進められつつある「日韓経済協力」準備の現状が、両国経済界それぞれの思惑にふれつゝ具体的に分析報告された。

o第９回（５月２４日）

アジアアフリカ講座のための予備討論（報告者　安藤彦太郎・畑田重夫）

ＡＡ・中国・朝鮮三研究所共催アジアアフリカ講座第二部に於いて行なわれる講演のための予備討論の第１回を行なつた。「日本帝国主義と朝鮮過去と現在」（安藤）「日韓会談反対運動の歴史的意義と役割」（畑田）という予定されている講演題目の主旨について講演者の報告を聞き、その内容をめぐつて討論を行なつた。

以上が今までの経過で第１１回（６月 14日）は「ＡＡ講座予備討論」の２回目を行なうが、それ以后の研究会の進め方を、今までのやり方の反省の上に、運営委員が検討した結果①短期的な情勢変動に動かされぬ体系的な構造認識を蓄積していく必要があること②同時に短期的な動向の分析、知識の交換の場としての機能も是非維持していかなければならないことの二点が確認された。

その基本線に沿つて現実に可能な研究会のもち方を検討した結果、毎月第２金曜の方は、主にその前月に問題となつたことを中心に②の役割を果しうる研究会を適宜持つこと、第４金曜の方は少なくとも数回連続のテーマをもつた研究会として計画することとした。

具体的に、６月第４週から、「朝鮮民主主義人民共和国の農業問題（社会主義改造と生産力の発展）」をおさらい的に勉強できるような研究会を計画しており、第１回として寺尾五郎氏の報告を聞く予定である。（担当幹事　梶村秀樹）

朝鮮近代史研究部会の活動状況

朝鮮近代史研究会は、二回の準備会の後、4月20日から毎月第3土曜午後6時から、「大安書店」において、定期的に研究会を開いてきた。

まず準備会では、会員が朝鮮近代史をどのような問題意識から、どのように自己の研究テーマを設定しようとしているか、について話し合つた。その中で共通してみられたのは「日韓会談反対」運動の中で、必ずしも適確に、日本の植民地支配の責任問題がほり下げられていないという現状把握の中から、各人が自分のテーマを設定していることが、特徴的であつた。

又研究会運営の方法としては、一応細川嘉六の「植民史」をテキストとし、その中から問題点を提示して、まずはじめには朝鮮近代史全般の問題の所在を明示することにきめた。

しかし4月16日の幹事会で各研究会の報告をおこなつた際、担当幹事の近代史研究会の準備会の報告に対して次のような意見が出された。近代史研究会は所員の他に、在日朝鮮人研究者はじめ多数の所員以外の研究者が参加している。その事自体は非常によいのだが、当研究所のブランチとしての研究会の性格をどのように理解すべきかということ。即ち近代史研究会の成果を当研究所にどのように定着させて行こうとしているかが明確でない点が指摘された。この指摘はひとり近代史研究会のみの問題ではなく、研究所の各研究会のあり方にかかわる問題である。そこで担当幹事は、近代史研究会に参加している所員とこの問題について話し合つた。その結果、近代史研究の現状からみて、今は一人でも多くの人に研究会に参加してもらうことが急務であり、そのためには在日朝鮮人研究者をはじめ、朝鮮近代史に関心を持つすべての人々に広くその門戸を開かねばならない。と同時に所員は所員としての責任において、その研究成果を研究所全体のものにするために努力することが確認された。そしてその目的にもつともふさわしい形として、朝鮮近代史研究会は、当研究所の近代史部会と学界における朝鮮史研究会の有志とによる合同研究会としてもたれることになつた。

以下研究会の概要を報告する。尚報告をより正確なものとするため、各研究会のまとめは、その時の問題提起者に書いてもらつたものを担当幹事がまとめた。

第１回（６３年４月２０日）

『日韓併合』をめぐつて（問題提起者朴宗根）

朝鮮が完全に植民地となつた「日韓併合」を中心に報告を行つた。特に日露戦争後の「保護条約」から併合に至る日本の侵略に対する朝鮮人民の多様な抵抗に焦点をあわせて述べた。特に実質的な朝鮮の植民地化は、ポーツマス条約で英・米の承認を得た日本が「保護条約」を強行した時からであり、その後の過程は、実質的な事柄を形式的に公然化させることにすぎなかつた。このような日帝の侵略に対して斗かわれた朝鮮人民の抵抗運動はその統一の欠如と主体的条件の弱さのために、決定的な打撃を与えることが出来なかつた。尚討論の中で一進会をめぐつて、様々な意見が斗かわされた。特に一進会が取り上げられた理由は、今日でも一部日本人の中には「日韓併合」は朝鮮側の要望によつて行なわれたとする論が公然といわれているので、一進会の本質を明らかにすることは、この論に対する反論となるからである。

第２回（５月２５日）

植民地の基礎的支配の確立（報告者、姜徳相、宮田節子）

１９１０年から１９１９年の３・１運動までの所謂「武断政治」の期間について問題提起を行つた。この期間は憲兵警察制度に端的に表現されているように、直接的な権力発動の下に、植民地支配の基礎確立を強行した期間である。以下若干の問題点を整理すると、

1. 日本の朝鮮支配は同化政策と呼ばれるもので、朝鮮人の民族性を抹殺することであつた。このような植民地支配体制は日本の天皇制支配と有機的関連があると予想されるが、その点の解明は植民地支配の本質ひいては日本の天皇制支配そのものの重要な手がかりになるのではないか。又同化政策の中心的イデオロギーたる「日鮮同祖論」の根源は何か。それはどのように形成されていつたのか。更には同化政策を具現化した植民地教育を解明する必要がある。

2. 日本の同化政策に朝鮮人民はどう対応したか。そのことがこの期の民族解放運動とどのような関連をもつたか。この問題を解明する一つの手がかりとして、書堂などを中心とする朝鮮人側の独自の教育を具体的に究明することが必要である。

3. 植民地支配の中核たる「土地調査事業」については。すでに様々な研究成果があるが

それらの研究に共通している弱点は、日本側の政策の展開過程は、かなり十分に実証されているにもかかわらず、その政策の対象たる朝鮮の農業構造が未解明である。したがつて今後の研究の前進のためには、土地調査事業に先行する時期の研究がなされねばならない。その他会社令と関税据置問題、帝国貨幣法の施行、交通・運輸・港湾の拡充などが、植民地支配体制の中でどのような役割をになつたかなどについて討論を行つた。

第3回（6月16日）

１９１９年から１９３２年までの時期に関する問題提起（提起者、井上学、楠原利治）

３・１運動から満洲事変までの所謂「文化政治」期の諸問題を検討した。以下主要論点を整理すると次の通りである。

1. ３・１運動については、運動の経過、実態はかなり究明されているが、３・１運動の失敗した主体的条件の分析は十分でない。特に３・１運動の直前に土地調査事業が完了し、しかも３・１運動の翌年から急激に小作争議が増大している事実は、土地調査事業と３・１運動との内的連関が具体的に解明されねばならない重大な示唆をふくんでいる。

2. 所謂「文化政治」をどう評価するかが問題になつた。文化政治はあくまでも日本が植民地支配を貫徹し、同化政策を強化するための、より巧妙な懐柔策であつた。したがつてこの期に行なわれた言論、出版の若干の「自由」は民族運動を分裂させ、改良主義運動を抬頭させる上で効果的であつた。その一方では階級斗争と民族解放斗争とが有機的な関連の下に斗かわれはじめている。この期は民族解放斗争の上でも、思想史の上でも、もつとも重要な時期であり、しかもその個別的な解明はほとんどなされていないので、むしろ簡単に概括するのではなく、様々な運動、団体、個人を丹念に究明し、全体の運動の中に位置づける基礎研究が必要である。

3. この期の経済政策は「産米増殖計画」を中心に展開する。この政策は日本帝国主義の低賃銀、低米価政策の要求から打ち出された。ここでも個別研究の不足が歎かれるが、さしあたり次の問題点が指摘された。即ちこの時期の経済政策の端緒的措置たる会社令の撤廃、関税の統一の意義をその制定及び据置の意義と関連してとらえ、同時にそれが実施された結果を実証的に究明しなければならない。特に米穀流通の問題は農家経済の破綻ともからんでいる。したがつて産米増殖計画の解明のためにもとり上げられねばならない。また産米増殖計画については、水利組合内での水税の徴収、土地喪失、低賃銀労働の問題が概括的にではなく具体的に究明されねばならない。その他、第１、第２次「産業調査会」

の意義、野口コンツエルンの朝鮮進出についても意見が出された。

以上の如く3回にわたる研究会では総花的に様々な問題点が指摘され、研究会は必ずしも軌道にのつたとはいいえないものがある。しかし会員の関心も、研究蓄積も雑多な研究会としては、「思いつき」的にせよ各自が自分の意見を出し合つて、共通の広場を作る段階も又必要なのではないだろうか。そして現在行つている問題提起が提起のまま終らずに本格的な研究に入るための確固とした土台にするための努力をつづけたい。

（担当幹事　宮田節子　記）

教育研究部会報告

本年６月より隔週火曜日に朝鮮民主主義人民共和国教育学教科書の輪読を行なうこととし、手はじめに、１９６２年版「教育学」（師範専門学校用）をテキストとしてとり上げた。「教育学」は１９６３年に師範大学用が改訂出版されているが、後者では、教育史叙述（「教養と教育学の発展」）の章が省略されているので、教育学と教育史とを分化せしめない段階で教育史を教育学体系の中にどのように組入れているか、ということが具体的にとらえられるという点に興味があり、その意味で古い方の版を読んでみることとした。１０月で「第一編　基礎論」を逐語訳輪読で読み了えたので、以下に桑谷、渡部両名の研究ノートの一部を記して報告に代えておく。なお、第二編以下はひきつづき輪読をつづけて行く。目下のところは隔週火曜日の午前１０時より武蔵大学渡部研究室で行なつているが、参加希望者を求めておりますから御参加下さい。日時については改めて相談することとしても構いません。（渡部　記）

☆　テキスト「教育学」第１篇基礎論を読んで

桑谷森男

教育がその国民によつてどのようなものとして把握され、取り扱われねばならないかをたえず問題提起されながら、教育学の基本的構成内容、教育学史、朝鮮教育史、現代朝鮮の教養目的と課業、児童の年令期に応ずる教養、共和国人民教育体系等の基礎論を読み終えた。特に問題として考えさせられたことは、教育（学）の階級性と継承性、教育学の諸分野とその統一性である。教養は恒久的現象であると同時に歴史的、階級的現象であり、政治的影響のない教育、「なんらかの普遍的理念や全人類的幸福について大げさにわめいていることは、先進的階級ではなく反動的階級に加担している自分たちの立場をいんぺいするたてにほかならない」とし、教育者の第一の任務が労働党の政策を具現することにあり、学校と政治とのつながりを強調する。そこには教育学史において各階級社会における代表的、典型的教育学者の先進性と限界とを評価する時にみられる立場、すなわち教育学の最高段階としてのマルクス・レーニン主義教育学と全人類的解放の物質的条件としての社会主義建設への信念が一貫してみられる。

教育学の諸分野（〜心理学、〜社会学、〜哲学等）はその相互関係が新しく統一され、教授論、教養論、管理論の中に有機的に再構成されていることがうかがわれ、今後さらに明らかになつてゆくと思う。これまでのところでは遺伝、環境、教養の相互関係における宿命論の打破が、「児童発展において遺伝と環境は一定の影響を与える。しかし主導的役割は教養がはたすと結論づけられる」という点で強調され、金寿福の実践や優等生運動とのつながりを想起させられる。

教養、教育、教授の諸概念が明確にされていることも参考になつた。広義の教養は教育と教授と狭義の教養をも包含するものであるが、狭義の教養は態度と行動の側面、教育は認識的側面を包含する。「教育というのは学生たちに科学知識と技術知識又それと関連した知的及び実践的技能と熟練の体系を所有させ、この知識にもとづいた見解と信念（世界観）、社会主義―共産主義建設のために自己の知識を捧げようとする高尚な感情と志向を形成させる過程であり、教養というのは学生たちに共産主義的行動規範と規則を形成させ、彼らの体力と知力及び認識能力を発展させる過程である。」

そこで教養の目的として全面的に発達した人間の形成が提起され、１）知的教養２）基本生産技術教養　３）共産主義道徳教養　４）身体教育　５）美的教養の諸課題を追求することになるが、それは第三篇教養論で「朝鮮民主主義人民共和国の未来の人間像はいかなるものか」を具体的にろきぼりしてくれるであろう。

最後に朝鮮教育史において朝鮮戦争期の米軍による教育施設破壊に対し「１９５２年に新しく2,９１３個の地上教室、4,７５８個の戦時地下教室を新しく準備し、5,４１４個の教室を修理して学生たちの就学条件を保障した」事実、戦後の急激な教育復興事業を述べている所では、政府が教育の役割をどう評価しているか、それが他の経済、政治に反映することをどう理解しているかが具体的に示されていて興味深かかつたことを指摘して簡単な報告にかえる。

☆　朝鮮近代教育把握の二筋道

渡部　　学

朝鮮の近代を「抵抗の近代」とみることは一応南北ともに共通しているようである。

しかし、近代教育成立の史的過程におけるこの「抵抗」の内実をどのようなものとして設定するかは異つている。

南朝鮮の方では朝鮮自身の力によつて近代教育への開花が試みられ、外人宣伝部の教育事業によつてその「道がひらかれた」が、日本の「妨害」によつて「中断」された。日本は朝鮮の精神的資源に抑圧を加え、国民的感情のあらゆるこん跡を抹殺しようとした。朝鮮人はかかる専制のくびきの下で「苦悩」し「抵抗」した、というのである（拙稿「朝鮮における副次的初等教育施設」上、武蔵大学論集第８巻第４号参照）。私立学校を建てたり、書堂を維持したり、あるいは盟休を行なつたりした。しかし、それは消極的性格が濃い。植民地教育体制のわくの中であつたり、前近代的な形態にこもつたりしなければならなかつた。

北朝鮮の方では「教育学」教科書で次のように述べている。

「反日武装闘争当時に革命闘争と結合されて（「の一環として」と記した部分もある）展開された教育教養活動と事業はわが国教育史においてもつとも輝かしい諸ページを占めており、わが革命先輩たちがわれわれに与えたもつとも高貴なる教育遺産である。それは実に今日わが朝鮮革命が実現している新しい人民教育の諸原形を創造したのである」

と。もちろん、李朝時代に人民が支配階級に反対して抗争した中に「光り輝く文化・教育遺産を蓄積した」し、１９世紀7,８０年代の「新教育」運動も日帝の侵略的奴隷教育と封建両班たちの儒教教育に反対して近代的なる教育を実施し人民を啓蒙したし、さらに日帝支配下でも３・１人民蜂起を契機として勇敢に抗挙した。だがそれだけで、朝鮮人民の近代教育が具体的あるいは実体的に建設されたのではない。抗日パルチザンたちが遊撃根拠地ー解放地区に創始した真に人民的な新しい教育や、人民革命政府の具体的な教育編成や反日武装闘争に際しての児童団の教育教養事業の経験と伝統ーそれはとくに「学習を社会主義・共産主義勝利のための偉業に服従させ、学んで働き、働いて学ぶ美しい伝統」ーの中に創造されたものであつた。つまり、単なる抵抗、反対にとどまらず、積極的にしかも具体的に近代教育の実体的内容を「闘争において創造」したのであつた。朝鮮の「近代教育」という場合その積極的な内実が具象的に存しなければならない。「抵抗の近代」というだけでは、それは出て来ない。南朝鮮の側にも詳細に実証的に追求して行けば存在する訳であろうがその認識は十分とは言えない。これに対して北朝鮮の側では上記のような歴史的に成立している具体的内実を積極的に把握しかつ確立している。

つまり、南朝鮮の側では「苦悩と抵抗の朝鮮近代教育」を提示するにとどまつているところに力強い建設と推進の生れてくる具体的根拠を見出し得ないでいるのに、北朝鮮の側では「闘争の中に創造した朝鮮近代教育」を原形的内容として確把しそれを推進している。北朝鮮の場合さらに重要なことは、日帝支配下の教育に対する反対闘争、その闘争の中における独自的発展としての自主的近代教育の実体的創造展開というこの筋道は、単に現実的なる具体的内実を保有しているだけでなく、そのような現実的発展を対象認識の論理的発展としてもとらえる弁証法論理が礎石として配備されているということである。例えば、資本主義社会の教育をみる場合、その教育がブルジョア階級の経済的、政治的課業に依存したことを指摘する場合同時にその矛盾要因としての労働者階級の教育闘争を指摘し、この矛盾の弁証法的史的展開把握への布石が論理構造として設定されている。つまり、歴史的事実のみならず認識の論理が確立しているのである。南朝鮮の側にはこれが欠けている。実証という認識の構成原理はあつても認識の統制原理がない。従つて政治情勢と利害得失によつてぐらぐらゆれ動くのは、その現実条件もさることながら、このような主体の側の条件にも起因しているのではないかと考えられる。

日本朝鮮研究所における

各研究部会活動の総括と展望

「朝鮮研究」編集部

シンポジウム「日本における朝鮮研究の蓄積をいかに継承するか」

戦後の朝鮮史研究は長い空白の時代をもっている。それは戦前における朝鮮研究の主要機関であった京城帝国大学，あるいは朝鮮総督府の朝鮮史編修会等が，日本の敗戦と共に一挙にかい滅したからであるが，しかしより本質的な原因は研究者の朝鮮に対する姿勢，その歴史観が根本的な検討をよぎなくされたからである。少くとも従来通りの，朝鮮史独自の発展法則を無視した「満鮮史観」で朝鮮研究を継続することは不可能だった。しかしそれはすべての研究者に自明のこととして意識されたわけではない。むしろその事を自覚した既成の研究者の方がはるかにすくなかった。1950年に，そうそうたる大家の先生を結集して発足した「朝鮮学会」には，戦前からの意識がそのままひきつがれ，その故に真に新しい研究の出発点とはなり得なかった。

空白の時代は，村山正雄氏が指摘しているように，「戦前の満鮮史的意識を完全に払拭するに至らず暗中模索の状態で低迷」していた時代であった。

その沈滞を最初に打ち破ったのは旗田巍氏の岩波全書「朝鮮史」(51年)ではなかったかと思う。旗田氏はその序文で戦前の朝鮮史研究の簡単な学説史の整理を行い，戦前の朝鮮史研究が不可避的に，日本の対朝鮮政策，対中国政策と対応して進められた事，又その研究内容が古代に集中し，文献批判，クロノロジー，地名考証等を特色とする朝鮮人不在の朝鮮史であった事を批判している。それは既成の研究者にとって「満鮮史観」のと対決なしに，あるいは日本の植民地支配の問題と真正面からとり組むことなしに，新しい研究があり得ない事を示していると思う。

この「朝鮮史」が出版された頃から，朝鮮史研究が，ようやく活発になって来た。その中でもっとも画期的な事は，在日朝鮮人研究者の登場である。それは単に朝鮮人が自国の歴史を研究する自由を回復したという理由のみではなく，日帝下において「亜日本人」になる事を強要されていた朝鮮人が，朝鮮人としての民族的主体性を確立しようとする自己変革の内的要求に支えられていた。したがって当然にも彼等の研究は，日本の戦前の研究に対する真正面からの批判，否定からはじまっている。(53年には「歴史学研究」が朝鮮持輯号を出している。)それから，4，5年おくれて日本の若い学生の中に，少数ながら朝鮮史を研究する者が出て来るようになった。彼等は外国史としての，朝鮮史の法則を究明しようとすると同時に，特に近代史に関心を抱いた者は，日本の朝鮮支配の残滓を克服しようとする現実的課題から出発している。したがって朝鮮史を外国史として認めず，日本の植民地支配を合法化している戦前の研究を，まっこうから否定し，その否定の衝動の激しさのあまり，時には戦前の研究を十把一からげに無視する傾向さえなくはなかった。

以上のように戦後の研究は，その姿勢の相異はあるが，戦前の研究を否定し批判する事からその第一歩をふみだした。しかしそれらの批判は，戦前の研究を学説史的に整理し，体系的に批判を加えるまでにはいたらず，むしろ各自の研究テーマに関するもののみに限られていた。したがって自分の関心ある分野の研究に対しては激しい批判を加えながら他の分野では戦前の研究に安易に依拠するという矛盾が，一つの論文の中にさえ見出される事もあった。しかも戦前の朝鮮研究によって作り出された朝鮮のイメージは，その部分的な批判にもかかわらず，依然として強固に日本人の朝鮮観を支配している。そして「日韓会談」と共に作り出された「日韓親善」ムードの中で，その古い朝鮮のイメージは，南朝鮮に対するイメージと重って，相変らず，「おくれたみじめな朝鮮」に対して「進んだ」日本が援助しなければならない，という同情論となって，広汎で「善意」な日本人をとらえている。戦前の研究の徹底的な検討こそは，新しい研究の出発点となり得るばかりか，日本人の対朝鮮観変革の不可欠な前提でもある。

このような情勢の中で，わが研究所が「日本における朝鮮研究の蓄積をいかに継承するか」というテーマで，十回にわたるシンポジウムを行った事の意義は，極めて大きいといわねばならないだろう。無論このシンポジウムが，日本における朝鮮研究の全面的，体系的な検討と呼ぶには余りに不充分だとしても，少くともその方向に大きく第一歩をふみ出したとはいえるだろう。

シンポジウムはすべて月報に掲載されてきているが，便宜的にテーマと主報告者を記すと，

第一回「明治期の歴史を中心として」旗田巍（62年6月，5・6併合号）

第二回「朝鮮人の日本観」金達寿（62年8月，7・8併合号）

第三回「日本文学にあらわれた朝鮮観」中野重治（62年11月，創立1周年記念号）

第四回「京城帝大における社会経済史研究」四方博（62年12月，12号）

第五回「朝鮮総督府の調査事業について」善生永助（63年1月13号）

第六回「朝鮮史編修会の事業を中心に」末松保和（63年2月，14号）

第七回「日本の朝鮮語研究について」河野六郎（63年10月，22号）

第八回「アジア社会経済史研究について」森谷克己（63年11月，創立2周年記念号）

第九回「明治以降の朝鮮教育研究について」渡部　学（64年5月，29号）

第十回「総括討論」（64年6月，30号）であり，尚予定されていながら，実現出来なかったものに，「朝鮮の考古学研究について」三上次男，「朝鮮の美術史」小山富士夫，「朝鮮総督府の教育政策について」中村栄孝，「アメリカにおける朝鮮研究」，「中国における朝鮮研究」安藤彦太郎，「ソヴィエトにおける朝鮮研究」などがある。

十回にわたるシンポジウムで，従来の「日本における朝鮮研究の蓄積」のなかから，何を絶対に学びとってはならないか，何を批判的に継承すべきか。その個々の問題については「月報」を読んで頂くとして，基本的な問題で明確にされた事を整理してみたいと思う。

全回にわたってもっとも基本的な問題としてくり返し提起されたのは，日本人の対朝鮮観，あるいは朝鮮に対する姿勢の問題であった。このことは，戦前の朝鮮研究を再検討するという事は，単に学説史として整理すればそれで事がすむという問題ではなく，現在のその人の思想を問われる問題である事を示していると思う。既成の研究者にとって，その作業を行う事は悲痛な自己批判を内に含まざるを得ないであろうし，（その事を明確に自覚した上で主報告を引受けて下さり，自らの学説を批判された森谷克己先生の態度には学ぶ所が多いと思う）又若い研究者にとっても，遺制と呼ぶには余りに生々しく継承されている支配者意識を，自分のものとして対決する自己変革の課題を内に含まざるを得ない性格のものである事を示している。

この問題について，まず旗田氏が，日本の朝鮮支配の本質が，朝鮮人の民族的主体性を抹殺する「同化政策」を根本理念としている事を反映して，朝鮮人不在の歴史であったという，岩波全書「朝鮮史」の序文の思想を，更に詳細に展開しながら口火をきった。同じ問題を上原専禄氏は，ランケの「認識の根拠は対象への愛」だという言葉を援用しながら，日本の朝鮮研究には朝鮮・朝鮮人に対する愛が欠如していた事を指摘している。そうしてこのような対象に対する愛の欠如，即ち朝鮮人を朝鮮人として認めない支配者の姿勢が，社会科学においては，朝鮮社会の独自の発展法則を否定する「停滞論」につらなって行った。更にそれが教育史の分野においては，李朝末期の教育を外国人が高く評価しているのに対し，支配者として朝鮮にのりこんで行った日本人の目には「朝鮮には教育なしというも過酷の評にあらず」と映ってしまったのである。このように「対象に対する愛の欠如」そして支配者の姿勢が日本の朝鮮認識を根本から誤らせたばかりか，そのような認識は，たとえば教育においては「不毛の朝鮮」に「進んだ」日本がのりこんで「近代式教育」をほどこすのは，日本の天与の権利として把握される。つまり侵略を合理化する思想となる。この事実を渡部学氏は，朝鮮史における近世と，近代との「恣意的分断」だと指摘しているが，まさにこの「分断」なしに日本の朝鮮支配思想は成立し得なかっただろう。このことは教育についてのみでなく，日本の朝鮮研究全体に対する鋭い指摘であると思う。したがって，当然これからの研究はこの日本人の手によってなされた朝鮮史の「恣意的分

断」を打破し，連続した朝鮮の歴史の究明を第一の課題とせねばならないだろう。

次に，朝鮮を植民地とした事から，日本人自身が受けた変質について，様々な角度から問題が出された。中野重治氏は戦後の日本人の朝鮮観について鋭い指摘をしている。中野氏は革新陣営の中ですら，在日朝鮮人を不当に高く評価している。つまり「在日朝鮮人は日本の支配権力に対して時にはデスペレートな反抗心をもっている。それを利用しようという程腹黒いものだったとは信じないけれどそれにもたれかかるという点」があった事を指摘し，そのような意識の歴史的原因について，「他の帝国主義国との角逐場裡で朝鮮及び朝鮮人を将棋のこまのように使おうとしたその裏返しというのではないけれども，少くともその時代に日本の革命運動がこの問題を充分大衆的に明らかにしてこなかったことから糸をひいてきていはしまいか」と述べている。即ち支配民族においては，その最良の部分ですら，帝国主義的変質から無縁ではなかったのであり，革新陣営にとってこの問題はまさに綱領的課題であろう。このような朝鮮観のゆがみは，中国観と比較する時，問題の所在が一層明確になるように思う。この点について，上原・旗田氏は戦前にも中国を愛の対象とした学者はいたが，朝鮮を愛の対象とした学者はいなかったと，中国と朝鮮に対する東洋史学者の姿勢の相違を指摘している。同じ問題を中野氏は，今日「中国のことは知らずにはすませない」が朝鮮のことは「知らなくても何とかその日がすごせて来た」という形で指摘している。それは同じ国交未回復国でも，中国と北朝鮮とは旅券とか入国法についても違った扱いを受けていて，その事の矛盾を日本人自身が明確に矛盾として意識していない事の中にもあらわれている。このような朝鮮観のゆがみを，藤島氏は「単に朝鮮人観というだけじゃなく，日本の社会機構的に根強いものの一端」ではないかとして，未解放部落，沖繩問題に対する日本人の姿勢との構造的関連という形で，問題を拡大して提起している。

しかしこれらの問題については，シンポジウムの中で十分に展開されず主として問題提起のままに終っている。特に中国観と朝鮮観との異質性と同質性，その重層的なからみ合いについては，幾度か問題にされながら充分討議されなかった。

このように複雑に屈せつし，皮ふ感覚として日本人の中にしみ込んでいる朝鮮観のゆがみを，どのようにして克服していったらいいのか。その点について中野氏は，単に日本の侵略性をあばくというのでなく，「美談」を即ち真の連帯の歴史を発掘してゆく事が必要だと述べている。又上原氏は「一旦愛が成立すれば，その構造を変える事は容易である」として，朝鮮への愛を提唱している。

では朝鮮観の変革を内にふまえたこれからの研究はいかにあるべきか。その課題はすでに述べた朝鮮史の「恣意的分断」を克服し，朝鮮史独自の発展法則を究明しようとする姿勢と不可分のものであると思う。幾度かの外国の侵略を受けながら，それと強じんにたたかい，自己の民族的発展をとげた朝鮮史の発展法則を究明しようとする作業は,「対象への愛」なしに出来得るものではないし，又そうする事によってのみ，「対象への愛」はゆるぎないものとして成長して行くだろう。と同時に，その作業は支配者がいかに真実を見誤るか，支配民族自体がいかに変質を受けたか思い知らせてくれるだろう。

このシンポジウムにおいて，朝鮮研究が過去・現在においてかかえている問題点は，出つくしたような気がする。それらの課題とどう取り組み具体的な成果をあげるかが，研究者にとっての今後の課題であろう。朝鮮研究もいつまでも「姿勢論」の段階に終始してはいけないという声が聞かれる。たしかにそのような姿勢にたった労作が世に問われなければならない時期にさしかかっている。その点，上原氏が，方法論的に日本史の研究者が注目せざるを得ないような研究成果を挙げねばならない，と指摘しているのは，朝鮮研究者にとって手痛い指摘であったし，更に四方博氏が，日本における朝鮮に対する無智を打破するために，経済史・政治史・文化思想史といった多様な概説書が書かれねばならない事を提唱している。これらの指摘は，今後の研究所の活動においても十分に考慮されねばならないだろう。（宮田節子）

現代朝鮮研究部会(農業)の動向

農業部会の活動については『朝鮮研究』第34号，第45号で，65年12月までの経過が報告されている。今年に入ってからも，メンバー，開催回数ともほぼ従来のまま3名，月1回（原則として毎月第4土曜午後）で継続してきた。今年1月以降の経過は次の通りである。

第24回，'66，1，29　協同所有と国家所有の差の問題（梶村秀樹）。

第25回，66' 2，26　北朝鮮の土地改革について（楠原利治）。

第26回，'66，3，26　社会主義について（梶村秀樹）。

第27回　'66，4，23　紹介，金承俊著「わがくにでの農業問題解決の歴史的経験」（労働党出版社，1965，10）（桜井浩）。

第28回，'66，6，4　同上（楠原利治）。

第29回，'66，7，2　同上（楠原利治）。

以上でみた通り今年7月で29回に達した。63年6月に発足して以来，解放後の北朝鮮農業を歴史的に跡づけながら，特に重要と思われる問題については個別的にできる限り深く堀り下げて検討するという方向で進んできた。そして，若干の曲折はあったが，ほぼ62年の「郡協同農場経営委員会」の設置から'64年の「金日成テーゼ」をめぐる諸問題を討議するまでになった。

一方，周知の通り北朝鮮では'67年をもって7カ年計画が終了することになっている。こうした時期とも関連して，今までの農業部会の一応の成果をとりまとめることになっている。この計画はすでに64年頃からあったもので，その後各メンバーの分担も決っており，3月例会では執筆に当って，できるだけ共通の基盤をもつべく改めて「社会主義について」（梶村）の報告を求め討議を行った。その後，解放前から最近に至るまでの農業問題を総括的に扱った金承俊著「わがくにでの農業問題解決の歴史的経験」が入手され，こうした北朝鮮の研究成果を摂取するため紹介と合せて問題点の討議を行った。しかし，現在のところ執筆の予定は相当おくれている。

最近北朝鮮では農業現物税の全面的廃止が最終的に確認され，また協同農場では作業班分組の「都給制」強化などの新しい問題が提起されており，こうした問題を引続き跡ずけていくと同時に，従来すでに取上げた問題についてもより理論的に深めなければならない点や現実についての知識を蓄積してゆかねばならないことが残されている。

こうした点で，農業部会が一歩前進するためにも，今までのものを曲りなりにもこの辺でしめくくり，現在の到達点を明確にし，また多くの人々から批判をいただくことが必要な段階にきていると思われる。

最初の目標が必ずしも順調に実現するまでにいたっていないが，各メンバーとも意欲だけは出発当初と変りなく，今後も研究会を続けてゆく考えである。皆さんの御支援をおねがいしたい。（桜井浩66年10月3日）。

② シンポジウム

日本における朝鮮研究の蓄積をいかに継承するか（全13回）

日本における朝鮮研究の蓄積をいかに継承するか

◇　第一回

明治期の歴史学を中心として

出席者

上原専祿
幼方直吉
旗田巍
宮田節子

司会

安藤彦太郎

安藤　これまでの朝鮮研究の蓄積から何を学ぶか，何を学びとつてはならないかということを今日的な視点にたつて整理しておくことは非常に重要な仕事だと思います。今日は，連続シンポジウムの第１回として，日本における朝鮮研究の発端として明治期のそれを検討してみることになりました。そこで，まず朝鮮史の専門家の旗田先生に，特に歴史学を中心として問題提起をしていただき，それにもとづいて質疑討論を進めていくことにしたいと思います。なお，旗田先生はすでに「世界歴史事典」補巻に日本における東洋史学の成立を論じた短い文章をかいておられ，岩波全書「朝鮮史」序文にも同じ問題意識を出されています。

§　江戸時代の日朝文化交流について

旗田　では朝鮮史研究の経過とその中に含まれている問題について簡単に申しあげましょう。

まず最初に明治２０年代歴史学研究が本格的にはじまる以前のいわば前史時代の状況に簡単にふれたいと思います。日本と朝鮮は国が近いし古くから交渉があり，江戸時代には特にながく平和な交渉が続きました。当時の知識階層，特に漢学者は朝鮮に相当深い関心をもつていました。というのは，当時朝鮮の儒学（朱子学）は日本より進んでいたからで林羅山・藤原惺窩など朱子学の大家は，朝鮮の李退溪などから学んで学問的体系をうちたてたのです。その意味で彼らは朝鮮の儒学を尊敬しており，朝鮮の使節に随行してくる学者について勉強したり詩文を交換したりした。中には服装まで真似しようとする者もあつたし，朝鮮の書物の海賊版が沢山出版されたりした。また朝鮮の学者で日本に帰化して藩校のおかかえ学者の地位につき学問的業績を残した人もずいぶん多い。ともかく日本の漢学・朱子学における朝鮮の影響は強かつたといえます。また陶工など技術者芸術家についても同様のことがいえます。

§ 明治初年の急転換 ── 西欧万能主義と東洋無視

ところが明治維新以後になるとこれががらりと変つて，征韓論が起り江華条約・壬午軍乱・甲申事変と続き富国強兵・大陸発展……がどつと出てくるとともに尊敬は影をひそめ，逆に錦絵が氾濫したりして秀吉の侵略が尊敬されるようになります。あの時期の変化をどう考えるかは，幕末の開国・攘夷論者である佐藤信淵・安藤昌益などの大陸観・危機意識の系譜などとも関連させて研究されなければならないが，とにかく明治初年に大きく変つた。なお国内では進歩的といわれる自由民権の連中が朝鮮に対して高圧的にのぞんでいることも注意しておくべきでしよう。

しかし，明治初年には東洋研究といえるものは皆無に近く，あるのはただ事情の紹介，それも西洋の出版物の飜訳が主でした。例えば，日本開化小史という名著を書いた田口卯吉に「支那開化小史」（明治１５年）という著作があるがこれが大変できがわるい。これも中国研究がなかつたことを示しているといえましよう。ともかく中国や朝鮮についての学問的研究は皆無であつたわけです。

当時の学問の背景には圧倒的なヨーロツパ万能主義があり西洋の学問がそのまゝのかたちで流入した。教育界でもバツクルの万国史だの何だのをそのまゝ飜訳して教えるし，歴史学にしても，東大には教える人がいなくて国史学科もなく西洋史だけしかないという有様でした。一方では勿論伝統的な漢学の一部として支那史学・朝鮮研究もないではなかつたが，何としても限界があつた。このヨーロツパ直輸入学と漢学の対立乃至同時存在は，明治時代を通じて存在した基本的な対立でありました。特にこの２つの流れの接点に生まれた東洋史学の成立発達は両者の影響を離れては考えられません。

§ 明治２０年代 ── 東洋史研究は朝鮮古代史研究

朝鮮研究を含めた学問的な東洋研究は明治２０年代から始まりました。その中心は当時の「東京帝国大学」の史学科です。その主任として迎えられたリースはまだ２０代でランケの弟子でしたが，彼の学風が日本の歴史学の発展に与えた影響は非常に大きい。明治２２年には，史学会が結成され，史学雑誌第１号には会長重野安繹の「史学に志すものは至公至平ならざるべからず」という論文が出ています。そしてリースの示唆で日本史もやらねばならないという考えが出てきた。注目すべきことに，当時の東洋関係の歴史研究はその殆んどが朝鮮研究でした。

久米邦武・菅正友・日下寛・幣原坦・坪井九万三・那珂通世・吉田東伍・三上参次，また法制史の中田薫・宮崎道三郎，漢学出身の林泰輔，言語学の金沢庄三郎など当時のそうそうたる連中がみな朝鮮を研究した。その内容の特色は古代史いわゆる三韓時代の研究が中心で，高麗まで下る研究も殆んどなかつた。そして方法的には言語学的というか，それもインチキ言語学で，言語が人種興亡論の手段として扱われたのが特徴です。これは壬午・甲申から日清戦争にかけて，「大陸発展」の焦点たる朝鮮に目がむけられていたためと解され，「日本民族」の意識の成長を背景として「民族起源論」が問題になつたのだと思います。

ただ当時論文は随分出ましたが，まとまつた著作となると殆んどなく，通史としては林泰輔の「朝鮮史」（明治２５年。但し高麗まで。のち明治３４年に「朝鮮近世史」が出され，大正期になつてから補訂されて「朝鮮通史」になつた）が唯一のものでした。これが最近まで朝鮮の通史のモデルであつて，これをぬきんでた概説書はなかつたといえますが，このようなものが漢学出身の林泰輔によつてかゝれたことは興味ある事実です。

それからこの時期以後の朝鮮史及び東洋史の発展を最も大きく方向づけたのは白鳥庫吉ですが，彼は明治２３年史学科卒業で，本来は西洋史をやつていたのです。それがたまたま学習院に奉職し当時の院長三浦梧楼の東洋に関する講義をやれという要求で，それなら朝鮮の古代史でもやろうかということになつたのです。三浦は周知の通り大陸発展論者で，例の閔妃殺害事件の黒幕でしたが，このいきさつはその後の東洋史の発展方向にとつて単なる偶然ではすまされない象徴的意味を感じさせます。

§　日清戦争と思想統制 ── 空理空論史学の終末

ところでこの２０年代の学界には非常に勇壮活潑な雰囲気があつた。「従来の史観をうちやぶれ」，「新しい史観をうちたてよ」という威勢のいい運動でリースを心配させるほどの空理空論もてあそんだ。白鳥庫吉にしてもその最初の論文は，「歴史と人傑〜英雄は公衆の奴隷なり」というものでした。所がやがてこれが政府権力と衝突を起すことになる。まず最初にひつかかつたのが久米邦武の「神道は祭天の古俗なり」という論文で，神主が騒ぎだし，結局久米は東大教授を辞職しました。次には重野安繹の児島高徳抹殺論が問題になり，東大の歴史学はけしからんということで，一時は史料編纂所が閉鎖されたほどでした。こういう弾圧で，みな勇しい議論をやめ史料に沈潜するようになる沈滞期が日清戦争直前におとずれます。田口卯吉の出していた「史海」という雑誌もこの頃つぶれている。それにしてもともかくのちにだんだん重々しいものになつていく歴史学もいわば幼稚きわまる空理空論で出発したわけです。

日清戦争期の特記すべきことは東洋史ということばがはじめてできたことです。明治27年に那珂通世の提唱で高等師範に東洋史科がおかれ，これまでの万国史が東洋史と西洋史にわけられ，２０年代末から３０年代にかけて東洋史の教科書が続々と出版されました。那珂通世は福沢諭吉の門下です。

教育界に比べ東大に東洋史科ができるのはずつとおそく明治４４年からです。そして東大の東洋史は漢学系統ではなく西洋史的学問を身につけた人々で発足している。この点は京都学派とは対照的です。はやく明治３７年に白鳥は東大教授に就任し大活躍をはじめています。明治３８年にはまずアジア学会を設立し，４０年にはこれを東洋協会に吸収合併させ，更に４１年には後藤新平とタイアツプして満鉄地理歴史調査部を作り，４３年になつて東洋史学科がはじめてできました。時は日韓併合・辛亥革命・幸徳秋水事件というアジアの激変の時期でした。そしてこのような中で，東洋史学は漢学との徹底的な対立・論争によつて自已の地位を確立していつたのです。

§　支那古伝説論争と東洋史学の定着

画期的なのは明治４２年の白鳥の論文「支那古伝説の研究」をきつかけとしてはじまつた論争です。この時「儒家の聖人とする中国古代の帝王堯・舜は架空の存在にすぎない」と史料の合理的操作で論証する白鳥たちに対し，漢学者側のホープとしてたちむかつたのが林泰輔です。論争は大正期まで数年続きましたが，結局，当然新興東洋史学，ヨーロッパ合理主義の勝利となりました。当時東洋史学及び白鳥庫吉の名声は大変なものがありました。

しかし，このようにして成立した東洋史学の学風にも大きな問題があります。それは支那の聖人君子は全部うそだという批判のやりつぱなしで，後に何も残らないことです。ドグマをこわすのはいいが，後に何の真実をみつけるのかというとゼロです。（面白いことに，論争にまけた林が，甲骨文字の研究をはじめ，「支那古文明」の再発見をなしとげたわけですが，白鳥は甲骨文字を骨董屋の集めたものとして終始軽蔑し調べようともしなかつた。）そして思想的に残るのは何かといえば，中国・東洋に対する侮蔑感であり優越感でした。漢学者はともかく中国の昔の聖人に愛着を感じ尊敬していたのですが，その尊敬をまつこうからたゝきつける。このような思考法は日本の進歩主義の一つの共通のパターンになつていると思います。それは内では非常に進歩的で外に出ると排他的という態度にもつながります。

明治時代の歴史学のもう一つの特徴は地理的唯物論つまり風土論です。和辻哲郎につながるこのような発想は白鳥先生の得意とする所で，北方の荒々しい環境に武の世界が，気候温暖な地域には文の世界が育つ，日本はその中間で文武両道，それに似ているのは西洋ではイギリスだ，というような都合の良い議論です。誰だつたか歴史学を生物学に関連させようとした者さえありました。それらが結局国権論・愛国主義と結びついていた。

§　満鉄調査部の役割と白鳥庫吉の活躍

このように白鳥庫吉が漢学とはなばなしく対決できたのには，満鉄とのタイアツプが背景となつています。「満韓経営を学術的基礎の上におく」ということで満鉄総裁後藤新平と白鳥が提携し，満鉄調査部ができたのは明治４１年ですが，その意図は「満洲歴史地理」の序文によれば，第一に満韓は日本の独壇場だから学問的にも日本が独占する，西洋人には一指もふれさせないということ，そして経営はいいかげんではだめで学問的でなければいけないということです。出てきた成果がそのような目的に役立つものだつたかどうかは別として満鉄調査部の成立が日本の東洋史学にとつて非常に大きな意味をもつたことは事実です。

第一にこゝで養成された人が学界の中堅になつていつている。箭内亙・松井等・池内宏・津田左右吉・稲葉岩吉・瀬野馬熊等々。そしても一つ大事なことは学問のタイプがそこでできたということです。「満洲歴史地理」「朝鮮歴史地理」「満鮮地理歴史研究報告」などにみられる学問の特色は非常にかたよつている。一つは地名考証です。古書に出てくる地名や交通路の比定を徹底的にやる。それから後には天文学にまで行きつくようなクロノロジツクな合理性の極端な重視。このように本ができてみると余り偏つていて，満鉄にとつてはものの役にたたない。社業と関係なしということで，彼らが満鉄調査部の中で活動できたのは結局数年間にすぎなかつた。しかしその後も満鉄は因縁があるのでこのような研究の出版費だけは出したわけです。

それから対象についての特色は，中国本土の研究が殆んどなく周辺民族の研究ばかりだつたことです。東大の東洋史でも白鳥先生の講座名が「塞外民族史」だつたくらいで，中国本土を本気ではじめたのは和田清先生からです。京都でも内藤湖南はいるが中国本土はやはり新しい。

も一つの特色は人間のかゝわりはミジンもないということです。社会，経済からきり離された抽象的な事件である。その点最も極端だつたのは池内先生で，親兄弟ともつきあわぬ外界から遮断された所で自分だけで論理学を楽しんでいる。人の業績もよまない。経済史は銭勘定だからだめというふうでした。このような東大学派の東洋史学と全然異う学風が京都にはありました。内藤湖南をはじめとする支那学派といわれる人々は国学漢学の出身で，東京の人達とはタイプがずつとちがい，中国が好きで美術や書道を愛好し，言葉としての中国語も勉強し中国服をきたりする。そして文明論を展開しますし，特に内藤湖南などジャーナリステイツクな傾向も強い。東京の人は全く無味乾燥で文明論・芸術鑑賞などはしない。津田先生などあれだけやつていて中国に行く気もしない。東京の連中は中国がきらいだつたといえます。もつとも京都の「支那学派」のこのような傾向も，しばしば政治的には清朝復辟論のように侵略的な方向に利用されて行きました。その点東京は政治論は絶対やらない。朝鮮史の分野でも池内先生のは純粋な論理学でしたが，京都の今西竜などは骨品制社会制度に興味を示したりやはりかなりちがつていました。今西さんは内田銀蔵あたりの影響をうけているらしいですが，東洋史の学界ではむしろ傍系でした。

§　歴史家と交流なしに進められた社会科学者の業績

次に，当時歴史家以外ではどうかというと，まず福田徳三が朝鮮経済に関する今みても立派な論文をかいている。明治３７年にでた「韓国の経済単位と経済組織」という論文では一種の発展段階論が展開されている，日本の封建領主制を前提とする視角から，朝鮮の封建制度の欠除を問題にしています。韓末の朝鮮は日本の平安末に当るというような結論はともかくとして，視野は世界史的だし，発展させられるべきものを多く含んでいると思うが，朝鮮史の人はこれを読もうともしませんでした。福田を更に発展させたのは黒正巌・猪谷善一などの後継者です。

法制史の分野では広池千九郎が明治42年に「韓国親族法・親等法」という大研究を出しています。これは仁井田陞氏なども尊重し利用しておられるものですが，これも歴史家には入らなかつた。

それから明治末期統監府がいろいろ随分調査を出しているが，これも十分に歴史家に利用されていない。大正期に入つて土地調査から出てきた和田一郎の業績など代表的なものですが。台湾に関する調査や「清国行政法」の仕事の中からは加藤繁のような研究者が出ていますが，朝鮮の調査からはそういう人は出ませんでした。

その後京城大学に法文学部ができ，四方博さん三宅鹿之助さんなど朝鮮の経済や日本の植民政策を論議されますが，当時歴史学者と経済学者との間に知識の交流はなかつたのではないかと思います。というのは東洋史畑の朝鮮史学はいわゆる社会科学とは考えられていなかつた。社会科学であれば調査資料や何かがもつととりこめたはずだが，白鳥・池内などの学問にはとりこみようがないわけです。

そして昭和以後になつて，社会科学的な方法意識をもつ「歴研」などの流れが出てくるわけですが，その系譜は東洋史学の一部としての朝鮮史学の発展の中から出てきたものとはいえないと思います。私自身の経験でも講壇外のサークル・読書会から方法論をえています。勿論，一方では池内先生の考え方の影響も多分に私たちは受けています。時々「おれはこう思うといわないで，社会的意義がどうのといつていて学問ができるか」などと無茶なことをいいたくなるのもそのためかもしれません・・・・それはともかく，「歴史学研究会」とともに昭和6年に発足した「社会経済史学会」の与えた影響も大きかつたが，それらの全面的展開は敗戦後にもちこされたわけです。

安藤　時代をおつて問題を整理していたゞいたので，最初に，江戸時代の朝鮮に対する関心が逆転し，そこで欧化主義と漢学の対立が生れるこの部分について問題にしたいと思います。

§ 何故急転換が起つたか ── 庶民の認識と学者の認識・政治家の認識

上原　江戸期から明治・大正・昭和にかけて学者たちの朝鮮認識と日本人全体の朝鮮認識のかかわり方がどうだつたかという問題が一つあると思います。それは日本の社会のその時々のインテリの社会的役割とも関係する。その問題を特にとりあげるのは，これからわが研究所が何をどういう仕方で研究していつたらいいのかということと関連して気になるからです。どうして明治になつて逆転するかを考える前に江戸時代の庶民一般の朝鮮認識は学者の認識とどうかわつていたか，また，儒者ではあるが幕府の役人の立場で朝鮮をとりあげた新井白石の考え方などとどう関係していたかその辺から問題にしたい。

安藤　江戸時代の儒者の朝鮮に対する興味は，朝鮮そのものへの関心ではなくて朝鮮を通じて朱子学への興味だと思いますが，それとは別に海防論・外交の方針という点から朝鮮への関心が別にあつたのではないでしょうか？中国への関心でも漢学者と林子平・高杉晋作とは随分ずれていた。しかし，漢学者の中からその時代の中国に対する関心が出てくることも多少はあつた。たとえば唐通事などを通じて，荻生徂徠は生きた中国への関心をもつていました。漢学者内部に，現実の朝鮮に対するそういう関心の芽はなかつたでしょうか。

旗田　明治維新以後の中国に対する関心は，漢学者とは違つた所、幕府の海防論の系譜から出ているでしょうね。

上原　これからさき朝鮮をどう勉強して行くかということと関連するのですが，江戸時代でも，一方には儒者一方に政治家の認識の構造のちがいがあると思うが，それら以外に庶民としての日本人はどう考えていたでしょうか？　その頃，それが明治・大正の認識につながるような人民の側の自主的な朝鮮認識が成り立つていなかつたために明治になつて簡単に政府の立場で征韓論にひつぱつていくことができたのではないかと思います。勿論考えさせない政策が基本にあるわけだが，役人でない普通の日本人が朝鮮に限らず中国や外国をどう考えていたかに視点をおいてみるとき，明治大正にかけての日本人の朝鮮観のできあがつていく基礎が分ると思う。明治大正には学者・政治家・ジヤーナリストが中心になつてやつてきたが，これからは国民が主体的認識をもつてやつていかねばならない。

幼方　民衆の認識について，江戸時代から明治２０年にかけてという当面の時点について考えると，混沌とはしているが，その後にあらわれた朝鮮観と異質のものをやはり素朴にもつていました。その証拠は漂流譚です。北九州から山口にかけての漁民は海流の関係でよく朝鮮に行くが帰つてきても何の偏見も示さない。浜田耕作の文集などをみると分り

[広告省略]

ます。このように偏見はもたないがといつて主体的に朝鮮観をイメージとして作り出して行くには至つていない。学者の朝鮮観が民衆の朝鮮観と一致する時点と分れていく時点とがあり，ある程度一致する基盤はこの時点でもあつたと思うが，明治初期の段階では何といつても統一させる力がないどころかむしろ逆転させる力があつた。それから江戸時代の儒者・役人が例えば新井白石の「西洋紀聞」にみられるようにとらわれない態度でヨーロツパをみていたのと同様，朝鮮中国への観念的差別感もなかつたと思う。

旗田　大内氏が貿易をやる時自分は百済の子孫だつたということを平気でいい，貿易の優遇を要求している。そういうことは平気だつた。

§　侵略思想の形成過程

宮田　明治初期に錦絵が民衆的なマスコミの手段として大きな役割を占めていたのですが，それが政治的に使われ，秀吉を民族的英雄として登場させる事が侵略思想を民衆にふき込む一つの手段だつた。その意味では秀吉の否定的影響が日本の民衆の中に残されていたともみられますね。

旗田　その点，寺内総督が併合の時によんだうたが「小早川加藤小西が世に在らば今宵の月をいかにみるらむ」というのだつた。

上原　明治の人は朝鮮侵略をかちいくさと誤解している。李舜臣の存在は現在でも日本人の常識の中にはないですね。

宮田　おヒナさまの中にも入つているということは無視しえない影響力をもつていたんでしようね。

安藤　中国研究について，私，一つの図式を考えるのです。それが朝鮮にもあてはまらないかと思うのですが。明治になつて漢学を批判して欧化主義の立場が出てきた。しかしこれは必ずしもヨーロツパ合理主義がそのまゝ入つてきたものではなく，絶対主義とむすびついている。一方，漢学は幕府の公認イデオロギーだつたのだが，幕末の志士の海防論は少し違う。それが欧化主義とも漢学とも違う民衆の中国朝鮮に対する潜在的関心を背景としていた。一方には欧化主義，一方には漢学を批判するというこのような在野志士の動きが自由民権につながり，それが結局明治政府の侵略に吸収されていく。天佑俠の例でも分るように，主観的には親善のつもりで出て行くのが客観的には侵略につながつている。民衆を背景とした下からの動きが上と結びつけられるというふうでずつと太平洋戦争まできた。これをきりはなすのが問題だと思います。その辺の矛盾が明治２０年福沢諭吉の

「三粋人経綸問答」に典型的に出ていると考えます。

旗田　おそらく朝鮮観としてきりはなして出るのでなく，日本の危機感とかゝわりなしに日本人の朝鮮観は考えられない。朝鮮問題というとすぐ背後のアジア問題につながり，ロマンチツクなアジア連繫論にもなるが，それが結局侵略となつていく。

安藤　そういう中国朝鮮への関心がアカデミツクな学問と別に無縁に存在し，それはそれで朝鮮侵略の調査研究につながつていくと思う。そのことを制度的に示しているのが，語学の問題です。明治６年にできた外国語学校は英・独・仏を教え，それとは別に露・中・朝は外務省管轄の外語学処で教えられていた。両者は６年１２月には東京外語に合併され並存したが，１９年に至り再び解体され，英独仏は大学予備門のちの一高へ，朝露中は東京商業学校第３部貿易科，いまの一橋大学に移された。これに対し志士的気分のみなぎつていた露・中・朝の学生たちは「デツチ学校」はいやだといつてストライキをしたそうです。ともかくそういう東洋諸国の調査研究が分離されて学問の本流にはのらなくなつた事情が，こうした経緯からもよくわかります。

幼方　自由民権との関係で明治１５年の大阪事件の評価が二通りありますね。日本でやれなかつたことを朝鮮の自主独立に結びつけようとしたとみるのと，はじめから侵略的だつたとみるのと。どちらが正しいともいえないし両面あつたかもしれない。

§　ランケ史学の影響と調査研究――イギリスとの比較

安藤　明治２０年代の東洋史は朝鮮史で特にその内容は殆んど古代史だつたということはどう考えたらいいのでしよう？

旗田　一つには史料の関係もありましよう。高麗史さえ一般に読まれるようになつたのは明治末期以後だつた。当時の歴史学が大体古いことばかりだつた。リースがこれをいましめて現在のこと民間伝承なども重要だと示唆し「古老座談会」などが開かれるようになつた。しかし大体は歴史といえば古いことと思っていたようです。

幼方　その点ヨーロツパの近代歴史学が海外植民地を研究する場合のテーマなり方法なりとの対比はどうでしよう。イギリスのインド研究なども初期には近代のことは少なかつたのではないでしようか？　メインやバーデンパウエルの土地調査などは別にして。

上原　必ずしもそうもいえない。問題はいろいろあるが，一つは政治家なり民衆の中で朝鮮中国観が政府の政策で形成され，全体として帝国主義的な方向をめざして行き，反対するものはおさえられていくわけですが，その中での学問の役割及び中味ということだと思います。当時の日本の学問はリースの学問をヨーロツパの伝統の中にすえて内在的に理解することができる段階ではなかつた。そこでリースがどのようにうけとられたか，そして客観化しえた時リースに代表されるランケ史学がリースの欲したように進めばどのような歴史認識がありえたかという第二の問題がある。

それに，ランケの影響は同じ頃イギリス・フランスにもあつたのですが，ランケに対してドイツには在野的ではないが批判的な歴史学派の経済学があつた。その一つのブレンターノの弟子が福田徳三であり，イギリスのアシユリーもこれをイギリスに移植しようとしていた。このようにドイツの学問の移植という意味ではイギリスと日本にパラレルの関係があつた。しかしイギリスにはドイツの影響を受ける前から，１８世紀以来の研究の伝統が一応あつた。それはケンブリツジ，オクスフオードなどで勉強した人が役人としてインドに行つてやつた研究ですから，むしろ，インドをどう統治するかという支配の必要からインド社会の構造・政治形態なかんづくインド人の意識の研究をやつた。少なくとも１９世紀からイギリス人はペルシヤ語，ヒンドウー語の文献の飜訳からはじめてインド近代史をやつていると思う。それがずつと後の有名な１８８０年代のインド総督府によるセンサスにまで続いている。むしろ古代史の研究の方がドイツ人の影響をうけて後から発達しています。日本の場合はそれと違つてヨーロツパの学問に接するのはこれがはじめてで，まだそこまで行つていなかつた感じですね。

安藤　後藤新平の満州研究はそのモデルにイギリスのインド研究を考えていたようですが，古代史に流れこんだアカデミツクな研究者はその要求に応じられなかつたわけですね。

幼方　アカデミーの中から出た調査研究も若干はあつた。例えば梅謙次郎が中心になつて進めた朝鮮の旧慣調査があります。しかしそれらは日本の台湾・満洲に関する調査に比べても非常に貧弱なものだつた。

旗田　歴史学者はそういうものを全然うけつけず，むしろ漢学者などの方が非常に詳しく制度論をやつている。しかしそれもだんだん消えていくように思います。

安藤　朝鮮研究が言語から入つていつたという先ほどのお話でしたが，これはヨーロツパのシノロジーが言語から入つた方法をそのまゝ模倣したといえるのでしようか？

上原　フランスの学問が入る前の２０年代の研究は，別の所，むしろ清朝考証学の影響ではないでしようか？　ヨーロツパの方法とはちがうがやはり文字の意味を実際的に明らかにしていくのです。それを自覚的にやつているのは内藤湖南でしよう。直接的な影響ではないが，日本化された考証学としての大阪懐徳堂に方法の基礎が求められている。もつとも，それはもつと後の４０年代のことで，２０年代にはそのような自覚なしに清朝考証学の影響下にあつた。そして自覚なしでやるとなれば現代のものを無視して古いことをやることになつた。

そして，一方満鉄・東亜研究所と一貫して研究調査の上にたつて支配しようという目的のための機関が存在した。ところが，実際にはそういう客観主義的研究の上にたつて政策をたてるなどというものでは全然なかつた。その意味で，イギリス・オランダなどは調査研究を或る程度支配の経験主義的ささえとしたと思うが，日本の場合には学問・調査研究と現実の政策は結びつかなかつたという感じがします。

旗田　それが結びつく時には，日露戦争のとき，史学会が「弘安文禄征戦偉績」という冊子を作つて傷病兵に配つたという例のように飛躍的な結びつき方です。

§　内藤湖南と京都学派 ──「支那文明」の愛好者たち

安藤　京都の内藤湖南などの東京アカデミーとの違いとして，大阪の懐徳堂の町学者的気風が流れているということがいえるのですか？

上原　内藤さんの場合特にそれが強い。大正期になつて懐徳堂を復興しようという話があつた時，内藤さんは大変熱心だつた。もつともいわゆる京都学派が全て懐徳堂ではない。面白いのは，東京では「白鳥先生」「津田先生」だが京都では「湖南先生」「君山先生」と，いうよび方ですね。現在もそうです。京都の人たちは中国の文明文化に対する一種のあこがれをもつている。しかしこれは面白いのは清末までだという考です。そういう中国礼賛の眼で現代中国の新しい動きをどう理解するかが京都の人たちの問題です。現代研究者の方からさかのぼつていく場合には割合につながるが，それとして中国礼賛があるので，異質のものが出てきて当惑している。吉川幸次郎氏なども。その辺は内藤湖南ともちがうのではないか。内藤は或る意味ではジヤーナリストで，いきいきした現代中国評価もあつた。彼が生きていて現代中国を評価したら面白かつたろうと思います。

安藤　漢学出身の林泰輔が中国古文明再発見に進んで行つたというが，漢学者といつても懐徳堂その他いろいろあると思います。漢学者の研究のうち一部が新しいものをうみ出してくるとすればそれはどういう点に理由があるのでしよう？

旗田　林泰輔は漢学者の中でも異例で，基本的には漢学は帝国主義と結びついて展開していつています。むしろ林は漢学の出身ではあるが漢学の系統とはいえないのかもしれませんね。

§　純粋な学問と「絶対の忠誠」の分離並存

幼方　アカデミーの東洋史学者が学問の範囲では純粋でありえても，現実の行動においては非常に政治的です。上原先生のいわれるように学問と社会的行動が分離している面があるようだ。極端なのは晩年の加藤繁先生です。学問を全く現実から隔離しようと意識的に努力している。つまりイデオロギーでは天皇主義（絶対の忠誠）をとき，その経済史研究は全く実証的です。こういう分離が何故おきたか・・・・・

旗田　後の時代になるほど池内・加藤先生など，すべてから解放された抽象的な世界，主観を排す，それが学問だという。白鳥さんはその点主観的です。内藤さんも学問をそうはいわなかつた。経国済民の考え方があつたようです。

安藤　京都では漢学の方法がそのまゝ現代までズルズルと続いていて，吉川幸次郎氏のように科挙の試験を受けることを理想としていてそのやり方で現代中国にまで手をのばす。それに対し東京では竹内好など漢学を拒否する所で現代文学をやろうとした。この違いが朝鮮の研究でもみられて，そういう方法で現代までやつている人はいませんか？

旗田　京都にはむしろ純粋に朝鮮史をやつている人がいないのです。三品さんなども民族学的な方法で。

§　朝鮮研究と中国研究は同質か？

宮田　ところで朝鮮に対する考え方と中国に対する考え方をイコールに考えて論を進めていいんでしようか？　そのことが今の研究の不毛と関連すると思いますが。

安藤　「東亜の経綸」という考え方では同じだが，その中では随分ちがう。開国・江華条約の時期には独立恩恵の押しつけ意識があり，中国侵略の時期には朝鮮人に特殊な役割がになわされる。

旗田　中国愛好者は多いが朝鮮愛好者はいない。いても人を愛するのではなく風物を愛好するのだ。

安藤　江戸時代の儒者が朝鮮に関心をもつのは中国に近いから尊敬したので朝鮮そのものに対する尊敬ではないのじやないですか？　朱子学をよりよくくみつくすということで。

旗田　朱子学についてはそういう面が強いが，じかに朝鮮の学者と交つている場合も尊敬しています。

上原　その朝鮮と中国の区別ということは支配の及び方と関連するのではないですか。

主流としては日本の東南アジア支配に方向づけられているが，現実に朝鮮を日本の支配の中にくみいれえた年代にはまだ中国には手をのばせない。日本の大東亜共栄圏思想が実現されていくに従つて，中国が残り，最后には東南アジアが残るということにつれて研究の対象もうつつていつた。朝鮮は日清・日露戦争をへて日本の支配圏に入つたという確信ができてくるが，中国については尨大なエネルギーが直観され支配の確信がない。だから中国評価はおくれていく。それが日中戦争が始まり華北を支配する状態になると中国を朝鮮の延長として考えてしまう。政治家・軍人の考え方では別に細かい区別はなく，社会・経済・風俗の相違を認識するのは学者のやり方です。イギリスの場合インド・ビルマ・マライと調査研究に基いて支配の方法をかえていくということがあつたが，その点日本の場合は大変観念的ではないか。軍人・政治家の頭の中では帝国主義支配圏の拡大と考えられる限り同質だつたと思います。

宮田　日本帝国主義の侵略という本質は同じでも，その侵略を押し進める手段として，中国観と朝鮮観を分離させたわけですね，抑圧の移譲というのでしょうか。

§　辺境史学について

上原　注意すべきは，民族興亡論などといつても新しい意味での民族という感覚はないということですね。民族論ではなくて人種論だ。

安藤　そのことと関連して日本の東洋史は周辺民族の研究で，それが侵略の方向とみあつていたというが，必ずしもそうともいえないのではないですか。大谷探検隊などの西域研究はどう考えたらよいか。

旗田　しかし，敦煌文書などの研究が本格的にはじまつたのは戦後ですよ。満鮮は中国に非ずとか満蒙とかいう概念は明らかに侵略にみあつている。満蒙から西域へとつながるわけです。

上原　中国本土の認識は漢民族文化の理解がもう分つているという感じがある。清朝以前については中国人より詳しいのだというどこから来るのか分らない自信がある。そこでこれからやるなら周辺だということになる。ただそれはあくまで中国を中心として周辺なので，匈奴等々の立場でいえばおれたちが何故周辺といわれなければならないのか分らないということになるでしょう。そういう中国中心を前提として周辺に未開拓の分野があり，世界の学界で問題になつているからそこをやるという動機があるのではないでしょうか。学問の世界市場でいい商品を生産し国威をあげるということで，主観的には政策に奉仕しているとは考えたくないが事実としてはサポートしている。白鳥庫吉は学界とはヨーロッパの学界だとしている。ヨーロッパ東洋史学がやっているからやらねばという対抗意識は今もあると思います。

§　福田徳三の評価

安藤　歴史以外の分野について少し。福田・黒正の学説が東洋史と結びつかなかったことなどについて・・・・・

上原　福田は学問の方法としてブレンターノの歴史学派経済学をうけいれようとしたので，一つにはドイツ歴史学派経済学の政治的社会的役割が問題で，その上にそれを学ぼうとした日本の学者の政治意識がかさなるから問題は二重三重になる。これから先の朝鮮への歴史学的研究と政治経済学的研究がいかに結びつくべきかという問題とも関連するが，或る意味では福田の方法には歴史的個性としての民族という考え方が全然なかつたので歴史学と結びつく契機がなかつたといえると思う。朝鮮における発展を歴史的にとらえるという場合もその中にあつたのは抽象的な経済学で，その普通理論に日本も朝鮮もあてはめていこうとする。３０年代のリースの方法が相当一般化していた段階で実証的な歴史学者の方からみると，福田の方法は恐ろしく観念的で結びつきようがないとみられたのだと思います。社会経済研究だから歴史とはつながらないというのではない。その福田においても政策論となつてくると歴史的なところもあり，結局帝国主義的膨脹を容認しもつとしつかりやれという立場になる。そういうところから朝鮮民族の内実に入つた歴史認識にはなりえないし，いわば当時の歴史学派経済学の方法を先験的にあてはめたものだつたから歴史学者を納得させられなかつた。一方当時の歴史学者にしても内在的に朝鮮民族の歴史的性格をつかむというのでないから，やはり抽象的観念的で，その点で別の所から出てきた福田さんの政策論と変らないことになつてしまう。学問的には一致しなくて，いつてしまえば学問認識の基盤から出たのでない政策論で一致するということだと思います。

安藤　福田・黒正の流れはその後統監府などの調査研究の中で発展したことはないですか？

旗田　福田さんの世界史的段階論と立脚点はちがうが森谷克巳氏のアジア的水の理論などにうけつがれ，何か見方として共通なものがあるように思う。

§　対象への愛こそ認識の基礎

上原　先にいわれた朝鮮認識と中国認識のちがいということとも関連するが，リース・ランケは認識の根拠は対象への愛（ｓｙｍｐａｔｈｙ）だという。それが人民的立場を十分くみとれるかどうかは知らないがそういう考え方は土台でしよう。愛のあり方にいろいろあるが対象への愛ぬきにして認識はありえない。歴史学にも柳宗悦が出ていたら随分ちがつたものになつていたでしよう。文化に対する愛より民族・民衆に対する愛がなければならないが，一旦愛が成立していれば，その構造を変えていくことは容易だと思う。日本人の間に朝鮮及び朝鮮人に対する共感がどれ位育つかということと認識の内実が平行すると思う。その意味で明治以来太平洋戦争まで愛というものに根ざした朝鮮認識がなかつたという点で一括できる。それがあつたとしても例えば陶器に対しての愛着で陶器を作つた人間への愛ではない。李朝陶器は非常に厳しい様式をもつているが日本の陶器ではきえている。それは中国陶器ともちがつた朝鮮独特のものだ。ところがそういう意味で敬愛されたのでなかつた。

幼方　戦前，稲葉君山が京城大学で「近ごろ朝鮮人の学生が朝鮮の歴史を教えろというが，これほどバカバカしいことはない。わしは数１０年朝鮮を研究しているが研究すればするほどくだらない」と公言していたのをきいた。自分の研究している対象を軽蔑していたのです。そのほかながく朝鮮にいた学者をみてもやきものとか建物とか自然には興味があるが人間には興味をもたない人が多い。それと対照的なのがやはり柳宗悦です。柳かね子夫人からうかがつたのですが，彼の父は海軍水路部長で，全世界をまわり各国の民衆の生活を示すコレクションをもつていた。幼い時からそういう中に育ち，そういうことを考える環境の中にいたわけです。その中で中国の模倣といわれていた朝鮮のやきものに独特の美をみいだした。中国のやきものは力，朝鮮のそれは線だというのです。そして同時にそういう美を作り出した人間に関心をもち，そういう角度から有名な三一運動についての発言が出てきたのです。ところが柳をうけつぐ者がなかつた。日本人の作家に日本の朝鮮支配を暴露し，朝鮮人に同情したものはあつたが，朝鮮人自身の生活なり文化なりを肯定的に評価した者はほとんどなかつた。今後アカデミズムの成果を摂取すると同時に，民衆の生活的文化的あり方を恩恵的でもない対等の人間としてみなければならないが，そういう伝統が日本にはきわめて少ない。

§　マルクス主義史学と総督府の実態調査 —— やりきれなさについて

安藤　さつきのシンパシーの問題ですが，昭和７～８年からのマルクス主義者の朝鮮研究にはその要素も含まれていたと思う。それが実を結ばなかつたのではないですか？

旗田　しかしそう簡単にはいえないのではないですか？　中国の例でいつても秋沢修二のように唯物論的できわめて科学的，中国人の味方をするようにみえながらおくれた面だけをみつけてくる。「支那社会史構成」でははつきり大東亜共栄圏を進歩的なものとしている。そのようなもので唯物史観の理くつだけいつている面が気になります。

上原　大正から昭和にかけてのプロレタリア文学で朝鮮及び朝鮮人がどう扱われているか。マルクス主義がどのくらい深まつてきたのかという問題ともかかわるが，大正から昭和初の体制の側からかゝれたのでないところで，共感がどのようにしか出ていなかつたか？

幼方　歴史の分野でないが，植民地問題をやつた矢内原さんにしても，台湾については名著があるが朝鮮については小さな論文だけです。書く意図はあつたが。安藤さんのいわれたように在野の中国研究者はいたが，朝鮮の研究はごく限られた大学関係者と役人とジャーナリストにしかなかつた。そこに非常な違いがあります。

旗田　久間健一さんなどが一番よくやられた。

幼方　総督府の小作官のしごとの中で農民運動の実態をほりおこそうとした。

宮田　その研究成果として「合徳農民一揆」がありますね。論文というよりは，実態調査ですが，その様な問題にとり組もうとした態度は評価さるべきだと思います。

旗田　それと同時に朝鮮人自身に朝鮮の研究が見当らない。白南雲・李北満などがおられますが。勉強する気がおきなかつたのですね。勿論することができなかつたということもあるが。

幼方　私が朝鮮史を勉強しようとしていた時，主として利用しうる資料は総督府の資料しかなくて，このような合法的なものを通じてもその実態には迫りきれない。黒い大きな壁があつて，とうとうなげだしたことがある。

宮田　そういう資料を利用したものとして細川嘉六の「植民史」は出色ですね。総督府の資料を使いながら，植民地支配の本質を鋭くついています。

旗田　昭和のはじめプロレタリア科学研究所ができ，そこで中国研究はやられたが，朝鮮研究はなかつた。

幼方　戦後でも，朝鮮研究はそういう不幸な状況にあつた。旗田さんが中国から帰つて最初に読書新聞に「後継者のない学問」という文章をかいた。現在では朝鮮史研究会や友邦協会の研究会もあるしだんだんそうでなくなつてきていますが。

§　今後の課題

旗田　ともかく，明治期の歴史学のうけつぐべき遺産は古代史の文献批判・偶像破壊でこれは生かすべきものがあると思う。

上原　一つは明治初期からの日本人の朝鮮研究をどういかしていくかということはなかなかむつかしい問題を含んでいて，簡単に伝統の継承というわけにはいかないということ。も一つは対象への愛が出発点にならねばならないが，その中味をお互いにどう自覚するかはこれも簡単なことではないということ。おそらく対象への愛ということはあらゆる問題意識を学問の仕方で昇華する時に出てくる問題だと思う。そのような愛が生れてくるためには，朝鮮民族と日本民族が両方同じ問題にぶつかつているという認識が大きなウエイトをしめると思うので，そういう点を探つていくことが方法的にだいじだと思うのです。第3に，朝鮮を研究して行く場合に歴史学的研究と社会科学的な研究がどう統一されるのかということです。おそらく政治学的にはこう，歴史学的にはあゝというのではなく，同じ対象に対する異つた方法をどう結びつけるかというのではなく，朝鮮民族という具体的なものの認識にどう協力しあえるかということでなければならないと思います。第4に朝鮮研究と日本を含むアジア研究の統一ということです。広範なアジア認識に依拠して朝鮮認識が行なわれ，逆に朝鮮認識がアジア認識を具体化する。その意味で，方法の問題が話しあえるといいのじやないか。やはり，むずかしいことだが明治・大正の日本人の朝鮮認識が学者・政治家によつてなされ，民衆の自主的主体的立場からのものが出ないでひつばりまわされていたという過去の事実を反省し，民衆の立場を朝鮮認識にどう導入するかということがだいじだという感じがします。今日はいろいろ勉強させていただきました。

安藤　ではこの辺で第1回の研究会をおわりたいと思います。どうもありがとうございました。　（了）

※　お断り　上原先生の発言の部分については整稿文責は編集部に在ります。

☆　　　☆

日本朝鮮研究所は日本の朝鮮研究の今後の発展のためにまずその経過を総括しておく作業が必要であると考え所員上原・旗田・幼方・安藤を中心に順次各分野の専門家を招いて連続シンポジウムを持つことに致しました。本稿はその第1回研究会の記録です。ひきつゞき「朝鮮人の日本観」「日本文学と朝鮮」「社会経済史における朝鮮研究」などのテーマによる研究会が予定されており，その成果を逐次この月報に紹介してゆくことができると思います。御意見・御感想がありましたら編集部宛御連絡下さい。

日本における朝鮮研究の蓄積をいかに継承するか

△第二回

朝鮮人の日本認識について

―主として植民地時代を中心に―

出席者

金　達　寿
安藤　彦太郎
幼方　直吉
遠山　方雄
宮田　節子

安藤　この座談会は日本における朝鮮研究の蓄積をいかに継承するかというシンポジウムの第2回目です。前回、明治期の歴史学を中心に討論したさい、上原先生から研究史の検討の前提として、日本の民衆の朝鮮意識をつかんでおく必要があるという意見が出されました。そして、その日本の庶民の朝鮮観を考えていく素材として、対応的な関係にある朝鮮人の日本認識、特に植民地時代の朝鮮の庶民の日本観がどのように形成されていたかを理解しておきたいということで、今日は金達寿さんにまずお話しいただき、それについてみなさんで討論ねがうことにしたいと思います。

§　小中華意識と夷狄意識

金　朝鮮人、特に庶民大衆は日本人をどのようにみていたかということですが、僕はこの会に出る前、自分自身に即して日本をどう考えているか考えてみましたが、そうすると妙なことですが、余り日本人とのつきあいが多すぎてそういう感覚が鈍磨しているせいか、自分の明確なイメージが出てこないんです。そのことを前提として話したい。

ところで在日朝鮮人の場合には更に別個の問題があるが、庶民あるいは、もつと端的にいえば農民一般を中心とする朝鮮人全体について、その日本観をみる前に、その一般的な意識状態、どういうメガネをかけてものごとをみているかを知つておく必要があると思います。そこで朝鮮人で自分を庶民の出という人は殆んどなく、みなヤンバンであると称していた。ヤンバンとは貴族と士族の中間みたいなもので、姓、本貫、先祖などをひつぱりだして家柄をほこる。日本人の知人がある朝鮮人についてあの人は貴族の出だそうだねと感心したような顔をしているので、朝鮮には貴族でないものは一人もいないんだよと説明したらびつくりしていたことがありました。要するに李朝儒教思想の流れですが、そういう儒教的なもののみかたが生活の中に深く浸透していた。それと昔から「小中華意識」が普遍的なものとして形成されていた。朝鮮を東海文明国・東方礼儀の国と考え、その国民であるという意識は、単に知識人（士大夫）に限らず農民にまで非常に広く浸透していた。そういう目で日本をもみるわけです。

例として私自身のことをお話ししますと、私は１９３０年に満１０才で日本に来たのですが、その数年前に両親や兄弟は日本に来ていて、僕とおばあさんと２人だけ故郷にのこつて日本からの仕送りでくらしていた。その間７～８才の頃ですが、いろいろきかされたおばあさんの話に忘れられないものが多いんです。その中で日本人についての話は、甚だ面白くないでしょうが、日本人は「夷秋」であるという考え方です。無智なおばあさんですが、小中華意識から「倭人」をみているんです。日本人のことをみな「ワエノム」（倭奴）とよんでいました。その「ワエノム」に国を盗まれて････　というわけです。

日本人は飯を皿に盛つて箸でくう野蛮な連中だという話がありました。これは、数時間もつておいても暖い鍮器の器で、匙を使うのが原則、箸はおかずをつまむものと考えている朝鮮人の感覚からいうとまずいことです。それには、昔、日本人が朝鮮人に「我々もあなた方のように白い飯をくおうと思うが、どんな器を使いましよう」とおうかがいをたてきたので、お前らのようなつまらんやつは皿ででもくつたらよかろうといつてやつた、それでそうなつたのだというような説明がありました。もつとも皿というので私は小皿を想像していたのですが、日本に来てみると茶碗のことだつたが。それからまた、何かかぶりたいがともきいてきたので、ポスム（靴下）でもかぶれと教えてやつたら喜んでかぶつているというのもあつた。えぼしのことですが、なるほど形が似ています。このような話は壬辰の役などの時に愛国心を高揚するためにもできてきたのでしようが、とにかく庶民の意識の中にそういうものがあつてその話を子供に語りきかせるので、自然にそういうイメージができていく。そして近所の子供同志でも日本人は人食い人種だぞなどといいあうわけです。僕の村のそばの中里という駅の前に日本人のお菓子屋さんが一軒だけありましたが、「あそこの日本人は生首を塩づけにして部屋の中においている。日本人はそういうことを平気な野蛮な人間だ」ということで、朝鮮人の村の子がそのお菓子屋に入つてたべることはありませんでした。

これは、日本を小中華意識のメガネでみていたということですが、日本は封建的儒教意識を、慣習を支配の手段として温存しなければならなかつたため、同時に皮肉にも夷狄意識も温存されたわけです。

私はその后日本で学校を出て、１９４０年代になつてから京城に就職していつたわけですが（小・中学校教育から日本でうけて卒業して京城へ行くというのは普通と逆のコースでした）、おどろいたのは京城の町では、農村とちがつて、カワラ屋根と高い厳重なへいで内部をうかがいいれえない建築構造になつていることです。これをいつしよに下宿していた金鍾漢という詩人は徹頭徹尾「ドロボウ」を防ぐためと主張していましたが、ともかく、外へ出て役所に行く時などは日本人と話もするが、へいの中では他者をよせつけず、李朝時代のままの生活を続けていました。ところで、みなさんは朝鮮人というと在日朝鮮人によつてイメージをもたれると思いますが、在日朝鮮人について考えねばならないことは、玄海灘を裸一貫で渡つてきた連中は、多くはもと農民だが、故郷を出るとき、恥や外聞というか小中華意識・東方礼儀の国の国民という意識を故郷にあずけて日本に来たということです。日本で働いてもうけたら早く故郷に帰りとられた田畑を買戻すという考え方が殆んどでした。２世、３世などの場合はともかく、少なくとも１世の我々の親達の世代の場合は。だからその意識も非常なプライドがあり、閉鎖されたものがあつて、朝鮮の農民の意識とそうかわりないといえます。

ところが、それが日本の文化を評価できるような知識人になつた時これが又厄介です。明治以来日本の築きあげてきた近代化の蓄積を正しく評価するのではなく、自国のつみかさねを忘れて、目前にある西欧的近代文化に目を奪われ、かたよつた見方をする。いわば植民地がうみだした畸型的人間像です。

§ 抵抗意識—ワエノムはワエノムだ

宮田　儒教意識を日本支配層が温存した時、ワエノムとよぶ意識も温存されたという二律背反の関係を面白く思いますが、そういう日本人の支配をうけた朝鮮人の日本に対する意識のかわり方はどうだつたのですか？

金　いろいろなことがあつたが、基本的な朝鮮人の意識は統治期間を通じて変らなかつたといえます。逆説的にいえば、日本がもつと近代的なしかたで統治したら民族意識を減殺されたのではなかろうかともいえます。

宮田　小中華意識は阿Ｑ精神に通ずるようなものがあるのではないでしょうか？自分よ

りもつと野蛮な日本人が自分たちの頭にのつかつた。このごろは末世の世の中で、弟が兄貴をぶんなぐる・・・・というような。それと日本に対する民族抵抗との関係はどう考えたらいいんでしょう。

金　小中華意識自体は朝鮮人の立場からみるとマイナスで、近代化の課題のためにも、うちこわすべきものだつたが、これがさつきもいつたように温存をしいられた。それが今でもぬけきれないで、朝鮮人同志ではワエノムということばを使う。中には進歩的思想の持主もいてそういういい方はけしからんではないかといつたりするが、やはりワエノムはワエノムだということになる。支配者に対する蔑称みたいなものです。これはほかにもあるかもしれないが、朝鮮人に特徴的なもので、そこから抵抗意識も出てくるが、それがもうひとまわり強いものにならずにワエノムだからということで抵抗意識が麻痺されることにもなる。それが戦争中には意識のかたちとして一定の認められるべきものをもつたといえようが究極的には否定的要素でしょう。よく在日朝鮮人の間などで、今はさすがに大分へつてきたが、祭事をできるだけ古式に則つてやることによつて自己満足を味わつたりしましたがこれも抵抗というよりむしろ逃避だつたと思います。ともかく、その点日本人の場合も同じことだが、朝鮮人が日本人を日本人として正当にみるのには時間がかかると思います。

§ 統治機構のなかにおける朝鮮人と日本人

安藤　今のお話で面白かつたのは、支配して３５〜６年もたつても日本人は日本人としてかたまつていて、農村の構造の中に入つていつて下からゆり動かすということがなかつたということです。朝鮮のいちばん底辺の共同体はそのままにしておいて、統治機構がのつかつているだけだつたように思いますが。

金　農村には入つてこなかつたですね。「面」（行政村）には朝鮮人の面長がいて名誉職として坐つているが、実権をもつているのは駐在所長です。これは勿論日本人で権力機構の最末端になつています。普通は駐在所と面事務所は並んでいました。それから普通学校（小学校）の校長先生も日本人でした。しかしこれらの人も結局朝鮮人そのものの意識にはふれられなかつたのではないかと思います。日本人は日本人だけの社会があつて。

京城などでも、本町通り中心に日本人は日本人、鍾路を中心に朝鮮人は朝鮮人と分れて住んでいて、鍾路には日本人は近よれなかつた。

宮田　3.1運動のあと、斉藤総督は警察官の増員をするのですが、その根拠の一つとして、駐在所に日本人警察官が１人だと４面敵に囲こまれて思う様に働けない。３人にしてはじめて力が発揮出来るという様なことをいつているのは、やはり今おつしやつた様なことを反映しているのでしようね。

金　農民は、農場の一番上が日本人だつたりすることもあるが日本人を直接みることは余りなくて、例えば私の郷里の近くの馬山なども日本人の住む新馬山とワラぶきやねで朝鮮人のすむ旧馬山と１里を隔てて別の世界です。私がはじめてカオをみた日本人は高利貸です。二重まわしをきて犬をつれ防護用の猟銃をもち異様な感じがした。それからあとは例のお菓子屋の夫婦、暗い隔絶した所で暮している感じで、強い印象がない。それから軍隊の行進をみていた時、砲車の上で兵隊がふんぞりかえつて煙草を吸つていたところ何かの拍子で引火し、砲車がもえはじめ兵隊はあわてて見物していた朝鮮人に「パチ、パチ」（パカチ、パカチ）という。水をもつてきてくれというんだが、だれもいい気味だというんでだまつてみているだけでした。その時の光景が、高利貸のことともに強く印象に残つています。

僕の場合日本に来て学校に入つたのですが、先生も皆いい人で、子供どうしは朝鮮人といわれてけんかもしたが、肚がたつと相手をぶんなぐつてしまう方だつたから格別個人的には意識していない。抽象的に考えた場合は怒りがあるが。妙なことですが、時々道を歩いていて、おれが朝鮮人だということをみんな知つているだろうかなどと考えることがあります。

宮田　朝鮮人も日本人も幾つかの段階をへて又世代によつて変つているのではないでしようか？牢固として変らないものもあるが。昔は日本の学校の生活と家庭での朝鮮人的な生活との矛盾を感じたりもしていたのでしようが、帰国問題などを契機として変つてき、今はずつとカラツとしているということです。日本人とのつきあいでも、必要以上に対等をいうわけではないが、お互いに人間としてつきあつて行くということで。古い意識の清算過程は、片方で階級的・民族的に解放されていく過程と平行しているわけですね。だから勿論まだ全然残つていないというとウソになるでしようが。

金　１９３８～４０年頃学校で日本人の友人といつしよに同人雑誌をやつていて、九州出身の出口勝という男が「天ちやん」という言葉を使つているのを聞いて急に親しみを感じたことを覚えています。

安藤　私も金さんと同じ世代ですが、上級学校に入つた時、朝鮮人の同級生が２人いた。その２人が「君たちは本当に日本人が天照大神から出てきたと思つているのか？おかしなやつらだな」とことあるごとに日本の学生を軽蔑していた。よく考えてみるとなるほどそのとおりなのですね。軽蔑されてしかるべきだつた。

幼方　それは今の金さんの話とは好対象ですね。

宮田　朝鮮人はまだ日本人の朝鮮への対し方に不信感をもつてはいませんか？

金　そういう不安はずつとありますね、確かに。私には。敗戦の時、混乱が起きたらまず第一に朝鮮人、第二に米英の捕虜、第三に京都の西田哲学学派を竹やりでやる目標としていたという話をきいてまつたくギヨツとした。震災以来のそういう事実があつて、何かゴタゴタがあればしずめるのに朝鮮人をやるのではないかとピンと来ますね。

宮田　その不安が朝鮮人側に何とかして日本人の信頼のあかしを求めようとさせているのでしようね。朝鮮人の側が真剣なのに、さて一方の当事者たる日本人はどうなのかということになると……

金　今は昔とちがつてそう簡単には行かないでしようがね。

宮田　私もそう思いたいし、事実変つています。しかし、朝鮮戦争の時一体私は何をしたというのでしよう。

金　確かに南朝鮮への資本の進出にしても日本の進歩的な人が反対していますが、倫理的なものにとどまつていて、しかし現実にかねがふところに入つてくるとなるとこれを拒ばない。倫理と行動の間のギヤツプを埋めることはむつかしいことだと思いますね。朝鮮戦争で日本の復興ができた。復興したことは別に悪いことではないだろうという。それが何百万の朝鮮人の犠牲の上にできたということは倫理的には考えられるが、それを何らかの行動にうつすのはむつかしい。そういうことを即物的に考えると信頼できないということばになると思います。

幼方　朝鮮人が不安感をもつていると同じく、日本人もそれをうらがえした不安感をもつていた。同じものじやないでしようかね。あれほど保護されていた総督府官僚も、本音をいわせれば、何か居心地悪い不安感をもつていた。いばるのは自信がないからですね。

金　だから鍾路のような所へは日本人は入つてこなかつたですね。ただ個人としてきりはなしてみると日本人も朝鮮人も全体としておさえられている同じような庶民として生活している。もつとも僕の場合そういう対等の経験が少し多すぎるんですがね。

安藤　アルジエリアなどではフランス人はアルジエリア社会に入りこんでしまつていて、意識は隔絶しているが、コロンはそのまま排除されえない関係にある。ところが朝鮮・台湾では敗戦となると日本人はみなサーツとひきあげてしまうそういう入りかただつたわけですね。

幼方　アルジエリアのコロンと朝鮮の日本人地主とは大変ちがうと思います。コロンはお城みたいな家をたて自から農業経営者である。日本の地主は満州の開拓移民もそうだが、ただ軍事力に寄生しているだけだつたから解放とともにすぐ崩れてしまつて、抵抗力はほとんどなかつた。

金　もひとつ、僕は京城日報へ入つて（普通は朝鮮人は採用しなかつたんだが戦争中で人手が足りなくて朝鮮人を採用したわけです）、そととちがつて社内の日本人とのつきあいも多かつたんですが、妙なことに給料日になると、同じ仕事をしている日本人の方が外地手当がついて給料が倍にもなるんです。ところが、僕こそ親・兄弟は東京で手当が必要なんだが、朝鮮人なのでもらえない。逆に日本人社員たちは生活の本拠が朝鮮にある２世で、うらみちの食物屋のことなどにもよく通じているんだ。しかし、こういう日本人植民者たちも、東拓や半官半民の収奪機構にいる者、土地を沢山もつている連中などは別として、場末のへんな所に住んでいたりして我々と余り隔たりのない生活をしているんです。数十年前親父さんあたりが一旗あげようとして朝鮮へ来たんでしようが、あがらなかつたんですね。生活は同じだが意識は離れている。

安藤　イギリスのインド支配などではイギリス人は隔絶した地位にいたのではないですか。ところが日本人の場合は役場の小使さんみたいなものまでおしかけていつて朝鮮人と同じようなくらし方をしながら、しかも意識はかけはなれている。複雑な関係ですね。そういう隔絶した意識をどうしてもつかまえなければならないということになつてきたのは満洲事変以后で、皇民化運動というのはそれなりにそういう状態への日本帝国主義者としての反省の結果だつたわけでしようね。効果は別として。

金　日本統治は僅か３６年で永くもないともいうが、植民地になるということの物質上の収奪よりも人間的破壊は非常に大きいと思います。植民地型の人間像が今でもまゝあるということです。

§　朝鮮のプロレタリア文学における日本人の形象

安藤　もう一度朝鮮人の日本観に戻りますが、２～３０年代の朝鮮人の文学特にプロレタリア文学で日本人がどう扱われていたかということを知りたいと思います。

金　これは一つの課題ですが、いまひよつといわれてすぐ思い出すものということになるとないですね。日本人の作品に朝鮮人が登場してくるわりに、朝鮮人の作品に日本人が登場しない。（プロレタリア文学などの東京との関係は非常に密接なんですがね。）登場するにしても抽象的なかたちで、資本家とか警官とか背景として出てくる。まともに人間をとらえるということは余りないです。そうそう、３０年代に兪鎮午のかいた「Ｔ教授と金講師」（彼は当時同伴者作家といわれていたものです）などは、要領よくたちまわるＴ教授とぼさぼさしている金講師ということで、なかなかよくかけていたように覚えていますが。

安藤　一つには朝鮮人の日本観ということがあり、も一つには文学そのものにかかわつてくると思うし、二つの要因があると思います。中国のことですが、夏衍の『ファシスト細菌』に出てくる日本人はみな悪い奴で類型的だ、日本人は全体としては侵略のために行つただろうけど、その中に挫折を内に秘めた者などもいて一色に律しきれないと思う、文学者ならもうすこしその辺もかきわけるべきだ」というような意見を、中国に行つたとき、日本のある作家が述べたところ、原作者は「やはり中国人からみれば、その場合圧迫してくる連中だから日本人として一つのものとしてイメージされねばならないと思う」と答えたそうです。

金　こまかいヒダというよりは、もつと直接的に憎しみの対象だつたわけですね。

幼方　あとは弾圧・検閲の関係ですね。解放前全面的にそういうことをかくことは検閲の関係上不可能だつたと思う。その点は中国と違います。

金　だから例えば韓雪野さんの「黄昏」にしても、朝鮮人の資本家が主人公なんですね。直接日本人を扱えないので。

幼方　あれは合法的に新聞に出た作品だそうですが、それでも朝鮮人資本家の背後にある日本人の動きが分るようになつている。たいしたものですね。

金　それから、作品の名前は忘れましたが、自分の子を学校に入れたくて百姓が校長先生の所に鶏を持つていく話などもありましたね。しかし全面的に人間像をとらえたものはない。できなかつたですねそれは。

§　植民地主義・言葉・知識人

遠山　朝鮮人は日本語がうまいですね。電車の中で朝鮮人が話しあつているのをきいていると、熱してくると日本語になつてしまうことがある。

金　けんか文句には日本語はいいんだよ。外国語はかどをとり余裕を残す。しかし、逆に朝鮮語を話せない2世・3世連中がけんかになると朝鮮語が出てくる、この方が普通でしょう。

遠山　アルジエリア人は古来の言葉はよみかきはできても殆んど話さなくなつているそうですが、在日朝鮮人の場合はどうですか？

金　それは今でも朝鮮人だけなら朝鮮語でしゃべりますよ。

遠山　しかし言葉の問題は重要だと思います。朝鮮の場合、日本を通じて西欧化した。ところが、日本語ができるかできないかが階級的なこととかかわるわけでしよう。日本語をできる人しか近代的なものを吸収できない。上の方は近代化するが下の方が昔のまま残るということも考えられますね。

金　それからも一つ、日韓併合前に、国家が留学生をアメリカなどのほか日本へも派遣した。李光洙なんかもその一人ですが、そういう連中が帰つてきて仮名垣魯文や四迷に当るような文学運動を起しかけたこともあつた。それは後におさえられましたがね。それに朝鮮では小中華じやないが、伝統的に文化意識は強かつた。むしろ「武に対して文弱に流れすぎてこういうことになつたんだ」というような「反省」を植民地時代朝鮮人はしよつちゆうしていました。農民の子弟を教育したいという意欲は強く、ぎりぎりの生活の中から学校にあげる。書堂もありましたし、植民地時代にもずつと残りました。そこには、また植民地化したのは知識において他国に遅れたからだという素朴な考えがあつたので。ところが知識は日本を通じて吸収するしかないので痛しかゆしだつた。

安藤　台湾でも寺小屋をつぶして公学校にしようとしたが、最後まで公学校を拒否して寺小屋が続いたという話です。

金　僕の兄貴など１９２５年頃普通学校を卒業していますが、全部朝鮮語です。総督府が朝鮮語の教科書を作つているし先生も朝鮮人の方が多いことが多かつた。勿論日本語を国語といつたが、朝鮮語を主として、高学年になつてはじめて日本語が沢山出てくる。後に殆んど日本化してくるのは皇民化運動の頃からです。１９３５年以後でしようはつきりしてくるのは。

宮田　日本語の使用の徹底については、１９３７年3月１７日に文書課長の通牒が出ています。丁度その頃、金素雲編の「朝鮮詩集」が出版されて、その序文の中で佐藤春夫が、「彼等が正に廃滅せんとする言葉を以てその民の最後の歌をうたい上げたというような特別な事情がかくも我々に訴えるところが深いのであろうか」といつているのは、朝鮮語の使用禁止に対する日本の当時のインテリーの一つの反応ですね。

幼方　どんなに表面上皇民化しても家庭生活はどうしようもないんじやないでしようか? 堅い生活様式や意識がそのままでも抵抗の根拠になる場合がありますからね。

金　家屋の構造などは別として生活は朝鮮的ですね。在日朝鮮人の２世・３世は外の社会では日本人の職場で日本人といつしよに働いているが、家へ帰ると別の世界だ。

宮田　朝鮮人の教育に注ぐエネルギーは大変なものですね。農民運動の記録などをみてもすぐに夜学が組織される。そう広くない郡内に２０数ケ所もできている。

金　たしかに共同体意識といいますか、少し先に学問の水をなめた者がみんなにわかたねばいけないという気風があつた。僕は横須賀にいましたが張斗植と２人でそんな風にして太平洋戦争直前１９３７〜８年でしたか大いにはりきつて部落の若い者を集めて無理して黒板を買つたりして始めた。ところが早速特高がやつてきた。これが特高との初めての出合でしたが、これが悪いことなのかという気持でした。そういうことから出発して意識も変つていく。

宮田　消極的に自分たちの生活習慣を守ろうということだけでなく、生活改善を自分たちの手で積極的にやつていこうという動きもあつたわけですね。総督府もはじめは農民がそういうことをやるのは良いと思つていたら、そこを土台として総督府にとつてとんでもない方に進んできた。そこであわてて弾圧をするというようなことをくりかえしています。

安藤　問題をもとに戻しますが、知識人の場合の屈折した問題は複雑なのでしょうね。それから在日朝鮮人と京城の朝鮮人知識人との間に違和感があつたのですか？

金　僕は総督府のすぐわきの司諫町という所に住んでいた。誰もしりあいがないので、遠い親戚で総督府の鉱工局燃料課に勤めていた男にたよつて行つてその家に下宿したのですが、これが面白い男で十何人も下宿人がいる。それがみな早稲田とか中央とか東京の大学を出た連中です。この連中はみな農村の出で、親たちは田畑を一枚けずつても東京の大学を出れば何とかなると考えて留学させたのです。ところが卒業しても一向何ともならなかつた。思想運動をやつて警察にでもつかまるか、これが一番まともですが、そうでない限り全然役に立たない。といつて今さら鍬をかつげもしない。結局京城へ出て総督府の雇員か大学の助手の口を探すということになる。その連中の月給は５５円なんですが、下宿料は１人２食つき５５円です。僕なんか京城日報で中では一番よかつたが、それでも８０円でした。どうしてやつていくかというと２人で一室を借りて何とかやつていくんです。だから煙草も吸わねばならないし、時には一杯ものまねばならぬ、勿論昼飯は食わねばならぬということになると、またくにから仕送りをうけねばならないという生活だつたわけです。これが当時の典型的朝鮮人インテリで、あとは延禧専門とか、京城法律とか、土地の学校の連中でこれは又自分たちの閉鎖的なグループを作つていました。日本から来た連中は違和感というか、京城の連中には何となくコンプレツクスをもつていましたね。ちよつと遠くに行つていてあいすみません帰つてきましたという感じで、むこうの連中の方が朝鮮の奥深く入つているような気がした。日本人に対しては僕等の方が開放的で、むこうの連中はへんにいばつていたみたいでした。勿論むこうからみれば又別の感じがするでしようがね。

遠山　朝鮮人でも役人で「えらく」なれたのですか？

金　高文試験を通つても属ではなく職員にしなければならないということになると総督府では使えない。あとで我々のいたころ処遇改善なんかあつて、鉱工局とか、政治的色彩のない所の課長なんかになつた。知事なんかも全羅道で朝鮮人の知事ができました。江原道は昔から１人だけ朝鮮人の知事がいたが山の中でどうということもない地方だから朝鮮人に任せたんだ。つまり僅かに可能性をちらつかせる意味だけのものでした。だからこうした壁の分つている連中は常に地方へおりて行くことを考えていた。外郭団体特に金融組合の理事になりたがつた。日本人の課長なんかに毎日酒を持つていつたりして運動している者もあつた。いなかに行けばいばれる時もあろうが総督府の雇員なんかは絶望的でしたね。だからそういう連中がいつぱいのむと悲憤慷慨してワエノムということばが出たりしたものですよ。どつちみち日本人が悪いということがうさばらしになるんです。

§ 民族の差違感について

金　遠山さんなんか朝鮮人とのつきあいはなかつたの？

遠山　李王家の一族とかいう人も知つていました。日本人よりも日本的というか、そして洗練された感じの人もいました。色採感やもののかたちの美しさをみる目などは我々より鋭い。

それからさつきの小中華意識のことですが、同じようにアルジェリア人も、「我々はイスラムの正統的な回教文化をついでいる」という。どこの国でも自己の主張は、自己の文化の正当性の主張から発する。それから違つたものが生まれてくるんじゃないかと思う。それから支配形態からいえば、むしろアルジェリアの方がひどいと思いますね。知事なんか１人も出ていないし、アルジェリア人の学校なんか作ることも考えなかつた。

宮田　それは、併合時の朝鮮と日本との相対的な力関係の差が反映しているのでないですか。

金　それから古代からの歴史的関係においては、日本が兄事したことは事実ですね。

遠山　文化的にはじめは弟分だつたが途中でおいこしたといえると思いますが。

金　それは朝鮮で育つべきものが、外圧で破壊され、日本に移植されて開花したということだと思う。それはもう日本化しているわけでしようがね。

安藤　それとアルジェリアの場合、ヨーロツパ文化とアラブ文化という異質のもののぶつかりあいですが、こちらは両方とも中国文化圏内の文化的植民地みたいで、その意味では朝鮮より日本の方が進んでいた。

幼方　朝鮮人は日本人にまちがえられたり、ある意味で我々と民族の差違感がうすいということが若干ある。それはむしろ健全なことではないと思う。皮膚も言葉も似ているという日鮮同祖論のいき方は却つて相違をみとめあつてつきあつていくのにマイナスになる。そこがどうも生活様式などの現象的類似のためになれあうという感じはやはりあると思う。

黒人の場合とかヨーロツパ人の場合は一見して分るんだが、そこが非常な相違だと思うんだ。

金　それはそうですね。だから僕が朝鮮人だということを知らないでよくのみやなんかで朝鮮人の悪口を聞かされる。僕が朝鮮人だと分れば相手は顔をあからめることになるから黙つているんですがね。

§　若い世代の日本認識とこれからの問題

安藤　歴史的にふりかえつてきましたが、これからの展望と関連して意識のかわり方、特に若い世代のことについてですが。

幼方　朝鮮人の日本観の変化は日本人の朝鮮観の変化ときりはなせない。８・１５で条件はできたわけだが、日本人の意識はすぐには変らずこの所へ来て変つているんじやないでしようか。精神は物質的条件が直接反映しないからね。

安藤　例の我々を軽蔑し、勇気づけてくれ、民族精神を学ばせてくれたかつての２人の朝鮮人学友のことですがね。その１人が解放後南朝鮮に帰り知識人としての要職にあり、最近日本に要務を帯びてやつてきた。私自身、本当に朝鮮人をみなおしたのは終戦後というより最近で、それは北朝鮮の発展が直接間接に日本人に影響していると思います。そういう位置に私はいて、そこへ隣国から旧友がやつて来て２０年ぶりの握手です。風貌など確かに日本にいた時とちがつて本当に朝鮮人になつているし、また彼は韓国における非常に良心的な人物で色々な考えを胸の中におさめている人です。そこでこちらは朝鮮人の民族の誇りについて、我々の変つてきた理解をぶつけたい。ところが彼は戦争中の東京の青春の思い出しか出してこない。そのころのバンカラなふんいきをそのままブチまけるわけです。結局話があわないで妙なかたちで別れてしまつた。彼の心の故郷はあのころの日本の文化的なふんいきにあるのですね。私たちはそこからぬけてきたわけですし、彼もぬけてはいるのですが……

遠山　それはイギリス帰りの日本のオールドリベラリストが戦争中昔をなつかしんでいたのと同じではないでしようか？

金　もしその人が２０年の間に変りえて、解放されてほこりうるべきものをもつていたとしたらそれをいつたろうと思います。ずれを感じながらも、そういう懐古談にもつていかねばならないような現状があると思うんです。日本人の中国に対する認識の変り方が、古い日本人の考え方とどう連続しているか、不連続かは一つの問題と思いますが、変りえた起動力は中国の力だと思う。それと同じように日本人が朝鮮或いは朝鮮人をみなおすのを規定するのは、良心的な人々の友好的努力とともに基本的には僕らの国の変化・建設だと思う。お互いの認識をかえていくのは、基本的には簡単にいえば日本の民主化、朝鮮の社会主義建設に帰結する。その中でかわつていくのだと思います。

遠山　ぼくも自分をごまかしているという感じがします。結局日本の戦争中に圧迫された知識人が何もできなくなつて、結局日本はもうだめなんだ英国の方がましだといつた、それと同じことが韓国の知識人にもいえると思う。

安藤　私もそう思います。彼は勿論決して反動的な人ではないが、南朝鮮の現実が彼に枠をはめている。彼自身のもどかしさを奇妙なかたちで発散させている。これは朝鮮民族の悲劇であると同時に日本人にとつてもやりきれない感じがする。

それはそれとして、朝鮮人の側に変化発展があるのに、日本人の考え方には変化が乏しいということもありますね。

金　本質的には将来日本人と朝鮮人とはもつと親しい間柄になるべきものだ。いろいろの意味で。しかし、前に１９４９年朝鮮人学校問題で横須賀の民族学校が閉鎖された時のことですが、市会の文教委員長に抗議にいつて民族教育の重要性について話したのですがどうも通じなかつた。彼らは彼らなりに善意で日本の学校は施設も良いし先生もよく訓練されているなどというのですが、だんだん話しているうちに日本語と朝鮮語が別のものだということを知らないことが分つた。

幼方　それと同じような話ですが、昨年東京・大阪両外語で朝鮮語科をおくことになつた時のことです。事務官が教授会で決定したことを文部省になかなかとりつごうとしない。よくきいてみると朝鮮語は日本語とちがわない、外国語でないんだからそんなものを文部省に出しても駄目だというんだそうです。この話には私もおどろいた。独立していようといまいと客観的には朝鮮民族は存在した。それが独立によつて意識化するというちがいはあつたとしても。そういう客観的に存在する民族に気づかないということはやはり我々の方の問題がたえずつきまとつている。だからこの話も事務官の無知を笑えないと思うのです。

遠山　西欧のことは知つていても隣の朝鮮のことは何も知らないですね。おそるべきですね。進歩だろうが、フアツショだろうが中道だろうが殆んどの日本人と名のつくものは知らないというより意識がない。アルジエリアとかキユーバとかにわりにくわしい人は多いし、東洋となると中国かインドへ行つてしまつて、朝鮮といえば「朝鮮人か」とこれだけですよ。

日本人からみた朝鮮人ということについて面白いと思つたのは肥後亨というフアツショ

の綱領です。ヒットラーのと同じものが全部並べてあるんですが、一つだけユダヤ人排斥ということが入つている。悪いのは全部ユダヤ人ということが西欧にはあるが、結局日本人にとつて朝鮮人はユダヤ人の役割を果している所があると思うんです。

幼方　ユダヤ人問題はいわゆる民族問題とはいえない。権力者が上から作られたものですね。近頃のアメリカの研究では日本における少数民族としての朝鮮人というように米国内の黒人問題と同視しているものがあるが全然違う。もともと独自の民族であるがその一部が日本にたまたま不幸な歴史的関係で、在留しているだけのことで日本民族のなかの少数民族ではない。これに反し、中国の延辺自治州の朝鮮人の場合は中国内の少数民族です。

金　そうですね。延辺自治州から手紙をもらうと朝鮮語で「わが中国では」とかいてある。

幼方　在日朝鮮人は「わが日本」とはいわない。

遠山　ユダヤ人の場合も単に上からとばかりはいえないでしよう。最近人からきいた話ですがこういうことがあるんです。アパートで家賃をあげるということになつたが、管理人が朝鮮人だから（本当はそうでないそうですが）というのでたなごが反対しないというのです。「相手が朝鮮人では文句いつてもしようがない」ということだそうです。「歴史的とか何とかいうことでなく、普通の人間の間に何かわるい人間を作つておいて、我々が不幸なのはこういうわるい奴がいるからだと考えたいものがあるのではないですか。ヨーロツパのユダヤ人についても相手がユダヤ人だからケンカしてもだめだというようなことがある。

安藤　朝鮮人と日本人がそれぞれの自覚の上にたつて文化交流をやるというさつきの話ですが、都留重人氏が「何でもみてやろう」の小田実について「自分はアメリカへ学問しに行つたが、小田氏とちがつて、アメリカそのものをみてやろうとは考えなかつた」とかいていた。同じように朝鮮人が日本にきて日本をつかむのではなく一般的な経済理論なりを吸収しようとする。むしろ朝鮮人の日本研究がないですね。また同じように私たち日本人も外地として朝鮮をみていて外国研究としてみない。

宮田　余り生々しすぎて研究としてやる気がなかつたのでしようが、もうそろそろやらねばならない時期じやないでしようか。

安藤　朝鮮人の学生が大学受験のために一生懸命日本史の年表なんかを勉強している。随分妙なことですが、これを意識的にやれば逆に面白い研究のいと口にもなりうると思うのだが。

宮田　基本的に日本人の朝鮮観の変革は、朝鮮人の祖国の発展によるといわれたさつきの意見は朝鮮人の立場としては非常に正しいと思いますが、日本人としてはそれをああそうですかというだけでは余り情けないと思います。日本人の朝鮮観の変化は日本の変革の問題と不可分の関係にあると思います。そのために朝鮮史を勉強しはじめたんです。

金　お互いにはげまされて非常にいいわけですね。

§　もつと主体性を！

金　結局、民族というむつかしい問題は、アジアの場合ヨーロツパと異つて合理主義精神にもとづいているのでなく、日本にも朝鮮にも儒教思想が強く浸透しているけれども、我々がいろいろの意味で国際生活をしていくのに警戒さるべきは何か都合悪いことがある時逃避の口実として使うことです。やつぱり日本人だからとか朝鮮人だからとかいうことで自分の主体性をぼかしてしまつて逃げることのないよう非常に注意すべきだ。

民族性‥‥というようなことはそう簡単にはいえないものですしね。

幼方　それはお互いですね。日本人の場合でも朝鮮人の場合でも。

宮田　そうですね。日本人同志だと個人差としてうけとるべきものを朝鮮人の場合だと「だから朝鮮人は‥‥」と一般化してしまう。

安藤　それでは、長い間ありがとうございました。

≪連続シンポジウム　日本における朝鮮研究の蓄積をどう継承するか　第3回≫

日本文学にあらわれた朝鮮観

報告者　中野重治
朴春日

発言者　安藤彦太郎　幼方直吉
小沢有作　楠原利治
後藤直　四方博
旗田巍　藤島宇内
宮田節子

安藤　今日は小田切先生が学校の方の御用でおいでになれず急に私が司会することになりました。この会は今度で4回目で、2回目に金達寿先生においでいただき朝鮮人の日本観についてお話し願つたのをうけて、日本の文学にあらわれた朝鮮観、或いは朝鮮像の問題点というテーマで討論していただきたいと思います。初めに中野重治先生に過去の経験などおりまぜながらお話しいただき、それから討論にうつりたいと思います。

中野　明治の終から大正・昭和にかけて、朝鮮、朝鮮人を材料とした作品が幾つかあります。読んだものもあり、読まないものもあり、読んだもので忘れてしまつたものもあるので読みかえしてみたりして曲りなりにも報告できるだろうと思つて軽率こひきうけたんですが、体具合も悪かつたりして、そうできなかつたものですから、それを勘弁して下さい。今日はまあ思いつき、感想みたいなことをしやべつて、皆さんで問題をこさえて討論していただくと私としては助かると思います。

§　朝鮮を扱えなかつた日本文学

非常に単純にいつてしまえば、日本人は朝鮮乃至朝鮮人を、文学の世界でそれほど真剣には扱つてきていないと思います。ある文学作品が非常に大きな感銘を日本人に与えて、その感銘そのものが日本人の朝鮮乃至朝鮮人に対する考え方を表している ― 進歩的であろうが反動的であろうが―　そういうものは余りないと思います。

文学の世界以外では、例えば日本の軍事科学、それから経済学、国際的な外交関係の面で、朝鮮をアジアにおける日本或いは日本帝国主義の拠点としてどうつかむか、それを中国或いはツアーリロシアとの関係でどうやるかという形で、征韓論あたりから、大井憲太郎の朝鮮事件とか、ずつと問題にされてきていますが、文学の面で日本と朝鮮との、日本人と朝鮮人との、人間関係、人間的立場からの国と国との関係をみるということは少ないし遅れているように思います。

しかし、それは日本の朝鮮に対する関係が、御承知の通りの軍事的、政治的関係で、それが国の方針の中心だつたために、日本文学が朝鮮及び朝鮮人を積極的にとらえられなかつたという面もあると思います。ある種の日本人グループが、閔 妃に石油をぶつかけて焼き殺したということが田舎の百姓にも知られているほどの仕事をしているのに、文学者は何をしていたかという論もなりたつと思いますけれども、朝鮮に対する日本支配勢力の扱いがそんなふうだつたからこそ、文学は朝鮮を積極的に反映しなかつたのだといえるでしょう。

「兎と妓生」とか、「赫土に芽ぐむもの」とかいうものがあるわけですが、そういう事情で朝鮮を正面から扱つたものが、ずつと大きく発展していきにくい。特に統監府、総督府の枠の中で一層しめつけられている朝鮮人とかすかな人間的交渉をもつという所位にとどまるものが多かつたと思います。ですから、日清戦争までの間、アメリカ、イギリス、ロシア、中国、日本の間で色々な国際的動きやかけひきがあり、それから日露戦争の前、日英同盟ができてまた異つたかけひきの組合せが生じ、更に第１次世界大戦の頃になるとまた異つた組合せになつてくる中で、「帝国主義論」の中でレーニンがポーランド等とロシアの関係を直接かけなくて日本と朝鮮とのことを実例にしてかいているような国際的葛藤の中にたえずおかれてきた朝鮮の運命について、日本人自身がその一方の主役でありながら、日本人自身また文学者自身は案外目を開かれることなしにきた、それは日本の文学者がそこの所へずつと追いこまれてきていたということだと思います。

§ 在日朝鮮人に対する不当な評価

そしてそれが、今度の戦争の前の時期から、日本の敗戦に終つた後の、民主的な運動が非常な力で復活し発展してきた時期にまで、或る程度続いていやしないかと私は思うのです。それが日本の現代文学にかかれているかどうか。日本の進歩的、民主的な人々の中に今いつたことが或る意味でうけつがれていはしないか。これは自分でも調べてみたいと思う問題の一つです。

戦後のことからいいますと、日本の労働組合・民主的諸政党・民主的諸団体、その人たちが、在日朝鮮人のエネルギーを ――言葉は適当でないかもしれないが― 不当に高く評価してきていはしないかということです。つまり、こういうことです。

日本の民主的な諸勢力と警察とが、納税者と税務署とが、学生・教授・職員と学校管理者とが衝突する。物理的な衝突から精神的衝突まであり、衝突を通じて問題は発展していくのですが、そういう場合、在日朝鮮人の日本権力に対するハラからの憎悪、そこから出てくる反抗のエネルギーを非常に高く評価し、これに信頼し、これに頼ることがかなりあつた。

それは当然でもあり自然でもある。そのどこが不当かというと、在日朝鮮人が１００の力を持つてるのに１５０に評価したという意味じやなくて、日本人の側は１５０も１６０も自分の力を出さなきやならないのに、そうしないで、自分のポテンシヤルな力は１００か７０に止めておき、そして残りの３０を加えた１３０を在日朝鮮人に期待したという意味です。朝鮮人は日本の支配権力に対して時にはデスペレートな反抗心をもつている、それを利甲しようという程腹黒いものだつたとは信じないけれども、それにもたれかかるという点が確かに日本人側にあつたのじやなかろうかと思います。日本人自身、戦争前・戦争中は非常に大きく権利を侵害されていて、それを回復するために戦う場合、より無権利な状態にあつた朝鮮人部隊をかなり困難な、或いはこれも言葉がよくありませんが危険な斗争の場面にあて、朝鮮人にそのセクションを守つてもらいたいというような傾きがあつた。そこには根拠はあるけれども、少なくともこれは正当ではなかつたというように私は思います。それは日本が軍隊と資本の力で朝鮮及び朝鮮人を搾取し抑圧して国を奪つたし、他の帝国主義国との角逐場裡で朝鮮及び朝鮮人を将棋のこまのように使おうとした、その裏返しというのではないけれども、少なくともその時代に日本の革命運動がこの問題を充分大衆的に明らかにしてこなかつたことから糸をひいてきていはしまいか。

朝鮮が日本の植民地であつた時のことを考えても、植民国日本の労働者階級の斗争が朝鮮における運動及び在日朝鮮人の活動を正しく運動にくみいれるということは全く正しく、原則としてその方向をとつてはいたけれども、具体的な日常の活動ではそこがうまく行つていなかつたのではないか。日本に関しては日本の労働者階級が責任を持つて仕事を進め、それがよりよく進むように在日朝鮮人に参加、援助してもらう、それによつて朝鮮本土における朝鮮人民の斗争を国際的に支援するというコースが充分には具体化されなかつたのではなかろうか。それがもう少しよくいつていたら、敗戦後サンフランシスコ条約の頃まで朝鮮人を「第三国人」とかいう名前でよび、朝鮮人のうちの後れた分子が暴れたりするのを日本人側で泣寝入りですませたというようなことがもう少し少なくてすんだのではないかと思います。

これはまだ未解決の問題で、これから日本人がはつきりさせていかなければならない問題でしようが、それは逆にいうと、日本の革命運動、進歩的な運動の指導の仕方というか、そこに幾らか小ブルジョア的な、終極的責任を自分が引受けるという形をとらない傾きが多少ともあつた—　そういうことにもよるかと思います。

§　戦斗的に過去からぬけでるために

これがまだ残つているため、日本文学の中に朝鮮及び朝鮮人をとりいれようとしている者を含めて、朝鮮の平和的統一の事業が明るい展望が与えられていながらまだ実現されないで、南北に分断され、南はあの通りという現状が、それほど悪党でない日本人にも一部分救いになつている面があるんじやないかと思います。勿論、日韓会談を早くやつて日本、韓国、台湾という線をはつきり固めてしまおうという積極的な悪党どもにとつて南北分断は望む所ですが、そうでなくて、韓国は傀儡政権で無茶なものだ、殊に最近の軍事ファッショはひどいものだ、そして平和的コースで南北統一されるのが道理にかなつたことだと思つている日本人でも、いよいよ南北統一が進んでいくようになると何か困りやしないかという気持をまだ相当量持つているんじやないかと思います。

それは、池田政府は悪辣な奴だが、それを倒して日本の政治権力を自分達で引受けることになつたら、アメリカをどうしたら良いか、ソ連をどうしたら良いかとか、今すぐ権力をとつてしまうと困るがなとかいうような日本人がまだ相当いるようなことと結びついていると思います。これは証拠をそろえることができないんですが、できればそこまで調べたいと思つています。

そういうことと関連して文学の方でも、日本人が朝鮮人を非常に苦しめたこと、それから日本帝国主義の朝鮮領有の枠内で日本人と朝鮮人とがかすかな人間的な心の通い路をみつけたことなどは書かれていますけど、今日における日本人と朝鮮人との結合の、これも言葉が適当でないが大変うまくいつた例 — それは形の上ではうまく行かなくても内容上非常に美しく強固な結合、連帯があつたというような、つまり今日における美談といいますか—　そういうものが殆んど全く書かれていない。

これは私は、我々が日本と朝鮮との過去の関係から戦斗的にぬけでていこうとすることにおいて充分でないところから来るんじやないかと思います。今日、日本と朝鮮との積極的な関係をうちたてていこうという構えが、充分我々自身の中に熟していないために、日本帝国主義の不当な苛酷なやり方に対する摘発、或いは知らず知らず善良な日本人が真面目な朝鮮人を客観的にどう苦しめたかという描写へはふれていくけれど、美談というか、そういう話を探して歩いてまでやつて行こうという風にはなかなかならない。藤島君なんかは、文学者として実際の関係を調査して書いてますけれども、小説とかそういうものではまだ余り出てきていない。

これは私は、我々自身の一つの文学上の盲点じやないかと思います。そしてそこに文学上の盲点をみつけることが、もしそれ程ピント外れでないとすれば、それはやはり文学者を含めた日本人全体が今日及び今日以後の朝鮮問題に対して、日本人として責任を建設的にとつていくというコースが自分の中に充分具体的にできていないことからくるんじやないかと思います。

§　「隣国」としての朝鮮

それから先へ行きますと、やはり問題は一般日本人の朝鮮及び朝鮮問題に関する広い範囲にわたる無知ですね。それをやはり文学者もうけついでいる。そしてどうも困るのは、知らなくても今日までは何とかその日がすごせてきたんですね。ソ連のこと、アメリカのこと、それから中国のことでも知らずにはすませない。所が、朝鮮のこととなると、それ程血道をあげて知らなくても何だかその日暮しはまだ当分続けられるというかたちで今日まできたと思います。だから、戦后十何年のことについても何も知らない。今それがそれではもう間に合わなくなつた。それで日本の文学者も朝鮮問題に今までよりもうんと積極的に近づいて行くチヤンスが来たとは思います。

私ども文学者の方でやつたアジア・アフリカ作家会議でも、東京で大会があつて遠いアフリカからも代表がくるのに、朝鮮からは直接代表がこられなくて在日朝鮮人から代表団が編成される。勿論、中国本土と台湾との関係と北朝鮮と南朝鮮の関係はちよつと異いますけれど、問題を旅券とか入国法とかに限れば、国交回復していないということでは、中国も朝鮮民主主義人民共和国も同一なのに、そこの所が日本人側としてはつきりしない。本国から直接代表団をよこせと、日本政府の妨げに対して強い批判運動、旅券獲得運動が起つてこないんですね。これは或いは日本国内に何十万の朝鮮人がいて、文学者がその中にいて、いわば出先で代表団を編成することが現実に可能だということからも来ていると思いますが、萬一の場合そういう方策に出るのは当然としても、はじめからそれを考えるのは良くないと思います。

— 6 —

中国から満洲を奪つたり、戦争で全国を荒しまわつたりした中国に対する犯罪性と、朝鮮に対するそれと比べると、どつちがどつちといわぬとしても、朝鮮のように国そのものを奪つて、憲兵、警察の力までかりて名前まで日本ふうに変えさせるということはほかにはないと思いますね。

大坂市社会局で調査した資料がありますが、変えろといわれたから変えた、つまり心ならずもかえたというのが事実です。かえないと警察にひつぱられるかというとそれはない。しかし、かえろといつてきてかえないでいると商売にさしつかえる。法律にはないんだけれど仕入れができない、品物が売れない。

日本の皇太子がまだ小さい時、アメリカからヴアイニングという奥さんが来て学習院で教師をやり、ジミーとかいう名を日本の皇太子につけたんでしたかね。そういうことに対して日本人の右翼の人なども含めて一定の考えをもつたろうと思います。しかし、そういう時、日本が朝鮮人に名前をかえさせたことを思い出したかというと、一般にはそういうことはなかつた。

どうも日本人は、そういう圧迫者として7～80年やつてきたために、明治の初め条約改正頃まであつた、品川のどこやらでイギリス人をきり殺したとか、ああいう夷狄視もきえてしまつて、今度それがドンデン返しをうつた場合にそういうことが感覚的に鈍感になつてしまつて分らなかつたんじやないかと思いますね。むろん、そこに文明化の問題もありますが。

今日、ソ連を隣国として考える、中国を隣国として考えるというようにはなつていますが、本当の一番の隣のことについては皮膚感覚がまだできていないと思います。

§ 無知の残酷さ

それから、私としてひとつつけたしたいことがあります。私は朝鮮に全然行つたことがないので、自分を標準にして考えて偏跛なことになるかも知れませんが、どうも一般の日本人が、朝鮮及び朝鮮人を考えるのに、在日朝鮮人を見た目で何となく想像しているのではないかと思います。

それと関連して、前に小説に書いたこともありますが、朝鮮人は日本で、日本人よりも苛酷な、より無権利な状態で働かされていたのに対して、日本の労働者がより低い人間として差別観念をもつて彼らに対していたということがあつた。そしてストライキが起きた時、朝鮮人の一部が第二組合的なものに加担させられると、非常に怒つて、そういうきつかけを日本の労働者の方で作つておいて、それを資本家側にうまく利用されたということなのに、資本家側に問題を持つていかないで朝鮮人の方へ批判を向けるということがありましたね。これも、私はまわりまわれば最初の問題と論理的につながると思います。

それともう一つ、日本の百姓が朝鮮に移住することが一時はやりました。朝鮮は土地があり余つて人間が少ないという国ではない。朝鮮人を追い払つて入つていくことになつたわけですが、日本の百姓はそういうことを知らされずに行つた。一般の移民政策がすでに非常に非人間的なものだつたのですが、朝鮮への移住の場合はもつと二重に残酷なものだつたと思います。それが一般に伏せられていた。

§　帝国主義的文献を調べること

それからもうひとつ文学の素材となる文献が日本帝国主義勢力によつて作られて来たのにそれを知らずに来たということがあります。

「対華２１ヶ条」なんてものを知つている日本人はここ２～３０年少なかつた。安保条約の時、社会党の黒田寿男さんが日韓議定書を問題にし、日本政府の役人さえ知らずにいてたまげて出してきてみたら本当にそつくりで驚いたものです。文盲のいない日本ですけれど、こういう関係になつてくると非常に無知ですね。㊙どころじやなくて公刊されているものさえ民主陣営の方で余り調べてこなかつた。昔そういうことをやつた連中は文書でも何でも湮滅しようとするし。

１９３６～７年でしたか、鴨緑江、豆満江の上流の辺まで小さな駐在所があつて、日本の巡査がどれ程危険な目にあつているかを、総督府が本にして出したことがあります。それを編集者が私に送つてきました。うけとつたと返事を出すとその人がクビになるんじやないかと思つたりしましたが、それをみるといかに日本政府、朝鮮総督府が無理をしているかが分りました。駐在所は巡査と細君とその子供で、非常に貧しい不便な生活をしている。問題が起ると射ちあいなんかもしなきやならない。細君も赤ん坊をおぶつたまま射殺されたりするんですね。その人はお国のためだと思つて一所懸命やつているんだから、そうであればあるほどそういう人間の非人間的な扱いというものは非常に文学的に出てきます。そういう、全く帝国主義の中で使われているずつと下つぱの人々が危険の最先端に配置されて生きていると、非常に問題が明瞭に出てくる、そんなものを我々として使つてこなかつたように思います。

安藤　今、文学の問題と朝鮮人に対する日本人の姿勢の問題と、それから一般的に日本人が朝鮮に無知であるということと三つの面から問題を出されたと思いますが、それぞれについて討論していただきたいと思います。

§ 部落・沖縄・朝鮮問題と日本社会

藤島　今、中野さんのいわれたことですが、日本人の持つているそういつた朝鮮人観というのは単に朝鮮人観というだけじやなくて日本の社会機構的に根強いものの一端じやないかという気がします。

三池争議の時、部落解放同盟も応援に来ていたわけですが、半年もいつしよにいて、「解放同盟が１０人応援に来てくれるのはデモ隊が１０００人来るより力強い、というのは彼らは暴力的に強く、危い時に先頭にたつてくれるからだ」という形でしか理解しない。逆に大牟田の未解放部落の人が鉱山から色々な被害をうけてその補償を要求するような場合、これは会社から金をとられるのだから自分達にとつてマイナスだというんです。

同じことは革新政党の日韓会談反対運動の中で、外国人としての正当な権利の行使を妨げる在日朝鮮人の法的地位の問題が全体の中に正当に位置づけられていないという面にもあらわれている。そのために日本人と朝鮮人とが共同して何かやるということの意味が何かあいまいになつているということを感じるわけです。

今度は沖縄問題でも、日本人としての正当な権利を奪われている、そのことの不当さが本土の日本人から正当に扱われない。ずつとたどつて行くとやはり本土の日本人の中にある沖縄に対する一種の差別感がそういう無関心の原因だということが分ります。それで文学作品の場合でも、さつき中野さんがいわれた朝鮮の問題と同じで、こういう被害をうけました、いろんな運動をしておりますということは書けるんですが、本土との関係の中でその問題をとらえた積極的な作品ということになると、そういう行動自体がないために全然作品にできないことになつてしまう。去年新劇で三池の問題と安保改訂の問題と沖縄の問題でシュプレヒコールを作つたことがあるんですが、この場合に沖縄の問題は作りように困つたということです。

このような意味で中野さんから今出された問題は非常に拡がりを持つた問題であるし、朝鮮だけに限定して考えないでふくらみをもつて考えるべき問題じやないかと思います。

四方　日本人自体が人権思想をまだ身につけていないということがありますね。況んや、他人に対しては一層冷淡だということ。

それから無知についてですが、一つには戦前と敗戦直後日本にいた朝鮮人に一種のHu-millaticn があつて、自分を拡げてみせなかつたために、日本人一般に知るチヤンスが与えられなかつたということもありますね。

幼方　戦前朝鮮に行く前持つておられた朝鮮観と現実の朝鮮人につきあつての朝鮮観と何

か変りがあつたでしようか？

四方　私が日本にいた頃は、在日朝鮮人の数も少なくて直接接触もなく、白紙の状態だつたんです。それに3年ばかり外国を歩いてそれからすぐに朝鮮に行つたのでその続きみたいで異国社会に入つたというふうにしか感じられませんでした。

幼方　四方さんのつきあつた人たちはかなり高級なインテリでちよつと一般の庶民の水準にはならないと思うんです。しかも京城大学という所は朝鮮の社会でもちよつと隔離された所でしよう。

四方　それはありましようね。意外だつたのは煙突掃除とか肥汲とか下級労働者が日本人だつたことですね。例外的な場合ですが。そういう連中と日本人同志というので気楽に話しあつた。無意識の植民者意識はあつたのでしようね。

§　非友好の文学史と友好の文学史

宮田　中野先生がお出しになつた問題は日本が圧迫民族だつたということからきていると思います。それが被圧迫民族になつても意識の方は余り変つていない。そういう中で朴さんも「日本プロレタリア文学に表れた朝鮮人像」をかかれて、日本人との友好の証しを求めようとされたのだと思いますが、私たち日本人としていえばむしろ例外的にそういう人もあつたでしようけれども、例外じやない非友好の歴史というものを重大なポイントとして問題にしなきやならないと思うんです。

朴　その通りだと思うんですけど、やはりこういう問題を掘り下げてゆくのにも段階があるんじやあないかと感じるんです。僕自身はまだ研究の途上ですから、断定的なことはいえませんが、たとえそれが例外的なものであれ友好のあかしこそ未来のものであると考えます。ですから最初は日本プロレタリア文学にかぎつて調べてみたのですが、その結果がある程度予測できたとはいえ、実際に確めた喜こびは大きいものでした。それを今度は近代文学という広場の中でとらえてみようというわけで調べているのですが、わかつた範囲でいいますと、今宮田さんがおつしやつた非友好の面が例外ではなく、むしろそれが主な流れとして存在しているということがつかめます。しかし、また別の側面、つまりプロレタリア文学という陣営に属さない文学者たちの中でも、かなり多くの人びとが時々の朝鮮問題ないし朝鮮人を正しく見つめようというヒューマンな姿勢をもつていたこと――これ自体が一つのたたかいなのだと思いますが― そういう努力があつたこと、また逆にいえば、プロレタリア文学の中の朝鮮像であつても、いびつな傾斜をもつた作品があるということなど、いろいろな側面があることがわかります。

ともかく、これらは近代日本の朝鮮にたいするかゝわり方の文学的な反映なのですが、日本文学にあらわれた朝鮮像そのものは、御承知のように古代からあつたわけですね。ですから、日本文学の中の否定的な朝鮮像といいますか非友好の歴史といつたようなものだけをとりあげてみますと、残念ながら最古の文献といわれる古事記、日本書紀、万葉集あたりからすでに始まつています。これは4世紀末から5世紀の初めにかけて行なわれた日本のヤマト王権の朝鮮出兵と南朝鮮支配という侵略行為がその思想的な基盤の端緒となつているのだと思います。

たとえば万葉集の乞食者の歌に「韓国の虎とふ 神をいけどりに八頭持ち来其皮をたたみにさし八重畳・・・」などはその一つのあらわれだと思うんです。そして、こうした流れが江戸あたりでは例えば川柳にまであらわれて、「三韓は女にまけてななふぐり」とか「清正はりうさ川まで追う気なり」というような形でうたわれています。新井白石などの考え方も問題ですが、ともかくそれが長い鎖国時代を通り、いわゆる開国思想につながるわけですが、これ自体ももつともつと深く研究してみる余地があると思います。つまり、日本の開国そのものが、欧米列強のアジア進出という一種の圧迫感を正攻法でハネ返すという性質のものでなく、アジアのいわゆる後進国にむけて侵略のやいばをつきつけるという形で危機をそらすという方向につき進むからです。林子平や佐藤信淵 一 などの所論にはそうした色彩がつよいのですが、とくに吉田松陰の考え方は典型的なものだと思います。

松陰は幽囚録の中で「朝鮮の如きは古時我れに臣属せしも、今は則ちややおごる」といつて、日本は急いで武力を充実し「すきに乗じてカムサツカ、オホーツクを奪い」琉球や朝鮮、満州、台湾、ルソンを手中にしなければならぬという、おどろくべき侵略の設計図を示しているんです。

ですから、明治の征韓論もこうした流れとして理解する必要があるんじやあないでしょうか。そうしてみると近代日本の最大の啓蒙思想家といわれる福沢諭吉の朝鮮政略論も、朝鮮の独立をたすけるという巧妙な手れん手くだが加わつただけで、本質的には明治政府の侵略方式となんら変るところがないといえると思います。非常に影響力の大きかつた諭吉ですから、彼の朝鮮観というものは、当時の政治家はむろん、文学者にも大きな影響をあたえていると思われます。

§ 近代文学における朝鮮

東海散士の「佳人之奇遇」も朝鮮の独立運動に加担するという形で進められ、突つこんだ問題の追求もあるのですが、結局は朝鮮侵略のための陰謀に参画するんです。これは与謝野鉄幹がそうであるように、作品にもでてくると同時に、作者自身が実際に朝鮮へ行つてそういう謀議に加わつています。鉄幹は御承知のように「東西南北」で朝鮮を非常に沢山扱つていますが、いわゆる虎の鉄幹から紫の鉄幹にかわつていく過程は興味深いものがあります。夏目漱石も「満韓ところどころ」を書いたのですが、それ自体は否定されるべきものですね。

しかし、逆に木下尚江や小杉未醒、石川啄木などは記念すべき文学者だと思います。プロレタリア文学についていえば、黒島伝治、中西伊之助、宮本百合子をはじめ、中野さんがここにいらつしやるからいうわけではありませんが、中野さんの短編「モスクワ指して」「わかもの」、あるいは「雨の降る品川駅」という詩は忘れられないものです。そのほか徳田秋声、高村光太郎、田中英光、川端康成氏などもそうです。

８・１５以後は、明らかに日本文学にあらわれる朝鮮像の質が変つてきています。むろんそれはいい意味でですが、取りあげることへの積極性がましています。そしてとくに力強いことは、日本の労働者や婦人、青年、学生といつた人びと、つまり既成の文学者でない人たちまでが、朝鮮人民を兄弟だと呼びかけ、新しい連帯のきずなをつくりあげようとたたかつていることです。これは共和国が誕生したことと密接にかかわりあつていると思いますが、祖国をもつことの実感が重いくらいにひしひしと感じられます。

ところが、ごく最近では、韓日会談の強行という問題とからみあつて、またぞろ「日鮮同祖論」式の「韓日運命共同体論」が頭をもたげ、反面では共和国北半部にたいする悪質な中傷が行なわれています。

文学者では平林たい子、今日出海、湯浅克衛などがすごく積極的ですが、その恥しらずな言動には強い憤激をおぼえます。そうした傾向とならんで、例えば梶山季之という推理作家が「カードはもう一度戻つてくる」という小説を書いているんですが、その中に出てくる悪玉がなんと朝鮮人のような顔つきをしているというんです。あきれましたね。また小説ではないんですが猪俣勝人というシナリオ作家の「検事」というテレビドラマには、麻薬が朝鮮から流れこんでいる―こういう時は「朝鮮」と使うんですよ。ほかでは日鮮とか日韓とかいう使い方をするんですが―というような形で悪意にみちたデマがふりまかれています。

ほかには舟橋聖一さんが「影絵夫人」という連載物で、昔、朝鮮の庭師がつくつた庭を見て、朝鮮人にこんな才能があつたのかと驚くくだりがあります。おそらく舟橋さんは、そう意識して書いたとは思いませんが、こうした朝鮮観がまだまだ根強く生きているということです。そして、この肉化した誤つた朝鮮観ないし思想に依拠して韓日会談が強行されようとしているのだと思います。

長くなりましたが、要するに日本文学にあらわれた誤つた朝鮮観を決定的になくすためには、まずこうした陰謀を粉砕することが先決問題だと思います。そしてそのためにも、日本人自身が文学の中で描きだした正しい朝鮮観を発掘し、位置づけることが必要だと思います。

§　潜在意識の複雑性

四方　さつきの悪玉の顔を朝鮮人と結びつけた話、ああいう発想は随分ありますね。形容句の中に潜在意識が顕れている。しかしそういえば中国人を阿片と結びつけて悪玉に仕立てた推理小説なんかも多い。余り神経質になることもないという気もしますがね。私自身相当神経質になつているので。所で田中英光とか湯浅克衛とか朝鮮生れ朝鮮育ちの人の作品ですね。どう評価すべきか・・・・

朴　湯浅さんの場合は「カンナニ」が記憶に残つた作品ですね。しかし今湯浅さんがああいう活動をしているからということと関係なく、あの作品には一つの誤謬があると思います。最后に民族自決の問題が出てくるのですが、アメリカのウイルソンが飛行機に乗つて助けに来てくれるというような願望をつないで終つている。いうまでもなくウイルソン大統領の民族自決は僕らの考えるようなものではなくてもつと巧妙な意図をもつたものだつたわけですが、あの作品ではそこが批判されずにアメリカがまるで救世主であるかの如き印象を与えていますし、何よりも日本帝国主義に反対してたち上つた３・１運動の本質を描いていないということが致命的だと思います。

宮田　やはりさつき朴さんがいわれたように朴さんのやられたような仕事に日本人の側の関心が低い。関心の度合は朝鮮人の方が密度も質も高いと思うんです。ただそれは単に文学だけの問題でなくて藤島さんのいわれたように構造的な日本人の思想そのものと関連させて明らかにしなければいけないと思います。朴さんがその中から友好の歴史をとりだして語らなければならなかつた程に非友好の歴史が主流だつた。関東大震災の問題にもふれていらつしやいますが、基本的には権力に踊らされたに違いないにしても確かに悲しいことに自警団なんか自発的にやつたのは事実です。ちよつとデマをささやけばすぐ行動に立上るそういう思考方法が日本人にとつて重要なのだと思います。ただ友好の歴史、非友好の歴史といつても複雑にいりくんでいて機械的にわけにくい点が非常に多いと思います。

§　教育における朝鮮

小沢　教育の方でみると基本的には今話されたような状況があるわけですが、多少異つた面が出てきている。というのは在日朝鮮人の教育実践が殊に最近非常に質の高いものになつてきて日本の教育水準を内容的には随分おいこしてきている。そこで在日朝鮮人が色々な意味で模範にしている共和国の教育にも日本の教師や研究者がいやおうなしに目をむけざるをえなくなつてきているんです。それはよりかかつているといわれたような面もありますけれど。

所が教科書の世界では朝鮮は依然として非常に不当な扱いをうけています。高校の世界史などでは近代でいえば最初に「日韓併合」が出てきて、３・１運動などは殆んど取扱われずすぐ独立へいく。そして二つに分れて独立して統一は当分望めない、固定化されるだろうという扱いですね。人文地理の場合はもつとひどく、日本の貿易の対象として韓国貿易、それから漁業問題で李ライン、アジア米作地帯ということで朝鮮の名前があげられるというふうでまとまつた記述はない。そして原始農業としての焼畑農業それが今日の北朝鮮に残つているといつたようなまちがつた記述もでてきます。つまり人文地理では統一された朝鮮像は出てこない。それをつなげてみると大体農業国で低開発国、韓国は日本の貿易の対象であるということですね。ですから先にいつたような認識の変化も教師の段階で生徒の段階では極部分的です。一般に高校生乃至日本の青少年の朝鮮認識は韓国認識更に李承晩認識で代表されてしまう傾向が非常に強い。

朴　同感です。教科書についてこんなこともありますね。僕たちが朝鮮の生徒に日本語を教えるために日本の国語の教科書の中から作品を選ぼうとするとそのまま使えないものが多いですね。これは文学の問題ともかかわるわけですが、語学として教える日本語でも、例えば「細雪」なんかもいいけれど、できることなら日本の進歩的な文学しかも朝鮮を正しくとりあげた文学をもつてきて教えたい。そういうことで一時作品のリストを作り始めたこともあつたわけですが、現在のものでは正しくないものが多いですね。それから共和国で日本の現代文学を紹介しようという話もあるわけですが、そういう時どういう作品を日本の現代文学の代表として選んで送つたら良いのか色んな問題が出てくるんじやないかと思うんです。

勿論、先程もいつたように非友好の歴史に無理に目をふさいで友好の歴史をとりあげるということではありませんけれど、その意味で非常に力強く思つているのは、先程もいいました専門の文学者以外で労働者の作品、主婦の作文、子供の詩などに朝鮮の問題に対する秀れた作品が沢山生れてきているということです。つい最近、小沢孝子さんの「ボツナムの街」という朝鮮人の幼稚園を主題にした作品が出ましたけど、朝鮮語がふんだんに使われていてこれを読むと或る程度朝鮮語が分るようなしくみにもなつており非常に面白いと思いました。それから帰国問題の時、労働者詩人が感動的な詩をかいて日本のいろんな雑誌に発表したということも非常に大きな成果だつたと思います。そこで僕は日本の進歩的な文学者が朝鮮の問題をテーマにした雄大なロマンをどうしてかいてくれないかなあと思いますね。そしてそれが労働者達が自発的にうたいあげたものと一致するということが望ましい。

§　「新しい世代」と朝鮮観の変化？

四方　所で私たちは日本人の朝鮮観を非常に悲観的にみていたのですが、最近友好運動をやつていて若い人と婦人の関心が非常に高くなつてきていることを感じる。これは名古屋地方だけでなく全国的な現象ですが一体どういうことなんでしょう。

宮田　よく分りませんが若い世代の関心は過去の朝鮮のことを知らないで素直に出てくる場合が多いのではないでしょうか。だから一方には大多数の無感心という線もある。

安藤　僕はそれは日本人が朝鮮を国として認めるようになつてきたということだと思うんですよ。若い人はここへ来るまでの苦難の歴史への反省や知識をぬきにした弱さを持つているかもしれないがそれは我々としてうめていかねばならない。しかし朝鮮人を朝鮮という国をせおつた人として認めるようになつたことは進んだ点だと思いますね。竹内実君が前にかいていてなるほどと思つたことですが、戦争中日本人は中国へ入つて行つて戦場の中でさえ中国人と親しみを持つたりするのですが、その場合こちらは日本国民として国をせおつていながら相手は孤立した人間として親しんだので、中国人を一度も国民として遇したことがないというのです。朝鮮についても同様ではないかと思います。満洲移民が入つて行つた場合もさつき中野さんがいわれたように中国人を追い払つて入つていつたのに、結構そこでニーハオとかいつて仲良くなつたつもりでいるんですが、そういう場合相手を亜日本人としてしかみていない。アメリカに対しては宣戦布告をして戦争をしたのだが中国に対しては宣戦布告もしないでだんだん中国をとつてしまつたということも、そういう関係を表しているといえると思います。そういう骨肉化していた感覚が若い人では徐々に崩れてきたんじやないでしょうか。

小沢　若い世代といつても、どういう人をいうのか一概にいえないし、国として認識したとしてもどういう国として認めているのかが問題ですね。僕の接した高校生や教研集会の報告からの感じでは、やはり朝鮮人自身が非常に大きく変革されたということ、そこから感動を受けたということが最大の原因だと思いますね。同時に逆に朝鮮認識が韓国認識・李承晩認識にすりかえられて体制にまきこまれている面もあるわけですね。どういう層が関心を持つてきたのかということは非常に複雑で世代論一般ではちよつとやれない所があると思うんです。

楠原　反省という場合、朝鮮は確かに道具だつた、しかし道具にされていたのは日本人民も同じだし、現に道具にされようとしている。そういう反省の契機は、現在の北朝鮮を研究することによつて、それに比べて日本はというふうにも与えられる。だから過去を知らないから駄目だというんじやなくて、現在の我身を反省する所から過去に遡つていくという姿勢が必要じやないかと思います。ただ若い者に反省しろ、反省しろといつても・・・

§　「朝鮮」という言葉のニュアンスについて

安藤　確かに僕なんかも自分では進歩的だと思つているし、朝鮮を研究しようと思つている日本朝鮮研究所の一員でありながら、朝鮮人が我国というとギョッとしたりする。非常に古いものが残つているんですね。何となしに朝鮮人は我国なんていわないものだと、日本人は一般に思つている。

四方　僕達は、戦前朝鮮という言葉を極力さけたですね。やむをえない時は朝鮮の人とか半島とか半島人とか、いろいろな言葉を発明した。戦后も初め朝鮮人という時は抵抗を感じたが、今は全く偏見なしに朝鮮人といえるようになりました。

朴　僕たちも一時は抵抗を感じましたが、今は自分達で朝鮮人と書きもしやべりもします。たゞ、今ひつかかるのは、日本人で僕たちの朝鮮民主主義人民共和国という正式の国名を知つている人が非常に少ないことです。それと非常に進歩的だと思われる雑誌にこれまた非常に進歩的なはずの筆者が、日鮮ということばを平気で使う。これには驚きます。商業新聞は意識的に使うのですが、一度新日本文学会の声明書に「日朝」でなく「日鮮」と出ていてギョッとしたことがあります。

　これは例えば中西伊之助さんの「赫土に芽ぐむもの」が非常に正しい立場で朝鮮問題を見つめようという姿勢をとつていながら、例えば朝鮮の女性とのふれあいというようなことになると非常に古い朝鮮観がヒョッコリのぞいてくるというようなこととつながると思います。林房雄の初期の「痴情」という作品にはそれが強いですね。正しい立場にたつて問題をみていながら何かビッコな暗い部分があつて、インタナショナルな立場での朝鮮像をとらえられない。そういう点は今でもまだ残つているような気がするんです。

旗田　日本の近代思想はヨーロッパ第一主義というか、日本国内の遅れたものに批判的だが、同様に中国・朝鮮は日本に比べりやなつてやせんということになる。非常に狭いああいう条件の中で育つた日本の近代主義だつたのでしようがないのでしようが、そこをのりこえたものでないと五四運動や三一運動が分らないし、朝鮮像が正しくつかめない。文学の中でも、歴史をみる上でもそうじやないかという気がして、単に日朝友好というかたちだけでいけるのかという感じがするんです。その点、中国についてどうかというと、根本的には似たものがあると思いますが、日中友好運動の方がも少し巾広く民衆の中に拡がつていくものがあると思うんです。日朝運動の方が、意識分子だけがみていくかたちになりやすい。中国に長くいた人で中国が好きになる人は多いが、朝鮮が好きという人は少ないと思うんですよ。引揚げの仕方なんかにもよるが、相変らず良き時代を考えている日本人が相当いる。

§ 中国観と朝鮮観の差異

安藤　それはどういうことなんでしようね。

朴　極端論になるかもしれませんが、僕は日本の人たちは伝統的に中国は大国だという意識があると思います。そして、大きなもの、強いもの、すぐれたものには比較的簡単にこれを受入れ、逆に小さなもの、弱いと思われるもの、劣つていると思われるものには、疎外するか、軽蔑してしまうという意識があると思うんです。石母田先生が岩波の歴史講座に書いておられたと思いますが、中国に対しては、宗主国、貢物を持つていく所という姿勢がかなり続き、朝鮮に対しては何か目下の貢物をもらう相手とみようとしていた流れが堆積しているんですね。

四方　確かに向うで生れた子供は別として、大人になつて行つて好きになつた人間は少ないですね。その原因は一つは文化的な面、中国にはとてもかなわないというようなことがありますが、それだけでなく、支配の形が朝鮮に対しては徹頭徹尾征服者としてやることが可能だつたが、中国ではそうでなくて商業活動なんか対等にやると日本人がかなわなかつたりしたということもあると思いますね。満洲事変直前、関東庁の財務長官をしていた友人が、このままで行くと日本人は大連・旅順の目抜通りから追払われてしまうから、今のうちに何とかしなきやといつていましたが、そういう実力による圧迫があつてそれが畏怖、尊敬になる。

中野　後の方の政治的、現実的問題が私は随分大きいと思いますね。朝鮮と日本との関係は第一のことども関係するんだが、全部支配したわけですね。レーニンがアジア的な拷問やちようちやくの仕方と２０世紀の帝国主義的圧迫をないまぜにした非常に残酷な支配ということを書いていますが、つまり何十年間拷問のし続けみたいなものでしょう。拷問している人間が拷問されている人間の良さというものを感じ始めたら、そういうような奴は手がゆるむことになるからできないわけですよ。感じてもそれを克服してやつてきた。昔の何々宮とか博物館とかいうものの分る人がいても、日本から行つた連中の９０％は余りにそういうこととかけ離れている。国を売つて出かけた人間とか、下の方の役人なんかでない連中は、東京や大阪で仕事の口がなくてやむをえない事情で行つた。そういう連中のピラミッドがたえず拷問し続けなければいけなかつたということがあつて、それをこつちから入つて行つてとるという余裕もなかつたんだと思いますね。

私ども子供の時に日韓併合つてことがあつたんですけど、こんなふうに言つてましたよ。朝鮮人は貯金もしないと。貯金しても役人が持つていつてしまうからしないんだ。それから山に木が一本もない、切りつばなしだと。要するにそういうひどい政治なので非常に気の毒なのだ、だから日本がとつてよくするんだというふうに宣伝してました。

§ 美談について

安藤　中野先生がさつきおつしやつた、新しい日朝関係を象徴するような美談ですね。先生が直接タッチされたり、今あたためておられるようなそういう美談がございますか。

中野　かきたいと思つているんですがね、ちよつと調べなきやならんし、私はさつき言いましたように朝鮮というものを知らないですからね。朝鮮をみたことがないんだから。みたことのないことを書くのがまあ文学なんだが、やはりむずかしいですよ。

四方　逆の内鮮融和美談集とかいうのがありましたよ。

幼方　そういうものを逆に分析してみることも必要ですね。

朴　関東大震災の時、何か朝鮮人が毒をいれる、火をつけるというデマもとびましたが、逆にあの時、朝鮮人が日本人を救つたという美談もあるんですね。そういうものは余り大きくとりあげられないで、まだいろんな面で埋れているんじやないかという気がするんですがね。

幼方　それは同感ですね。戦前の朝鮮という条件ではそういうことを表面化することが、政治的問題を離れても余り相互に好ましくなかつたんじやないでしようか。私の知つている一つの例は３・１運動の時、或る朝鮮の村で日本の獣医は殺さなかつたというんです。朝鮮の農耕にとつて重要な生産用具である牛の医者である獣医の重要性からして。その人柄も良かつたんでしようけどね。

四方　そういうことなら私は体験がありますよ。敗戦の時朝鮮で８月１６日頃から無警察状態になつたんですね。日本の警察はいなくなつたし軍隊はいたけど全然動かない。そうすると目星い家に強盗が入つたりするわけですね。殊に日本人の家へね。それを防ぐために各町内に自衛隊 —— 日本の自衛隊と異つて本当の自衛隊ですが —— を青年たちで作る。これが場合によつちや賄賂をとる、殊に憎まれていた金持なんか大分寄付させられていました。所が私の所には自衛隊の町内の隊長が来て —— 私は朝鮮人街に住んでいたのですが —「朝鮮人を収奪しに来ていた連中は全員取締るけれどもあなたは我々の子弟を教育するために来てくれたんだから私どもの方で責任をもつて保護するから心配しないでもらいたい」といわれたですよ。良い教育したか悪い教育したかまあ教育にもいろいろあるんですがね。これは朝鮮には昔の漢学の思想で、いわゆる学者の尊重ということが常識的に非常にある。その常識だと思うんですが。

朴　作品では黒島伝次の「狐」なんか公刊されないままにあつたわけですけど、万宝山事件を扱つた作品で、日の目を見た今みると非常に荒つぽい所もありますが、日本文学に表れた朝鮮観という意味では非常に戦斗的な意義ある作品だと思います。これも戦前には全然発掘されなかつた。

四方　柳宗悦のような仕事をしている人が何人もいると良かつたですね。

中野　あれはしかし戦争進行中は杉山平助あたりから随分いじめられましたね。沖縄や朝鮮へ行つていろんなものを金にあかして買つてくると、後の奴は高くて手が出せないんだとか、自分ではあんな殿様のような家に住んでいて、何を勝手なことをいうかとか、大分えげつなくやられましたからあゝいうものは拡がらなかつた。ああいうものを大事にするとどうしてもそれを作り出した民族を尊重するようになるんですね。

朴　そういう点は僕らの側にも問題がありますね。朝鮮民族のもつている素晴しいものを素直に日本人の前に出さなかつた。スポーツの話ですが最近在日朝鮮人のサッカーのチームが、ある県の体育協会に親善試合を申しいれたんです。所が、会長さんがなかなか剛の者で、朝鮮人なんかたいしたことない、こつちが勝つに決つているんだからやつても無駄だととりあわない。そこでいろいろデータを出して説明して、とにかく試合してみようということになつた。そうしたら、その県の選抜チームが完敗してしまつたんです。そうすると初めて会長さんもみなおしたということです。僕ら自身もそういうことからしつかりしなくちやと思うんですが、僕らの側の問題としてはやはりそういう意識はあると思いますね。

中野　私もボールをけるとかそういうことに非常に朝鮮人が強くて巧みだということを知

らなかつたですね。私は留置場で目白商業の生徒だつた朝鮮の少年といつしよでしたが、フツトボールの選手で、どういうわけか目白商業というのは朝鮮人の子供が割に多くて、それで東京で一番フツトボールが強かつたんですよ。だからその学校の生徒は朝鮮人をちつとも軽蔑しなかつた。それは　勿論戦争より前ですがね。やはり知らないということは――知つても直接搾取者として知つた場合は別だけれども　―軽蔑するのに一番都合が良いんだ。一般には知るということが必要ですね。

四方　野球の金田、張本・・・

朴　プロ野球も今多いですよね。

中野　彼らは名前をもとに戻さないですかね。

朴　ええ。所がやはり日本名でやつていますね。金田なんか帰化しちやつてるんです。

中野　帰化するなら、金なら金で帰化すればいいでしよう。

朴　巨人に王という人がおりますね。名前をかえないのは立派だと思いますが。

中野　ああいう人が苗字を元に戻すと影響が大きいだろうと思うんです。

四方　経済人で日本に在留している人は二つの姓を使いわけている人が随分多いですよ。取引は日本の名前、ふだんは朝鮮の名前。やはり一々朝鮮人だつてちやんと仕事ができるんだと説明してみせるのが厄介だからでしようね。

§　文学において正しく朝鮮をとらえるために

安藤　それでは最后に今后朝鮮問題或いは朝鮮人というものを文学として正しくつかんでいくためにはどういうことが最も肝要であるかという点を一言づつ話していただいて終にしたいと思います。

中野　私は、さつきいつたのがまあ感想みたいなもので、別に・・・何となく学問的にではないが、ちよくちよく朝鮮のことをかいてきているので、そういう自分の仕事としても何か一つ直接にかきたいと思つているんです。それ位です。

朴　今日ここで行なわれたような過去の日本文学をこういう角度からみなおすという作業をもつともつとつみかさねていく必要があると思います。そういう所から何か一つの答が導きだされるのではないか、　私自身今迄やつてきたのを問題提起のつもりで近々まとめて出したいと思いますけど、それに加えて逆に朝鮮近代文学の中で日本はどうなつているかという問題なんかとかかわりあいが出てくれば、両国の文化交流にとつて非常に大きな問題が出てくるんじやないかと思います。例えば石川啄木が当時のいわゆる時代閉塞の状況をつきつめて考えれば考えるほど朝鮮の問題が出てくるわけですね。単に地理的に近いというだけでなくて、確かに近代以后或いはもつと遡つて朝鮮問題は日本の国と実にいろんなかかわりあいをもつていて、私がインタビューに行つた時に、中野先生が「朝鮮問題は日本にとつてはリトマス試験紙だ」とおつしやつたんですが、そのお言葉を引用させていただければまさしくその通りだと思うんです。ですから、日本の文学者が日本の問題をつきつめて考えれば考えるほど必ず朝鮮像は描かざるをえなくなつてくるということですね。

朝鮮戦争が起つた時、堀田善衛さんが例の「広場の孤独」で――あれは朝鮮を直接テーマにしたのではありませんけれど――一つのメカニズムの中で共和国の軍隊を敵とよぶよび方に非常に疑問をもつ主人公を登場させていますが、幸か不幸かそういうかかわりあいがついてきているわけですね。殊に今、池田政府は日韓会談を今度こそやるんだぞといつているわけですし、それに歩調を合せてかどうかしらないが、とにかくマスコミなんかも前のと同じような朝鮮観をおしつけようとしており、文学者の中からも意識的かどうか分らないがそういう作品が生み出されてきている。これはやはりたたき破る必要があると思います。それをたたき破るだけでなしに、逆に日本の文学者も労働者作家も含めて広汎な層の中から、形式はルポルタージュでも良いし、詩でもよいし、短歌でも綴方でも良いが、正しいかたちで朝鮮の問題を反映していく努力をしていただきたいと思います。僕ら自身の問題もそれであるから尚更しつかりして立派な姿を日本の人たちにお見せしなければならないと思います。

幼方　朝鮮が日本及び日本社会にとつてマイナスの盲点だつたというお話でしたが、そのマイナスの盲点がプラスの方に転化する条件が今できてると思います。その原動力はやはり朝鮮人自身の自覚ですが、その意味じや、旗田さんのいつもいうように、アジアの歴史を研究するということは未来を研究することだと思います。ヨーロツパの歴史は過去の歴史であつて、ドボルザークという作曲家がアメリカへ行つて新世界という作品を作りましたが、そのアメリナ　も既に新世界じやない。とすると新世界は我々の心の盲点になつている朝鮮から開けてこないと誰が断言できるか、そういうことを感じました。

後藤　朝鮮の方が朝鮮時報とか画報とかいろいろ日本の各方面を啓蒙してくれているんですが、折角、日本朝鮮研究所があるんですから、そういう公開講座のような機会をもつと沢山作つてほしいと思います。

安藤　それではこのへんで　（了）

連続**シンポジウム**＝日本における朝鮮研究の蓄積をいかに継承するか第**4**回

「京城帝大」における社会経済史研究

報告者　四方　博　（岐阜大学学長）

発言者　上原専祿　（国民教育研究所議長）

幼方直吉　（中国研究所所員）

旗田巍　（教立大学教授）

宮田節子　（日本朝鮮研究所所員）

司　会　安藤彦太郎　（日本朝鮮研究所副所長）

安藤　今日は、第１回の旗田先生の報告された問題をうけて、主として大正から昭和にかけての京城帝大を中心とする朝鮮研究をめぐつてお話しいただきたいと思います。四方先生は御自身そのなかで研究されていたので、まず四方先生から直接御関係になつたことを中心にお話をうかがうというかたちで進めたいと思います。我々が今、手にしうる研究成果としては、この京城帝大法学会論集中の「朝鮮経済の研究」３冊（第１冊＝昭和４年

第２冊（朝鮮社会経済史研究）＝昭和８年　第３冊＝昭和１３年）がありますが、それらの業績のできあがつてきた経過・組織などを思い出話を含めてお願いします。

四方　思い出話をする年になつたかといささか悲哀を感じるんですが、生きているうちに申しあげた方が良いかもしれません。

勿論、日本人は戦争のたびごとに朝鮮に対する関心を高めて行き、そのたびにいろいろな意味での朝鮮研究が盛んになつたということがあつたわけですが、そのことは第１回に問題になつたと思うので再言する必要はないと思います。

§　**経済課程の人々**

で、早速今日の話題に入りますが、京城帝国大学が法文学部・医学部（後に理工学部が

できた）で出発したのは、大正１５年５月でした。法文いつしよの学部でしたが、文学科の方は速水滉さん以下、岩波の哲学叢書の執筆者など大体われわれから言えば元老が多かつた。一方法学科といつている方は法律と政治・経済の三つよせ集めになつていましたが、私はそのうち経済担当ということで出発のはじめから一番先に行つていたのです。その後、講座を増設したり、よその定員をつくつたりして結局経済関係６人位のスタッフになりましたが、私が行つた時は２６才、そしてその後も私より若い人が大部分だつたから、なかなか血気盛んでした。

そのうち大学の研究年報を出そうということになり、はじめは法文学会論集ということで進められましたが、後に法学会論集・文学会論集と分かれたわけです。法学会論集の方は大体、法律・政治・経済の三科が毎年交替で担当することになり、「朝鮮経済の研究」が出たのは、たしか２年目だつたはずです。

当時いた連中は、経済関係では私、それから間もなく三宅鹿之助君、その後、事件があつてやめたわけですが。それから統計学・農村経済の大内武次さん、この人は大分先輩でした。それから経済政策の山田文雄、金融財政の鈴木武雄、三宅君のやめた後にいま東北学院大学の学長をしている小田忠夫、いま京都にいる静田均、彼ははじめ農業政策をやつていて後に工業政策にかわりました。それから静田君の後にいま北大にいる伊藤俊夫、はじめ助手から後に教授になつて社会政策と経済史学を担当した森谷克己、こういう人々が出たり入つたりしました。

助手とか副手は経済関係は殆んど朝鮮人でした。向うで育つた連中と当時でいう「内地」の大学を出て行くところもなくて帰つてきた人達が大分来ていました。一番長くいたのが土地問題の論文をかいている朴文圭、彼は京城帝大の第２回卒業生で、終り近くまで助手をしていた。時々警察へひつぱられていつていじめられたりしていました。それから、いま北朝鮮の学界で活躍している金洸鎮、彼は一ツ橋を出て、帰つてきて副手をしていました。研究室全員でよくいつしよに調査旅行にいつたものです。それからいま北で農業協同組合の問題をやつている金漢周君、同じく活溌に業績を出している全錫淡君などが大学院にいましたし、九州帝大を出て、今は南の経済学会の会長をしている崔虎鎮君も資料の関係で研究室に出入りしていました。

§ 朝鮮経済研究所の仕事

その間、私が中心になつて、朝鮮にいる以上は朝鮮の研究をすべきだというので、第１冊の「あとがき」にある朝鮮経済研究所というものを勝手にこしらえた。ともかく朝鮮のためにしてやろうという気持が特に経済関係の人の中では強かつたと思います。この研究所は名前だけのもので、いまの大学付置研究所というようなものでなく、同僚の連中から月何円というふうに寄付をうけて、一方では本を集め、他方では研究を始めた。その成果の一つがこの「朝鮮経済の研究」です。その後、私的なものでは具合が悪いというので、大学内部の朝鮮経済研究室というかたちで認めさせ、盛んな時は助手のほか専任の職員も５人ほどいて、いろいろ仕事をやり、担当資料も集めたり、謄写印刷ですが、稀存文献の復刻などもやりました。この蒐集は現在ソウル大学にそのまま残つているはずですが。

その初期の仕事として図書目録を一度謄写刷で出したことがあります。時々日本でいまでも古本カタログに出てくることがあります。論集の方は大体３〜４年に１回まわつてきて、その時々全員出動して論文を出したわけです。それから研究室の仕事としていま思い出すのは統計の整理の仕事です。当時までに出ていた総督府から面に至るまでの、公私各種統計資料の総目次と解説とを作つたのです。随分膨大なもので、とても売れるものではないから、特志の友人からもういまでは名前を出してもいいでしょう、国際文化会館の専務理事をやつてる松本重治君ですが — 当時のかねで確か２千円ほど出してもらつて「朝鮮統計総攬」と称して出した。（昭和６年）今でも残つていれば、殊に解説の部分が便利と思います。

§　大学内外の諸研究機関

経済関係以外では、法制史の方に、引揚直后に亡くなつた内藤吉之助、また総督府の司法官時代からこの方を手がけていた刑法の教授花村美樹などという人々がいて、その時々に法制史の論文を出していますし、ほかに経済、法制史いつしよで「朝鮮社会法制史研究」（第９冊、昭和１２年）というのを出しています。今、東北大にいる労働法の津曲武之丞君も私達と一緒に仕事をしましたし、惜しいことに早くなくなつた外交史の奥平武彦君も忘れられませんし、外交史では文科の田保橋潔氏も、凄じく仕事をして早世しました。

文科の方には朝鮮史の専門家がいました。今西竜・小田省吾らの大家とこの間亡くなつた藤田亮策、今最も精力的に活躍している末松保和君、このほか例えば教育史関係に田花君などがいました。赤松智城、秋葉隆などの人達は宗教民俗学の方の調査をしておられました。

しかし、京城帝大にいた人の中で日本に帰つてきてからもずつと朝鮮をやつている人は比較的少ないようです。生き残りでは末松君や私位で・・・・鈴木君なども全然やつていない。

朝鮮人の近代的研究者としてはその頃までには白南雲氏位でした。改造社版経済学全集の「朝鮮社会経済史」が出たのは、確か昭和3年で、大分たつて高麗時代を扱つた「朝鮮封建社会経済史（上）」が出ました。その后李朝実録をてがけられ、当時実録は仲々みにくくて、時々研究室へ来られ便宜をおはかりしたこともありました。そのほか、朝鮮の歴史をかいた人としては崔南善氏がいますが、これは檀君紀元説の主張者ということで大体想像がつきましよう。それから、日本に留学していた人の幾つかの新しい研究はありましたが、直接接触はなかつた。

ともかく大学ができてからそれが直接・間接の刺戟になつて研究が長足の進歩がみられたとはいえると思います。政治の方などは知らないが、当時朝鮮の社会経済研究はほとんど未開の分野で、みながどれでも好きな分野を選んでやつて、その間にほとんど関係がなかつた。従つて方法に関してお互いに批判しあうということもなくて、それぞれの分野に1人づつポツンといるような状況でした。

ほかに、大学ではないがも一つの主流として総督府の特に調査課を中心とした実態調査があります。善生永助・村山智順両氏が中心でしたが、広く資料を収集して羅列するという調査書の集計のような仕事が多く、量は多いが内容的には果してどんなものか。それから官庁関係のもひとつの中心は中枢院と、そこに設けられた朝鮮史編修会です。前者は実質上もとの朝鮮貴族や学者の養老院みたいなものでしたが、ともかくその人達の学識経験を生かそうというので旧慣制度を聞き集めて整理したり古典を複刻出版したりしていました。民俗研究の今村鞆氏、主に法制の整理の仕事をした麻生武亀氏等がここで良い仕事をしていました。また李朝実録を分類して活字にしようというので、私も内藤氏らと参加して経済・財政の分をうけもつて、李朝後半期の原稿を大分準備していましたが、実現に至らなかつた。

まあ、覚えているのはそんな所です。

§　研究の立場

幼方　結局、昭和4年の「朝鮮経済の研究」が最初の仕事ですか。

四方　法文学会論集としては第2冊目でその前年に京城帝大法学会論集という名で1冊ある。その中に三宅鹿之助君が朝鮮経済についてかいてます。その頃社会経済史をやつた私たちの考えは、論集のあとがきにもかいてありますが、ともかく大いに客観的・実証的に公平に朝鮮を研究しよう、感情論や「愛国主義的」立場を払拭したい、その上で公正な政策論議がなさるべきだということでした。

幼方　昭和13年以後は？経済学科としての朝鮮研究はこれで終りですか？

四方　そうです確か。つまり１人１人が成長していくにつれて、自分自分の研究目標が集中的になり、共同研究的な締めくくりが困難になつてきたのですね。私自身も古い問題に没頭しだして、余りリードがとれなくなつた。

なお詳しくは　社会経済史学会でまとめた「社会経済史学の発達」（下巻昭和１６年刊）の朝鮮の項にまとめておきましたのでそれを見ていただければと思います。

安藤　朝鮮経済研究室は終戦直前まで？

四方　ええ、当時はアンケート式の生活調査や蒐集、図書目録の整理などをしていましたが、印刷事情が悪くて出せなかつた。

幼方　１６年以後の刊行物は？

旗田　朝鮮経済年報がありますね。

四方　あれは全国経済調査機関連合会の朝鮮支部というのがあつてそこで出したものです。総督府・朝鮮銀行・金融組合連合会などの調査部の人で分担して執筆していますが、編集の仕事は鈴木君を中心に私と２人でやりました。４回程でたと思いますが、第１回だけが歴史的展望、あとは現状分析が中心でした。

§　大東亜共栄圏論への抵抗と即応

安藤　昭和１４～５年から特に１６年以後、日本の学界に大東亜共栄圏論者がふえてくる。中国研究者の場合、初めは善意で進歩的な研究態度を持つていながら、だんだんずれていく。これは意識的にずれていく場合もあるし、曲りくねつた抵抗を内に含めながら今日からみて結果においては少しづつ座標が右によつていくという複雑な点もあるのですが、全体として朝鮮における日本人の朝鮮研究の抵抗と即応との関係についてはどうだつたでしよう。

四方　きたんなくいつて抵抗は殆んどなかつたと思います。それは一つには植民地社会の中の本国人社会という規定があるわけで、いかに善意だと思つていてもそうでないのですね。一種の相互扶助精神があつて、民族的対立のかげに善意の問題もおおわれてしまう。例えば、三宅君の事件の時でも、警察は、日本「内地」では大学教授も随分ひどい扱いをしたようですが、そういうことはなかつた。朝鮮人はひどい目にあわせても日本人には多少扱いが異つていた。

宮田　民族問題の方がより大きな比重を占めていたわけですね。

四方　はつきり意識してはいなかつたが意識の底にはありますね。所がそういう大東亜意識が満州事変以来朝鮮人の中にも生じたと思う。それ以前は被征服者朝鮮人と征服者日本人との対立でしたが、満洲事変後も一つ下の被征服者ができて朝鮮人自体の中にもある程度征服者の立場にあずかりうる人ができてきた。

宮田　日本の方で「内鮮融和」をうちだすわけですね。

四方　そうです。それが非常に意識的に行なわれた。８・１５の時ラジオをきいた朝鮮人の学生でくやしがつてないていた者もいました。私は年をとつていたせいか涙が出る所まではいかなかつたのに。もつともその学生が１週間もすると、ケロツとしてマル・エン全集をもらいたいといつてやつてきたのですが。

宮田　しかし、一方特に３．１運動以后、朝鮮人を非常に恐れてもいますね。銃をどつちにむけるか分らないので最后まで徴兵制もひけなかつた。

四方　最後まで志願兵制度でしたね。そして各部隊の中に分隊を配置した。けれども、これは朝鮮人の厭戦思想への刺戟を顧慮した面も多かつたのではないでしょうか。

安藤　朝鮮研究の場合植民地支配そのものをテーマにしにくい事情があつたと思いますが、むしろ日満支ブロック論の中に問題をいれこんでしまうような研究はありますか？

幼方　ありますね。一番代表的なのは鈴木武雄さんですね。

四方　大陸兵站基地とか北鮮ルートとか、そういう当時の魅力ある言葉自体を彼が作つたんだと思います。

幼方　しかし鈴木さんは「朝鮮経済の研究」の論文をみると、むしろマルクス主義的な方法に近いですね。それが変つたんですかね。

四方　まあそうですね。もつとも、彼の場合マルクスは思想的にと云うより、技術的な問題としてとらえられていたのではないでしょうか。とにかく非常に有能の士なんで。

安藤　創氏改名の時、森谷克己さんが東大新聞に「古い朝鮮の封建制がこれによつて崩れるから良いことだ」と評価しているのをよんで驚いたことがありますね。矢内原さんはこれを批判しておられた。

四方　確かに朝鮮では姓が発達して氏がない。そこで、大家族制から個人家族制への転換という意味で、「日本は朝鮮をアジアに向けてのショウインドウとして無理にも近代化してやつていることになる」という当時の云い方は一応の理屈づけとしてはなりたつと思います。そこに潜んでいた意味 ― 「皇国臣民化」の布石、或いはその政治的評価 ― を意識していたかいなかつたかを別とすれば。当時、僕なんかは古い世界の方に没頭していて余りかかないですんだから良いんだが、当時盛んにかいた人は、ふん囲気に動かされて、斯く斯くであるとだけかけば良い所を、もつと強調してああいうふうにかざつてかいてしまう。そういうことは認めなければならないと思います。

§ 朝鮮人研究者の境遇

幼方　一連の経済的研究は当時の日本の学界の水準からいつても高いと思いますが、朝鮮人もやつていたのですか？

四方　やつていましたが、それが正当に位置づけられてない。舞台に出て来なかつた。おそらくチヤンスが与えられていなかつたためだと思います。震檀学報など朝鮮人の研究誌もあつたわけですが、出たり出なかつたりでした。私なども、大学に助手・副手として入つてきた人とは接触があつたけれど、ほかは全然知らなかつた。

宮田　印貞植さんなんかは？

四方　接触していなかつた。それは我々の方も当時そういうものを求める余裕がなかつたためですし、そういう心配をしてくれるような年長の先輩がいなかつたのです。

幼方　1人朴文圭が「朝鮮経済の研究」第三に土地調査事業についてすぐれた論文をかいていますが、どういう人でしたか？

四方　これは、私たちの育てた第2回卒業生で助手をしていたんです。第2回の連中はどういうものか大変政治づいていて、ほかにも助手だつた崔容達・李康国氏など、よく警察につれていかれたりしていました。特に、戦争末期はひどかつた。朴文圭氏の論文をのせる時でもひつかけられないかどうか実は随分気をつかつたのです。だから朴文圭氏としてはもつともつといいたいことがあつたのですが……

幼方　深刻な問題を控え目にかいているのが分りますね。

四方　解放後、この人達は初め南にいて、「サアこれからの朝鮮はおれたちが担うんだ」と意気盛んでしたが、そのうちに李承晩が出てき、不自由になつて北に移つた。朴文圭氏は農業相をやつたりして今は最高人民会議の常任委員会書記です。私は学者として終始して欲しかつたが。李康国氏は朴憲永事件の時死刑になつた。崔容達氏については消息を聞きません。

§ 三宅鹿之助さんのこと

幼方　三宅鹿之助さんの事件についてお話し下さいませんか。

四方　いずくも同じでしようが、大学が一般的にアカだといつてにらまれていたということがあり、我々の講義案なども警察は全部手にいれていたそうですが、三宅君はもともと河上肇博士に論争を挑んだり、マルクス主義者と自認していた人でした。しかし実際運動にはたずさわつていなかつた。

所が、学生の間にもその頃マルクス主義の組織が幾つかあつて、そのうちの一つが三宅君と接触したわけです。そして、その学生たちが中に入つて、当時警察から追われていた朝鮮共産党創立時の大物の1人である李集を三宅君の官舎の書斎の床下にあなぐらを掘つてかくまつたのです。そこなら絶対安全だろうというので。三宅君はもともと気の弱い性格だし、その理論的立場の手前、断りきれなかつたのだと想像します。

丁度その頃、私は三宅君と間島地方に調査に行つたのですが、いつも大変陽気な三宅君がその時は沈んでいたのを覚えています。そして帰つてきた直後に手入れがあつて、李氏は結局奥さんが逃がしたらしくて逃げのびましたが、三宅君はそのことで3年ほど刑に服したのです。奥さんは子供が小さかつたのですぐ釈放になりましたが、或る意味で三宅君以上のしつかり者でした。私もはじめ1週間ほど不当弾圧ということで抗議し、山田三良総長の尻を叩いたり、警察にいつたりしたが、かくまつたのは事実だつたし‥‥。

後で三宅君を呼んで来たのは私だということで、教授会で大分問題になりましたが、私の提供した材料にもとづいて採用の決定をしたのは教授会自体ではないかということできりかえした。結局進退伺だつたか始末書だつたかを出させられました。

旗田　桜井義之君もいましたね。

四方　彼は法学科全体の助手だつたんですが、こつちの人みたいにしよつちゆう経済の研究室に来ていて、あの「明治年間朝鮮研究文献誌」も大部分経済の方の本を使つてやつたんです。その続きの大正年間編は「朝鮮行政」という雑誌に連載されましたが、その後だんだん深みにはまつた形ですね。

旗田　大内さんは？

四方　この人だけは私より一まわりも年上でしたが、面白い人でした。札幌の予科時代、当時の学生運動で処分されて京都の選科を出た。専門は経済地理とか統計学でした。私とは、敗戦後愛知大学の創立まで苦労を共にした人で、終始年下の私を立ててくれました。

旗田　朝鮮史編修会の方とは四方さんたちはつながりはなかつたんですか？

四方　朝鮮史編修会は大学の朝鮮史の講座とは密接な関係にありました。今、東洋学会で活躍してる田川孝三君は助手から編修会に行つたし、末松君は編修会から大学の助教授に入りましたし、中村栄孝君は一時講義に来ていられた。国史講座の田保橋潔君なども晩年は編修会を宰領された。法制史とか経済史の方から手を出すようになつたのは中枢院の方で、大分後です。

§　朝鮮研究の特殊性と普遍性

幼方　朝鮮の研究をまとまつてやろうと考えられた動機はどういう所にあつたのですか？

四方　結局、朝鮮に行つて朝鮮の大学に奉職したのだからまず朝鮮のことを研究するのが当然だということですね。当時の私たちは、字義通り朝鮮の土に骨を埋めるつもりだつた。そうではなくて、どこにいても一般的な研究をやれば良いのだという考え方もあり、数としてはそんな傾向の方が多かつたわけでしたが、経済関係は偶然か朝鮮をやろうという人が集つたのです。もつとも大内さんのほかはみな私がひつぱつていつたようなものでしたが。

上原　なぜ朝鮮の経済史を研究されることになつたか。それがテーマになつたのは、一方に朝鮮の現実があり、じかに接して資料を集めることができたからか。朝鮮経済史の研究は、直接間接朝鮮の現実につながるわけですが、研究の全過程の中で研究の追求と実践的志向とのかかわり方は、特に終戦までの過程でどうなつていたと考えていいか？一般的な経済史研究のより広汎な領域の中に朝鮮の研究を位置づけえたのか？日本の学界における経済史研究一般と方法上のかかわりはあつたのか？そうでなくて朝鮮の現実ベツタリで研究がはじめられたのでしようか？

若い人たちがこれから朝鮮研究をはじめる場合「政治的実践」と「学問領域での実践」とのかかわり方を考える参考にできるように、過去の問題を老人としては整理しておきたいわけです。

四方　先にも云つたように世界のどこに行つても同じことをやるという立場の人は別として、朝鮮をやろうとする人でも、一般的な理論を一応朝鮮に結びつける人と朝鮮そのものに没頭しようとする人がありましたが、私や鈴木君の場合あとの方ですね。むこうへ行つたから興味をもつて、実践的関連でとらえようとした。山田・伊藤君などは自分の研究が柱でそのために目前にあるものをやる方でした。そこから先、鈴木君はそれを逆の方向一つまり現実面の政策論に転換させた。私は歴史の方にひかれていきました。

上原　福田徳三・猪谷善一の時代とは異つて朝鮮経済史の具体的研究が深められてきたわけですが、それが日本の社会経済史研究の全体の中に位置づけられずに違和感が残つていたように思います。

特殊研究として社会経済史学全体の方法を深化するという仕方でもつとくみとられるべきものがくみとられないでいたということがあつたように思います。一方交通で、具体的事実に基づいた研究が全体をダイナミックにしていくのに寄与しえなかつた。リアリズムの個別研究の重味が主体性の確立という所へ深まつていくともう少しうまくいつたと思います。

四方　たしかに「１人わが道を行く」的な所があり、日本本国での研究から隔絶してるといつた感はありました。最近は異つてきているが、日本の学者は自分の興味のある個別研究しか読まない傾向があつたのではありませんか。私のかいたものも当時余り読まれていないような気がするんです。却つて朝鮮人は随分読んでくれている形跡があるんですが‥

上原　もひとつの面では、個別研究のやり方として朝鮮・台湾に対象的には興味がない者でも方法上の点から読まざるをえないものにしていくことが必要でしよう。今後、朝鮮研究が何か特殊なものになつて行かないためにも、研究の内側に入つてやらねばという確信を専門外の人にも持たせるようなものにならねばならない。そして一方では昭和初期からの業績を主体的に消化し、専門的ではあるが部分研究ではないというものにならないと、政治と学問の関係もパラレルになつてしまう。

§　意味について

宮田　朝鮮の研究と日本との関連、朝鮮のことをやつていることの意味が気になるんです。

上原　それは同時に着眼点の問題でもある。朝鮮・中国・東南アジアを含めた東アジアを統一的にどう捉えるかという問題がある。それとかさなつてヨーロッパ研究・アメリカ研究とアジア研究をどう方法的に結びつけるかという問題まで考えないと、朝鮮研究の意味について若い人は自覚をもちようがない。そういう着眼点に立つて、日本人のやつた朝鮮研究の成果と方法をどううけつぐかということが問題になるのだと思います。

安藤　そういう断絶から新しくアメリカ的なエリアスタデイに吸収されて行く動きが出てくると思うのですが。

幼方　研究のレベルが高まるほどきりはなされた感じになるということは他の地域にもある。つまり学問的に高いものであつても、日本社会の問題意識との関係が、明らかにならなければ新しい展望が出てこないのではないか。それぞれの専門家が養成されてはいるが、それが他の研究者とクロスしない。その一つの例として朝鮮の新しい研究をいかにうちたてていくかが問題になるわけではなかろうか。

宮田　日本の社会で生きて行くということと朝鮮を研究するということがどこで関係するのかということをいつも考えているんですが。朝鮮人が朝鮮史をやるのと異う。

上原　そういう問題について旗田先生‥‥

旗田　そう聞かれると戸惑いして、すぐにはお答えできないのですが、学問をやる場合現実的関心から出発し、それがなければできないことはたしかです。しかし、それだけでは困るので、本当のことをいうと好きだからやつているんです。法則性の発見ということに対する興味が大きいと思うんです。私自身として法則性についていろいろ仮説もあるし、いろいろなことを考えるのですが、実録などを丹念にみてその中から何かを発見して法則そのものを変えていきたい、そういう気持です。

四方　自国人が自国の歴史をみるのは極めて自然だが、外国人が外国のことをやるのは不自然だと考えます。確かにイタリア人が日本のことを自己に結びつけて考えるとかいうことはむつかしいが、しかし日本のことをやるのも朝鮮侵略をやるのも純粋客観的という点では同じだともいえると思う。それからも一つ外国人の方が或る意味で歴史の客観性・法則性の発見がよりたやすいともいえるのではないでしようか？つまり外国人は民族感情に理解がとどかないということもあるが、それを持つていないからもつと冷徹にみることもできるのじやないかという気持もする。まあしかし、ここ１０年程たつてみないといけないでしようね。朝鮮人が今そういう歴史を書くのは当然だと思います。私は今、朝鮮では飯が食えないから学校でイギリス史を教えているんですが、フランス人のモロアのかいた英国史が非常に面白い。イギリス人より或る意味で深くつかんでいる所もある。そういう利点もあると思います。それにしてもやはり好きだからやつているというのが根本でしようね。

上原　好きだからやれるのだろうが、若い方としてはやることの意義について自覚がほしいわけですね。そういう場合旗田さんの実感していられる意味を説明できなきやならない。やはり対象への愛がなければ研究は続けられないのじやないかと思うんです。その点は研究者が各自で考えればいいじやないかといえる一面とそうでない一面とがあると思う。そこに、対象への愛といつたり法則性の発見といつたりすることの意味の問題が出てくる。そのことを若い研究者は実感していると思う。自覚的な出発点はあつたとしても、それを続けていく心情としてそういうものが必要なんです。しかし、朝鮮研究のやり方ではなく、その意味の説明を求める時、意味をご説明願いたいと切り出すのでなくて、自分達としてはこう思うが長いご経験をもたれる方からみてどうお考えになるかと出す方が良いんですね。

宮田　最初からスカッと好きだというんでなくて、やつているうちに好きになつたということと交叉すると思うんですが。

上原　技術の面は割に継承されます。考証の技術性において、例えば社会経済史の研究など単に継承されているばかりでなく格段にのびているのですね。しかし意味はね。西欧経済史なら西欧経済史の実証的研究というかたちをとりながらそれに托した学問への思いというようなものは余り生かされないですね。むつかしいのは、朝鮮研究の伝統をどう生かすかと考えたり、研究が生産的であるようにと心がけたり、うつかりすると平板化されたエリアスタデイをやつていくようになるというようなことを避けようとしたり、人の考えている意味と自分の考えている意味とくいちがうことになるのではないかと警戒したりする、つまりそういう研究以前の問題が実にむつかしいと思います。個別的な研究が、日本の学問研究の方法を豊富にして行くようになかなか吸収されていかないというご経験が、四方さんや旗田さんなどおありじやないでしようか。私なんかも個人的に感じます。昭和の初期から戦争頃までどうかという問題、意味の問題はいつまでもむつかしい問題です。日本の学問は全体として進歩したとかのびたとかいう実感がなかなか持てないのです。

§ 朝鮮研究のローカル性

安藤　例えば経済学や政治学をやつている人はこれは学者なんでね、朝鮮研究や中国研究はあれは朝鮮研究者・中国研究者なんだということで、自分の経済学・政治学に入れて考えない。一方、朝鮮研究者・中国研究者の方は、お前たちは現実を知らないんだ、ただ原理・原則ばかりいつていて、というかたちで交流の道を閉じてしまう。相互にコミュニケーションが殆んどないというのが現状じやないでしようか？そういう空気が我々のまわりを慢性的にとりまいている。そこへ先程の話のエリアスタデイなんかが出てくると個別研究者はそつちの方に組織化され、位置づけられてしまい、何か自分の一定のグルンドがそつちの方にあるんだと感ずるようになる。そういう危険を個別研究者がもつていると思います。

旗田　中国研究の場合は、その点最近は大分異つてきましたね。社会科学の中に入れられた。朝鮮研究の場合はまだローカルで。

安藤　ローカルであり、現実的興味から入つて行く。

旗田　社会科学にならないんですね。それ自体つきはなしても共通のものは出にくいですよね。

上原　ひとつは学界外の問題としていわば政治的に形成されてきた日本人の朝鮮に対する観念、その因縁みたいなものが残つている。Sacheとして朝鮮をみるということでは認識の愛をそれに注ぐに足るものだという状況になつていないのは、そういう点に原因があると思います。

安藤　逆にそこに愛を注ごうとすると、それなりにベッタリしてしまうという傾向がありますね。

§　生かされぬ朝鮮研究の薀蓄

幼方　四方先生は、今イギリス経済史をやつておられるのですか？

四方　講義はね。大分前から。

幼方　朝鮮のことを講義されてはいないわけですね。

四方　やつても学生がいないのでね。時々、大学院なんかで出してみたのですが、最后の時は日本人１人、朝鮮人１人でした。

宮田　もつたいないですね。朝鮮の関係の専門の方はそういう先生が多いですね。善生先生も昭和女子大では家政科なんかを教えていらつしやるし、渡部先生にしても朝鮮教育史の講座をもつていらつしやるわけではないでしよう。

上原　朝鮮の集落を研究された小田内通敏先生もやはりなくなられる前、国立音楽大学で教えておられ、学生はああいう学者だということを全然知らなかつた。先生自身はこれもしようがないと達観しておられたけれども、全然自分のもつているうんちくを傾ける場がないという状況でした。

幼方　それはやはり、小田内先生の個人的な問題だけではなくて、上原先生が今いわれたように全体として状況の問題が余りないということが理由でしようね。第一、小田内先生のあのユニークな仕事を地理学者がほとんど継承していない。

§　研究の発展のために

安藤　最后に四方先生から、今后の朝鮮史はいかにあるべきかというご意見でも一つあればお願いしたいと思います。

四方　理論的には、さつき上原さんがいわれた通りですが、非常に具体的な話として社会史なり経済史なりをやつてきた人間が、一ぺん旗田君がかいたような通史を日本人としてかいてみる必要があるだろうと思います。これは、ある意味ではむつかしいことですが、そういうものがあれば、他の分野に入りうる基盤ができてくると思います。朝鮮社会経済史の通史が日本ではほとんど存在していない。それを作る必要があると思います。

上原　それから、若い人にやつていただきたいのは朝鮮史学史ですね。或いは朝鮮人の歴史意識の歴史みたいなもの。ずい分えらい歴史家、記述者、編纂者が朝鮮には居るわけですね。そういう仕事の理解・評価ということをずつと現代まで続けてやる。朝鮮民族の歴史意識がどういう具合に形成発達してきたか。それと日本の歴史記述の歴史ですね。そういうものを広い統一的視点からつかまえたような歴史記述乃至歴史意識の歴史を含んだような、政治と経済と文化の統一的発展みたいな通史をかいていただけると、他の専門領域をやつている者にはありがたいですね。

四方　文集の研究を本格的にやつて整理してみる必要がありますね。

旗田　それと関連して、我々は三国史記とか高麗史とかを片つぱしからカードなんかにとつたり、材料探しに使うんですが、それだけでなく、そこに流れている歴史観をみる必要がありますね。

上原　特に、三国遺事の成立ですね。

安藤　ではこの辺で。

連続シンポジウム　日本における朝鮮研究の蓄積をどう継承するか　第5回

朝鮮総督府の調査事業について

報告者　善　生　永　助　（昭和女子大教授）

発言者　安　藤　彦太郎　（早稲田大学教授）

小　沢　有　作　（日本朝鮮研究所所員）

旗　田　　　巍　（東京都立大学教授）

宮　田　節　子　（日本朝鮮研究所所員）

〔I〕　調査事業の概観

安藤（司会）今日は第１、３回に続いて社会科学的側面ということで朝鮮総督府で調査事業に携わられた善生永助先生において願いました。先生は目録（後掲）でも分るように著書３１冊、論文２２８篇という大変尨大なお仕事をなさつておられ、明治１８年生まれ今年満７７才というお年にはとてもみえないお元気さで、今も昭和女子大の教授をしておられます。いわば朝鮮総督府調査事業の草分けであり最も良いお仕事をなさつた先生です。で早速お話を伺いたいと思います。

善生　朝鮮に関するお話をさせて頂くようお招きいただき大変嬉しく存じます。私は、早稲田の学生のころ（明治４１～４３年）中国に興味をもち、語学も中国語を選んで、当時早稲田に設立されていた支那協会（初めは日清協会という名でした）の会員として研究していました。明治４３年卒業後ジヤーナリズムに関係し、本多精一博士と共に「財政経済時報という経済雑誌を発行しました。それに発表したものをまとめたのが「最近の支那経済」「戦後の支那」「最近の支那貿易」等の小さな書物です。

朝鮮に対しては特に興味があつたわけではないのですが、大正１１年の途中から朝鮮総督府官房に調査課が設けられ、１２年夏に課長の大西一郎氏が上京されて私に調査を手伝わないかというお話がございました。私はその頃「毎日新聞」の「エコノミスト」の記者をしていましたが、２～３年もしたらおいとまするつもりで朝鮮に参つたようなわけです。

１２年７月に総督府からいただいた辞令によると仕事の内容は「朝鮮事情に関する調査及び紹介の事務を嘱託する」ということでした。私が参りました当時、朝鮮総督府官房の調査課は調査係と統計係それに後に独立しましたが国勢調査に関する事務という組織です。調査係には英・独・仏・中国語のできる専門の嘱託と一般経済社会に関する調査の嘱託がおり、かなり大掛りな調査組織でした。これは第一次斉藤総督時代に政務総監有吉忠一氏の発案でできたものです。

ところが、間もなく有吉氏は退官され、そうこうするうちに大正１４年行政整理が行なわれ、調査課長は当時洋行中でもあり、調査課は廃止されて一部の事務が調査係として文書課に吸収されました。どこの場合でも調査機関がまつさきに整理されるということです。その時、私は文書課の調査係に残り、昭和１０年までそういうかたちで調査事業に関係したのです。

その後は満鉄経済調査局（後の産業部資料室）に参り主に朝鮮人問題・同業組合・集落などを担当致しました。それから昭和１３年に拓務省の外廓団体として拓殖奨励館というのができてからそれに関係し、主に朝鮮に関することを担当していました。そして１５年の夏満洲国の総務庁の企画処に嘱託として赴任し、満洲国における朝鮮人関係・村落・市街地の国土計画（総合立地計画）の調査を担当していまして、戦争が始つた年の秋東京に引揚げてきました。戦時中および戦後は昭和女子大に教鞭をとり朝鮮のことは縁遠くなり、最近のことは全く分らないのですが、昭和２８年から隔年天理大学の集中講義「朝鮮の社会経済」それから大体毎年１回関東管区警察学校で朝鮮の社会経済に関する講義を担当させていただいております。で朝鮮総督府の調査に関係しました当時の模様を中心にお話させていただきたいと思います。

朝鮮総督府官房発行の定期刊行物としては「朝鮮総督府施政年報」「朝鮮総督府統計年報」それから「朝鮮要覧」その他観光客や学生に配布するパンフレットの類もあり、私が参りましてから始めた月刊の「朝鮮総督府調査彙報」（後に調査月報と改題）があります。前からあつた雑誌「朝鮮」は、朝鮮在住者だけでなく内地の学者にも執筆願い通俗に朝鮮事情を紹介する目的の雑誌でした。

私ども調査課で調査したものの発表機関としては、不定期に「調査資料」を発行することになりました。従来官庁の調査資料は執筆者の名を出さずに役所の名で発行していましたが、朝鮮のような状況では責任問題が起きた時など、執筆者が明らかになつていた方が良いのではないかと私が提言して、この調査資料は全部執筆者の署名いりで出しました。私が担当の調査資料は、後に１年に２～３冊も出すようになると、余りでしやばつているように誤解をうけ、一部の人から、あんな下らんものを頻々と出すのは無益のことだとお叱りをうけましたが、私は調査資料は学術研究とちがい、施政の参考、或いは研究の資料になるものを、できるだけ早く、多く世の中に紹介するのがよいと考え、上司の諒解と激励の下に、ドンドン出す方針で最初から掛つておりました。

ところが、私に与えられた助手は、編集校正に１人と調査に１人と２人だけ。それもやつとなれて２年もたつと昇進して任官し専門の仕事を担当するように変つていき、また新しい人を迎えるというふうで、いくらか能率は悪かつたのです。しかし学閥の観念が強く官僚主義の旺盛だつた当時、私学出身で何の後援者もない私が幸いにして１３年間も１ケ所で調査に没頭できたのは、全く寛大な上司の庇護によるもので、大変ありがたいことと思つています。

私が関係した調査をどういうつもりでしたか、順に簡単に申しあげたいと思います。私は参りました最初、朝鮮の商業関係の調査のかけている事を痛感しました。農業の方などは専門の技師が多くいられて色々調査がありましたが。ところが日本人の商人の進出・資本の投下にともなう問題、むこうの商業事情が分つていない。そこで最初に朝鮮の市場に関する調査を致しました。当時大正の終りでしたが、まだ全朝鮮に1,３００ケ所の５日毎の市があつて盛んに取引を行なつていたのです。写真を入れたりして出したこの資料が内地の方でも注目をひき、朝鮮内でも市場税廃止論をよんだり、いろいろの面で世間の注意をひきました。そしてその再版の要求が多くなつた時、新しい研究をいれて出したのが，「朝鮮の市場経済」（昭和４年）です。

これは出版社が売らせてくれといい、朝鮮地方行政学会から販売したものもございました。これと関連して内国商業の状態を明らかにする参考書として「朝鮮人の商業」を、続いて「市街地の商圏」を出し、朝鮮の商業慣習に関することをいろいろな角度から考察しました。

そういうことで朝鮮の地方を歩いていて気がついたのが火田の問題です。日本にないような大掛りな火田耕作が行なわれていて、水利・治山治水上・放置できない問題だと考え、「火田の現状」という調査資料を出しました、そのころ総督府の方でも火田問題に注意され、京都大学の橋本伝左衛門氏をはじめ、内地の学者もまじえて火田調査会というものを設け、これが後に火田整理、北朝鮮開発計画に発展しました。

その次に取扱つたのは「朝鮮の契」です。これは組合の性質をもつていて私には非常に珍らしく思われました。朝鮮人の嘱託で李覚鐘という人が慶尚南道の契といういい調査をしておられたので、私は同氏と話し合いこれを全朝鮮に拡げて調査してみたものです。後に農村振興運動のころ、契の組織を農村振興に利用することが必要だというので、部落毎に殖産金融をする団体として殖産契を組織させたことがあります。また　鏡北道の知事になられた富永文一氏は、契とはちがうが郷約を勧められ、関北郷約というものを作つた例がございます。

それから私が比較的力を入れたのは人口問題です。その李朝時代からの変動状況など、人口現象は経済状態を示す重要な指標ですから。はじめ大正１４年に出した「朝鮮の人口研究」は国勢調査の参考資料としてまとめたものですが、後に「人口現象」「人口問題」を出し、ひきつづき興味をもつて参りました。人口と関連して、都市・農村の集落を調べた「朝鮮の集落」の３冊があります。

それから小作制度の調査が問題になつた時、やはり事務の必要上「朝鮮の小作慣習」というのを大急ぎで作りました。従来の文献資料、土地調査の時のもので未発表のもの、それに若干聞きとり調査なども行なつて作つたものです。これと相前後して総督府の農務課では「朝鮮の小作慣行」という非常に大きな基礎調査の結果をまとめたものを出されました。小作制度改善に私のささやかな調査も何程か参考になつたのではないかと思います。

も一つ、私がずつと調査したいと考えて計画したものが「朝鮮の生活状態調査」です。前に地理学者の小田内通敏さんが朝鮮総督府の嘱託をしていた時、部落調査を計画され、予察調査だけで行政整理にかかつてしまつたことがありましたが、私はこれをうけて部落だけでなくもつと広く綜合調査と地域調査を並行して進め、朝鮮の生活状態を明らかにしたいと考え、当時のこととて大掛りなものはできないので、調査係の仕事の一部として年額約２０万円の予算で継続して調査することを認めていただきました。全鮮各地方８ヶ所位の地域調査と総合調査としては、人口および集落、家族制度・社会組織、経済機構、文化、民族性といつたもの等６冊程にする計画でしたが、宇垣総督に代つて、満州事変勃発の頃でもあり、「宣伝が必要なのであつて、調査に余り金をかけるのはどうか」という上司の方針で調査活動は何彼に制約をうけるようになつたのでございます。

私共の調査について日本の大学などからは、生活状態調査などに対し激励がありましたが、地元の一部の学者たちからはどうも評判がよくありませんでした。そんな空気で私どもの仕事は益々やりにくくなり、１０年末で私は総督府をおいとましたわけです。それにしても家族制度、社会組織、経済機構等を十分にまとめえずして朝鮮をさつたことを大変申しわけなく思つており、その後も日本拓殖協会・満鉄・満州国等で朝鮮のことを何程か扱わしていただきましたが、その後たまたま戦争に突入したため、朝鮮に関することを発表する機会がなく、そのままになつてしまいました。

最後にくりかえして私が特に朝鮮在住当時に力をいれたテーマを申しあげますと、朝鮮の市場に関すること、商業に関すること、物産に関すること、産業に関すること、契のこと、火田のこと、小作慣習、災害にともなういろいろなこと、人口集落、特に同族部落、姓に関すること、それから生活状態調査等です。まことにささやかな業績で中には未完成のものもありお恥かしい次第でございます。

〔II〕　総督府の制約のなかて

安藤　討論に入る前に、朝鮮総督府の調査事業の性格と組織、また調査が政策にとりいれられ或いはむしろとりいれられなかつた状況、先生が調査を良心的に進められる中で遭遇された困難についてもう少し詳しくお話しいただけませんでしようか。最初先生が赴任された時は調査課は官房に属してあつたわけですね。それは何名位の規模でしたか？

善生　１４～５名でしたか。それが後に行政整理で文書課の調査係になつた時には７～８名になりました。私と村山智順氏と松田甲という漢学の先生と、嘱託はその３人だけです。ほかに朝鮮側は李王さんの学友であつた趙大鎬とか其他おりましたがこれは政策的嘱託であまり仕事はしませんでした。私がやめて後のことはよく知りませんが桜井義之さんが入られた・・・・。最初の調査課ではほかに英語２人、独・仏・中国語各１人というように語学の嘱託がずらつと居たのが行政整理で根こそぎいなくなつた。ですから松田氏が老令でやめられてからは私と村山氏と２人に助手がつくという貧弱なものでした。それも何人も助手を使わしてもらえば、もつと沢山資料を出せたと思うんです。

学術研究と異つて何年も念入りに調べるよりは、今迄総督府の中などにしまわれている未発表の資料を整理して公にすることを目的としました。調査彙報（月報）は各課の調査のエキスパートが持つておられるものをもらつて来て、出すということを目標にしていましたが、はじめは外部の原稿はなかなか入つてこず１冊全部かいてしまうようなことがありました。後には性格も分り、方々から寄稿が集つてきましたが。そのほか「朝鮮」の方もページ数が埋らないということでほとんど毎号執筆するようになりました。そして私は朝鮮を紹介するのも役目でしたから、内地の「東洋」などにもさかんに寄稿しました。そんなことで目録上では大変沢山やつたようにみえるのです。私は永年の新聞記者生活の習慣で昼間はちやらんぽらんと資料をたずねまわる位で、仕事は夜家へ帰つてから、家族と映画もみにいかない位にして一生懸命やつたんですが、なかにはあいつは毎日遊んでいて高い月給をもらつていると、悪口をいわれたこともありました。今では余り統計や字をむやみにかいたためか書痙という病気になり右手が不自由で字がかけなくなつてしまつた。手を使い古してしまつたんでしようか。

資料は何しろ統計を多く入れて出すことにしていました。朝鮮総督府としてですから、朝鮮の人に関すること、内地と朝鮮との関係など大問題にふれる議論はできず、結論のようなものは容易に下せない。で統計を並べて実態なり動向をお目にかけるというやり方をしたので統計がむやみに多くなりました。誰かが、「朝鮮の窯業」という資料をくれといつて注文してきたので送つてやつたら、こんな統計ばかりの本はいらんといつて、わざわざ返してきたことがございました。それと民族問題は絶対タブーでした。私はやめてから勝手な放談をしましたが、これは大問題ですから軽々しくいつちやいけません。

それから調査には随分むつかしいことがございました。何しろ今とちがつて、私どもが朝鮮人の家庭に行つて、今何を食つてるかとか、収入は幾らあるかときいたら、ひつぱたかれるような時代でしたから、やはり朝鮮人に頼んでやる。それでも開城で水汲みの写真をとつていた時、早稲田の学生というのがきて朝鮮の悪い所ばかり写して君達何にするかというので、写真機をとられかかつたことがございました。

それから施政の参考ということですが、役所の関係上一々上司にお伺いをたてることもできませんから、あらかじめこれこれの範囲で調査したらどうかと、文書課長にお話して許しをもらうというふうにしていましたが、官庁の仕事は予算その他のことに拘束されなかなか敏速にいきませんでしたが、税制改正・小作制度・火田・市場の問題などは、資料が直接役所の材料になつたこともあつたかと思います。尤もそういう問題でも、素人が大急ぎでやるのですから、後で専門の部局からお叱りをいただくようなこともあつたでしよう。それで調査彙報の方は各課をまわりたえず専門家にお願いすることにしたわけです。

それから「施政二十五年史」ですが、あれも私ども調査係の部屋で各局課の古い人の話をきいて資料を集め、執筆を小田省吾先生にお願いするということでした。内輪の話ですがあれは総督時代史という構成です。私は産業とか教育とか警察とか部門でわけていただきたかつたのですが、何でも総督時代史にしろということでした。

宇垣総督の功績は山梨総督に比べてこうだとか、結局２５年史でいえば宇垣総督が一番良いというように、また後の３０年史なら南次郎が一番良いというようにかくしくみにもつていくのですから歴史家にはやりにくかつたと思うんです。

歴史家のあいだではいろいろ議論はありましようが、しかしまあああいう極めて尨大なものが出来ました。

旗田　松田先生は日鮮史話などもかいておられますね。非常に多才な方ですね。

善生　ええ。あの方は最初土地調査の技師でいたわけです。漢詩ができますから、歴代総督が詩を作つたりする時、それを添削する人が必要だということで総督府におられたわけです。総督府の中には祝辞とか式辞を書く係もありましてね。それを宇垣さんは自分で書くこともありました。斉藤総督などは、係がまちがえて昭和７年とやる所を大正７年とかいてあつたら、その通り平気で読むというふうで、いかにも大人の風格を備えていられた。

旗田　それから、　麻生武亀さん、今村鞆さんとはお仕事の面で関係はございませんでしたか？

善生　あの方は中枢院の方の調査課でした。中枢院の方にやはり調査課があつてこれは全然関係ないんです。総督府官房の調査課は直接施政をやる参考或いは朝鮮の紹介ということで。いくつも調査係があつたわけです。

旗田　しかしやつておられるお仕事は随分関連しておられる。そこが面白い所ですね。姓に関する調査とかね。

善生　今村さんは先輩であられましてよく私の所におみえになりました。本格の歴史家ではありませんが、風俗に明るくかかれるものが大変面白いので「朝鮮」にもいろいろお願いしてかいていただきました。姓については、今村さんが中枢院で「朝鮮の姓名氏族に関する調査研究」を出されたのと、私の「朝鮮の姓」それと関連して「朝鮮の聚落」の一部で同族部落を扱つたのと別個のものです。私の場合初め国勢調査の材料で朝鮮の妾の制度を調査してみようと思つた。統計をとつてみると有夫の女が非常に多く妻のある男が少ない。それが非常な差だつたんです。それは妾が妾といわなかつたためなんです。ところが李王さんが妾の子だとか、朝鮮の貴族は大概妾を持つているというような調査をされては困るというんで結局とめられました。そして姓の調査はやつてよかろうということになつて、国勢調査の世帯主の姓を拾い出して統計を作つたものです。だから夫と妻と姓が異う場合、妻の姓の中にあそこに出した２５０種の姓とまた異つた姓があつたかもしれない。姓だけ調べるのに相当多くの経費がかかりました。同族部落を紹介する時には別に照会もしましたが、基礎はやはり国勢調査でした。

旗田　京城大学の方から特にこういつ点を気をつけてほしいというようなことはございま

せんでしたか？

善生　そういうご希望があつたら勿論それを考慮に入れてやつたんですが。それよりは1年に2～3冊も資料を出すことを良く思わない。そういうことの方が大きかつたようですね。研究の領域を冒すなんてことではなかつたんでしようか。

旗田　冒してもちつともさしつかえなかつたと思うんですがね。

善生　面白いのは内地の某大学教授で、私の所に来て、冗談まじりに僕の研究室でこういう調査をやるから君はやらんようしてもらいたい、やつても良いが発表しないでもらいたいというんです。

〔Ⅲ〕　**セクショナリズム**

旗田　セクショナリズムですね。

善生　学閥の関係は非常にやかましゆうございました。「地理大系」の時も、誰々が執筆するならおれは書かんなんていう学者がおりました。あの方にはお願いしてありません。そんなら書こうかなんて。あの時はまた同時に「日本地理大系」と「日本地理風俗大系」が企画され、両方が写真や記事の収集にものすごい競争をしましてね。私の所へ両方から社員がやつてきて、私は同じ執筆者では面白くないから別の人を考えてあげようといつてやつたんですが、今いつたようなことでなかなか骨が折れました。

旗田　黒正さんの仕事は経済史論稿にのつている2～3篇の他に何かありましたか？

善生　良く視察や講演に来られましたが、特にお書きになつたものはないようです。あの方の研究室を出た方を朝鮮総督府においれになつたりして。

安藤　先生の学位は京都大学におだしになつたのですね。

宮田　それから先生が「小作慣習」を出された同じ頃にやはり「小作慣行」が出ておりますね。

善生　全然関係なしです。「小作慣行」の方は農務課で大規模な実態調査をした結果をまとめたものです。私の方は主に文献で過去の慣習を調べ、それに直接きいて歩いた部分も少しありますが。

宮田　そうすると、中枢院とか農務課とか同じころ同じ総督府の中で同じものが全然関係なしに行なわれたとみていいのですね。

善生　各局課の調査は当面の必要から行なうので、必ずしもバラバラとか無計画にやるようなことはあり得ないと思います。つまり、中枢院は旧慣調査を、各局はその所管事項の調査を行ない朝鮮統治全体のことを総督官房の調査課で行なうという趣旨で、その間に別に矛盾重複はありません。

安藤　大正１１年に官房調査課ができる前には調査課はなかつたのですね。

善生　それは農務局・学務局等それぞれの局課に調査する係はあつたはずですが、そして土地調査、税制調査、資源調査、地質調査とか古蹟調査とか継続事業で特別の機関が設けられたことはありましたが、官房に直属の調査機関は、有吉政務総監の時代にできたのが初めてです。

安藤　そうすると有吉さんの時代に、各課でそれまでバラバラに無計画にやつていた調査を綜合して官房調査課というものを作ろうとしたのですか？

善生　ところがそうでないんです。各局の調査はそれぞれそのままあるが、総督官房で朝鮮事情を紹介し朝鮮の基礎調査を行なうことは、文化政策推進上必要だという構想のもとに調査課をおいたので、全然別個のものです。

安藤　もともとそういう機構にもセクショナリズムの原因があつたのですね。

善生　官房のは朝鮮統治に当面必要なものを調査するということでした。だが参りました私が比較的経済関係をやりましたので経済関係が沢山出たと思うんで、私の行く前にいたのは英語やドイツ語など中学の先生あがりのような人で、特別の調査機関に所属した人を収容したのでないから、こういう人たちからは余り調査資料は出なかつたわけです。

〔Ⅲ〕　調査はここまでいつた

安藤　調査のテーマなどは先生が決められたのですか？

善生　それはみな自分でたてたのです。そして妾の調査がいけなかつた位で、他は全部やらせていただきました。２～３年先にやるものを今から考えて資料を集めておくというふうにして。１年に２～３冊出したこともありますがこれは予算の関係です。お金があればあるだけ使つて出した。大体印刷部数は千部位で、日本の大学、主な図書館、著名な学者、政治家、朝鮮内の役所・学校等へ送つたわけです。ものによつてはもつと沢山ありましたが。

安藤　総督の方から直接立法の参考というようなことで調査を命ぜられることは？

善生　殆んどないですね。人口の調査をした時、池上政務総監が山地帯の死亡率が非常に高いようだがということで、特に説明しろというので総監の所へ行つた記憶があります。これは後に山地帯の衛生状態を特別に調査する会が設けられました。それ位で大体は調査資料について後でどうこういうことはなくて、ドンドン出して行きました。私ども本官の役人でないものが一定の仕事をやるのはやりにくいものですが、１３年も続けて各種の調査をやらせていただけたのは上司のふかいご理解があつたからできたことと思います。

安藤　嘱託という地位は？

善生　本官ではありませんが、官吏服務規律によつて束縛されるわけです。しかし本官よりは自由にものがいえた。そのかわり、私は専任の嘱託ですが、仕事だけする。だから私ははじめほんの２～３年いて朝鮮を知つてくるというつもりだつたのが、つい永居してしまつて・・・

安藤　調査彙報を出すことにしたのは ？

善生　当時の調査課長の発案でございました。

旗田　調査課長というのは相当調査の必要性を認識する人でしたか？

善生　大西さんは有吉さんが兵庫県知事の時、氏の部下で後に香川県の警察部長をしていたのを抜擢されたのですが、後に東京市の助役、横浜市長になられた優秀な人でした。それからその下に調査課の事務官をしていた薄田美朝という後に東条内閣の警視総監をした人がいましたが、この人も有吉さんの兵庫県知事時代の事務官か、何かの縁故でした。

安藤　有吉さんは後藤新平のような雄大な考え方をされる方でしたか？

善生　まもなくやめられたから良く分りませんが、清廉謹直な識見の高い行政官で、非常に役人として立派な方だつたようです。

〔V〕　調査の困難あれこれ

宮田　色々お話が出ましたが、どういう風に具体的に調査をなさつたか、何でも結構ですから一つ例をあげて詳しくお話しいただけませんか？

善生　何しろ少ない人員でやる仕事なので苦労致しました。生活状態調査の場合、私の懇意な郡守とか府尹の居る所に依頼して写真をとるにしても、記事をとるにしても役人とか色々の人達をわずらわすことが多かつたのです。大島良士という人が府尹をしていた平壌府、それから水原郡・済州島・江陵郡・慶州郡など。生活状態調査は領内のことを洗いざらに調べるので特に骨が折れたのです。もう一つは文書で照会する方法です。日本の役所では文書で照会した位ではとても回答してこないのですが、朝鮮の場合総督府が中心ですから所属官庁はみな照会に答えてくれ、大分利用しました。同族部落の場合そういうものも大分使いましたが、同族の事績を紹介してくれるんならというんで、随分奮発して写真をとつてくれたのをいただいたこともありました。それから「小作慣習」の場合ですと、土地調査の時の基礎調査の未発表のものというふうに古い文書・文献も利用しましたが、大体は新しく助手をつれて実地に行つて調査したものでした。

旗田　ききとりですね。調査票は使われましたか？

善生　これは仲々当時の状態では一般に記入をお願いする所まで行かない。郡守に職員を集めて、こういう方が来ておられるから、いつまでに回答するようにというようなことを話していただくという程度でした。ただ江陵の調査をした時、農学校の校長が非常に協力してくれて、生徒を使つて、生徒の家で１ヶ月何回市場へ行くかとか、どういうくらしをしているかとかいうのを調べていただいたことがありました。照会調査などは限度があつて、初めはよくやつてくれるが、しまいにはちよつとうるさいぞとお叱りをうけたり余りやれない。

安藤　ききとりは朝鮮人を使つて？

善生　ええそうなんですが、それがうまくいかんのです。こちらの大学を出た人でも、例えば生活状態調査というのをむこうの言葉で伝えると民情調査というようなピンとこないことに変つてしまつていたり、それから山間の分教場のありのままの状態をみようと思つて行くと、「今みちや困る。明日来てくれ」という。それで翌日行くとちやんと飾りたててあつたり、色々思うように行かんことがございまして、何程かその当時のありのままの朝鮮の状態を分るようにしようとしたが、あんなものしかえられなくて。

安藤　今までお聞きした所ですと、性格として満鉄・台湾とはおよそ違つたやり方ですね。

善生　異うと思いますね。朝鮮事情に関する「紹介」の事務ということで。そして非常に規模の小さなものなんです。調査資料は多く出しましたけれど。但し総監も代つてしまつてお作りになつた主旨と異つた調査機関になつていたかもしれませんが。関東大震災の時なども総督府の局課長を７～８班に分けて阪神地方とか東京付近とか区域別に朝鮮の事情を紹介にきたのですが、最初の考えは、朝鮮の事情を紹介するために分りやすい小規模の調査をやり、同時に外国の植民地統治に関する資料を集めたいというので外国語のできる人を何人もいれたんだと思うんです。

宮田　日本や外国にもつと「朝鮮事情」を紹介宣伝しなければという「反省」があつたわけなのでしよう。

善生　そうです。そのために映画の班などもありましてね。それから外事課の小田安馬さんに執筆してもらつて英文朝鮮要覧というのを出した

安藤　先生が余り調査活動者として有能でありすぎて、各課でバラバラにやつていたことを全部やられてしまつて、それで性格が変つてしまつたということでしようか？

善生　そんなことは断じてありませんが、もしそうとすれば私の至らなかつた所で・・・

安藤　満鉄の場合、科学政治家といわれた後藤新平が初めから大きく調査を一本にしてそこで科学的に調査した結論をそのまま満州経営に生かすという考えだつた。台湾での経験を生かしてそうした。朝鮮の場合はそうでないですね。

〔VI〕　支配者としての弱点

旗田　そこが何か同じ植民地統治といいながら姿勢が異うと思うんです。外国へ行つている感じじやないんでしようか。当然日本国内なら日本全国調査部なんてなくて、各省でそれぞれしている。それを小さくしてそのままやつたんじやないかな。

安藤　どういうわけでしようか？

旗田　やはり植民地という意識がないんじやないでしようか？

宮田　しかし、三一事件の後では民族事情を知らなかつたというような反省が非常にありましたね。三一の原因を固有の生活感情を無視したとかそういうことに求めて、それが小規模ながら調査課をもとうということになつた動機じやないですか？

旗田　それから、日韓併合当初は治安維持に追われきつていたんじやないでしようか？初代の寺内総督の武断政治とか、相手のことは知つちやあねえという風な面で。

安藤　大きな植民地経営のイメージがなかつた感じですね。満鉄の場合、初め非常に大きな意味を持たせられて調査部が出発したのですが、大正３年に縮少されて調査部は地誌だけやつていれば良いんだというんで行政整理があつた。やはりあそこは日本と異つた所だし、ロシアとの関係もあるし、それから中国の民族運動の波もかぶつているということから、も一度復活して後藤の夢が再現するんですが、朝鮮の場合、有吉忠一の構想というのも後藤新平の構想とは異うようですね。それが宇垣の時代になると益々属僚的というか官僚的になつて行くんですね。

善生　内地から観光団が来て、我々が色々朝鮮事情を説明していた。それを「おれがやろう」というので、宇垣総督自らがやるようなことがあつたんです。

安藤　自分の宣伝ですね。

善生　宇垣総督時代には、調査というより宣伝ということが極端に出て参りましてね。あの時は総督のお声がかりで、施政年報も形が変つてページ数が減つたし、朝鮮要覧もうすつぺらになつてしまつた。総

安藤　或る時期、調査月報が官房調査課で出されて、書く人は各課の調査的な仕事をしている人ということで、一時期調査課で総合するというようなかたちがございましたね。それを宇垣がも一度縮少させてしまうということですね。

宮田　農村振興運動の時、指導部落で現況調査を徹底的にやりますね。あの資料は体系的にまとめられなかつたのですか？

善生　やつてはいましたね。だがあの頃から後になると、南・小磯総督の皇国臣民の誓のように、農村振興運動が一つの信仰みたいになりましたからね。

安藤　そうすると、先生のやつていらした調査は非常に貴重な成果をあげながら、だんだん充分くみあげていかれないことになつたといえますね。

善生　それぞれの専門家からみたら大急ぎで作つた調査ですから大したことは無いかもしれないですね。

〔VII〕　満鉄時代

安藤　昭和１１年に満鉄に移られてからのことをもう少し詳しく。

善生　満鉄では経済調査局（後の産業部資料室）の満州経済班に入りました。大上末広君が主任でそこの嘱託でした。満洲５ヶ年計画を関東軍の方から委託されてその立案を担当したわけです。私はさつきいつたように協同組合関係、村落関係、つまり集団農村とか朝鮮人の入つている集団部落などを主に扱つていました。

安藤　他に同じ班の方は？

善生　大上氏のほか、和田耕作さんと、それから松岡　瑞雄という人。大上・松岡二氏は亡くなつていますが、鈴木小兵衛氏は班が別でした。

安藤　大上さんが実際に調査を指導されたのですか？

善生　ええ、私個人的にも大変懇意でしたが、あの人は後に京都大学の助教授から家族をおいて新京へ行き、着いてすぐ満鉄事件で捕つたんです。そしてパラチフスかで病院に入つていた時分、留守宅が火事にあつたんですが、大上氏はそれを知らずに、僕はもう死ぬかもしれんが、死んでも本を沢山持つているから、あの本を売つて食つたら当分やつていけるだろうなどと、家族の事を心配していたそうです。気の毒なことでした。

安藤　満鉄事件の頃は先生は？

善生　私はもう東京の方に帰つていました。

安藤　そうすると満鉄は１１年から１３年まででですね。その頃のお仕事は？

善生　余り出てはおりませんが。浜江省阿城県の調査とか吉林省の調査とか、それから朝鮮人雑居部落の調査で吉林からちよつと離れ大屯という所に行きました。その外に満州国の産業部の農村実態調査にも参加したんでございます　。満鉄のでなく向うの資料になつたものですが。

安藤　そしてお帰りになつて？

善生　東京の拓務省の外廓団体の拓殖奨励館の嘱託です。拓殖知識の普及をやる外廓団体で、台湾・樺太の調査、それから和歌山県の海外移住部落の調査を致しました。

安藤　それから満洲へ再びいらしてそこでのお仕事は？

善生　企画庁の綜合立地計画の係で、農村とか市街とかの調査をしていました。特に私は朝鮮人関係を担当致しました。

安藤　そして１６年におやめになつたのは戦争になつて？

善生　満洲国・満鉄の場合嘱託は１年契約なんですが、私は１５年にいつて丁度１６年末までで期限が来たわけです。東京に帰つてきてからすぐ開戦になつた。家を大連にたてていたのをすつかり処分してきました。

安藤　総督府の調査の仕方と満鉄・満洲国でのそれと組織の仕方などの異いがありましたか？

善生　どちらも余り大規模で朝鮮総督府とは比較できないですよ。大きな組織で一部門を担当したらそれだけのことをやるんですから。１年間に１項目をあてがわれてやるというような極めて悠長な調査で早くやらなければならないわけでもなし。余りバタバタやると若い人に叱られますから。何しろ資金も多いし人材も多いので、多勢専門家がいますから、１人であれもこれもやれないのです。朝鮮の場合は何もかもやらねばならなかつたのですが。とにかく比較にならないんです。大急ぎで５ヶ年計画の仕事が来るような時は多勢がパーッと一度に分担して次の何曜日に全部報告するというやり方ができる。それからまた満洲国は大変雑ばくでね。優秀な人が居たかしらんが、大急ぎで方々から色々の縁故で人材を集めて来た。５・１５事件の関係者とか、中には大臣級の大物もいて、お互いに誰が何してるか全然知らずにいる。私のうけもちは綜合立地計画という所で集団農村とか朝鮮人の入植している所の関係をやつていたが、満洲国の方はすでに。非常事態に備えるというのですから、臨戦態勢として見る外ありません。

旗田　ともかく満洲と朝鮮は非常にちがいますね。

安藤　東京に帰られてからは？

善生　帰つて来てからは、家族を疎開させて私の家を北海道開拓協会というのの本部に貸して３０人程人が来ていた。私もその嘱託になつて少し手伝いました。これはまた役人もいれば商人もいる焼け出された中から、希望者を募つてとにかく北海道に移植させるというんだから戦災復興の困難な仕事です。東京都・北海道庁・北海道興農公社などがいつしよになつて、できた協会です。私も何回か北海道の入植地を調べたりしました。昭和１８年からは埼玉県の農村協同組合の仕事をみたり埼玉県の耕地整理協会なんかをやつていました。何か仕事がなければ汽車にも乗れない時代でしたから。もう学問的な研究など出来る時代でなかつたですからね。

安藤　そして戦後昭和女子大の教授になられたわけですが、太平洋戦争の頃は調査のお仕事もやられなかつた？

善生　ええ何年か遊んだわけです。ただ戦争中朝鮮からつれられてきた労働者を世話する中央協和会というのがあつて、関屋貞三郎さんが会長で、厚生省の外廓団体でしたが、そこの別に手当を頂かぬ嘱託になつてひつぱり出されて講演に行つたりしましたが、朝鮮関係の仕事といえばそんな位で　昭和１８年春一カ年間総督府の嘱託で、全鮮の皇民化状況を視察し、各地で講演しました。

安藤　戦後一時朝鮮研究が忘れられていましたね。それが朝鮮戦争が起つてアメリカなんかが目をつけはじめた・・・・

善生　はずかしい話ですが、あの時本屋の手を通して持つていた朝鮮関係の史料を全部アメリカ国会図書館にゆずつてしまつたんです。本が２千冊程ありまして、写真は別の時アメリカの大学に売つたんですが、その后朝鮮研究が復活するなんて分らなかつたものだから。あまり日本が勝手で悪いことばかりしたようにいわれたものだからあの資料をむこうの人にみせておく方が良いというねらいも一つあつたんですが、あの頃のことでまとまつたお金が必要だつた。今持つていたら貴重なものですが。その前に朝鮮の研究者の李在茂さんが来られて、安くゆずつて頂けないかという話になつた。私は彼の人柄が良いのと余り熱心なので好きになつちやつてこんな人に勉強してもらいたいと思い、私の生活状態からただというわけにもいかんが、君のいう通りの値段でゆずろうということになつたんです。そして李君はその資金を調達してこようということになつたが、あの頃のことですから個人の力でなかなかできなかつたのでしよう、後で知つたのですが、この方はその後病没されたそうで哀悼にたえません。

〔Ⅷ〕　新しい朝鮮研究を

安藤　本当に残念でしたね今考えれば　そういうことで今日に至つたんですが、それでは最後に朝鮮研究の先輩として今後の朝鮮研究に対する先生の希望・注文をうかがわせていただきたいと思います。

善生　私、現地調査に終始したものとして、早く日本と朝鮮が正常な国交を回復して日本の学者が実地をみられるようになり、新しい観点から朝鮮を研究するようになつたらどれほど良いであろうと思う、それ位です。私はもう過去の朝鮮研究者で、割に自由な立場でしたが、何といつても総督府の役人としてやつたことが多いんですし、その朝鮮観でなしに、自由な立場の新しい観点から朝鮮をみなおして研究していただくことが最も必要なことと思います。

小沢　日本のアカデミズムから先生はいつも疎外された地位におられ、嘱託というかたちで調査をやつてこられた。そうせざるをえなかつたような戦前の日本の学問成立の全体が問題だと感ずるんです。そういう意味で朝鮮に限らず、戦前の学問についてどういうお考えをお持ちでしようか？

善生　私、朝鮮を調査していて、役所の調査ですからどうしても行政区画に重きおくことになる。所がそれを京城大学の秋葉さんは社会学の立場からどうであるとか批判されました。我々の調査は社会学とか政治学・経済学にとらわれず、今日の朝鮮の知識、今後どうすべきであるという問題点を明らかにし、それで政治家が政策をたてていくようにさせる、ということでしたから心外でした。そういう意味で自分なりに、ずい分思いきつたことをかいたつもりです。貧民や窮民が朝鮮にどれほどいるか、救荒食物の実態などの資料を、総督府の方で出せない時は「東洋」に出すなどして機会ある毎に発表しました。朝鮮統治がこんなにうまくいつているといおうとする時そんなものを出されては困る、そういうことで総督のうけが悪かつたのじやないかと思います。牧山さんの「朝鮮新聞」も思いきつたことをかく方で、総督の視察の前に麦の穂の折れたのをわざわざ糸でつるして折れているのをみせんようにしたという話なんか出していましたが、そういうことじやなくて資料の上からガツチリ窮民の状況を説明する。それから大学を出た朝鮮人に職がないという問題でも、教育を奨励し向学心がのびているのに、それで就職できないとなれば、思想がおかしくなるのは当然だから、注意しないかということをかきました。

小沢　先生が非常に朝鮮の人民生活の実態を反映させようと努められた、そういう姿勢に今日の先生の若さの秘訣があるような気がします。

善生　特殊な風俗習慣を伝えるということもありますが、生活状態がこうであるということを日本人全体、また政治家が早く正しく知ることが必要だと思いましたが、途中でやめてしまつて・・・・

小沢　先生のお仕事全体が結局日本の学問に対する批判になつているんだと改めて感じました。

安藤　長時間にわたつて、大変有益なお話をありがとうございました。

朝鮮史編修会の事業を中心に

報告者　末松保和　（学習院大学教授）

出席者　旗田　巍　（東京都立大学教授）

幼方直吉　（中国研究所理事）

宮田節子　（日本朝鮮研究所所員）

武田幸雄　（東京大学大学院）

旗田：従来の明治以後の学者の研究の業績を追いまして、現在これからどう考えていくか、いろんな角度から話をしていただきたい。最初に私がやりましてその後四方先生、文学関係では金達寿さん、中野重治さんにやつていただいたわけですが、今日は末松先生にお願いして朝鮮人の研究のあとをうけてやつていただきます。末松先生はご存知だと思いますが、京城大学に長くおられましてそこで研究をなさつた。当時の京城大学といいますと、日本人の朝鮮史研究では中心だつたわけです。京城以外にも研究者はおられましたけれども、何と云つても京城が中心だつた。そこで中心的な地位を占めて活躍していられたのです。今日はその頃のご体験を中心として、主として京城における朝鮮研究を中心に先生のお話をうかがいたいと思います。

末松：何からお話ししていいかわかりませんが、私の履歴を申し上げることをタテ糸として、旗田先生のおつしやつた題目にふれてみたいと思います。

私が京城におりましたのは前後１８年でありますが、はじめの半分は総督府の官吏として朝鮮史編修会の修史官補という肩書で暮しました。後の約１０年を京城大学の教師として過しました。官吏と大学の教授と変つてはおりますが、幸いなことに内容的にはずつと朝鮮史の研究を１８年間続けられたわけです。

はじめにまず、朝鮮史編修会のことを申し上げたい。これはご存知のように、大正１４

年に朝鮮史編修会官制が出来まして、総督府直属の事業として朝鮮史の編修が開始されました。これを主宰されたのは稲葉君山先生でありますが、その参謀といいますか推進力というような役割を務めましたのが今名古屋大学におられる中村栄孝君であります。私は大学では日本史、特に江戸時代をやつて論文を書いたのですが、中村君が一人ではどうも心細いから誰か新しい卒業生をというようなことで、黒板先生が末松行け、というんで私は行きたくなかつたんですけれども、無理やりに命ぜられて行つたわけです。

方向転換をよぎなくされたものですから行つてから三ヵ月もたつかたたないかで神経衰弱になつて、神経衰弱になつたとたんに風土病の赤痢になつてしまいまして、これ幸いと家に帰りました。そのまま日本にいようと思つていたのですが、そういうわけには行きませんで、翌年3月改めて出直し、そのまま居つくことになりました。

ずつと第1篇部（三国時代）、第2篇部（新羅統一時代）を担当して5年程たつて出来上つてから配属転換になつて、今度は第5篇部（李朝の後期の前半）その最後の正祖朝24年ばかりの編纂を担当することになり、この主任は稲葉さんでした。そういうことで主として第1、2篇、部分的に第五篇にタッチしたわけです。しかしその職責を通じて、朝鮮史の勉強とか研究という点からすれば、単なる編修者に止らないで、少しオーバーな言葉でいうならば大学院に入つたような生活を許された、というのは、稲葉先生とそれに今西先生の二人の下で勉強出来たからです。今西先生は第1・2篇部の主任ではありましたが出勤されるようなことはなく、週に一度とか二週に一度とか、私のやつた仕事を先生のお宅に持つて行つて見てもらつたり質問に応じてもらつたりしたのです。傾向の異なつた二人の先生について朝鮮史の古い所を勉強するということが許されたようなわけです。

ご存知のように稲葉さんは内藤先生の系統をひいた一つの形というか見方というか、そういう点で特徴のある先生です。それから今西先生は稲葉さんとは全然傾向を異にした考証学派でありまして、私は第1・2篇の資料を集めるという仕事を通じて、両方の考え、あるいはやり方を教わることが出来たわけで、後から考えてみて非常にいい2人の先生を与えられたのだと感謝している次第です。

ところがもう一つ、編修会の推進力のような存在であつた中村君がおつたということも見逃すべきでないのであつて、ご存知のように中村君はかわつた勉強をする人であります。私の家と中村君の家とはあまりはなれて居らず、私の書斎から中村君の書斎が見通せます。私の寝る頃になつて彼の書斎に電気がついてそれが暁方まで及ぶんです。これが私にとつて非常な刺激になりまして、うかつに早く寝てしまうわけに行きませんでした。

朝鮮史研究の中で2人の先生があり、そして1人の先輩があつたことは愚鈍な私にとつてかけがえのない条件だつたと思います。中村君と私との気持の一致、その間から生まれたのが「青丘学会」で、その機関紙として「青丘学叢」を出すという事になつて実を結んだわけです。その第一号はたしか昭和5年の8月に出たと思います。2人とも24，5才の頃ですから編修事業だけでは物足らない、視界がせまいということで京城大学の先生たちや総督府の官史も一緒になつた朝鮮史研究の学会をおこそうという話し合いが2人の間に出来まして、その実現についてさんざん計画を練つたのです。その頃京城大学ではそれぞれの専問の人が自分の専問の学問を朝鮮にあててみて、朝鮮の研究をやつてみたいという気運が非常に強かつたわけです。例えば刑法の不破先生は朝鮮刑法史をやつてみたいとか、四方先生は朝鮮経済史をやつてみたいというように。われわれ2人がいちいち個別訪問をして顧問だとか役員になつていただくようといつてまわりましたが、いたる所で賛成されまして、「青丘学叢」が出ることになりました。そしてそれは10年あまり続き、第30号を昭和14年10月に出して、終刊といたしました。

われわれの出しました青丘学叢が朝鮮人側えの一つの刺激となつて「震檀学会」という学会ができ、そこから「震檀学報」という雑誌が出ました。青丘学叢が刺激になつたというと朝鮮人側の方で不満を持つかも知れませんが、青丘学叢ができてその中にもちろん朝鮮人の役員も2、3入つておりますけれども主流は日本人の学界であり雑誌でありましたから、それに対して、朝鮮人を主体とした、諺文まじりの朝鮮語による朝鮮研究の団体「震檀学会」が出来、「震檀学報」の出版に至つたというのは、やはり「青丘学叢」が関係があると私は考えています。

さて朝鮮史編修の事業は、編年体史の編修で、内容を要約した部分を日本文の「綱文」とし、それに「史料」をつけるという形のものですが、それを外部に発表するには史料全部を印刷することは分量的にも時間的にも大変ですので「綱文」だけを出版して何によつたものという「史料の名」を注記するだけで、史料そのものは印刷はしないということで昭和7年から印刷をはじめ昭和13年までかかつて今の37冊の「朝鮮史」ができたわけです。この37冊の「朝鮮史」は日本の朝鮮統治の一つの置みやげであることにはちがいありませんけれども、それが朝鮮史の研究にどれほどプラスしたかということになりますと、ちよつと異論があると思います。この朝鮮史編纂事業は朝鮮統治の、すなわち政治の一部分としての朝鮮史編修なんです。ここに一つの矛盾があります。その矛盾は何かといいますと、植民地の歴史を統治者の手によつて編むということは、統治の一つの方便としては一応有効な方法であります。即ち総督府は朝鮮の歴史を明らかにする、朝鮮の資料を集める、朝鮮の歴史を書くということで一部の朝鮮人は喜んだ。ところが反面それは早く限界が来ることでありまして、朝鮮史の研究をやるということは、やればやる程朝鮮民族とか朝鮮文化というものをよみがえらせ、意識させる有力な道なのであります。それははじめは政治の一環として着手されまた認められた事業でありましたけれども、進むにしたがつて、政治の一端ではない逆の方に、つまり逆効果をもたらさずにはおかなかつたと思います。

植民地においてその国の歴史を支配者・統治者が書くということは矛盾がある、出発は政治の方便ということにあつたとしても、最後にはそうでなくなる方にだんだんと発展することになつたのではないかと思います。そういう点では総督府の官吏が朝鮮の統治をするのと、歴史家が朝鮮の歴史を編纂するのとは大きな立場の違いがあつたように思います。総督府の食祿をはんだ歴史家は、「御用学者」の名を頂戴しますがそれは全面的に正しいとは考え得ません。次のように六編部に分けて編修されました。

さて「朝鮮史」は第一編（新羅統一以前）

第二編（新羅統一時代）

第三編（高麗時代）

第四編（李朝前期）

第五編（李朝中期）

第六編（李朝後期）

「朝鮮史」に対する評価は、具体的には、各編それぞれについてなさるべきでありましよう。編修会の事業全体からみれば、この３７冊の「朝鮮史」を出版したことよりも、その前提乃至裏付けとして、民間の史料を採訪し、主要なものは複本をつくり、さらに主要なものは活字あるいは写真版をもつて出版したことが、よりたかく評価されるべきだと思います。

中村栄孝君が黒板博士記念会編「古文化の保存と研究」に書いている数字によれば、地方・民間からの借入史料は4.９５０件にのぼり、複本のつくられたものは約2.０００冊に達したとあります。そしてそれらの中で新らしく印刷公表されたのが「朝鮮史料叢刊」で、前後２０種に及びました。また代表的文献史料の写真集として「朝鮮史料集真」正続3帙が出版されています。

編修会のことはそれくらいにして京城大学における朝鮮史研究あるいは朝鮮研究という

ことについて申します。これはメカニズムとしては朝鮮史編修会には及ばなかつたと思うのです。朝鮮史とか朝鮮文学・そして朝鮮語学の講座というのはありますけれども、個々の先生の個人的な研究であつて、総督府が編修会を作つて編修官・編修官補を任命してやつたような大がかりな事業に比べると、京城大学での研究は個別的な小規模な研究であつた。それを集めれば多彩なものでありますが、機構としてはやはり朝鮮研究の一番根本的なものは朝鮮史編修会が大きいものであつたと思います。

私は編修会に半分いて京城大学に半分いたわけですが、大学では孤立的な研究室の人間になつてしまつたような気がして、一種の心細さ、孤独感を覚えました。

他面から見ますと、京城大学における朝鮮研究は、それぞれ専門の一般的な理論をもつた人が、それを背景として特殊的な朝鮮研究をやるというのですから、朝鮮史編修会ではできなかつたような多方面の業績があるわけです。それらの業績の中でも、内藤吉之助教授の法制史研究や、四方博教授の社会経済史研究は、私の最も敬服したところです。

私は幸いであつたと思うことは、総督府の手で朝鮮史をやるということには限界があり矛盾がある、その矛盾があまり発展せず具体化されないうちに日本の統治時代が終つたということであります。

以上とりとめない話しですが、ご質問があれば・・・・。

旗田：皮切りに私から。この朝鮮史は非常に膨大なもので、末松先生がその限界をおつしやいましたけれども政治的には一つの大変なものだということなんです。けれども大変普及もしていますが、ああいう形にするモデルといつたものはなかつたのですか。

末松：それはやはり日本の東大史料編纂所の「大日本史料」や「大日本古文書の形をそのまま持つて行つたんです。特に直接的には「大日本維新史料」の流れを踏襲したものです。

旗田：専門的な立場から見れば、余程の膨大なものが出るそのもとになる資料を出してもらつた方が、という気もするんですがね・・・・。維新史料はしかし史料そのものとはちよつとちがいますね。

末松：ええ、ちがいますね。むしろ最後の形は維新資料に近いです。

旗田：維新史料の形をとるかどうか始めに議論があつたと思うんですが、この辺の経過なんかわかりますでしょうか。

末松：これはただね、全部史料まで出しては分量的にあれの何十倍もかかるので、やむをえず綱文だけを出したわけなんです。

旗田：何かその当時の朝鮮史編修会の官制の発布だとかそういうのの成立過程がわかるよ

うな資料がありますか。

末松：てつとり早いのは１０年ほど前（昭和２８年）に黒板先生の記念会から出された「古文化の保存と研究」の中に中村栄孝君が「朝鮮史の編修・朝鮮史料の蒐集」というのを書いておりまして、それが一番まとまつている。それの材料としては、「朝鮮史編修会事業概要」というのが出ている。（昭和１３年）これはいろいろ来歴やら集めた資料の件名件数をくわしく書いていて、官庁の事業報告的なものですが、この二つがあればわかると思います。

幼方：これは３７巻とは別冊に出てるんですか。

末松：ええ、別冊で出ております。仮綴ですが１５０ページくらいのものです。

旗田：もう一つおききしたいんですが黒板先生から中村栄孝さんとか末松先生といつた黒板門下の俊才が後から行くわけですよね。ということは朝鮮史の専門家はこれ幸いとばかりに････

末松：これがやはり最初に申しましたようにこの事業が学問的を標榜するとはいえ、やはり政策的という性格から脱することはできない。だから池内さんはそういう点で自からも他からも直接タッチする立場に置かれなかつたのではないかと思います。

旗田：その点で、維新資料をモデルにするのと何か関係があると思うんです。維新資料というのが金子堅太郎か誰かのああいう形でえらい人の直属の機関としてやつてましたね。そんな文部省の中で史料編纂と別個な形でやつておりましたねえ。

末松：だからあの編纂事業の中における政治性といいますか、これは否定できないですねえ。これは黒板先生から直接きいた話だからまちがいありませんが、あの朝鮮史編修会の官制がつくられるとき、日本政府当局は許さなかつた。植民地で植民地の歴史を日本人の手でやることは統治と正反対だ、といつてだめだつた。それが黒板先生の一言でさつと通つたんです。その一言というのはその当時の内務大臣水野錬太郎さんに「朝鮮史をやらなければ日本史がわかりません」と云つたんです。

旗田：なるほど、黒板さんらしい発言ですね。稲葉さんが行つたのはどういうわけでしょうか。

末松：黒板先生は朝鮮史編修の事業をすすめる役の相手役として、親友の内藤湖南先生をひき出した。内藤先生は自分の身代りとして稲葉さんを推したのだときいています。

旗田：黒板・内藤のコンビで稲葉さんが出て来たわけですか。

末松：そういうわけです。そういうところにまた黒板先生の政治性がみられますね。

幼方：すると池内先生はもう終始編修会には関係されなかつたんですか。

末松：直接にはないですね。黒板さんに頼まれて弟子の周藤吉之君と丸亀金作君の二人を送りました。またその前には、私と同期の東洋史出の潮田富貴蔵君が私と一緒に行つたんですが、二人ともノイローゼになつてしまいましてね。二人で申し合わせて帰つたんです。潮田君は帰つて直ちに池内さんの所へ行つて編修会はいやですといつたところが、池内さんは「よろしい！」と言つたんです。 池内さん全然稲葉さんと合わないんですねえ。それで直ぐ新潟高校に行つた。私も一緒に帰つたんだけれども黒板さんが洋行していて、黒板さんが連れて行つた者が黒板さんの留守中に帰つてしまつてそのままというのはいかんというんで、誰も相手にしてくれないんです。私はやむをえず翌年春、二度目の渡海をして編修会に行き、今度は覚悟をきめておちつきました。

幼方：お話の最後におつしやつた編修会がその後続けられてもあすこからは朝鮮研究についての大した業績は出なかつたろうというご意見ですね、京城大学の方からね。あれは戦争という外部的な世界的なもののためではなくて学問的な方法の問題があつたんでしょうか。

末松：ひろい意味では方法と云えるかも知れませんが、ああいう形ではもうのびないと思いますね。

も一つ京城大学について申し上げたいことは、学生の問題ですね朝鮮の大学の学生が朝鮮史をどう見たかということです。確かな数字は覚えませんが、朝鮮史を専攻した朝鮮人の学生は全体の３分の２ですね。３分の１は日本人だつたと思います。これらの人たちがどんな気持で朝鮮史をやつたかというと、これは純粋なものだと思いますね。朝鮮人で朝鮮史をやつたら就職はだめなんです。

宮田：今の日本みたいなものですね。

末松：京城大学が出来てから１０年くらいして私が行つたんですけれども、その頃にはもう明白な事だつたんです。それでなおかつ朝鮮史に入つたんだからこれはもう純粋なものだと思いますね。従つて思想的には民族意識が誰よりも強いものがあつたと思います。朝鮮人学生の大多数は時代とともに流れて朝鮮史とか朝鮮語よりも法科に行くんですね。これが一番当りさわりがない、もともと朝鮮人は法科崇拝の傾向が強いんですが、それに加えて就職の点でこれが一番明るいんです。それからもう一つ別な生き方をした人がいる。これは朝鮮人で日本文学をやつたんですが、後にも先にもたつた一人だつたと思います。ところが、日本史をやつた人はいなかつたですねえ。これは当時の朝鮮と日本の政治上の関係から派生した特殊現象ではないでしょうか。朝鮮人学生が朝鮮史学科や、朝鮮語学・文学科に入る、これは純粋なものだと思いますね。だから、戦後朝鮮史・朝鮮語の研究は南も北も非常に進歩したと思いますが、あれはやはり解放以前、総督府時代の伝統が戦後のあの発展を導いたものだと言えると思います。

旗田：そうですか。日本史をやつたのは一人もいませんか。これはやはり問題だと思うんですがねえ。

宮田：何故やる気がしないかということですね。これはやはり両方の国の関係がうまくなれば研究者が続々と出て来るでしょうが‥‥でも在日朝鮮人の学生には是非日本史もやつてほしいですね。

旗田：それからやはり、日本を３５年間支配した日本と考えないで済むことができるような時代になれば当然増えると思いますが。やはり感覚的にねえ。

幼方：朝鮮人学生で歴史をやるつて人はどんなテーマ、時代別或いは？

末松：それはやはり李朝ですね。朱子学の論争的なもの、ああいう傾向のものには非常に才能があるようですね。

旗田：金錫亨さんもそうですね。

末松：いやあの人は、李朝は李朝でも軍隊の方ですね。

宮田：歴史観の問題で、特に民族問題をめぐつて学生とぶつかるようなことはなかつたですか。

末松：そこまで深く学生とタッチしなかつたですね。民族問題というのはタブーになつてましたね。民族がタブーなのだけじやなしに、社会という言葉自体、社会主義を連想させるといつて敬遠されていたようです。

旗田：その点は東京なんかとちがいますねえ。私など昭和３年に入つて６年に卒業したわけですが、社会という言葉はえらくはやつたですねえ。

宮田：ちようど旗田先生が学生だつた頃、朝鮮では小作争議が起つて来るし、共産主義運動が活発になつてくる時だからよけいにそうだつたんでしょうね。

末松：そういう点では、京城大学の講座の名前をつける時などでも非常に神経を使つたそうです。西洋史の講義はあるが、西洋史学科はつくらない、西洋史をやればアイルランドの独立とか何とかの独立とかをテーマにする学生が多く出ることが心配されたのではないでしょうか。

宮田：それじや何をやつてるんですか？

末松：西洋史は概説だけなんです。

幼方：高橋幸八郎というのがいましたね。

末松：ええ高橋君は一番最後に3年程居ました。

宮田：朝鮮史という名前でおいたわけですか。

末松：ええ、朝鮮史学は第一講座、第二講座と二つありました。重要に取扱つたですね。

幼方：朝鮮人学生の成績は・・・・・

末松：朝鮮人が大学まで入つてくるというのは、その小・中・高校の試験の倍率を調べますと、日本人の方は小学から中学そして高校へと割合楽に入れますが、朝鮮人の方の競争率は非常にたかいんです。専門学校以上では学生のうち朝鮮人が半ばを越えることはさせないという不文律があるので、全体的に見て優秀でした。

旗田：白南雲さんが昭和１２年に入りましたがその頃末松先生は経済学の方がたと・・・

末松：いや、私はその頃は接触しておりません。

旗田：今西さんと白南雲さん・・・？

末松：そこのところは私よく知りませんが、桜井義之さんと机を並べてたことはあつたようです。

旗田：延禧専門の先生になつてたんでしたかね？

末松：嘱託のような形だつたかもしれませんが、とにかく京城大学に出入りしてたのは事実ですね。

旗田：それに関連しまして、震檀学会との交流というものは？

末松：それは全然ないんです。ただ震檀学会の主なメンバーの一人李丙寿さんは青丘学会のメンバーでもあつたんですが名前ばかりでした。李さんは、私たちが行く前から朝鮮史編修会の修史官補をして居り、後に嘱託になりましたが、いずれも名前だけのことでした。

旗田：池内先生と李丙寿氏とはお互に尊敬してました、ということなんですが、去年会つた時にも今西さんより池内さんの方が頭がいいなどと言つてましたが・・・。京城の日本人の学界とは李丙寿さんは関係なかつたんですか。

末松：一応われわれとの交流はありましたが、一つの問題について意見を斗わすというようなところまでは行かなかつたと思います。

宮田：四方先生のお話の時もそんな話だつたですね。沢山のグループが、互いに閉ざされたグループがあつたということをおつしやつてましたね。

幼方：田保橋さんはどういうご関係でしたか、仕事の上で。

末松：田保橋さんははじめは朝鮮史編修会には全然関係のない、京城大学における国史学の講座を担当した人です。ところが、朝鮮史第６篇の外国関係の起る部分の編集がはじまり、それが進むにつれて田保橋さんの知識を借りなければ出来ないということがわかりまして、田保橋さんを嘱託にした。田保橋さんは迷惑なことだが黒板さんの命令なら従わなきやならんということでタッチしたわけです。が、田保橋さんは研究者としての能力があるだけじやなくて、お役所の官僚的な性格が好きな人なんです。向うで何とかして、嘱託なんかじやなしに主任になろう、といつたような人なんです。「朝鮮史」の印刷も一応終つて稲葉さんは満州の建国大学に行き、中村君は総督府の学務局の編修官になつた、そして私は大学の方へ行つてしまうという時になつてから、田保橋さんが編修会の主宰者になつた。それからは自分の方針で編修事業をやつていつた。その主なものは、「朝鮮史」が日清戦争開始の日をもつて終つているので、そのあとの史料を根本的にあつめることにあつた、そしてそれと併行して「近代朝鮮史研究」とか「朝鮮統治史論稿」とかを出した。

幼方：「近代日支鮮関係の研究」というのがありましたね。

末松：あれは編修会に一切関係してない時（昭和５年）に京城大学の研究調査冊子第３輯として出したものです。田保橋さんは、あれを出発点として、爾後１５年ばかり、もつぱら朝鮮近代史の業績をつみかさねました。朝鮮近代史がわからねば、日本近代史も日本近代外交史も、東洋国際関係史もわからない。そういう朝鮮近代史は史料的に処女地であり、やればやるほど面白くなつて、それに深入りしたのだと思いますね。

幼方：田保橋さんには研究上の協力者はいたんですか？

末松：それについては代表作「近代日鮮関係史の研究」上下２巻のことを申さねばなりません。あの大きな著作は田保橋さんのスケールで書いたことは事実なんですが、史料の書き抜きや何かは朝鮮史編修会の機構を使つてやつたんです。それで、これは裏面話になりますが、あれを学位論文として出したんです。ところが審査の主任には日本史の〇〇先生がなつた。田保橋さんの日清戦争に対する見解は、「日清戦争は日本陸軍の陰謀だ」とするものだとされて、遂にパスしなかつたと聞いています。

武田：あれは秘密出版でしよう？そうでもないんですか。

末松：それは、向こうで出版するためには、一般に公開しないという建前をとらざるを得なかつたので、㊙の印を押しただけで、別に非合法的に出したわけではないんです。

旗田：〇〇先生との話は全然初耳でしたねえ。おもしろい話ですねえ。

宮田：結局、ちようど京城大ができる頃朝鮮の内部に民立大学設立の動きがすごく起つてる・・・　３・１以後ね。

末松：三一運動が大正８年、京城大学の官制公布が大正１３年ですから、京城大学を創立するという気運は、やはり純然たる朝鮮の学術的開発のためだけではなくして、やはりそういう民族運動に対する一つの政策として考えられたのではないでしようか。

宮田：あの当時朝鮮人というのは教育熱というのがすごく盛んだから、大学がないというのが一つの大きな不満だつたからその関係も・・・・。

幼方：お話になつたかと思いますけれども、国史学に対して朝鮮史学を置いた時に何か問題はなかつたのですか、つまり国史学の中に含めるかというような・・・・。

末松：国史に含めないで朝鮮史を出したのはやはりいま申したような政治の方向、政策の一つの題目として取り上げたからスラスラと行つたと思います。実情は知りませんが。一体そのころは、朝鮮史の位置というのは非常に不明瞭でしたね。東京大学では朝鮮史を東洋史の中に入れたのは昭和７年頃だつたと思います。京都大学では国史の中に入れようとしたんです。

旗田：東京でもそういう傾向があつたんですね。

宮田：朝鮮史を日本史の中に組みこむといつても時期的には問題なかつたんですか。日韓併合以前は朝鮮史でもつてそのあとは日本史の中にくみこむとかいうような・・・？

末松：それは全然ないんでしよう。われわれが経験した朝鮮史というのは最後のピリオドの位置がちがうんです。私たちの先生は概説の中で最近５０年間は歴史ではないと言つたんです。まして日韓併合後の朝鮮史なんか考え得ない時代でした。

宮田：でも農業なんかについては日本で大分分析をやつてますね。でもあれは農業の方にくみこまれて、例えばお米の問題を中心にして社会経済史の観点から追究したいい論文が・

幼方：それはまあ、生産力向上という関係からだな。

宮田：でもかなりそうでもないようないい論文もありますねえ。印貞植さんの論文は現在でも学ぶ点が多いのではないでしようか？

武田：史料蒐集もずいぶんいろんな形でやりましたね。その時とくに李朝以後実際の問題になるわけですけれども、普通の文書ですね、本じやなくて。例えば周藤先生の書かれた土地関係のものなど、ああいう種類の史料を集めた・・・・

末松：編修会は、比較的古いもので残つている、たとえば高麗末とか朝鮮初期の文書などは非常に珍重して取りましたけれども、李朝後半の古文書は、集めたらきりがない。そしてまた研究の興味がああいう一般的な社会経済史的な面で朝鮮を見るという所まで行つてないものですから、少なくとも朝鮮史編修会では近代文書を集めるということはほとんど努力しなかつた。特殊研究者、四方さんなんかは、実録の研究と併行してどんどん買つてましたね。古文書の蒐集で一番有名なのは、朝鮮史研究の草わけの一人である河合弘民博士で、その蒐集は、そのまま、未整理のまま今京都大学の図書館にあります。大学とか編修会の事業として古文書を計画的にあつめるというところまでは行つてなかつたようです。

旗田　それではこの辺で、どうもありがとうございました。

連続シンポジュウム　日本における朝鮮研究の蓄積をいかに継承するか　第7回

日本の朝鮮語研究について

報告者　河　野　六　郎　（東京教育大学教授）
出席者　旗　田　　　巍　（東京都立大学教授）
　　　　宮　田　節　子　（日本朝鮮研究所）

旗田：このたびは河野先生をおまねきして、日本における朝鮮語の研究史について、お話し願うことにいたしました。

素人なんですけれども、私の感じを申しますと、明治の２０年代は日本の歴史学が学問的に研究されはじめた時代、あるいは、日本の学問が近代的な方向をとつた時代ですが、その時代には朝鮮研究が非常に盛んだつたように思います。これは、言語学者、歴史家、法制史家を問わず、学界全体が朝鮮に関心を持つておつた。その時の朝鮮研究のありかたを見ますと非常に言語学的な感じがします。とくに日本の古代史、朝鮮の古代史、また相互の関連という面を朝鮮語と日本語、古代の言葉が中心のようですが、それを非常にやられた。それは法制史家もそうですし、歴史家もそうだつた。そういう一つの流れがあつたようです。それがいろんな方向に行つて、一つは日鮮同祖論という形にも行き、あるいは日本の言葉は独特なものとして発達したという意見から国粋的な方向に行く考え方もある。言語学が日本の学問の上に、また、朝鮮観の形成の上に、大きな役割を果しているような気がします。またそれは、現在にもつながつてるものじやないかという気がします。そこで今日は河野先生に言語学の研究の歴史を日本の立場からお話しいただきたい。そのあとで皆さんからご質問していただいて、それにお答えしていただくというようにしたいと思います。では、河野先生、お願いいたします。

河野：いま、旗田先生からお話がありまして、日本における朝鮮語研究史ということでお話しするのですが、ごくかいつまんでお話しします。

まず最初に、序言を申します。

アジアの諸言語がほんとうの意味で言語学の対象として取扱われるようになりましたのは、非常に新しいことであります。その中にあつて朝鮮語は、言語学者の注目をひくことが最も遅かつた言語の一つであります。中国は古くから割合に注目されていたわけです。日本は、とくにこの戦争においてアメリカの方で非常によくやられている。朝鮮はその中間の谷間みたいなところにありまして、何か置き忘れられたようですし、注目されない言葉であつたわけです。そして朝鮮語の言語学的ないしは文献学的な研究の端緒を作つたのは主として、というよりもほとんど日本人の学者でありました。

学問も一つの社会的活動である以上、政治的な関心が直接間接科学的活動に刺戟を与えるものであろうかと思います。ことに外国語の研究は、当該国との政治的関連が強まるにつれて刺戟されて行なわれ、最初は実用的であつたものがだんだん科学の形をとつて行くように思われる。日本における外国語に対する関心というものはとくにそうなんです。

徳川時代においても、李氏朝鮮との国交から朝鮮の言語が一応学者の注意をひいたのですが、明治に入つて、日韓両国間の外交上の紛糾、あるいは、それに続いて遂に韓国併合となつて行きました政治情勢は、わが国において朝鮮語に対する大きな興味を呼んだのであります。いま旗田先生のおつしやつたのは大体この頃です。ところが、併合後は一般の注意は冷却しまして、満州事変から支那事変が起こるに及んで、今度は中国語がクローズアツプされて、更に日本が満州及び北支と接触するに至つて今度は満州とか蒙古にあるいろんな言語の関心が深まつた。やがて戦争がもつと拡大してくると、今度は次第に南方の世界が眼界に現われてまいりまして、インドシナ、フイリツピンとかの南洋のいろんな言葉がにわかに注目されるようになりました。これらの刺戟は、それ自体はいわゆる帝国主義的なものでしようけれども、その後に科学的な研究の種子を残し、それがだんだん芽生えて行つて今日に至つていると思います。朝鮮語学もそういう過程の一つの現われだと思います。

徳川時代には朝鮮との国交あるいは貿易というような実際的な要求から朝鮮語に対する関心が若干持たれ、その機運に乗じて多少の学問的興味が持たれましたけれども、もちろん、朝鮮語そのものの研究という所までは行かなかつた。この時代で注目すべきは新井白石とその同門である雨森芳洲でしよう。

新井白石は「東雅」という本で日本語の語源のことを少しやつておりますが、その時に朝鮮語を少し利用したので有名でありますけれども、彼の朝鮮語の知識というものはそれほど大きかつたとは思われません。これに対して雨森芳洲は、当時朝鮮貿易を独占していた対馬藩に仕えて、朝鮮語に習熟し、朝鮮語に関する著述もあります。残つているのは「全一道人」という本しかありませんけれども、書いたと思われるものは「韻略諺文」、

「酬酢雅言」、「鞮屨衣椀」があります。

徳川時代はこういう具合で、必ずしも朝鮮語に対する関心は盛んであつたとは言えないのですが、明治に入つてくるとさきほど申しましたように朝鮮との政治的関係が緊迫してくる。するとまず実用的な見地から朝鮮語の知識が必要になつて来た。一方、この政治的動向を契機として、学者の間にもこの言語に対する興味が生じて来た。しかし概括的に言うと、明治時代では実用と研究とは互いに隔絶していた。いくつか実用的文法は編纂されておりますが、ほとんど科学的な記述というものはありません。研究の方もまだ萌芽の状態でありまして、これも主として歴史家、または法制史家、たとえば白鳥庫吉先生とか宮崎道三郎先生、あるいは中田薫先生という方によつて比較的考察が行なわれました。しかし朝鮮語の研究に言語学的な方法を導入されたのは金沢庄三郎先生だろうかと思います。金沢先生は今年９９才とかでお元気でいられます。

明治時代にまかれた種子は日韓併合後、現地調査が容易になり、また、文献の収集も可能になつて、芽をふいて来た。しかし、実際には朝鮮語の学問的研究というものは、恵まれていたはずなんですが、そう予期せられるように平担な道を進まなかつたんです。というのは、ほんとに言語学的な方法というものは、まだ知られていなかつたし、そういうものに興味をもつ人も少なかつた。それに総督府当局も、そういうものを奨励するどころかむしろ反対の政策をとつていたかと思います。われわれがやることに対して別に極力反対はしませんでしたけれども。従つて朝鮮語学の建設は少数の特志家の不撓の努力によつてようやく基礎を固めたと言えると思うのです。この困難な開拓事業に貢献された諸先生の中で、金沢庄三郎先生、鮎貝房之進先生、前間恭作先生、それから私の恩師である小倉進平先生、この４人の方は非常に注目すべき方だと思います。金沢先生は日鮮両言語の系統的な、あるいは歴史的関係というものを主に研究された。鮎川先生は朝鮮古記録に現われた古語の解明。前間先生は古諺文文献とか吏読の文法研究。小倉先生は朝鮮語関係の文献の解明とか朝鮮語の歴史的・地理的研究というようにそれぞれ貴重な貢献をされています。これらの諸先輩の業績はいずれも朝鮮語学の基礎を築かれたと言えると思いますが、一貫して、これらの方の特徴は、広い意味における歴史的な研究というものに集中されていると思います。

これらの諸先輩の並々ならぬ努力の結果、朝鮮語学の基礎は確立されたのでありますが、これを引き継いで発展させるわれわれが非常に少数であることは誠に遺憾なことです。朝鮮語という言語は東洋の諸言語の中にあつて映えない言語である。と申しますのは非常に明白な姉妹語、たとえば英語とドイツ語とか、フランス語とイタリア語といつたような系統のはつきりした姉妹語がない。そのために比較言語学的な興味は薄い、日本語との関係ということは後で述べますが、明瞭でないわけです。そういうことよりももつとこの言語に魅力がない最も大きな原因は、過去におきまして朝鮮の重要な記録が朝鮮語で綴られていないということです。みんな漢文で書かれていたということです。また、朝鮮語によつて書かれた古典的文学作品が少ない。こういうと朝鮮の人に叱られるかもしれないけれども、ほんとの意味でのクラツシツクというものはないということです。こういう事情は朝鮮研究における朝鮮語の位置というものを不当に低く評価させて、朝鮮語に関する興味もいちじるしく減つているわけです。一体に日本の若い人たちはやはり、ヨーロツパ、あるいはアメリカというような絢爛たるところに心をうばわれているわけですけれども、隣のことなんかあまり興味がない。このように人目にたたない言語だけれども、われわれ日本人としてもつとももやりがいのある言葉じやないかと思います。おそらく今後日本の学界が貢献し得る外国語の領域というものは、この朝鮮語と中国語が一番有望じやないかと思います。とくに朝鮮語につきましては、研究、調査の余地がおびただしく残されているし、若い学徒に期待するところ多大なものがあります。最近では若い学徒の中に、少数ではありますけれど、本格的に取り組みつつある人がおり、かなり優秀な業績をあげておりますので、日本における朝鮮語学の将来は決して暗くはないと思うのです。

以下、各領域における諸先輩の業績を簡単に見たいと思います。

以上が序論で、これから本論に入ります。

≪各研究領域における成果と方向≫

第一、「現代語の研究」

ある言語の研究の基礎は、これはもう何と言つても現代語、現代生きている語の適確なる把握でなければなりません。言語学研究の対象というものが第一義的に音声言語である以上、そして、文字に書かれた言葉、文字言語というものも音声言語の基礎の上においてのみ、また、音声言語との相対的距離を考慮してのみ研究することができる以上、朝鮮語の研究もまず、現に生きている姿を明らかにしてはじめてその科学的基礎を獲得し得るのであります。そこで現代語の記述がいか様になされて来たかということを見るために、便宜上音韻、文法、語彙というふうに分けてみたいと思います。

＜音韻の記述＞　現代語の音韻体系を明らかにするには音声学的記述が絶体に必要であると思います。ところがこの方面の研究が必ずしも満足する状態にない。概説的な研究としては小倉先生の「国語及び朝鮮語発音概説」（大正１２年）があるだけで、その他やはり小倉先生の“小田先生頌寿記念朝鮮論集”（昭和９年）に寄稿された「諺文のローマ字表記法」にも、発音に関する先生の見解が見られます。こまかいことはいろいろありますけれども、いまの東京大学の服部四郎教授もこの言語に関心をもたれて、「音声学」（岩波全書、昭和２６年）にもところどころ朝鮮語の観察が見られる。しかし全般的なものは、ごく最近までなかつたのですけれども、梅田博之君の研究がまとまつた優れたものだと思います。梅田君は服部さんの弟子で東大の言語を出た人です。英語で書かれたもの（The Phonemic System of Modern Korean, 言語研究№３２. １９５７）ですが、音韻記述を一段と前進させた。

＜文法の記述文＞文法はどの実用文典にも一応取り扱われています。実用文典の多くは明治時代にできたもので、従つて今日から見ますと多少言葉も古くなつていまして、この意味においてはいずれもむしろ資料になるわけです。これはいろいろありますけれども、この中で前間先生の「韓語通」（明治４２年）が一番優れていると思います。前間先生という方はちやんとした学歴をお持ちになつた方ではないようですが、非常に語学のセンスのある方です。表現とか術語とかは決して言語学的とかあるいは文法学的ではないのですけれども、把握が正確と言えると思います。「韓語通」のもう一つの特徴は、歴史的な記述をところどころに含んでいるということです。しかし、これらの実用的学習書の多くは、科学的な文法とは言えないものであります。元来現代朝鮮語はかなり複雑な文法体系をもつていて、いろいろ興味のある様相を含んでいるにもかかわらず、日本人ばかりでなく朝鮮人の著作も　また、外国人の著作も、この朝鮮語の文法体系を適確にとらえているものはまずありません。朝鮮語の構造は日本語のそれに非常によく似てますから、大体は国文法にのつとつて取扱いができるように思われます。従つて日本文法の体系によつた日本人の文典は一応要点を得ているんじやないかと考えられそうでありますが、事実はそうではありません。その欠陥の一つは、日本文法の体系化そのものが、きわめて不十分であるというところにもありますけれど、一番問題なのは、不満な点は、日本の文法についても言えることなんですけれども、各々の文法形態の用法の吟味がきわめて不完全であるという点です。大体以上述べましたように、開拓に当られた諸先輩の関心はもつぱら古い面に向けられておりまして、多かれ少なかれ歴史的に志向されておりましたので、現代語の記述ということにはあまり興味をもたれなかつたようであります。しかし、近代の言語学は歴史的研究に劣らず、いわゆる共時的、あるいは、記述的研究の必要を説いているのであり、言語研究の基礎的作業として現代語の文法体系の記述は重要であると思います。この方面では大江孝男君の１９５８年の論文（On the Indicatire Endings in Modern Korean, 言語研究 №３４）は非常に重要な寄与であると思います。

＜語彙の記述＞ 語彙の方面の不備は更に一層はなはだしい。語彙の記述は普通、辞典の形で示されるのであります。日本人の著した朝鮮語の辞典は非常に少ない。その代表的なものは朝鮮総督府編の「朝鮮語辞典」（大正９年）であります。これはしかし、編纂に従事したのは多くの朝鮮人学者で、日本人は若干加わつたというものでありますので、純粋に日本人の著作と言えないかもわかりませんが、とにかくこれが一つあります。この辞典の特色は、朝鮮語そのものより朝鮮漢語の収録にあると言われます。物の名前の説明に図解がしてあるというのも一つの長所です。欠点は様々ありまして、第一に朝鮮語彙の数が非常に足りない。第二に解説が不親切であるということ。それから一番ふしぎなのは、現代朝鮮語辞典のはずなのに吏読が非常に多く入つている。こんなのをどうして入れたのかわからないんですが。しかしこの字引きは、後にできた朝鮮語の辞典に非常に影響を与えているのは確かです。これ以外の辞典はほとんど辞典というよりも語彙集のようなものでありまして、一々あげません。逆の鮮日辞典としては船岡厭治氏の「鮮訣国語大辞典」（大正８年）というのがあり、これはなかなかおもしろいものです。かならずしも良いとは言えないけれども、大変な労作です。船岡さんというのは神主か何かのはずですが、この序文を読みますと、助手は朝鮮の若い人が、２人入つていて、辞典の編纂などは大変な仕事ですからそのうちの１人は出来るまでに死んでおります。ともかく、辞典の不備というのはこの言語を学習する上に現代でも大きな障碍をなしています。質量ともに充実した鮮和辞典ができないといけないと思います。ついでに申しますと、大分前の話ですけれども、天理でやてるはずなんです。天理教の７０周年記念で朝鮮学会としてやりかけて、私も入つたんですけれども、カードはいまおやさと研究所にあります。私の大学を出ました中村完君が管理して補充しているはずです。いつ出るかわかりませんが・・・・。

第二、「歴史的研究」

朝鮮半島の歴史は古いものでありますが、このことはただちに朝鮮語の歴史の古さがわかるということではないんです。朝鮮におきましては、正統な文語というのは李氏朝鮮に至るまで漢文がそれにあたつておりました。従つて朝鮮語がわかつてくるのは１５世紀の半ば、１４４３年、諺文ができてからで、その諺文にしても、これを民族の文字として大いに意識したのは、諺文作製直後と極く最近のことでありまして、その中間は、この諺文という名前が示しますように、男子からは軽蔑されて、婦女子の間で使われたというような、つまり冷飯をくつた状態でした。このような事情から朝鮮語の歴史というのは概略高麗時代まではわからないというのが本当で、それ以後李朝の初期から今日に至るまでの約５００年の間であります。もつとも、新羅、高麗の時代に何にもなかつたというのではなくて、漢字をなんとか利用して朝鮮語を示そうという努力の跡は認められますが、それはきわめて断片的なものです。

＜文献解題と資料の復刻＞　朝鮮語史を研究するにはまずのこされた文献の性質を明らかにしなければならない。これは当りまえのことですが、文献の解題が基礎的作業となるゆえんであります。朝鮮語資料の解題でまず挙げられるのは、小倉先生の「増訂朝鮮語学史」（昭和１５年）であります。この労作は大正９年に初版の「朝鮮語学史」が出てから約２０年たつたと思いますが、この初版を質量ともに飛躍的に増大したものでありまして、その名の意味は、朝鮮語に関する研究活動の歴史ということだそうです。従つて文献解題がその全部ではありませんけれども、文献の解説が大部分を占めております。その解題は先生がお集めになつたものの他に先生が見られたものについて試みたもので、朝鮮語関係の文献は一応、一望の下に知られるものです。もちろん現在では、その出版後の研究文献やその後に知られた古文献については増補が必要でありますし、また、部分的には訂正を必要とするのでありますけれども、これによつて朝鮮語史料並びに朝鮮語研究文献の大綱は知られ、今後ながく朝鮮語研究者の一大指針となることは疑いない。なお、ついでに申しますと、おそらく今年中にこの再版が出ます。これには菅野裕臣君が当り、私が補注を入れることになつております。補注といつてもほんの、新しい文献の名前を書くだけですけれども、それにしましてもやはりこの１０年というのは大変なもので、韓国、北朝鮮、それから外国、ソ連とか日本などで、４００字で３５０枚という尨大なものになつてしまいました。それから、この「朝鮮語学史」と並行して前間先生の「古鮮冊符」、これは東洋文庫で出していますが、第１冊は戦前、あとは戦後に出まして、これも大変な労作です。もちろん諺文文献だけじやない、朝鮮古文献一般にわたつて解説したものです。なお、解題につきましては、金沢博士の「朝鮮書籍目録」（明治４４年）、「濯足庵蔵書６１種」（昭和８年）、朝鮮総督府の「朝鮮図書解題」（大正４年、８年）や桜井義之氏のものにも若干言及されたものがあります。

文献解題は研究に指針を与えるものとして価値は大きいのですが、そこに解説されている文献を目のあたりに見ることができなければ実際の研究には何の役にもたたない。しかるに古文献はかならずしも手に入るものばかりではありませんし、むしろ現在となつては見ることのできないものが多いのであります。そこで、資料の影印公刊が非常な価値をもつてくる。この試みのもつとも注目すべきものは京城帝国大学の法文学部発刊の奎章閣叢書であります。この叢書の中には直接言語に関係あるものとしては、第1の「瀋陽状啓」、第4、第5の「竜飛御天歌」、第8の「朴通事諺解」、及び第9の「老乞大諺解」の5部であります。瀋陽状啓は吏読の入つた文献として、竜飛御天歌は諺文による最初の文献として、朴通事及び老乞大の諺解は、近代朝鮮語国語資料として重要な文献であります。これらはいずれも入手不能もしくは困難なものでありますから、一層この公刊は学界に裨益する所大ででありました。朴通事及び老乞大は近世中国語の口語資料としても重要であります。また、京城帝大は「捷解新語」という日本語の教科書の影印も行なつており、この本が国語史料としても特殊な意義をもつていることは承知の通りでありますが、朝鮮語資料としても、朴通事、老乞大の諺解とともに近代朝鮮語口語の研究には欠くべからざるものであります。この他、中枢院から「大明律直解」というのが出されておりますが、また、中枢院では吏読に関する要領を得たハンドブツク「吏読集成」というものを公にしました。これらは戦前の話ですが、終戦後はどうかというと、韓国において資料の影印公刊は非常に沢山やつてくれるので、これは大変ありがたいことで、われわれもその恩恵をこうむつているのですが、われわれの見られなかつた本がどんどん出ています。日本では京都大学の国文学研究室で浜田助教授の努力で、日本関係のもので「捷解新語」、「改修捷解新語」「倭語類解」を影印公刊して学界に大いに寄与しています。それから、香川大学からは、「伊路波」という珍本が復刊されています。

＜古代朝鮮語の研究＞　イ、文字――諺文発明以前の朝鮮においては専ら漢字で朝鮮の言葉をあらわしていた。新羅の金石文やいわゆる「郷歌」における漢字の特殊な使い方、あるいは、いわゆる「吏読」など、その漢字の使い方は様々ですけれども、万葉仮名の先祖になつたと考えられるのですが、万葉仮名よりも更に複雑であります。この漢字使用を明らかにすることは古代朝鮮語の解明に決定的でありますので、古くからわが国の学者の注意をひいておりました。徳川時代にも若干の言及がありますが、明治以後になると、たとえば、岡倉由三郎、白鳥庫吉、金沢庄三郎の諸先輩たちの研究が進められました。ことに金沢先生は数編の吏読及び吐の研究論文を発表され、わが仮名の原型がすでに朝鮮にあつたことを実証されました。しかし、古代朝鮮語の漢字使用を全般的に取り上げられたのはやはり小倉先生であります。小倉先生の「郷歌及び吏読の研究」（昭和4年）はその成果であります。この大著は現在ではかなり修正を要するもので、歴史的になつておりますけれども、古代朝鮮における漢字の使用法の研究の基礎を固めたという点において画期的なものであります。

古代朝鮮において漢字を用いて朝鮮語を示そうとした努力はいろんな面にあらわれますが、朝鮮独特の漢字の使い方とか国字のような、朝鮮独特の漢字というものをつくりだしたのです。このような文字の面の研究はなかなかおもしろいんですけれども、この面については鮎貝房之進先生の「雑考」第3輯（昭和6年）に「俗字考、附俗訓字、俗音字」という論文があります。「雑考」は非常におもしろいもので、全体がこのような地味な研究の収集ですが　貴重な成果だと思います。

ロ、言語――古代朝鮮語の主要な資料というのは、少数の金石文のほかに、三国史記、三国遺事などの古書に若干の語彙が残つていますが、しかし、一番問題になるのは何と言つても三国遺事及び釈均如伝に見られる新羅の古い歌「郷歌」であります。郷歌につきましては部分的には金沢先生、鮎貝先生、前間先生によつて解読が試みられておりますが、その全面的な解読に着手されたのはやはり小倉先生で、前に述べました「郷歌及び吏読の研究」がその成果であります。この解読はいろいろ不十分なところがありまして、梁柱東という人や金沢先生との間に、われわれが学生の頃だつたと思いますが、論争がありました。その後、梁柱東氏の「朝鮮古歌研究」が出て、かなりの修正が行なわれました。なかなかの卓見もあるのですが、梁氏の研究も玉石混淆で、現在韓国でもいろいろ議論が多いようであります。小倉先生のこの研究は、題名で見られますように、吏読の研究でもある。吏読というのは簡単に言うと、送りがなのようなものにあたるのを漢字で書いたもので、文書類につけられるのが本当なんですが、日本では拡大解釈して、すべてこういう古いものの漢字を使つて朝鮮の言葉であらわす方式をみな吏読という人もいるようであります。吏読の研究は金沢先生、鮎貝先生などいろいろありますけれども、その中にあつて前間先生の「岩木石塔記の解読」（東洋学報１５、３、大正１５年）は立派な研究だと思います。最近竹田君の新しい研究もあります。前間先生は先にもちよつと申しましたように語学的なセンスのある方ですし、とくに古代朝鮮語を解明するにはどうしても中期以後、つまり諺文のできた直後のことは絶体に必要なのですが、それに非常に造詣の深い方です。先生にはまたそのほかに中国の宋の時代に孫穆という人の著した「鶏林類事」というものの中に高麗語がかなり出ており、それを解明された「鶏林類事麗言考」という好著があります。

その他、日本書記や二中暦などに見られる古い朝鮮語については、白鳥先生や新村先生が研究されています。これら諸先輩の研究によつて古代朝鮮語についての多くの示唆が得られるのでありますが、何しろ漢字の使い方が万葉仮名よりもずつと複雑で、なかなか解読がむつかしいのです。ですから全面的解明はなお将来の大きな課題になるわけです。その時に、先にもちよつと言いましたように、第一に中期語をしつかりおさえておかないと議論もできないということです。

＜中期朝鮮語の研究＞中期朝鮮語というのは私がつけた名前ですが、朝鮮語史の区分をいたします時に、これは便宜上の問題ですけれども、まず諺文の発明というのが一つの大きなイベントで、もう一つのメルクマールは文禄の役であります。これはなぜ問題になるかと言うと、この時に文献がなくなつたことと、人間が流動したためか、この役を界としてかなりの変動があるように思います。もつとも最近は、文禄以前の文献がぼつぼつ出て来てかならずしもそう簡単に行かないんですが、大体文禄の役が１５９２年で、１５、６世紀を一つのエポツクとして中期と名付けたのです。それ以後現代に至るまでの間を近世、それ以前を一括して古代朝鮮語と名付けています。

イ、文字 ── 文字とはつまり諺文でありますが、諺文に対する興味は徳川時代からありましたが、本格的に論議されたのはやはり明治以降であります。その興味の中心は諺文の構造、とくに起源であります。いろいろな説がありますが金沢先生は、諺文の構造の基礎がインドの音韻学にあるということを認められました、これは、先生も言つてられるのですが、諺文の子音字体系が元来中国の音韻学によつてるものであります。中国の音韻学の頭子音の体系というものがインドの影響を受けているのですから当然のことであります。博士は更に文字の形においても梵字との類似を考えられた。この諺文の起源につきまして最も烱眼のあつたのは白鳥先生であります。白鳥博士ははじめ、パスパ字、これはチベット字を改造した蒙古の文字ですが、パスパ字起源説を唱えられたりしておりましたが、後に発音器官を象徴する朝鮮人の独創だとされました。この見解は後日少なくとも子音文字の体系については正しかつたことが実証されるに至つたのであります。というのは、それまでよくわからなかつたことが多いのですが、古本訓民正音というのが、いまから3、40年前に出てきまして、それに以前になかつた解説のついた文があり、それによると諺文というのは他の文字を改造したものじやなくて、全く象徴によつて独創的につくりあげた文字であることがわかる。ただし、母音文字は、博士が考えたように発音の象徴ではなかつたようです。しかしこの母音文字も、「・」、「一」、「丨」を根幹として作られたものであることも博士の言われた通りでありますが、なぜこの三文字が根幹になつたかは今もつて不明であります。

この古本訓民正音がでて来たので、実はそれまでに出たいろんな説がいらなくなつたのです。

ロ、音韻について —— 諺文は今日では２４の要素文字（子音文字１４、母音文字１０）でありますが、つくられた当時は２８字（子音文字１７、母音文字１１）ありました。つまり４字へつているわけですが、その４字の減少の中の子音字が一つ「△」と母音字一つ「、」は、それがあらわすはずの音素がなくなつた結果使われなくなつたと考えられる。そういうわけで、中期語の音韻体系は現代の音韻体系とは少しちがつていたものであることが明らかである以上、その復源が考えられなければならない。この全面的研究はまだ十分になされてはいません。ただ、消失した音韻については小倉先生によつて幾分試みられております。たとえば「△」の音価を一種のＺのような音であつた推定されたようなことです。なお、私もこれらの問題について若干の考察を行なつたことがあります。

中期語の音韻現象でもつとも特徴的なのは母音調和という現象ですが、これは現代はもう非常に稀薄なんですけれども、その頃の文献には非常に明確に認められる。この事実を明らかにされたのも小倉先生と前間先生であります。そしてこれが朝鮮語をアルタイ語系に帰属させようという説の一つの有力な根拠になつています。また、いわゆる「濃音」に変化した複頭子音の存在についても小倉先生の研究が注目されます。

中期語の音韻体系、それから現代語への推移、更には古代から現代への音韻変化の跡をたどる朝鮮語音韻史の研究は、現在韓国でもいろいろ行なわれておりますが、依然として将来に残された大きな問題であります。

ハ、文法 —— 中期後の文法研究は朝鮮語文法史の一つの基盤を形成し、そこがしつかりしないと朝鮮語文法史というものはできないですね。この時期の文法研究では何といつても前間・小倉両先生の業績がいちじるしいと思います。中でも前間先生の「龍歌故語箋」は中期後研究者必携の参考書であります。この本は龍飛御天歌の朝鮮語を解説したものでありまして、その文法解説は中期語文法の基礎を置いたものであります。小倉先生にはこういう体系的な文法記述はありませんけれども、そのかわりに、「朝鮮語における謙譲法、尊敬法の助動詞」という研究がありまして、これは文法史的研究として注目すべきモノグラフであります。

中期語文法の体系的研究とか、あるいは、中期語から近世語への変遷の研究は、やつとその端緒についたばかりで、朝鮮語文法史というものが一応完成するまでにはまだいろいろ問題が山積しているのです。若干の問題については私もたとえばテンスの問題につきまして2、3発表したこともありますし、大江君の語幹母音の研究（「中期朝鮮語動詞のㅗ/ㅜ語幹について」、朝鮮学報第12号、1958）は韓国にも刺戟を与え、いろいろ議論されております。

＜朝鮮漢字音の研究＞

朝鮮語学習の一つの困難は、朝鮮独特の漢字音であります。この漢字音がどんなものであるか、また、中国語音のいかなる時代の反映であるかというようなことがあるのですが、こういう研究もおもしろいと思います。すでにスエーデンのカルルグレン氏はその画期的な「中国音韻学研究」におきまして、朝鮮字音が中国の中古音復原にとつて重要な資料であることを指摘し、かつ、その復原に大いに利用しています。朝鮮字音の中国音韻史料としての価値は非常に大きいのでありますが、これを史料として扱うには、朝鮮字音史の研究がその前提となるのであり、朝鮮字音史はまた朝鮮音韻史の流れの中に定位せられなければならない。ところが、上述のように、朝鮮音韻史はまだ未完成で、また、朝鮮字音史は未開拓であると言つてもいいかと思います。従つてカルルグレン氏の朝鮮字音の扱い方というのは非常に粗笨であります。彼の意見は、朝鮮字音の母胎はかなり無批判に唐初に求めたのですが、これに対して、国語学者の有坂秀世という方は、朝鮮字音の示すいろんな持徴から、その母胎は宋代開封音であるという新説を唱えられた。この説はなかなかおもしろいのですが、いろいろ批判の余地がありまして、私もこの方面で若干の調査をしました結果、唐代長安音であるということが実証できるような気がします。

朝鮮字音史料としては古代朝鮮語資料の中に利用されている字音がそのもつとも古いものであるわけです。この字音の中には、かつて日本の事情について大矢透博士が研究された推古期遺文に見える古字音とほぼ匹敵するものがあるようです。この研究は古代朝鮮語資料が完全に解読されないとわからないのでまだこの方面の研究はありません。

降つて中期の諺文文献には、漢字にはかならず字音がふられてある。文献的には一番確実な古い資料になるはずなんですけれども、ところがこの字音が実は資料価値が少ないのであります。と言うのは、これらの字音は諺文ができたと同時に計画されて編纂された韻書「東国正韻」の字音でありまして、これは中国音韻学の体系を機械的に朝鮮字音に適用したきわめて人為的なものであつて、従来の字音を忠実に写していない。従つて伝統的な字音の研究はやや降つた時代の資料によらなければならないのですが、さいわい近頃この方面のものがかなり出て来ました。私もこれらの資料を使つて一応朝鮮字音の整理をして歴史的背景について考察したこともありますが、まだいろいろな問題が残つております。

第三、「比較研究」

朝鮮語がわが国の学者によつてはじめてとりあげられましたのは、主として比較研究の興味という面からでありました。朝鮮の位する地理的な状況から、朝鮮語が系統的に言つて、日本語に近い関係にあるんじやないかという疑問は誰でももつのです。また、日鮮両国の歴史的関係から言つても言語の上の交流というものも当然考えられる。こうして明治時代にはこの言語に対する関心は、日本語との関係という面に向けられた。この方面の研究を開拓されたのは白鳥先生でありました。

白鳥先生は日本書記や中国の史書に現われる古代朝鮮語の研究を行なわれましたが、先生は大体スケールが大きいんですが、ウラル・アルタイ的視野の下に行なわれ、また肯綮にあたつている点も少なくないのですけれども、しかし、厳密にいつて比較言語学的とはいえないと思います。この点に関してはやはり金沢先生の「日韓両国語同系論」は材料にアナクロニズムを含むことはあるけれどもともかくも比較言語学の方法を導入した最初の試論である。この著作は同時に英訳がついておりまして、世界に発表されましたためにいちはやくヨーロツパの学界に紹介されて、たとえば、シユミツトの有名な著作などに取入れられております。その後小倉先生も多少比較言語学的考察を試みられておりますが、結局、両言語の系統関係というものは現在なお不明であります。なお、金沢先生は終始同系を疑われないで、すべてこの角度からいろいろ考えておられますが、旗田先生がちよつとおつしやいましたように、「日鮮同祖論」という本がございます。内容はかなり実証的な研究でありまして、なかなか他の人が気付かないような問題が出ておる。ついでに申しますと比較研究の方はいまラムスラツト・ポツペランあたりからだんだんとアルタイ比較言語学というものの建設に朝鮮語が入つてきておりますが、これもまだ問題ではありません。

第四、「方言の研究」

現代朝鮮語もいくつかの方言にわかれておりますが、この方言にいちはやく資料的価値を見出されて、その収集、整理に努力されたのは小倉先生でありました。その調査の報告はそのつど、いろいろな形で発表されましたが、それらを集めたのが遺著で岩波から出されました「朝鮮語方言の研究」2巻であります。上巻は先生が方言に関して書かれたいろんな論文集でありますが、下巻は収集された資料であります。小倉先生はいろんなことをなさつておりますが、一番の功績はこの方言の研究と朝鮮語学史の研究かと思います。解放後の今日、韓国でも北朝鮮でも方言の調査はやつておりますけれども、この大著のような総括的なものはないようです。なお、私も先生の驥尾に附して、先生の集められた材料を自分自身の調査にもとずいて「朝鮮語方言学試考」（昭和２０年）というものを書きました。自分のことを言うのも変なものですが、これは多少反響があつたようです。

最後に結語としまして、以上の簡単な素描でもわかりますように、われわれの先輩は不利な条件にもかかわらず、黙々とそれまでかえりみられなかつたようなこの東亜の言語の研究に従事されまして、その科学的研究の基礎を確立されたのであります。今日、韓国及び北朝鮮では、その母国語である、この言語に関する研究はさすがにめざましいものがありますけれども、その研究動向を見ますと、われわれの先輩が築かれた土台の上に立つてその上に大きい構築を試みているのであつて、そういう傾向はことに韓国において顕著であります。北朝鮮の方はその傾向と同時にロシアの影響がありまして、北朝鮮と韓国の違いは現代語の文法の問題によく現われております。北朝鮮はソ連の影響で文法をかなり重視しているのですが韓国ではほとんどそれがない、むしろ歴史的な方向に動いている。

われわれはこの偉大な先輩諸氏の後をうけてこれを発展させる責務を感ずるのでありますが、すでにわれわれに続く若い世代のうちに近代的言語学の方法を身につけた優れた人材があり、将来に希望をつなぐものであります。もちろん、もつと多くの人がでてくることが望ましい。そして、新しい、より高度な発展をはかつてほしいと思うのであります。

――――○――――○――――○――――

河野：先に触れた「朝鮮語方言学試考」は昭和２０年の４月に出来たんですけれど、紙もひどいんです。できたかと思つたら玄海灘にもう敵の潜水艦が出没して送れなくなつていたんですよ。徳永さんが満洲から帰つて来られたからもつていつて下さつたのと、私が持つて帰つたのと２冊しかないはずなんです。ところがアメリカの軍人がもつてるんですよ。大概みんなオンドルでもしちやつたかと思つてたんですけれども・・・・・。

旗田：ただいま河野先生から非常に精密なご報告をいただいたわけなんですが、今日は一つ、言語の専門の方もいらつしやいますから、いろいろご討議いただきたいと思います。

旗田：常識的な質問になりますが、金沢先生が「日鮮同祖論」を書かれて比較言語学の研究というのが始まつたと思うんですが、これはいまの研究からお考えになつてどういう・・・・？

河野：こんなことを言つちやなんですけれども、同系論ばつかりでしょう？先生のは。ただ、日鮮同祖論には日本の古いものに出てくるものを実証的にとりあげられて、なかなかおもしろい点はありますね。新羅の片仮名という、これはなかなか手に入らないのですが、おもしろいものもありましたよ。系統論がいけないというじやないけれども、いくらやつてもはつきりしないということです。私などはもつと悲観的でしてねえ。もし関係があれば、一見して、しろうとにもわかるはずなんですよ。たとえば、インドでサンスクリットを発見した時、ギリシヤ語やフランス語をやつてる人なら、ああ、これは、というふうに感じたわけですねえ、似てるんですもの。日本語と朝鮮語の比較で一番の問題は構造が似てるということです。これは何か関係があると思うんですけれども、そういうものがわかつたところで、われわれの興味はやはり単語で、単語のつながりが出てこなければ意味がないわけなんですよ。同系だと言つたところで、同系かも知れないけれど、インド、ヨーロツパ語などは素材としての一致があるわけで、それで大きな構想ができるんですけれども、その点が心細いわけですよ。

旗田：金沢先生の考え方は、日本史の先生だつたから、朝鮮というのは日本の分家なんだ、日韓併合は本家に帰つて来たんだという考え方なんですねえ。

河野：分家、本家というのもあれですけれども、むつかしいですね、その点は。

旗田：いまでは北朝鮮では逆に、朝鮮が本家で、日本が分家だという、同祖論を逆にした研究が一部でなされていますね。

河野：朝鮮ではまた妙なのがありますよ。太白だつたか長田だつたか忘れたけれどもそういう語族を作つちやつてるんですね。系統論というのはわれわれ始めのうちは一番それをやりたいんですけれど、結局わからないんですね。

旗田：それから白鳥さんの朝鮮語研究というのもいま相当評価されたんですが・・・この先生は一夏に一つずつ言葉を覚えていつたという伝説があるんですが。

河野：比較言語学なんてのは理論的にはそんなにむつかしい理論じやないと思うんですがねえ、一体に言語学外の方は何か根本的なところがはつきりしていないという気がします。

旗田：その前に坪井九馬三さん、これはもう本当にでたらめな思いつきなんですねえ、寝ていて考えて、単語の何か似た言葉があるとこれはどこから来たというように言葉の出身地をみな見付けだしてるんです。

河野：坪井先生の国語の何とかという本があるんですが、先生が書いて前間先生が注をつけてるんです。前間先生はそういうことはお書きにならなかつたけれど、多少、たとえば東シナとの関連などとお考えになつたようですね。

旗田：坪井さんは私どもが学生の頃はもうご老体で名誉教授になつておられましたが非常

にリベラルな方で、昭和の初期でも平泉さんなんかを冷やかしたりしておられましたが、言語についてはしろうとからみてもおかしいという定評がありましたね。

河野：古代史をやれば当然なんですよ、言葉にかかつてくるのは。文献が少ないものですからねえ。

旗田：最近は古代史というのは言語学はやらない。これまた一種の反動といつていいんですが、日本史にしても、朝鮮史にしましてもね。朝鮮史なんかはとくに三国史の地理誌とか、私ども何とか解読したいんですよ。私どもはね、李朝の地理誌でもいいんですが、あの中に部曲とか所とか津・館・駅などがある、それが特殊な朝鮮式漢字で書いてあるんですね、これがわかると非常におもしろいと思うんです。たとえば、ネコ部曲というのがあるんですが、これは高麗史には漢字で何とか書いてあるんですが、訳しまして猫である。そういうところにほとんど全部正式の漢字じやなくていわゆる吏読漢字が出てくるんです。

宮田：高麗の国と部曲なんかが朝鮮独特の制度であるということに対応するわけですか。

旗田：文字は中国の文字ですけれども内容的に中国の部曲とはちがいますね。

河野：三国史記の地理誌の漢字のシナ式になつたのがありますでしよう、あれがおもしろいんです。非常に日本語に似たのがあるんですねえ、実にふしぎなんです。しかも南じやないんですから。中部から北の方までですから、どう解釈するかという問題なんですけれども・・・・。

河野：日本の朝鮮語研究の将来のことでちよつと気になることがあるんですが、朝鮮のことをやるにはシナのことを知らないと、現代語はどうか知らないけれども、ちよつと歴史的なことになるとどうにもならないんですよ。若い人は現代語の研究は力を入れてやられると思うんですけれども、同時にシナのことをといいますとなかなか大変なことだと思うんです。だんだん今の学校の生徒はわれわれよりもそういつた意味で不利になつてきていますね、たとえば、漢文の教育が少ないとかね。だから諺文文献についてはともかく、漢字が入つて来た場合にはなかなか両方やるということはむつかしい状態になるんじやないかという気がしますね。

旗田：それに関して言いますとね。私どもが研究していて困まるのは、全部漢字で書いてある、中国の制度なりなんなりをそつくりそのまま文字でうつしてある。ところが部曲にしても文字だけみると中国のそれと同じだと思うのですが内容はまるでちがう。こうしてだまされることが非常に多いんです。朝鮮独自の制度というものを見失なうということが非常に多いのです。

河野：今後の問題としてポカッと空いているのは朝鮮の漢語の問題なんです。

旗田：それでは先生、今日はどうもありがとうございました。

連続シンポジウム・第8回

日本における朝鮮研究の蓄積をいかに継承するか

アジア社会経済史研究

朝鮮社会経済史研究を中心に

報告者　森谷克己（武蔵大学教授）

出席者　旗田巍（都立大学教授）

宮田節子（日本朝鮮研究所）

渡部学（日本朝鮮研究所）

宮原兎一（教育大学教授）

村山正雄（朝鮮史研究会）

旗田：ただいまから、森谷先生を中心といたしましてシンポジウムをはじめることにいたします。このシンポジウムは何回か重ねてまいり、いろいろな方がたから御経験、御研究を中心にしてお話しをうけたまわりました。それを私どもが汲みとつて、研究を深めて行きたいということでやつて参りました。さいわいに私どもの知つている範匪内においては相当いい結果がございました。同時に、日本の学会におきましても、このシンポジウムが相当に注目されてまいりました。

本日お話しねがう森谷先生は皆さんご存知のように、３０何年か前に京城大学にいらつしやいまして、朝鮮経済の研究にのりだされた方でございます。私、その当時、昭和のはじめ頃、学生の時代、また学校を出たばかりの頃、もう森谷先生のお名前は耳に非常に親しかつたわけです。アジア的生産様式という問題がやかましい時期に、先生は卒先してそういう問題にとりくまれた。とくにウイットフォーゲルの東洋的社会の理論の翻訳をなさつています。ウイットフォーゲルは現在ではいろいろ批判がございますが、当時におきましては、若い連中にとり大きな魅力があつたんです。そういう点で、それを翻訳された森谷先生に対し皆敬意を表しておつたわけです。その後先生はそういう理論をもとに朝鮮経済の研究をされ、その結果が京城大学の法文学会の論文集にいくつか出ており、さらに、単行本としてもいくつか出ており、そういうものを通じてわれわれに大きな影響を与えられたわけでございます。さらに、この点も後でおたずねできればいたしたいのですが、戦争中に「東洋的生活圏」という本をお書きになりまして、いろんなことを議論されたわけですが、それとウイットフォーゲルの翻訳、あるいはそういうアジア的生産様式というものとのつながりといつた点を、できればおききしたいと思つております。まず最初に森谷先生にこれまでの御研究の間にいろいろ経験なさつたことというようなことをお話しねがいまして、それからみんなで先生にいろいろうかがいたいと思つております。ひとつ、先生にも気楽なお気持でお話しいただきたいし、私どもとしても楽な気持でおたずねしたいと思いますのでよろしくおねがいいたします。

森谷：私が今日、ご案内をいただいて出てまいりましたのは、以前朝鮮におりまして、京城帝国大学に在職中、朝鮮のこと、とくにその歴史について多少勉強してみた、当時歴史の専門ではございませんでしたけれども、多少いろいろなことを書きまして、それがときどき話題にされているようにもうかがつてますし、そういたしますと何かご質問などがありますとそれについてお話ししなければならない義務といいますか、責任が一応あるかのように思いまして、それで今日寄せていただくことにしたわけでございます。最近はむしろ私は、自分の職業の講義などに追われており、朝鮮について特別勉強しているなどとは申せません。旗田先生の「朝鮮史」は出ました時さつそく拝見して大いに啓発されたことがございますが、そういつたことで、お話しいたしますことは、昔、戦争前やりましたことについて、いま旗田先生のおつしやつたご要望によりまして、ごくかいつまんで私の記憶をたどつて、話題を提供させていただくというくらいの意味でお話しをさせていただこうかと思います。

昭和のはじめ頃からアジア的生産様式を中心にした論争というか、いろいろな見解が述べられあつた当時、その論争の中に立つたということもございます。私が朝鮮にまいりましたのは昭和2年、大学を出て京城帝大の助手としてまいりまして、法学部を出た関係上はじめは法律の方の助手でして、労働法あるいは私法民商法などをやるということで行つて、しかし実は最初から植民地民族問題とかあるいは帝国主義論というような問題に興味をもつておりまして、在外研究に出発前の東大助教授平野義太郎先生から民族問題を実地に勉強するのもいいじやないかというようなおすすめをいただいたりして朝鮮にまいつたわけです。それですから法律は最初から勉強する気持がなかつたわけで、2年しまして経済学関係の助教授ということになりました。ちようどその頃、フランクフルト大学の「社会科学研究所」というところから叢書が出ることになりまして、最初にグロスマンの「資本主義体制の蓄積と崩壊の法則」（１９２９年）というのが出、それにつづいてフリードリッヒ・ポロックの「ソビエト連邦における計画経済の試み」（１９２９年）というのが出、それから三番目にウイットフォーゲルの「中国の経済と社会」（１９３１年）というのが出まして、つづいてボルケナウの近代的世界観の成立史について書かれたもの（「封建的世界像から近代的世界像へ」１９３４年）が出たというようなわけで、当時フランクフルト大学に滞在中の平野義太郎先生からグロスマンの著書が出る前にその校正刷りを送つていただいて翻訳をする気はないかというおすすめをいただいたものですから、それで有沢広巳先生と共訳でグロスマンの翻訳をやり、それにつづいてまたウイットフォーゲルの「中国の経済社会」の翻訳の一部分を担当するようになり、ポロックの翻訳もやるというようなわけで、そうしたことをやつているうちに、学生時分から関心を持つていた歴史の見方というようなものを大分学習できたように思います。そういう勉強をしているうちに民族問題についても、朝鮮問題を外から、民族問題として、民族の本質は何であるかというようなことから、朝鮮問題も考えなければならないだろうという気持が手伝つて、民族理論について書いたことがございます。（「社会民主主義の民族理論」京城帝大法学会論集「朝鮮経済の研究」昭和４年刊）それから今申しましたように、ウイットフォーゲルの翻訳をやつてみて、こういつた研究の仕方を用いれば朝鮮の歴史の研究についても理解を助けることができるんじやないかという気がしまして、「旧来の朝鮮農業社会についての研究のために」という表題で、ウイットフォーゲル流の見方あるいは研究の仕方に従つて資料、比較的新しい資料ですが、それを蒐集し分析してまとめてみるというような試みをやりました。（京城帝大法学会論集第六集「朝鮮社会経済史研究」昭和８年刊）そういう勉強をするかたわら、大正の終りから昭和の初めにかけまして福田徳三博士の「唯物史観出立点の再吟味」という表題で雑誌『改造』に何回にもわたつて書かれた唯物史観批判の論文が出て、それを一つの本にまとめて出されたのですが、この「唯物史観出立点の再吟味」を更に再吟味してみる必要があるんじやなかろうかという気持があつて、方法論的といいますか、そういう歴史研究の方法論的な問題を考えてみるという動機から、マルクスの、いわゆる「アジア的生産様式」というのは何をさしていたのかという問題について少し考えをまとめてみようということになつた訳です。福田さんは、マルクスのテーゼによると従来一切の社会の歴史は階級斗争の歴史であると「共産党宣言」冒頭でいつておきながら、その後マルクスは、アジア的生産様式という一つの社会段階を構想することによつて階級のない社会というものが歴史のはじめに存在したという見解に到達したようであるが、そうすると、従来の一切の社会の歴史は階級斗争の歴史であるというテーゼはすでに修正されたことになるのではないかというのが論点の一つであつたと思います。それと同時に、ところがマルクスがアジア的生産様式という一つの生産様式を構想するにあたつて利用したところのインド、あるいは東洋方面に関する文献資料の読み方がまちがつてるのではないか、利用の仕方がまちがつてるのではないか、ことにインドに関する文献資料をよく理解していなかつたというような批判を加えられたのでした。私は、はたしてどうであろうかということから、アジア的生産様式についての勉強をしてみたというわけでマルクス文献と取り組んだ次第です。最初にこの問題について書きましたのは昭和8年頃だつたと思いますが、「東洋的社会に関するヘーゲルとマルクス」という論文です。（雑誌「社会」昭和8年１月号）方法論的な問題についてくちばしを入れたわけです。そうしているうちに、ウイットフォーゲルの翻訳をしたり、そういつた方法論的な論争問題について物を書いたりしておりますところへ京城帝大の先生で、亡くなられましたが大内武次さんという統計学、経済地理などの先生がいらつしやいまして、この方に章華社という先生御存知の本屋さんから「各国社会経済史叢書」の中の中国経済史の執筆の依頼がありまして、大内先生から私に君一つやつてみないかという話があり、盲蛇におじずでついに引き受けることになり、そして昭和8年だつたと思いますが、それを書くために「支那社会経済史の諸問題」という論文をまとめまして、中国経済史を勉強していく場合に中心的な問題になるのはどういうことかということをはじめに設定してみたわけです。ただ、この論文もかなり、ウイットフォーゲルの、当時ドイツで出ていた「社会科学及び社会政策のアルヒーブ」という雑誌に、かれが同じような表題の論文を書いておりまして、私はそれにかなり影響をうけたと思います。中国経済史をやつていく上に大きな問題はどういうものであろうかという問題を設定して、そしてその中国経済史をまとめてみたわけです。これが2年余かかり昭和9年に出来上りました。（「支那社会経済史」）それから一方、方法論的な問題についても引きつづき「アジア的生産様式論」とか「アジア的生産様式再論」というようなかたちで、論争の中に立つようなことになり、そういつたものを対島忠行氏のすすめに従つてまとめて１２年に「アジア的生産様式論」という書物にして出したわけです。そういつた方法論的な問題や中国経済史の勉強などをやると同時に一方で朝鮮の勉強に、これもはじめは、さつき申しましたウイットフォーゲルの「中国の経済と社会」の影響を受けた「従来の朝鮮農業社会の研究のために」の論文が出発点だつたわけです。日本の資本が朝鮮に入つて行つて朝鮮の社会経済の体制がいろいろ変つてくるということのない、もとの形の朝鮮社会の経済構造というものは一体どういうものだつたろうかという問題を抱いていて、最初そういう勉強をやつたわけですが、そのために利用した文献というのは、比較的一番頼りになるなと思つたのは明治37・8年頃の日本の農商務省の技師の人たちが朝鮮にわたつて、朝鮮八道にわたつて実態踏査し、それを「韓国土地農産調査報告」という報告書にまとめて残されてあつて、これは日本帝国が朝鮮を掌握して朝鮮の経済社会構造を変えて行く前の、もとの朝鮮社会の経済構造を知るうえに役に立つんじやなかろうかと思つてかなり利用しました。そしてだんだん歴史にも興味をもつてとり組むようになりましたが、しかし、私は、朝鮮史を主としてやつて行くという力はないし、ことに李氏朝鮮時代というのは“李朝実録”という厖大な文献があつてこれを自由にするということは到底一生かかつてもできないだろう、これは一つ専門家にやつていただいて、その結果を利用さしていただくほかはない、自分でできるのはむしろそれ以前つまり一番古いところからだというように考えたわけです。そこで最初に利用できるのは中国の“三国志”、“魏書東夷伝”に出てくる朝鮮関係の記事だと思つて、これは西洋でいえばタキツスの“ゲルマーニヤ”に比較できるようなものじやなかろうかというような考えで丹念に読んでみました。その結果まとめたのが「朝鮮原始社会の転形期における東夷諸種族の状態」という論文でした。それを光栄にも、旗田先生の「朝鮮史」にもあげていただいておりますが、あれは「魏書・東夷伝」を丹念に読んで、ただ一カ所あとでこれは読みちがえたなと思うところがありましたが‥‥。

それと、「三国史記」は自分で読めるというわけで、そのあたりまでは根本史料について丹念に勉強できたわけですが、高麗史になつてくると“食貨志”くらいは読みますけれどもそのほかはとても専門家にまかすほかにないという感じでした。朝鮮史を勉強するのに主として利用しましたのは朝鮮総督府から当時出るようになつた「朝鮮史」というのがございますね、あれを利用しまして、便利なものですから。それで朝鮮の社会経済史の概観を得たいという考えで、昭和16年だつたと思いますが山口高商から「東亜経済研究」という雑誌がでておりまして、同誌からの依頼で、それに「朝鮮社会経済史概論」というのを書いたことがあります。それがどなたかの注目をひいたのか、富山房から国史辞典が出ることになつた時、たしか中村栄孝さんからの依頼だつたと思いますが、国史の中の「経済」の事項について、朝鮮の経済を歴史的に、しかも概括的に説明するということの委嘱を受けて、国史辞典の中の朝鮮経済史の部分を書いたことがございます。朝鮮社会経済史について多少とも勉強してまとめたと云えるのは、雑誌「東亜経済研究」に書いたものと「国史辞典」に書いたものの2つではなかろうかと自分では思つております。そういつたようなことをやりまして、そのほかには時局的な雑文を依頼されて書いているうちにだんだん戦争に入り、時局的な論文の依頼を受けて、提供されたテーマについて雑文を書くというようなことでした。それ以後は勉強したとはいえなくて、戦時中の雑文は、いま問題にされれば古きずをいじくるというようなことにすぎないと思うのです。

朝鮮研究の蓄積をどう生かすか、朝鮮社会経済史を中心に考えた場合どうなるかという問題ですが、まず誰によつてどのような研究が寄与され蓄積されたか。私は、朝鮮経済史の 研究は朝鮮の独立後．向うでは大いに進んでいるでありましようが、解放前はそれが少なくて、しかも日本人による研究が主なものであつたというほかはないと思います。どなたも指摘されているように、最初福田徳三博士が、「韓国の経済組織と経済単位」（明治３７年）という題目で、これはドイツ歴史学派、ことにブュッヒャー的な観点で、経済史というものを経済単位の発展としてとらえるという立場で問題にされた論文だつたと思いますが、最初は自給自足的な経済、それが次には都市を中心にした地域経済、そしてついに国民経済というような発展の経過をたどるという見方に立つての朝鮮経済の歴史的な研究というものであつたと思います。それにつづいて河合弘民博士が「経済大辞書」（大正２年）の中に朝鮮の経済史的な事項について、殊に土地制度について解説されており、これなんかもやはり朝鮮経済社会史の研究が進む上に役立つたものじやないかと思います。またつづいては、和田一郎博士の「朝鮮の土地制度及地税制度調査報告書」（大正９年刊）これも文献を渉猟してまとめられたもので、大いに役に立つものであつたと思います。それから西郷静夫さんの「朝鮮農政史考」（大正１０年）という本。浅見倫太郎さんの「朝鮮法制史稿」（大正１１年）、申すまでもなく経済史を勉強していく場合にやつぱり法制史的な知識はどうしても必要だと思いますが、そういうわけで浅見博士の研究も重要なものであつたと思います。さらに猪谷善一さんの「契の研究」とか黒正巌さんの「朝鮮経済の段階論」というような内容のものも出ました。（「経済史論考」大正１２年刊の第一編「朝鮮経済史の研究」）。こういつたものが研究として私どもには役に立つたと思います。昭和になつてくると、朝鮮人の学者、研究者の書いたものが出るようになりましたが、第一に白南雲さんの「朝鮮社会経済史」（昭和８年）、これは申すまでもなく、朝鮮古代社会経済史ですが、つづいて白南雲さんの「朝鮮封建社会経済史」上巻（昭和１２年）これは高麗時代についての研究です。社会経済史的な研究で朝鮮人自身の研究としてはそういつたものが重要なものではなかつたかと思いますが、むろん、李清源氏の「朝鮮社会史読本」といいましたか、そういつたものも出ましたけれども、こういつた研究が蓄積されて来たと思うんです。古い研究の蓄積を生かすとすれば、いま申しあげたようなものをやはりくりかえし再検討してみる、それから学ぶべきものは学び、吸収すべきものは吸収して将来に向つて進めて行くということじやないかと思います。

戦後になつて、たいへん口幅つたいことをいつて失礼なことを申しますけれども、旗田先生の「朝鮮史」がでました、私は旗田先生の戦前書かれたもので記憶にあるのは、高麗時代の寺院経済についてのものと、高麗時代の農民一揆の研究はともに、口はばつたいようですが、朝鮮社会経済史の研究上着眼点として非常に重要ないいものじやないかと思いましたが、そういつた研究が私、印象に残つておりましたが、旗田先生の書かれました「朝鮮史」（岩波全書昭和２６年刊）が出て、従来の朝鮮史研究の、各専門専門についての研究がそこに一応集大成された、集約化されたというふうにもいえるんじやなかろうかと思います。そうしますと、私は、今後の研究というのは、そういつた旗田先生の「朝鮮史」の中で、先生ご自身でもいろいろ問題として抱かれていたものがあるんじやないかと思いますけれども、われわれも拝見しまして、こういつた点は更に個別的な研究で深める必要があるとか、あるいは一義的に明確にさるべきではなかろうかというようないろいろ問題が含まれているんじやなかろうか、そういう問題をひろつて行き、そして朝鮮史研究というものがいわば分業による協業をやつていくというような気持で、すすめられ、「朝鮮史」を共通の拠りどころにしながら、そこに問題として提起されているようなことがらについて個別的な、各専門の研究をやつて研究を深め、問題の解明にあたり、そのようにして協業の実をあげるというような方向に進むのが、従来の研究の蓄積を今後に生かすという方向じやなかろうかという気がする次第です。

旗田：いまのお話の中で、アジア的生産様式の問題に先生はとりくまれたようですが、そういう点で何かご質問なりご意見はありませんでしようか。私は昭和３年に大学に入りまして、先生のものを拝見しはじめたのは大学を出た頃だつたと思うんでございますが、これを見ますと昭和8年に、ヘーゲルとマルクスが出ております。京城大学の朝鮮経済の研究ですが、あれにお書きになりましたのは昭和１０年頃だつたでしようか？

森谷：昭和8年、京城帝大の論集「朝鮮社会経済史研究」に載せましたのは「旧来の朝鮮農業社会の研究のために」でしたが、あれは「アジア的生産様式論」という論文集に入れるのに不適当だと思いまして、入れなかつたんです。あれは朝鮮研究の序論的なことを扱つたのにすぎないので、もう少し朝鮮の歴史について勉強した上でなければ、本当に役に立つような、多少とも読んでいただけるようなものは書けないと思つて。あの「旧来の朝鮮農業社会の研究のために」というのは、口はばつたいことを云うようですが、歴史をやる方は当然もつぱら歴史の史料に頼られるわけですが、歴史は歴史記録それだけでは充分な理解が得られない。歴史を生産力とかあるいは生産様式とか生産諸関係とかの発展・進歩として理解するという立場に立ちますと、材料としては比較的新しいものに頼らざるを得なくても、生産というものの分析が必要になる、つまり、人間労働力なり労働用具なり、あるいは自然諸条件といつたものが生産力を構成しているのですから、それの重要な要素である自然諸条件、土地の肥沃度とか地形、気候的な条件といつたものに十分注意をはらつて、そういうものが生産力を構成している以上は、生産力あるいは生産様式、生産関係から歴史を理解しようとすると、どうしてもこの生産力を構成している要素を分析しておかないと、歴史の理解が十分得られないのじやないかという考えから、生産・再生産過程の分析、朝鮮の従来の生産といいますと農業が主であり、しかも農業であるからにはむろん人間の主体的条件というか、民族の気質とか性向・体質というものも生産に関係があるし、あるいは労働用具とか技術とかいうものも生産に関係があるし、さらに環境的自然の諸条件が大いに生産に関係があるわけで、こういつた諸条件の知識を十分に得て生産の発展というものを見て行かないと、歴史の理解はできないのじやなかろうかというような考えで、朝鮮史研究の序論のようなつもりで書いたわけです。それで、「アジア的生産様式論」という論文集をまとめた時には、割愛し、将来唯物論的な考え方を朝鮮歴史の研究に具体化して何か朝鮮に関して本をまとめるというようなときに利用しようという考えだつたわけです。

旗田：いまの先生のお話で、社会科学としての朝鮮研究あるいは朝鮮史研究という方向は先生は意識的にもつていらつしやるんですが、それ以前のあるいはその頃でも、これは現在でもそうかもしれませんが、朝鮮研究、とくに朝鮮史研究というのは社会科学としての性格が非常にとぼしい、むしろやみくもに考証をやつていく、それでもまだいい方なんですが、先生が社会科学としての朝鮮研究の方向をお取りになりましたのは、やはり、大学時代でのいろいろなご勉強と関係があるんでしようか。丁度私が入りました時には新人会の解散でえらい大げんかをやつておりましたが何かそういつたようなものとの関連、あるいは直接ではないにしても……。

森谷：学生時代にはとくに朝鮮研究をやろうというような考えはもつておりませんでした。朝鮮から来ていた学生では金良瑕・鄭光鉉など高等学校時代から同じ研究会「社会科学研究会」の仲間友達で、金君とは震災後の東京で一諸に下宿したりしておりましたけれども、朝鮮の研究とか朝鮮歴史の研究に進もうというようなことは考えていなかつたわけです。ただ、社会科学といいますか、唯物史観的な研究には非常に熱心でありまして、民族問題についてもやつておりました。クノーという、ベルリン大学の当時教授で、「マルクスの歴史・社会・国家理論」という、学生に対する講義をまとめた本がございましたが、その原本を使つて大正１４・５年頃平野義太郎先生を指導教授にして毎週１回、東大正門前のカフエーの一室を借りて、研究会をやつておりまして、その結果を翻訳して出しましたが、その本は理論的な部分は民族とか国家とか歴史とか、あるいは弁証法というようなことについて学生に対して説いた本ですから、その書物は私にはかなり影響があつたと思います。むしろ中国問題には私は学生時代から興味があつたんですが、朝鮮のことについて勉強するようになりましたのは朝鮮に行つてからで、さきに申上げたような順序で勉強して行つたわけです。いま申されました社会科学を勉強したものは当時は根本資料について勉強するというそれだけの生活上の余裕がなかつたのかもしれませんが、そういうことができない、社会科学の勉強はしているけれども、そして朝鮮に関してものを書くけれども、根本資料については、それを自由に利用する機会がなかなか得られないというような状態で、また一方歴史家の人たちは、最近でも割合ご自分の専門と、専攻される比較的せまい範囲といいますか、一国の歴史のある時代の、またその中のある一面といいますか、そういうところに力を入れられて、しかも自分のやつていること以外に対してくちばしを出したりすることは何かよけいなことをするように考えられるのか、どうも発言されない傾向が強い、当時はとくにそういう傾向が強かつたんじやないだろうかと思うんです。

宮田：朝鮮にいらしてから民族問題に興味をお持ちになつたと先程おつしやいまして、非常に興味深くうかがつたんですけれども、その当時の日本の朝鮮支配、それについて先生自身支配者の一人としてどういうふうに当時お感じになつてらつしやつたんですか？

森谷：私などだんだん風土化していつたというふうに批評されればそれまでじやないかと思うんですけれども、はじめは民族問題はアジアあるいは東洋では植民地民族の問題だ、帝国主義国に対する植民地民族の問題だというとらえ方で、徹底的に批判的な考え方をもつておつたと思います。しかしそれが、京城帝国大学の一職員に安住し戦争に入つて行くというふうになりますと、存在が意識を決定したというか、そういう周囲の影響を受けるようになりまして、朝鮮の民族問題というのは、帝国主義本国に対する植民地民族の解放という問題として、そういう立場で徹底的に批判的に考えることができなくなつて来て、私などはそういう環境の中で、これはもちろん間違つた考えになつたわけですが、日本という、日本帝国という枠の中で、そしてすでに朝鮮が日本と一体となつてる以上は、その日本帝国の枠の中で日本人と同権にまで朝鮮民族の地位を高めて行くという方向にしか行かないんじやないかという考えにならざるを得なかつたわけですね。それで、日本帝国主義に対する植民地民族の解放という原則論的立場で朝鮮民族問題を考えることなどはできなくて、当面日本帝国の中での朝鮮民族の地位を高めるという方向にしか進まないという見通しのもとで、朝鮮の現実の問題を見るほかはないという考えに、自然に変わつて行つたわけです。

旗田：その点は最後にとつておきうかがいたかつたんだけれども‥‥。

宮田：そのことと、たとえば白南雲さんが、歴史発展における唯一つの特殊性はその発展段階の特殊性だといわれたように、云わば朝鮮史を合法則的な側面からみようとするのに対して、アジア的生産様式という特殊な段階を設定したのは、どう考えても日本の帝国主義侵略そのものとしてしか見えないような中に自分がまきこまれているから朝鮮社会の特殊性を強調して自分の理論を合理化したのだというような批判もあるわけで、そのことを関連しておうかがいしたかつたので最初に民族問題について質問したわけですけれども、一体先生の理論をそのような観点のみで批判されつくし得るものかどうか。たしかに日本支配という条件の中で変質はうけながらも、尚かつ私達が受けつがれるものがあるかどうか、あるとすればそれはどういう点なのでしようか。

旗田：先生のいまのような、環境がそうしてしまつたといえばそれまでなんですけれども、先生のご研究の中だけで見るというと、ウイットフォーゲルの理論、あるいはアジア的生産様式の理論というものが、先生のそういう日本帝国の中での朝鮮民族の地位を高める、日本帝国からの解放というふうに行かない‥‥自然にそういうふうに発展して行かれたものでしようか、それともむしろ学問より外部的なものの方が強く作用したのでしようか。と申しますのは、平野先生が、ウイットフォーゲルを翻訳されましたし、やはりアジア的生産様式の議論をされたんですが、最後に「大アジア主義の歴史的基礎」をお書きになりました。先生とは大分ちがうんですけれども、大東亜共栄圏というようなお考えに入つて行かれた。それがはたして外部的な条件の中で止むを得ずそういうふうに自らまげて行かれたのか、ウイットフォーゲルの立場で行くとそういうふうになるのかという疑問をもつのですが‥‥‥

村山：私は今日はとび入りでお話しをうかがわせていただいたんですが、私などは若い、戦中派に属する部類だと思うんですけれども、卒直におうかがいして一番おききしたいことは、先生のご発言の中にありましたように、歴史家のうちには確かに往々にして自分の分野だけを守つて発言をしないという人もたくさんあつたと思います。そういうまた私なんか東洋史学の伝統の上に立つているものですが、それに対して先生のように社会経済史をおやりになつて、そのような東洋の本を翻訳なさるような裏づけをなされた先生は、歴史家とちがいまして、もつとちがつた観点から勉強して来られて戦争というものと結びつけていられると思うのですが、そういう先生が東亜生活圏というような考えと、先生のお仕事とどのように結びつけていかれたのかという内面のお気持を是非後輩におきかせ願いたいと思うのですが……。

森谷：ウイットフォーゲルのいわゆるアジア的社会の理論はアジア・東洋というものを特別の社会、一体として特別の生産様式に立つ社会として考えるのですから、日本を中心にした、日本の支配下におけるアジア諸民族、アジア諸国の連携一体化を進めて行こうという大アジア主義にも結びつけられうるような、そういつた考え方がウイットフォーゲルの「アジア的社会の理論」にはたしかにあるように思いますね。ですから比較的自分自身の中で一つの転向、転回をするというような意識なしに、比較的すらすらと、例の「東洋的生活圏」というようなものにまとめることができたようないろいろの時局的雑文まで書くことができたというのはやつぱり、ウイットフォーゲルの「アジア的社会の理論」の中にもそういう方向に進みうる契機があるといえるわけでしよう。ただ、ウイットフォーゲルの「アジア的社会」というのは、マルクスの云つている「アジア的生産様式」と同意義ではないと思います。マルクスが一社会段階として挙げているアジア的生産様式というのはウイットフォーゲルが理解したようなアジア的社会とは別の社会の経済的構成を意味しておつたということは、私が「アジア的生産様式論」のなかで、それを強調しているつもりなんです。ただ、その「アジア的生産様式論」の本論の最後の一章「社会経済史における東洋の特殊性」という一論文では、東洋諸国の歴史的背景はヨーロッパ、西洋とは別の歴史経過をたどり、社会の経済的構造が別個なものであつたということを強調しておりますので、それをあまり強調することは大アジア主義とも容易に結びつく考え方になるというふうに自己批判しております。私も、マルクスのいうアジア的生産様式とはこういつた社会の経済的構成を意味したものだということを主張したまでは良かつた。それから進んでウイットフォーゲル流の考え方に立つて、東洋の諸国民の歴史的な背景は西洋のそれとはまるで別の社会の経済的構成の歴史であつたというふうなことを強調しすぎた点はすでに基本的にまちがつておつたと思います。ご承知のようにウイットフォーゲルは、唯物史観というものをはじめから批判的に修正しようとした人だと思うんです。つまり、歴史以前は原始社会、その原始社会は無階級社会で、そのような社会が階級に分裂するようになる最初は奴隷制社会であり、そして封建制農奴制社会に進み、という人類歴史に関する一般的なテーゼを原則的に修正して、ウイットフォーゲルは、歴史の経過は原始社会が分解するとむしろ封建的農奴制社会に進むかあるいは、アジア的、東洋的な土地所有の集中化された専制的な官僚制的な社会に進むか、そのいずれかにすすむのがむしろ歴史の進む原則的な方向で、奴隷制社会というのは古代のギリシヤ、ローマにおいてのみ成立した、世界史の経過から云えばむしろ例外的なものだという見方をする人で、「東洋的社会の理論」で彼の考えをまとめた時そういつた原則論を主張したのですが、そこに私はすでに疑問はもつておりました。私は、古代的奴隷所有者社会をギリシア・ローマの古代に限定したり、東洋的官僚制的社会というものを封建的な社会と全く別のもの、原則的にちがつたものとしてとらえる立場を強調するようになつて、歴史の見方を誤まつたという気がします。

旗田：ウイットフォーゲルの最近の考えは実にすさまじいものですね。水の理論が宿命論になり、しかも大変な政治論になつています。日本は小さい川だから封建社会になり、中国とかロシアは大きな川があるから専制野蛮だといつたような、宿命論におちいつているんですね。数年前に日本に来て私の学校でお話をききましたが、これはもう大変なものでした。そうなるとソ連・中国はもう浮ぶ瀬がないということになつてしまうような気がしまして。日本は非常にもちあげてくれましてね。川は小さいし、地方権力ができて封建制ができ、やがて近代社会ができるというような話をやつてくれたんですが、東洋的社会の理論には、そういう方向をとる要素があるのではないでしようか。

森谷：そうですね。だんだんウイットフォーゲルの例の治水社会の理論は極端になつて行つたんじやないかと思いますが、しかしそういう方向に彼の東洋歴史観が発展していく契機はもう最初からあつたといつていいように思います。彼は元来、唯物史観といいますか弁証法的唯物論というかそういつた基礎理論についてもなかなか勉強した人だと思うんです。生産というものの分析にずい分力を入れてやつていて、そういう点では私などは大いに勉強になつたと思うんです。その生産の構成的要素としては人間労働力、労働用具、それに自然的なフアクターを数えなけりやならんと思いますが、その自然的なフアクターの中の水という要素を特別に強調する考え方がだんだん極端になつて行つたんじやないかと思います。灌漑水が東洋では生産力の特別重要なフアクターであり、農具はおそまつでも水という因子が生産力に加えられてそれによつて生産の剰余が、水を人工的に供給しない農業とちがつて、水の供給が行なわれるアジアは水によつて追加的な生産力が得られ、それによつて必要な労働以上の剰余労働の生産物が一層多く得られる。それによつて東洋の支配階級はぜいたくができたという辺まではいいんですけれども、水をコントロールすることが東洋では非常に重要であつた、そうすると水をコントロールする上での治水規模の問題で、いまおつしやつたように、日本のような場合は河川がすべてローカルな河川であつて、国土を一方の端から他方へつらぬいているというような巨大な河川はない、従つてそれの治水は地方的に解決できる、だから国土が多数の封建的所領に分割され得て、封建的な体制ができ上ることについての障害がなかつた、ところが中国あるいはその他のオリエントでは超地方的な河川が存在して、国土を封建的に分断すると治水の問題が解決できない、そういう問題をもつている国をウイツトフオーゲルはハイドローリツク・ソサイエティ（hydraulic society）と呼んでいる。はじめは生産力を構成する要素として東洋の農業生産にあつては水というものが特別重要な役割をつとめ、そこからエキストラの剰余生産が生まれる、だから東洋では水というものが重要な役割をつとめてきたという程度であつたあいだはよかつたんですが、さらにすすんでハイドローリツク・ソサイエティなどといつて、今度は水が生産力因子として生産力というものを通して社会を規定して行くという考え方をはなれて、いきなり巨大な治水の課題を持つている国ではその治水問題を遂行するために集権的な権力が生まれざるを得ない、そこでは封建的関係は形成され得ない、その代りに官僚主義が生まれたのだ、という工合に、大規模な治水課題の存在ということからいろいろなことを説明するという方向にウイツトフオーゲルは進んで行つた。その辺からウイツトフオーゲルの考え方のまちがいが生まれてきているんじやないかと思います。

渡部：ウイツトフオーゲルに先生がとりくまれた動機というのは？

森谷：ウイツトフオーゲルは比較的早くから日本にその書いたものが入つておりました。「原始共産主義と封建主義」というパンフレツトが入つておりましたし、それから「市民社会史」という、社会経済史のいろいろの文献からの引用でうずめつくしたような本ですが、そういう意味で勉強になる本も１９２４年に出た本で、私共の学生時代に日本に入つて来ておりました。また「めざめゆく中国」とか或いは「孫逸仙伝」といつたような中国問題について書いたものも入つておりました。後者は１９２７年、前者は１９２９年に出た本です。それからドイツで出ていたマルクス主義の雑誌に地理的唯物論を批判する論文なども出ておりました。私などはそういう、時には史的唯物論の理論についての理解を助けるようなものを書いたり、中国問題について書いているというようなこともあり、それから「市民社会史」のようにドイツの社会経済史家の著作からの引用で一杯というような書物でわれわれに勉強になる本を書いておりましたのでね、学生時代からウイットフォーゲルには注目していたのです。そしたら「中国の経済と社会」というのを書いて、それを見たところ、いままでの中国研究とは全く面目が一新されたような斬新な研究で、中国の生産・再生産過程、生産を構成している生産諸力そのものの分析からはじめて、歴史についても一応の概活的なことを述べており、その前にマジャールの「中国農業経済論」（１９２８年４月）などが出ておりましたが、ウイットフォーゲルは農業だけではなくて、中国の工業的生産過程、あるいは商業や高利貸資本についても、要するに中国の全経済過程について分析していて、それも非常に内容のある分析をしているというふうに見えたものですから、これは一つ翻訳することは大いに自分の勉強にもなると思つてそれを翻訳したようなわけで、おのずからウイットフォーゲル流の考え方に接近して行つたんですね。

旗田：私どもの学生時代には、ウイットフォーゲルは非常に高く買われたものでした。時に唯物史観でもふりまわそうという連中にはね。実のところ私ども東洋史の連中は理屈は云うんですが、それを実証した論文は少ないんです。志田不動麿さんが魏晋南北朝時代の農業問題でわずかにふれた程度で、しかも御本人が、あれはむりなんだ、とおつしやるように、実証できなかつたんですけれども、これを云わなければ人並でないような空気がありましたですね。羽仁五郎さんが「東洋における資本主義の発達」というのを出されたのがたしか昭和の7.8年頃、これはウイットフォーゲルそのままじやありませんけれども、多分に入つてるんですね。そのほかマジャールとかソ連系の連中の水の理論がもてはやされました。いまでこそウイットフォーゲルを批判できますが、その当時は先進的なものだつたという感じがします。私どものその頃をふり返えてみて。しかしその中にやはり実は大きなあやまりがあつたと思いますね。

渡部：その当時私は学生で文科の先生がたの日本史学の講義をきいたんですが、あの頃は歴史では佐野学さんの日本史を読んで、もうでんぐりかえるような見方を提唱されたわけですよね。あの頃の歴史は皆文化史ばかりであつたわけで森谷先生の旧来の朝鮮農業社会の研究が出た時にはわれわれ非常に魅力を感じました。

森谷：私の「東洋的生活圏」は大いに戦争中の、いまからみると本当に忸怩（じくじ）たるものですが、あの本に収録した論文は完全に、そういつちやなんですけれども、大アジア主義的な方向で完全に成功するというような考えで全部のものを書いているとは思いません。当時のことですから、一つは注文をうければ注文生産で、市場目当の大量生産をしていたわけでありませんし、注文生産をやつたわけですから、そういうこともありましたが、一方では、世界がグロースラウム（広域）に分かれて行くということについての疑問をも持ちながら書いていたと思います。しかしながら全体としては、結局戦争の理由づけになつておつたと思いますけれども。

旗田：もう一つおうかがいしたいのは、先生のお考えの中に水の理論のほかに共同体についてのお考えが、大きなものになつていると思われますが、この点もやはりウイットフオーゲルからのご発想でしようか。それともこれはまた別の……？

森谷：私はむしろ、共同体というものに注目すべきだという考え方は、ウイットフオーゲルに負うというよりも、直接、マルクスとかエンゲルスが歴史について書いているものに影響されていると思います。ウイットフォーゲルの書いているものには、原始的な相貌をもつた共同体が東洋では最近まで存在して、それが東洋の社会を特色づけているというような考え方は、あまり出てないと思いますね。むしろそういう共同体というようなものが最近まで多分に残存して、そして東洋的な一つの特色をなしているという考え方は、マルクスが唱えたアジア的生産様式についての私なりの理解の仕方によつて、そういうことを強調したのだと思います。

旗田：先生の東洋社会、朝鮮社会についてのお考えの中で、多少立脚点がちがうと思うんですが、水の理論と共同体の理論と、どちらの方が比重が大きいんでございましようか。やつぱり水の方が先生のお考えとしては大きいんでしようか、あるいはその相互の関連でございますね。

森谷：それは、時局に適合するようなものを書くようになつてからは、水の理論といつたものを強調するようになつて行つたように思いますね。しかし私が、中国の歴史について少しばかり勉強した結果では、共同体の理論、水の理論、まあいずれにしてもあまりにそれらを強調しすぎるのは一面的になりすぎると思いますけれども、共同体というものも、中国でもそうでないかと思いますが、朝鮮でも血縁的な共同体あるいは地縁的な共同体としてずつと存在しつづけ歴史的社会の経済的構造を制約している。たとえば、奴隷制度ですが原始社会が分解して階級に分かれるとどこでも最初は奴隷というものと奴隷所有者に分かれる。しかしながら東洋諸国では、例の「総体的臣隷制」は別として奴隷制度がどうもギリシア・ローマの古代のようには発達したと云えないんじやないか。ことにギリシアとかローマの古代に奴隷制の全盛をみた時代のような具合に、奴隷労働力が圧倒的な役割をする、あるいは唯一の生産的な労働力として利用されるというようには東洋では、歴史時代になつてくると、そういうふうには云えないんじやなかろうか、むろん奴隷というものが、たとえば中国の前漢末年、紀元前一世紀頃のように相当数多く存在した時期はあるけれども、しかし一方でやつぱり主要な生産というのは家庭や農具をもち土地を保有してたがやす農民であつた、というのはやつぱり、原始的な血縁的な共同体というものが、隣保相扶の共同体的関係が強度に保存されているために、共同体のメンバーが全体として時に奴隷的な処遇を受けるということはあつても、全く労働力として第三者に主人に完全に所有されているというような、そういう経済的な意味における奴隷制というものが、東洋では、歴史時代に入つてくると顕著な、時代を奴隷所有者経済の時代として画するほど発達したとは云えないんじやなかろうか、というのも共同体というものが保存されて、メンバーである生産者の奴隷への転落、コムミユニテイの奴隷所有者と奴隷というものに分かれる、そういう分化が十分に進み得なかつたと考えるほかないんじやなかろうかというような気がします。それから、水の理論ですが、私は水の問題はやつぱり西洋の近代工業化の行われる以前の段階での、つまり農業社会であつた時代の西洋と、それから旧来の中国あるいは朝鮮あるいはその他東洋の国々の社会とのちがいを、灌漑水というものが東洋の農業生産に特別の生産力因子として加わつているということによつて、そのちがいを生みだす一条件になつているということは考えなけりやならんじやないか、歴史を研究して、それをどういうふうにとらえ、どういうふうに説明できるかという問題はありますけれども、やつぱりそういう点を考えなきやいかんのじやないかという気持は依然としてもつわけです。

宮原：中国と朝鮮の両方の社会経済を理論的に見られたわけですけれども、朝鮮の社会経済の中国と非常にちがう点について、先生のご研究からどういう点が朝鮮社会の特質なのか。

森谷：ごく大ざつぱに申しますと、第一は申すまでもないでしようが、中国の文明の発生というのは朝鮮や日本に比べて非常に早く発生し、非常に早くから進んでいたということそこから生れる歴史経過の違いが考えられます。中国の歴史経過については古代の社会経済構成の移り変りの問題、奴隷所有者経済の時代から封建経済への移行時期の問題で、歴史家の見解がまだ一定していないように思いますが、とにかく朝鮮が歴史舞台に出て来るのは大ざつぱに云えば中国が外民族の侵入によつて中国の古代帝国が解体した時期に、朝鮮の西北部分が中国の郡県的支配から脱して歴史舞台に登場してくる。その時には中国というのはすでに１５００年も２０００年もの歴史を経過しているというようなことで、そういうところから、中国では歴史経過というものが自然的な発展、つまり原始社会の階級社会への発展、そして奴隷所有者経済から早期の封建的秩序へ、さらに封建的官僚主義への発展としてだんだん歴史がつくられて来た、ところが朝鮮、さらに日本にも先進中国の影響が大いにあつたと思いますが、中国で漢帝国が弱まつてそこへ外民族が入つて来て、ちようどヨーロッパの民族大移動の時期と同じ時期に朝鮮も三国時代に入り、真に歴史時代に入るということでありましから、そういう関係から、歴史経過というものが非常に先進的な隣国からの影響で大いにモデイフアイされざるを得ない。先進的な中国と、朝鮮、さらに日本という東亜の諸国間では、いかに古代といつても他国との交流なしに一国の歴史が、一国の生活諸関係が形づくられて行くというんじやなくて、やはり戦争や、平和の使節交換という形で、隣の国、近い国との交流の中で生活諸関係が形成されて来たというように考えなきやならんと思いますが、そうすると、かなり朝鮮の歴史経過というのはいわば自然的な歴史経過、原始社会、奴隷制社会、封建社会という唯物史観の段階説のとおり、自然的な発展をとげたというふうに考え込んでしまうことは研究をまちがつた方向にすすめることになりはしないか、その辺を私は歴史研究をやる場合に頭におきながらやつていかないとまちがつた方向に行くんじやないかという気がします。白南雲さんは「朝鮮社会経済史」を書かれたとき、三国時代を奴隷制時代というように説かれたわけですが、そのように説くことについて十分な資料的な裏づけができればそういう論も成り立つかと思いますが、その点が問題じやないか、むしろ歴史の門外漢からいまいつたような点を見ますと、どうも奴隷所有者経済の時代というものを朝鮮史の三国時代に、歴史時代の初めに認めることがはたして出来るかどうかという点に私、依然として疑問をもつわけであります。むろん奴隷がある時期において沢山存在したという証拠はあげられると思いますけれども。それから中国の場合は、実に早くから、農業社会ではあつたけれども商業というものも起り、また工業的生産も家内工業といつた端初的な段階を脱け出て社会的分業としての手工業的な段階、さらにマニユフアクチユア類似の形態もどの程度にか発達しておつた。工業資本主義の萌芽の問題は中国でもまだ重要な問題として論争されているようですが、近代的な国際的関係の中に入つて行く以前において自国の中で工業資本主義的な要素が問屋制的な工業の形態か、あるいはマニユフアチユア的な形態で、すでに発生し、ある程度発達しておつたかどうかというような問題が中国の場合は相当それが進んでいたと云えるんじやなかろうか、工業資本主義の萌芽の問題は中国では相当問題になりうる。朝鮮の場合は近代資本主義の発生という問題を論ずるとすれば、それはやはり、朝鮮が日本と交渉をもつようになつて、しかも日本からの資本的進出があつて、彼の地で生産手段を手に入れ、賃金労働者を雇い人れて生産をやるという形がおこるので、従来の朝鮮の胎内で問屋制的な形態あるいはマニユフアクチユア形態の工業がどの程度に生まれ得たか、それは私朝鮮にいた当時そういう勉強をしていなかつたので何とも云えませんけれども、そういつた点でやはり中国との間にちがいが出て来ているんじやなかろうかと思います。

宮原：この問題は先生が問題にされた生産力という点から説明がつくんじやないでしようか。中国との交流とか影響とかもあると思いますが朝鮮自身の生産力といつたことにこの問題の糸口があるんじやないでしようか。

森谷：近代の朝鮮史を、李氏朝鮮時代殊にその末期の辺りに焦点をおいてよく研究してみないと、商人資本や高利貸資本の蓄積とか、あるいは問屋制工業ないしマニユフアクチユアーの存在とかの問題についてははつきりしないと思うんです。もし賃労働の充用とか、問屋制工業の形態あるいはマニユフアクチユアの形態で、日本との交流が行なわれる以前から朝鮮の胎内で、そういうものが存在したとすれば、それは朝鮮自身の中で農民が多少とも自主性をもつて剰余生産を蓄積することができるようになつておつたということを意味するでしようし、それから、もし存在しなかつたとすれば、それはやはり朝鮮の従前の古い時代の農民というものが如何に強度に搾取されて剰余生産を蓄積する余地を残されなかつたということになるんじやなかろうか、そうすると農民の地位というものが仮に農奴的であつたと云つてもそれは奴隷に近いものであつたということになるかも知れませんし、その辺は実証的な研究を待ちたいと思います。

旗田：京城大学時代の研究の協力の仕方ですが、末松さん、四方さん、大内さんたちと先生のお考えについて討議されておられたのか、あるいはその他朝鮮人の学者、朝鮮史をやつた朝鮮史編集会の人たちとか大学内の末松さんなどとの関係は····？

森谷：あそこでは経済研究室として経済学関係の学科を担当しているものがグループをつくつて、大学の論集に朝鮮経済について論文を書くというようなことになりますと、それぞれどんなテーマで書くかというようなことでめいめいすきなテーマをきめて書いたわけで、その間進んでディスカツションでもして方法論的に、あるいは全体の方向をどこに焦点をあててやつて行くかというようなことまで議論し合つて研究協力をやつていくというふうにはできていませんでした。それから朝鮮史を専門にやつてらつしやる方との協力関係ですが末松さんとは「三国志」の「魏書東夷伝」についての評価などでお考えをうかがつた記憶があります。

そのほかに朝鮮人の諸君で時々研究室に来て一緒に議論するというようなことをしていた者には印貞植君という「朝鮮の農業機構」などを書いた人、あれを書いた当時は日本にいましてそれから朝鮮に帰つて来たんですが、そして研究室に時々やつて来て朝鮮の農業について大いに議論をやつておりました。いま記憶に残つているのはそういう方たちです。私が向うへ行つた当初は学生諸君で研究会をつくつていて、その一人は戦後、北朝鮮と朝鮮人の帰還交渉がはじまつた頃向うの赤十字の副委員長ということで名前が出ておりましたが、柳基春君という医学部の学生がおりました。李延雨君というやはり医学部の学生、どちらも優秀な学生でした。それから法文学部の学生では黄舜鳳とかいつた諸君たちと研究会をもつていた事があります。それで思いだすのは、そういう研究会をもつていたので私は昭和5年の夏検事による家宅捜索をうけたことがあるんですが、幸いその時は、私宅での研究会と、大学の中で公認されていた社会問題研究会といつたか社会科学研究会といつたかそれとごつちやにされて助かつたことがあります。もし学内の研究会とは別に私宅に学生が集まつていたことがはつきりしたら、当時はただそれだけで治安維持法に引つかけられて、もちろん首になつたわけですけれど‥‥。

旗田：善生さん、ああいう方がたとの交渉はいかがでしょうか。

森谷：善生さんとは個人的に特別に交渉はありませんでした。公けの会合ではご一緒になつておりましたが‥‥

旗田：それではあゝいう方々、村山さんとかは経済研究室には無関係だつた‥‥‥?

森谷：いや、それは当時経済調査機関連合会の京城支部があつて定期的に集まつておりまして、そういう会合では善生さんなんかとは一緒になつたわけです。

旗田：それから調査プランの作製とかいうふうなところまでくらい‥‥‥

森谷：そうですね。共同で調査研究のプランを立てるというようなことはありませんでした。

宮田：その研究会の中に印貞植さんなんかも入つてらしたんですか?

森谷：それには印君は入つてなかつたんです。それは京城大学の経済研究室のメンバー、それから朝鮮銀行の調査課の人たち、朝鮮総督府の調査を担当してらした方、とくに善生さん、あるいは殖産銀行の調査課や、朝鮮金融組合連合会というのがあつてそこの調査を担当してらつしやる方という方たちですね。

旗田：久間健一さんは独自にやつてらしたんですか。

宮田：久間さんは確か小作官として各道を廻られていたのではないかと思います。この前久間さんにうかがつた時、印貞植さんとはかなり連絡を持つていて彼の著作の中の資料は大分貸したということでしたが、それは個人的なつながりというわけなんですね。

旗田：そういう点が、たとえば満洲とか中国などの調査と朝鮮の場合ちがつてたようですね。北京には満鉄の支所があつてそこで北京大学の連中とかと交流があつた、京城の場合ですと大学の人は大学の人だけでやつていたのですか。

森谷：そういう感じはしますね。満洲とか、中国華北、華中方面だと満鉄調査機関というのが大きな財的背景をもつていろいろ活動できた。朝鮮でも、朝鮮銀行の調査課なんかはその点よかつたわけで、比較的経済的な意味で自由に調査できたんですね。ただこれは業務調査の方に重点があつたんじやないかと思いますがね。

旗田：その点で疑問があるのですが。浜田耕作という考古学の大先生が「民族と歴史」（大正１０年、６巻１号）をお書きになつた朝鮮考古学の現状の場合には、日本よりはるかに朝鮮の方が計画的・綜合的だといつてほめたたえており、日本は各個バラバラに勝手にやつていてこまるといつています。非常に朝鮮をほめておられるんですが経済調査とかの点についてはその点はちがつたのでしようか。

森谷：でしようね。私どももそういう気がしましたね。時期的にも大正末期辺りには割合に、朝鮮の統治方針が多少変るということもあつてその影響でしようか、古跡調査のようなものにはずいぶん立派なものがでたんじやないかと思います。その割には民間人を動員して組織的に大いに調査をやるというようなことが全く欠けておつたという気がします。

旗田：戦争中に東亜研究所が東京にできまして、満鉄なりその他のものを含めた調査機関の統合化をやりだしたのですが、そういう時には朝鮮の研究者、京城大学の経済研究者というのは呼びかけがあつたんですか。

森谷：東亜研究所ができる時には堀江さんや尾崎秀実さんといつた方から連絡はいただいておりました。尾崎秀実さんとは個人的関係があつて連絡はいただきましたが、東亜研究所と京城帝大の朝鮮経済研究所とが組織的に連絡をもつて調査研究をやるというような連携はありませんでした。

旗田：朝鮮というものはもう日本のものなんだという考え方なんでしようね。

森谷：朝鮮研究についての連絡というより、私など中国について多少勉強しておりましたので連絡してこられたんだと思います。朝鮮はもう日本のものになつているからということなんでしようかね。それで何もこれ以上金をかけて研究調査をするということもないじやないかというくらいの考えで。しかし全然調査研究をやらないわけにはいかないから、旧慣調査というようなことか、あるいは歴史の文献を編纂するというようなことしか考えなかつたのでしようか。その点、中国とか満洲はこれからとつくんで行かなきやならんので、そちらに少しでも多く一般の関心を向けて行くためには研究もやつているというところを見せなきやという所だつたかも知れませんね。

旗田：台湾とくらべましても朝鮮の研究は組織的でない、力の入れ方が弱いという気がしますね。

森谷：しかし朝鮮総督府で出した３５巻の「朝鮮史」、あれなんかはよくやつたと思いますね。

旗田：それは確かにそうだと思いますね。しかしそういうものをやつても現実の実態の調査という点で何かぬけている感じですね。

宮原：朝鮮史の編纂とかは主に歴史学者がおやりになつたあれで、先にも出ましたように歴史家は現実の朝鮮人が日本人のどのような収奪の対象になつているかという点にはあまり関心がおありにならなかつたように思いますが、先生のようなご研究の方法をもつて勉強された先生の場合非常に深い贖罪感といいますか加害者意識というものをお持ちになつたんじやないかと思うんですが、その点いかがでしようか？

森谷：そうですね。朝鮮の研究というのは私ども昭和の初め朝鮮に参りましたとき、古跡調査などは立派なものができていた。今日から見ればまだまだ不十分でしかなかつたかも知れないが、当時としては比較的立派なものが出ていた。しかし朝鮮を研究しようというからにはその歴史をやらねばならないが、そのためにはまず朝鮮に残つて来た文献を学問的関心をもつているものに近づくことができるような形で提供してもらうことが第一じやなかろうかと思つたのですが、そういう点で私など勉強しようと思つても、文献がなかなか利用できない、李氏朝鮮の時代は実録があつても自分の力では利用できない。それで朝鮮史が３５冊出て、これで助かるという気がしました。自分では学問的な関心が、社会経済史、それも比較的古いところに向つておりました。

旗田：それでは先生からこういう点をこれから朝鮮研究でやつてほしいというご注文をきかせていただければ私ども非常に参考になりますがいかがでしようか？

森谷：私は現在、日本の朝鮮学界でどなたがどういう研究をやつてらつしやるということに全く暗いので、そんなことはもうやつている、こういう成果があがつているということがあるかと思いますので、何も申し上げる資格がありません。極く一般的に、強いて愚見を申しますと自分の国の歴史は自分の国でやつているのが一番いいんだというような考え方は賛成できないと思いますが、ただ朝鮮あるいは中国でも自分の国のことを自主的に研究できるようになつてそれを他国の者が研究する場合には余程従来の心がまえを改めてかからなければならないのではないか、たとえば中国の研究については解放前は日本人の中国研究が向うでも尊重されていたんじやないかと思いますが、解放后はむしろ中国人自身による研究が非常に盛んである。そうするとわれわれはやはり中国人自身の研究にたえず注目を怠ることができないと同じように朝鮮の研究をやつていく上にも肝心の朝鮮自体の学界でやられていることに絶えず注意を払いながらやつていかないと意味のない研究になるんじやないかということです。朝鮮の場合は、目下のところ南北に分かれ、学界の傾向というものが南と北とではかなりちがうんじやないか、ちがわざるを得ない環境のもとにおかれている。北朝鮮の場合には、方法論的というか世界観的というか、そういう点では研究者たちが皆根本的には同じ方向を目指して同じような理論的な用具をもつて研究をしている。これは中国の場合と同じで、そうすると、かなりわれわれ日本人の朝鮮研究というものも、世界観とか方法論の問題からして相当検討が必要になつてくるんじやないかという感想を持ちます。歴史の研究について希望を申しますと、朝鮮の文献で日本の朝鮮史専門家にとつては容易に利用できるが専門家以外には利用困難というようなものを、容易に利用できるような形にして提供してくださると日本での朝鮮研究を進める上に役立つだろうと思います。それに研究者たち御自身は分野別に狭くかたまつてしまわずに、お互いに方法論的にも大いに議論し合い、またやつている部分についても連絡をとつて話し合う、旗田先生の「朝鮮史」や北朝鮮で出た「朝鮮通史」といつたものについてそれぞれの分野の人たちがそれぞれの専門分野から一緒に、いわば分業による協業を行いながら研究していくといつたようなことができたら、と望む次第であります。

旗田：非常に長時間、おききしにくいようなことまでおききしてお答え頂き、ありがたいと思います。先生にもこれからも朝鮮研究に情熱をそそいでいつていただければ幸いと思います。

〔編集部附記〕　このシンポジウムにおける討論は以下まだ続いたが紙数の関係上削除せざるを得なくなつた。出席者でここに出て来られない発言者の方々にはまことに申訳なく思つています。このシンポジウム全体を別の形でとりまとめたいと考えており、その際は是非活用し度いと考えています。乞御海容。

日本における朝鮮研究の蓄積をいかに継続するか

明治以後の朝鮮教育研究について

報告者　渡部　　学（武蔵大学教授）
出席者　阿部　　洋（佐賀短期大学講師）
幼方直吉（中国研究所員）
海老原治善（国民教育研究所員）
小沢有作（日本朝鮮研究所）
新島淳良（早稲田大学助教授）
旗田　　巍（東京都立大学教授）
朴　尚得（朝鮮大学校）
宮田節子（日本朝鮮研究所）

渡部：朝鮮教育を研究しているものの数はわずかなものですから、何もかも一人でやることはできないのでありまして、私はあまり制度・政策といつた表街道の方は知らないので、その方面のことは、中村栄孝先生とか、新しいところでは小沢さんとかその他の若い研究者から、私が実はお話を伺いたいというような研究上の限界の中で、私のやつて来たことをお話ししてみたい。こういうチャンスを与えていただいたことを光栄に存じます。

日本人の手による朝鮮教育の研究は、従来は、学術的批判に耐えるものという限定をつけますと、若干の制度史研究と、断片的ではあるけれども思想史研究、主として精神史研究、その他でありまして、その他、総督府の政策の解説或は論評というようなものがあるのですが、それが非常に数が少なく、それから戦后の研究も、若い方々のご努力によつて若干進められてはおりますけれども、まだ量質共に統一的見解をたてるというような段階にはとても至つてはおりません。しかし、旗田先生の朝鮮史の中に、社会経済史的観点と関連して教育関係のことが、あちらこちらふれられているわけで、前回、森谷先生がいわれましたけれども、大体そういう線で深めていくということが大切だと思います。ただ私には私としての限界がありますので、最初に三つだけ、結果的に方法論的に出てきたものでですけれども、問題を提起しておいて、それが私の研究の限界であり条件であるというふうにご承知願いたいと思います。

私の経歴と申しますのは、朝鮮史研究会の会報の第７号に、「私と朝鮮史研究」という題でかかせられました時に、大要のことは含めてかきましたので、ご承知かと思いますが、私は昭和１３年の３月に、京城大学の哲学科教育学専攻で卒業しまして、直ちに朝鮮総督府学務局学務課に入りました。そこで初等師範教育係の嘱託をいたしました。それから１年位して軍隊にまいり、除隊後間もなく、京城師範学校付属小学校の訓導になつたわけです。それから戦争が進みまして、第３次朝鮮人初等教育普及拡充計画と義務教育制の実施準備とを総督府がやるようになつた昭和１６年には、再び朝鮮総督府の学務局学務課に入り初等師範教育係の係長になりました。その後昭和１８年に京城帝国大学理工学部付設理科教員養成所の教授になつて、しばらくは両方兼ねていました。昭和１９年には大学にすつかり入りこんでしまい、終戦引揚後は、仙台の東北学院大、それから兵庫県立農大、現在の武蔵大学という新制大学の教師をしてきているわけです。そういうわけですから実を申しますと、総督府にいたのですから政策や制度の研究をほんとはするべきでありますけれども、天邪鬼で、逆にそれを受けとめた方のことばかりやつてまいりました。したがつて、当時なら叱られるようなことばかりやりました。政策や制度の研究というものが、どういう意味をもつか、どういう問題をはらむものであるかということが、考えてみたいことの第一です。第二に、朝鮮教育と朝鮮半島教育は完全に一致するかという問題、そういう二つの概念がなりたつものではないか、つまり、とくに近代の「朝鮮半島」の教育は「日本外地」の教育ではないか、ということ。第三の問題は、抽象的ないい方になるたもしれませんが、立体的な発展的な考え方、K. Levin の言い方によると Dynamical なそれ、をもつてのぞまないと、朝鮮教育はつかめない。そういう考え方がなぜ必要であり、また、具体的にそれはどういう意味であるか、こういうことが問題だと私は思つているわけです。

そういう三つの問題点が私の制限でもあり、私の問題でもあります。そのことをご了解いただきたいと思います。その限界の中で、朝鮮教育の日本人による研究はどんな形で進められたか、またそこにおいて把握された朝鮮教育の内容は、どんなものであつたかということを考えてみたいと思います。

(1) 明治前半期の朝鮮研究

渡部：甲午改革の年(1894)までの日本人の手による朝鮮研究は、学術的研究というよりも、その当時の実情についての紹介的探査であつた。

当時、朝鮮の事情一般について、諸種の解説書が出たが、それらは「朝鮮案内」とか「朝鮮紀聞」とか「東亜之大勢」とかの題名で刊行され、なかには教育に触れたものもあつたが、その最も早いものは榎本武場の「朝鮮事情」(明治9、西紀1876)であつた。この書は仏人宣教師シアール・ダレーの見聞を通して朝鮮諸般の事情を紹介したもので、教育についてもややくわしく触れている。

これらに対して、教育そのものだけを直接の対象として記した最初のものは、単行本としては田中登作の「亜細亜諸国教育一斑」(明治25、1892)であつた。

しかし、このいずれも朝鮮教育だけをその歴史的発展相において統一的にとらえたものではなく、(イ)当時の時点における案内書的、実情紹介的なものであり、(ロ)かつ、他の諸分野の事情一般や他の諸国の教育事情の紹介の一部として、記したものであつた。つまり、この期の研究は案内書的な性質のものであつた。ただ、田中の「一斑」では、書中至るところにアジア志士的なひふんこう慨口調の論評が加えられている。

これらの書の朝鮮教育はあくの内容は、国家における制度としての教育の実施状況であり、それに対する評価はきわめて消極的であつた。すなわち、「朝鮮事情」では、学問というものが治国の基礎をなし、国家試験も行なわれているが、腐敗し形がい化しており、その学問の内容も語学と有名無実の性理学にすぎない。従つて、朝鮮においては「真の学問なし」と酷評している。この考え方はのちまで強い影響を残した。また、「教育一斑」では官立の学校も名ばかり誇大で実がなく、近代式の学校もつくられはしたがその規定は虚文と化している。これを要するに、朝鮮は政治経済上のみならず「教育の大本すでに地をはらいて、その跡すこぶる亡国の域に沈めり」と、これまたきわめて消極的な評価をしている。

(2) 明治後半期の朝鮮教育研究

甲午以後における研究の特徴は、第(1)には、個人的関心に基く紹介的探査の域をこえて何らかの背後団体の影響あるいは負荷の下に考察が行なわれていることであり、第(2)には、ただ当時の時点における平面的紹介の域を脱して、過去および将来までの、従つてまた現状と理想という、拡大されたパースペクティブを含むものとなつていた点である。

この期の初期の代表的文献は、岡倉由三郎の「朝鮮国民教育新案」（明治２７）、本多庸一の「朝鮮教育談」（明治３０）であるが、いずれも東邦協会における講演で、当時における日本人の朝鮮教育理解を集約的に示している。岡倉は日本外務省より派遣の日語教師であり、本多は大日海外教育会長（青山学院長）であつた。ややくだつて「朝鮮開化史」（明治３４）の恒屋盛服は東亜同文会員で韓国内閣補佐官の肩書をもらつていたし、「韓国教育の現在および将来」（明治３８、外交時報）の松宮春一郎は日本外務省の関係人物のようである。

明治も末期に、日本人官吏の手により日本文で書かれた韓国学部編「韓国教育」（明治４２）、同「韓国教育の既往及現在」（明治４２）、同「韓国教育の現状」（明治４３）は説明するまでもない。さらに比較的自由に論じている「朝鮮半島」の山道襄一は、大韓日報主筆として論じ、また総督府の依頼により韓国社会を調査したのであつた。

これを要するに、この期の研究は、日本側の諸種の団体の朝鮮に対する積極的関心――その中味が何であれ――あるいは志向に立脚した歴史的追求を含んだ知的探究の域に入つていた。

この期のはあく内容は、幅の拡大に伴なつて部分的な相違もかなり広くなつてきているが、明治３０年前後の時期のとらえ方をほぼ集約しながら、しかもかなり良心的な表現をしている本多庸一「朝鮮教育談」と、明治４０年前後のとらえ方を集約している韓国学部「韓国教育」その他が代表的である。

まず、本多は、京城では諸種の新学校がかなり盛であるが、それらをふくめて「京城、仁川、釜山あたりの外には学校らしい学校はないとみるより仕方がない」と述べており、そのような状態へたち至つた歴史的経過の考察は別に示していないが、日本の教育が朝鮮にくらべてはるかに「越えている」から、朝鮮にわが国の文化をわかちたい、という言いまわしをして、えん曲ながら朝鮮教育の遅帯を立言している。そして「一度日本に持つてきてあてはめたものを朝鮮に持つて行く」という方向で朝鮮教育を進めるべきを説いている。つまり、日本教育先進論（＝朝鮮教育遅滞論）と先進教育移植論との組み合わせからその朝鮮教育観が成立つている。考え方の構造は同じだが、岡倉はもつと端的に「朝鮮には教育なしというもなお過酷の評にあらず」と言いきつている。

次に、明治末期の「韓国教育」その他においては、朝鮮教育の沿革大要を記して歴史的時代区分を提示しているが、第１期は１８９５年庶政改革まで、第２期はそれより1905

年統監府設置まで、第3期はそれ以後、と3期に分けている。そして第1期の教育制度として書堂→郷校→成均館→文科及第＝官吏登用という修学体系の存することを述べ、その教育方法は漢学以外何ら日用文明の学を授けず「数百年末のろう習ろう乎として抜くべからざるものあり」としている。つまり、三千年にわたる朝鮮教育の歴史的発展を第1期としてただ一つの時期に単一化してしまい、教育制度の単純固定化と教育方法の古ろう遅滞性とを指てき強調して、きわめて消極的な評価を下している。それはやはり、日本教育先進進論と先進教育移植論との組み合せから成立つていた。つまり、「ダメだから直してやる」方式の論理的表現にほかならなかつた。

(3)　総督府時代の研究

併合後における研究は、資料上の便宜もあつて、範囲は拡大し、内容はちみつとなつたこともちろんであるが、政策的関心が支配的であつた。これらの研究は、その著者によつて(1)評論家系統のもの、(2)官僚系統のもの、(3)学者系統のもの、の三つに分けて考えられる。もちろん、著者によつてはこのうちの二つ、あるいは三つにまたがるものもあつた。そしてこの(3)の系統はさらに、これを(イ)歴史学者系、(ロ)その他の分野の学者系(ハ)教育学者系の三つに分けられる。

この(1)の系統のものは、明治期に多くみられ、前述の田中の「一斑」などはその先駆であり、山道の「朝鮮半島」中の教育論などみるべきものがある。しかし、併合後におけるこの種のものは御用的論評が多く、みるべきものはほとんどない。もつともその御用性そのものをみるには貴重な資料である。また日本の学者の旅行記的なものもいくつかあつて、なかには示唆に富む考察を加えたものもあるが、ひつきよう旅行記である。この系統のものは非常に雑多で相当の数に上ると思うが、わたくしは十分な探索をつくしていないので、その共通相を明確に取出すことはできない。新しい考察の視角による今後の開拓がまたれる。

第(2)の官僚系統の研究は、もちろん当局政策の正当化を主眼とするものが多い。それらは、とくに統督府以後の「新教育」の進展をくわしく客観的に記しているが、それが如何に「進展」であつたかをきわ立たせるためにそれ以前の時代の教育にもふれている。この種のものの代表的なものは、寺内総督「朝鮮統治三年間成績」(大正3)、幣原坦「朝鮮教育論」(大正8)、弓削幸太郎「朝鮮の教育」(大正12)、高橋浜吉「朝鮮教育史考」(昭和2)、大野謙一「朝鮮教育問題管見」(昭和11)などである。

この種のものの先駆は前出の「韓国教育」で、内容的にもこれを一貫してひきついでいるが、何れもとくに、統監府以後の「新教育」の進展を制度・政策に即して一応客観的に記し解説している。しかし、中心は　当局施策の「進展」であり、前時代の歴史はこれを証明する手段に使われ、その遅滞性を強調している。

これらの研究において特徴的なことは、朝鮮教育遅滞論たることは依然たるものであるが、さらに一歩を進めて、停滞断絶論（却下論）となり、先進教育移植論は日本教育延長論（皇民教育設定論）へと進んでいる。つまり、「おくれきつている」→「おくれたものは捨ててしまえ」→「進んだしかも似通つたものを持つて行け（朝鮮人自らが学んで）→「日本人になつてしまえ（朝鮮人でなくなれ）」という図式で示される。この後半に至つては地理学的な「朝鮮半島上の教育」ではあつても、「朝鮮教育」とはもはや言い難いものになつている。

寺内は、朝鮮は「上下相率いてひへいの極におちい」つており、その教育は「極めて幼稚の域に在」るから、時勢民度に即しながら「確乎不抜の威信を保持」しつつ忠良なる帝国臣民を育成していることをうたい、幣原はその豊富な史的知識をテコにして当局政策の正当化を行なつている。朝鮮は文運において旧とうをとうしゆうするのみで、沈滞して刷新の意気をあらわさなかつたが、今や併合のうえは「同化」という朝鮮教育の要義に則つて、「自己の属する国家に忠実」な人間になる教育をうけねばならぬ。そうでなければ「安心立命の境涯に達することが出来」ず「その不幸は測り知れない」と学務局長講話をひいている。かかる、教育の「政治的現段階即応論」は、前出「韓国教育」の所論もあつた。つまり政治上の既成の事実を教育におしつけるのである。

弓削は、自らの担当した政策の解説をし、部分的には寺内批判も行なつているが、すべては上司の指揮に従つたまでだとして責任自覚なしの記述をしており、高橋は朝鮮旧時代の教育を原典史料によつてかなりくわしく調べ、日本進出後についても当局関係資料をくわしくのせているが、資料集のような羅列的記述に終つている。大野氏のも資料解説的である。

これら官僚系統のものの所論は、要するに遅滞した李朝鮮時代までの教育を却下離脱して、新たに朝鮮半島の上に実のある皇民教育が築かれ、進展している（＝公立普通学校体制）というのである。つまり、朝鮮教育は終えんして、新しい半島（＝外地）教育が始まつたという「断絶」的飛躍論である。

このような「断絶」構造をほじくり、あらわにして、うちこわすことなしに朝鮮教育を研究することがその後の研究への要請であり、それに即してあらわれてきたのが史学者たちの制度史研究であつた。

第(3)の系統の(イ)の歴史学者の朝鮮教育研究は、近代歴史学の方法としての実証的操作により、京城においてのみ見られた原典史料を駆使して、しかも断絶構造をこわすことなく、すらりと朝鮮教育の史的流れを叙述するには恰好の形であつた制度史研究がとられた。かくして、ここに有力な二つの制度史研究があらわれたのであつた。すなわち、高橋亨述「朝鮮の教育制度略史」（大正９）、小田省吾述「朝鮮教育制度史」（大13）の二つである。すでに、幣原坦の「朝鮮教育論」の附録に「朝鮮の文教」と題する帝国教育会での講演がのつており、歴史学者であつた著者自らが「朝鮮教育略史でもある」と言つているが、これも増補文献備考に拠つたらしい制度的沿革解説であつて、この種のものの先駆であつた。制度史では、どの時代はどうであつた……どの時代はどうであつた……次の時代には……という風に制度の形姿的事実を、時代順に、正確に、だが平板羅列的に、記述すれば一応それでも済むからである。

さて、高橋博士の「略史」ではその冒頭に「朝鮮の教育制度はきわめて簡単にしてまた単調、高麗より李朝を通して少しも変化のあと、従つて発達のあとを認めない」と断じ、高麗、李朝、甲午年以後の三期に分れて学制の変遷を記している。高麗の学制は12世紀初期17代仁宗朝に「高麗学制の完備」をみたが、それは実に「また李朝を通して朝鮮学制の完備」にほかならなかつた李朝はこれをつぎ15世紀初期すでに李朝学制は完備された。かくして

「李朝国初に在りては士人の子弟は8,9才にして書を挟みて書堂に通い、7,8年間千字文より小学、四書の素読を習いて郷校に進み、数年勉強して進士生員の試験に応じ、さらに成均館に入りて文科に応ずる」

という一般的な修学体系が成立し、科挙の制もととのつたが、「李朝中世に至るにおよびてまず郷校が衰微し」その教育は有名無実となつた。その後各地に書院がぞく生したが、儒生の時勢講議と享祀の場となつたほかには教育上ほとんど貢献するところがなかつた。かくて李朝盛代に至つて中間教育機関は「その機能を失つた」ものと見なければならぬ。ただ成均館太学は士流唯一の高等教育機関としてさかえたが、宣祖朝以後、世くだるに従い政治びらんし科挙の弊の増大するに伴い「ようやく成均館は太学たるの機能を失つた。」かくして、

「李朝の政治史がすなわち党争史となるに至りて太学の本来の意義も失われて、ここに

さきに郷校亡び今太学亡びて李朝教育機関は全滅するに至つた。」

その後、甲午の改革により科挙を廃し新学制をおこしたが、時勢民度に適合せず微々として振わず

「かくて混とんたる情況継続すること１０年、明治３８年統監府設置せられ、日本の学制顧問おかるるに至つて始めて朝鮮教育が新しき発達の軌道に進み入つたのである。」

と。

ここにみられる論旨は、要するに、朝鮮の教育制度は高麗以後進歩するところがなく、それも李朝後期にはかい滅してしまつた。そしてようやく統監府設置以後発達の軌道に乗つたのである。これは明らかに近世と近代との断絶論である。そしてその所論の内容において不思議なのは、書堂を基底とする修学体系が李朝初期に成立したと確言しながら、かい滅については郷校、書院、成均館についてだけ説明し、書堂のそれには全く触れず、しかもなお「全滅」したと言つていることである。そこに論理上の欠陥があると共に、反面では統一的な歴史的はあくへの救いが残されているのも皮肉である。私の研究の論理的出発点は一つはここに求められたものであつた。しかし、この「略史」は近代の部はわずか数行で、李朝教育否定却下論に立つているが、李朝教育の経過については一貫的な叙述を提供しており、私は後学の必読第一次書だと思つている。

次に、小田省吾の「制度史」は、歴史的パースペクティブをさらに拡大し、三国時代、新羅統一時代、高麗時代、李朝時代、最新時代に分け、最新時代はこれをさらに甲午改革以後と保護時代とに分け、その学制を詳述している。本書では、朝鮮旧時の「教育制度はとりもなおさず儒学に関する制度」であるとしているが、政府の制定した制度のほか「私に発達したところのもの」にも着目し、さらに最近世の日本の手による新教育は「教育の意義もまたおのずから旧時と異るに至つた」から一時期を画して記す価値があるとしている。

その論旨は、「李朝の教育制度は儒教とともにこれを高麗から受けついで培養発達せしめたものにほかならない」との観点の下に、各分野にわたつてそれぞれ羅列的に、だが客観的に叙述し、甲午以後についても法会に即して学制構成を静態的解剖学的に解説している。その限りにおいてはきわめて正確ですぐれたものというほかはない。本書では「略史」のような修学体系の指摘をしていないけれども、高麗図経に出て来る郷先生を挙示して「郷先生というのは、昔から今日まで朝鮮に存在する幾万の書堂の先生」の如きものとして、当時私的な「幾万の書堂」の存在したことを認めている。しかし甲午改革によつて生

れた小学校が「ただ漢籍の素読に全力を注ぎ、かたわら習字を教授するにとどまり、学級の編成、校舎の設備等に至つては、ほとんどこれを念頭におかず、純然たる書堂と選ぶ所がなかつた」と、方法や設備の外見的形態からのみ書堂の残滓性を立言している。

上述のように、本書は「教育の意義が変つた」として新教育を別建に記しているが、しかしそれがどういう意義に変つたかは述べていないので、その教育制度の積極的解明には何ら資するところがない。端的に言えば、変つたから変つたのだというに等しい。また、統監府設置後における私立学校の増加については「ある一種の意味を以てにわかに教育熱の勃興を来たし」たと述べているから、そういう教育（＝反日救国の民族自身の教育）をも教育として認めてはいるようであるが、しかし「ある一種の意味の教育」とはどんな意味のものかは明らかにしていない。とに角、「意義の変つた教育」とか「ある種の意味の教育」とか何ら内容的積極的規定のない「教育」のみを取り扱つたものであるから、その近代の部分については実に批評しようにも批評するスベがないのである。そこに出てくる近代の教育はかかる内容なき空そなる概念であるから、そういう論理的構造においても近世から断絶浮上している。

第3系統の(ロ)の歴史学者以外の諸学者（教育学者を除く）の朝鮮教育解明に関係ある研究はかなり多くあるが、細川嘉六「植民史」（昭和16）、阿部吉雄「李退渓」（昭和19）、鈴木栄太郎「朝鮮農村社会踏査記」などは最も有力である。ことに鈴木教授の農村社会学的な視座と方法とによる具体的な調査研究は農村における民衆の生活に有機的にかかわりこめられている朝鮮教育について、きわめて有効な照射を与えてくれる。阿部教授の退渓研究は思想史的に透徹した解明を与えるほかとくに戦後における研究と相まつて、日本との交流関係を明確にあとづけて示してくれる。細川氏の「植民史」では朝鮮の教育にも言及し、総督府の誇号にもかかわらず「朝鮮人の文化水準は極度に低い」ことを指摘し、それは「普通教育とくに初等教育の未普及」の結果であると断定、また初等教員の日本人と朝鮮人との間における給与の「甚しい懸隔」を数字をあげて示し当局の差別政策をついている。しかし、産業部門についての結論では

「現在の朝鮮は依然たる封建的基底の上に外来の独占的大資本を聳立せしめ、内地と同じ関係を朝鮮にも再現しつつある」

としている。これを結びつけて考えるとすれば、封建基底における極度に低い文化水準ということが「依然たる停滞」とされているようである。李朝いらいひきつづいた依然たる停滞としての極度に低い文化水準とは如何なるものか。総督府の植民地支配政策が外面的

な近代式方式の樹立にとどまつて、一般民衆は極度に低い「生活水準」におしこめられたことは確である。しかし、教育に関する限りでは、すでに李朝期において相等程度の初等教育普及が民衆によつて自主的に獲得されており、在地封建勢力の掌握下にあつたとはいえ、時代の条件によつては近代教育に開花して行く内面的動向を十分に孕んでいた。都市についてはとも角も、農村においては日本の近世末期よりは進んでいたのではないか。石川博士の調査による近世の寺子屋開業数の累計は11,237で、人口3千万に対しおよそ2万の寺子屋があつたと推定されるが、朝鮮の場合、明治44年度末統計では、人口1千3百万に対し書堂16,540（実数はもつと多い）で一面（＝日本の村）当り3.8堂が存在していたのである。それが支配階級の腐敗と外勢の侵入により自主的発展を妨げられ、支配者交替ののちは全く異質の教育をおしつけられ、経済的貧困と行政的弾圧と相まつて、近代的成長を形象化しえず、苦悩と抵抗と斗争のうちに潜在的創造展開をとげつつあつた。総督府の推進した「近代式◎」（設備や方法など外見的形姿だけは近代的であつた）教育が「不毛」であつたことは確かだが、それは反面において不毛にさせられた、つまり異質文化の民族侵蝕への朝鮮民族の抵抗でもあつた。朝鮮民族自身が不毛であつたのではない。従って、上述の論理を直線的に強調すると、「もともと極度の低水準であつた、日本の政策がそれをそのままにした」という二重遅滞論となつて、いよいよ朝鮮はおくれた国とされ、そこに「改心した日本」再進出の論拠が求められはしないか。それ故、私はこの「依然たる極度に低い文化水準」観には警戒的である。

次に(ハ)の教育学者の諸研究があるが、いずれも私の恩師であり、現在も学者として活動しておられるので批判は差控えたいが、ただそこに取り上げられた問題分野とその意義を指摘しておきたい。しかし、それとても十指に足りない数である。

その研究分野の一つは近世における初学用教科書の研究である。その研究視角は精神史的でとり上げられた数も少いが、中国の伝統を引きながらも朝鮮独自の進展を示したこの分野の研究はきわめて重要である。その二は総督府治下の朝鮮教育の研究であるが解説的紹介の域にとどまつていた。その三は「郷約」の研究である。これは、「学校」教育の李朝における遅滞と、それから断絶しての総督府の新教育の進展、という論法の間隙をついて、社会教育分野における朝鮮教育の実相を追求したものでその意義は深い。ただその研究視覚はやはり精神史的で「郷約の害は寇盗よりも甚し」（丁茶山「牧民心書」）というような社会経済史的側面の考察は乏しい。

(４)　断絶論克服への研究（戦後の研究）

戦後における研究としては、阿部洋氏のキリスト教系私立学校の研究、清水慶秀氏の朝鮮教育令の構造に関する研究、小沢有作氏の植民地教育政策の研究があり、最近京都大の菅井鳳展氏の研究も進められているという。阿部氏の研究ではキリスト教系学校が朝鮮民衆の「内修外学」のスローガンによる反日愛国運動の一環として展開されたものであるとし、清水氏の研究では、植民地支配のための教育ではあつても、それによつて獲得された近代知の機能的活用によつて朝鮮人の人間力となる、という「知は力なり」と知識の客観的普遍性観を立てている。小沢氏の研究では朝鮮の植民地教育を「負の遺産」と規定し、日本の教育の基底にひそむものへと肉迫している。これらはいずれも、私見によれば、「断絶」の克服という方向を示しているもので、阿部氏はキリスト教系教育の朝鮮民衆との連続を、清水氏は現代の在日朝鮮人の知的構造への連続を、小沢氏は現代日本への連続を、それぞれの立場から試みたものである。（この項誌上追加）

さて、自分のことでおこがましいが、触れさせて頂くと、私の研究の動機や経過については「朝鮮教育史研究会会報」第７号をみて頂き度いが、これまでの２０余篇の論文はいずれも「私的な初等教育における朝鮮人自身の教育の展開」が主題となつている。

朝鮮では私学が早くより発達したという柳洪烈氏の研究は私の出発点であつた。そして先述のように高橋博士の「略史」に導かれて、従来の制度史の盲点あるいは死角であつた書堂教育の進展を追求してきた。それは近世に発達し、封建性を蔵しながらも、日本人研究者の断絶論にかかわらず、近代の中にも朝鮮人自身の抵抗性格の教育展開として深く喰いこんでいた事実である。南朝鮮にもそれは未だ数多く存すると聞く。いまそれを、１９３０年の時点における空間的な横断構造と時間的（歴史的）縦断構造とを図示すると次のようになる。

断絶論によつてとらえられる公立普通学校体制（＝総督府的新教育）の実体は一握りのものにすぎないことが分る。たとえ、設備や方法において多くの欠陥を蔵していたとしても、朝鮮人自身の教育は歴史的に連続して展開してきたとみなければならぬ。公立普通学校をめぐる、遠心的力動をはらんだ、周辺副次領域の広大かつ頑強な存在はそのことを証示している。それは朝鮮人の教育に加えられたかしやくなき抑圧に対する、朝鮮人自身の苦悩と抵抗のメタモルフォーゼにほかならぬ。

かかる朝鮮における私的な初等教育の展開の、今日までに判明したところをかいつまん

で述べると

① 李朝初期に、在郷の儒臣がその個人の書斎を開放して童蒙を教育した書斎型の書堂（祠廟 なし）は 麗末の風を受けて広く行なわれたことは柳氏の研究によつて明らかであり、経国大典にもそれはあらわれている。

② 16世紀初期中宗朝に朱子学の発達に伴なつて道学的な群居い業の儒館（祠廟を附す）としての書院が成立したこと。

③ 16世紀後半には科業と道学的学問という二大陶治体系が成立し、書院が興隆したが、書堂はその初等段階的肢節として吸収せられたこと。

④ 16世紀後半「童蒙先習」が成立し、17世紀にはその刊行普及をみ、千字文・類合など道具学習的初学第一次書に対して、当時の学問の百科全書的初歩を客観的に授ける内容学習的初学第一次書が成立して、ここに初等カリキュラムが確立したこと。

⑤ 17世紀後半期より典型的奴婢農民が消滅して行く（金錫亨）が、それと並行して祠廟を附せざる下級書院としての書堂が、在郷人士の自主的協同により成立普及し始め（＝郷村書堂）、かつその存在性を主張するようになつた。政府もこれを認めざるを得なくなり、その教育体制の中に組み入れようとした（孝宗10年の郷学之規）。

⑥ 18世紀に政要書盛行。郷村における書堂の存在を前提として、これによつて農民に対する封建的教化を強化しようと試みた。

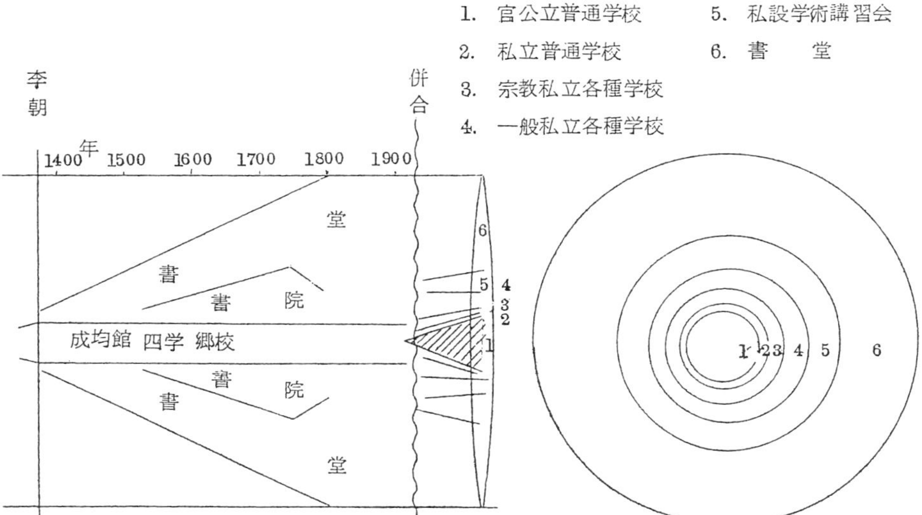

縦 断 面　　横 断 面

⑦ 18世紀末には「郡県は一郷（⇒面）ごとに数十村（⇒洞里＝大字＜アザ＞）を領し、大約45村にして必ず一書斎あり。斉座の一夫子はすべてこれを平丈にして、児童数十人を領す」（牧民心書）という普及遍在の状態を現出した。地理学者ビショップ女史その他欧米人もこれを確認している。

⑧ 統監府設置前後より私立各種学校劇増す（認可を受けたもののみで2,250—明治43）。一郡百を数ふる所あり。もちろん初等程度のもの（実質的に）が大部分であり、書堂の転身相が多かつたことはのちの普通学校各校の沿革記載に示される。宗教学校は上掲のうち1,116校。書堂は「一万をこゆ」とも「三万に達すべし」とも言われた。

⑨ 併合初期弾圧により私立学校劇減（→大正8年679校）、それに照応して書堂劇増（大正2年18,238堂→大正8年23,556堂、当時の洞里数は28,299洞里）。普通学校は517校。やがて三一運動勃発。

⑩ 昭和5年（1930年）には、総督府の求心的総合収束の努力により公立普通学校1,606校となり、私立各種学校は498校に減、書堂も14,041堂に減じたが、反面では私設学術講習会が増加し、推定1,500を超えるに至つた。

総督府の植民地学校とこれら私的教育施設とくに当局が「学校」にあらずとしたそれとの間の機能的（＝Functional ＝函数的）関係の想定不可避。

⑪、1933年朝鮮半島外の遊撃根拠地・解放地区において朝鮮人民政府の人民新教育組織せらる。斗争における創造。

以上のように、研究上まだ断層があるが、歴史的一貫性をもつて統一的にはあくすることが可能である。それには、もちろん北朝鮮の躍進を除外しては考えられない。

(5) 結び　今後への問題提起

最後に、今後の研究に対する管見を述べると、第（1）には、制度や政策の研究はその形姿的水準にとどまらず、その奥まで考察を深めて、平板な現象的羅列的叙述に終ることなく、一貫的統一的に解明する要があることは言うまでもない。従つて第（2）には、近代についても制度、政策の解明を否定的媒介として一従つてその研究は絶対的に「必要」であるが一「朝鮮教育」そのものを明らかにする努力がなければ「十分」とは言えない。「朝鮮半島」で日本人は何をしたか、も大切ではあるが、そのもとで朝鮮人は如何あつたか、何をしたか、はさらに重要であろう。第（3）には、以上のことは朝鮮教育研究の「始元」の問題にかかわりあつてくる。「学校」を始元にとると正式の学校がとり上げられ、従つて制度・政策が一義的重要性をもつてくる。そうすれば、書堂や私設学術講習会は「学校」ではないとした当局の構えにひつかけられてしまう。それよりも「朝鮮人の陶冶（＝状態としての）」がとらるべきで、いろいろな教育作用の結果でき上つていた朝鮮人の陶冶の中に、近世以来の伝統的民族的なもの、制度政策に圧せられながらのその自主的展開、それからもちろん総督府の行なつた教育、そういうものが重層的合成的に集積されていた。その分析と総合的理解が重要である。それなしには書堂や講習会や社会教育は逸せられる。現に北朝鮮のすぐれた民族幹部の多くは「学校」のつくり出した陶冶ではない。第（4）にそういうアプローチをするためには、それ独自の研究方法がなければならず、抽象的な言い方になるが、考察は単なる徴候としての現象の悟性的認識をこえて、対立矛盾の「関係」をとらえる理性的水準の認識にまで高めて行かねばならぬ。つまり「悪しき実証主義」だけに終始しては「朝鮮教育」は理解せられない。抑圧の下における適応と抵抗、後退と前進、苦悩と斗争、の中での朝鮮人自身の潜在・顕在両面におけるメタモルフォーゼとそこにおける創造をみなければならないであろう。

小沢：まず、きよう出席されている方を私からご紹介いたします。

朝鮮大学で教育学を担当しておられる朴尚得先生。中国教育と朝鮮教育を詳しく調べておられ、日本とそれらとの深い関係の在り方を追求されている九州の阿部洋さん。朝鮮史に深い研究と造詣をもつておられる都立大の旗田先生。朝鮮の近代史を研究しておられる宮田節子さん。幼方先生はよくご存知と思います。日本帝国主義教育史を研究しておられる国民教育研究所の海老原さん。同じく中国教育の新島さん。私は小沢です。

日本、中国、朝鮮という東アジアの世界での教育をどう考えるかという問題についてもいろいろ話し合いを深めていただきたいと思います。

渡部先生から貴重なご報告をいただいたわけですが、要約しますと、第1に李朝以前の朝鮮教育に価値を認めないという態度が支配的であつた。第2にはその上で朝鮮教育の日本人の手になる研究というものは、いわば日本の朝鮮支配につながるような形で発想されている場合が多いということ、したがつて第3に、そうした日本の教育にむしろ肯定的にこれを普及しようという方向を正当化するような論が行なわれています。

しかし、そういう教育に対する考え方に対して、批判する考え、研究もあります。他の面では、細川さんの考えには批判があつたのですが、同時に直接には、名前は出なかつたが矢内原忠雄さんの植民地政策における同化主義教育を対象にこれを批判した、という批判のやり方もあらわれました。これと関連して、日本人の手にならなかつたが、戦前の新興教育運動の中で、日帝治下の朝鮮教育の状態のパンフレットが、朝鮮人の手でかかれました。しかし、その大事さを認めた一群の日本人の教育研究者、教師たちがあります。そういう形であらわれている朝鮮教育、日本の植民地教育に対する批判の方法が、およその日本の朝鮮教育研究のあり方として批判しながら、渡部先生の、今後どういう方法で、どういうことに対処しながら、研究をしなければならないかについてご提言があつたわけです。

その意味で、日本人の手による朝鮮教育研究をどのように進めて行くべきか、従来の蓄積をどのように、否定的に媒介、あるいは肯定的に受けつぎながら進めて行くのか、今日の大事な討論のテーマとしたいと思います。第2に日本の教育学界全体のなかでどう受けとめるべきであるか、渡部先生が沢山の人を挙げましたが、日本の教育学、つまり教壇教育学といわれている学者とはいえない人々です。むしろ、その圏外で朝鮮教育の研究を進めていた人たちです。それを不思議に思わぬような日本の教育研究の性質、それが現在まで続いています。その問題をどう考えるかをいうこと。ついで第3のテーマは、日本人の民族意識により即した時点で、朝鮮人を日本帝国臣民にするという非科学的な日本人の教授の問題、日本人全体の民族意識、文化意識の問題があると思います。第4は、中、朝、日の各分野の先生方がお集り下さいましたので、渡部先生のご発表の、日本人による朝鮮教育のとらえ方、あるいは朝鮮そのもののとらえ方と、こんどは中国教育のとらえ方、もうひとつひろげてアジアのとらえ方の戦前の歴史、その三つがそれぞれどう関係しているのか、大きくいえば日本人のアジア意識の問題であり、それと国民教育との関係との問題があります。

以上のような四つの柱を中心に今日の話し合いが進められれば、実りが多いと思います。ではご自由におはじめいただきたいと思います。

渡部：新しい研究をご紹介します。一つは小沢先生の「朝鮮総督府の皇民教育政策」。阿部先生は〝教育学研究〟にのつたのでは「併合初期における朝鮮総督府とキリスト教主義学校」（「教育学研究」27：2，昭36）があります。もう一人、広島女子学院大学の清水慶秀氏の朝鮮教育令を中心とする研究があります。戦後はそれぐらいでしようか。やる人がほんとに少ないですね。

阿部：併合前後の実情は？

渡部：明治２５年に大日本海外教育会、東亜同文会は３２年、朝鮮人教育に着手し京城から南は前者、北は後者が引き受けるという協定になつています。その間に東本願寺大谷派がくいこんで、光州農業学校、元山その他に２、３ケ処、それらが併合以前の日本人の朝鮮における教育活動です。

宮田：先生が提起なさつたこれらの研究すべき３つの問題点を非常に面白くうかがつたのですが、私にはもう１つの観点が必要のように思えるのです。とくに日本帝国主義下の朝鮮の教育を対象に研究する時、日本の行なつた朝鮮での民族破壊教育は同時に日本自身の教育もゆがめたと思います。したがつて日本人が朝鮮の教育を研究する場合に、どうしてもその観点はぬいてはならぬと思います。たとえば歴史教育ひとつをとつてもわかります。そういつた問題を先生の研究と有機的に結びつけることが、これからの研究に重要だと思います。

渡部：それは必須欠くことができません。しかし、その範囲にとどまる限りは、朝鮮というものを対象とする研究にまではいかないですから、それを否定的媒介にして、朝鮮人がいかに苦しみ、どのような解決を求めていつたか、これは、現在北朝鮮の教育に開花しているわけです。それをとらえないと朝鮮をほんとうに理解できないといえます。

　その例は昨年「童蒙先習」の研究で報告した通りです。当局は書堂ではこういう書物を使えとはいつてますが、こういう書物を使つてはいかんとは言つてない、したがつて本来の朝鮮教育そのものをしらないで、あれをよくよんだら「童蒙先習」に永久に気づかないわけです。そこに総督府の狡猾さがあります。それをみて、なるほど「童蒙先習」をわざとおとしているな、ということによつて当局の政策がどこに向けられていたかが明確に浮び上つてきます。そういう面がありやす。つまり日本人との関係も大切だが、それを知るためにも朝鮮そのものを知る必要があるというわけです。

幼方：学校教育と書堂の関係ですが、書堂はいつたいどこで、だれによつて作られたか、行政単位との関係は、

渡部：いろいろありますが、一番多いのは「契」によるものです。それも「洞契」によつて行なわれるもの、それも洞住民全部を含むものと、洞内有志に限られるものとがあり、「書堂契」、「学契」などという機能社会すなわち目的集団によるものです。個人でやつているのもあります。それで岡倉由三郎は書堂というのがあるけれども、それは教える人によつて有無転変するので価値がないといつています。しかしＩｓａｂｅｌｌａ　Ｂ．Ｂｉｓｈｏｐ女史などは違つて、同族集団に契をみるといつてます。田川孝三先生にいわせると、北の

方は同族的「契」ば多いといつていますが、よくわかりません。鈴木栄太郎先生のような方法による調査が、十分に行なわれていたならば、今日はもつと明らかにされていたと思います。

宮田：書堂に関連してですが、先ほど書堂が総督府設置頃から段々にふえて、それがぐつとふえた時に3・1運動になつたといわれましたが、具体的にはどのような関連があつたのでしようか

渡部：当局が公立普通学校をふやし、私立各種学校を整理して行くにつれて書堂が激増しやがて3・1運動になつたという全般的な事実だけしか目下のところわからないんです。想定すれば、全朝鮮的に一挙に同じ時に起つたのは、書堂を媒介とした在地民の交流結合があると考えずにはいられないと思います。

宮田：つかまつた被告の統計をみても書堂関係の人というか書堂教育を受けたと思われる人が多いのですが、一体どういう風な関連があつたか、それが判る資料について、何か御存知でしようか。

渡部：その間に私立学校弾圧→書堂激増→三・一運動という総体的な機能的（函数的）関連があつたというだけです。

阿部：先生のおかきになつたもので疑問に思うことが一つあります。書堂というものの存在、そこで行なわれた教育が、いわゆる朝鮮人の近代教育の芽となつた、基盤となつたといわれるのですが、その場合近代化とか近代ということですが、テキストは、いわばこれは、極端にいえば一応近代化という場合、ヨーロッパ的にいえばレアールなものを基盤にした、いわば実学的な、日常生活に役立つものとして考えるのです。ところが、書堂は李朝からの前近代的なものですね。前資本主義的なものです。しかもこれで理性的な近代教育ができるのだと先生はおつしやるけれど、その点が疑問です。つまり、どこかで転換がなくてはならない、そうしますと書堂が果した機能は極めて政治的なアンチ・ジャパンのプロパガンダにすぎなかつたということにもなりかねない、もちろん、それをもつて教育とするとまちがいでしよう。教育という場合にはイデオロギー的側面と共に、資本主義化に対応した内容をもつた学校教育＝書堂の教育があると思うのです。その点がどうものみこめないのです。

渡部：それこそが、日本人が朝鮮教育を見誤つた根本であろうと思つています。書堂をみると、今日まだ南朝鮮にも残つているそうですが、今ここにいる方でも行つてみたら、「いや朝鮮の教育はつまらん」というだろうし、恐らく私とてもそういうことだろうと思

います。つまり内容、設備、方法などは一見古くさく貧しいものでしょう。しかし、日本の朝鮮への侵人があり、それを契機に民族的自覚、つまり近代の根本は個の自覚にあると私は考えます。「解放斗争史」には、学校となつたといわれていますし、現に今日では北朝鮮にはすでに書堂はない。民族的自覚に立つて自ら発展させたのでしょう。弾圧がはげしいからそういう形をとるほかはなかつた。その民族の苦悩を理解しなければならぬ、こう思うのです。

阿部：私の場合の近代とは、資本主義化と限定しているのです。少し話をかえますけれど、大正５年の改良書堂のなかに、日常生活　　よみ、かき、そろばん——に身近なものを教えるという線が強く出ています。従来の書堂は旧態依然たるまさに実なき教育だとあつて、内容を大きくかえていますが、その場合の意義をどう・・・・？

渡部：学務局長はこういつています。「近時普通教育の普及と一般向学心との増進により、書堂の教育も従来の如き漢文の素読にのみ甘んずる能わず自ら進んで普通学科を課するものを生じ、その数全道を通じて７００校になんなんとするの状況を呈するに至りたり」と。この総督府の「普通教育の普及と一般向学心の増進とにより」という漠然たる原因設定の仕方には問題がある。つまり自分たちのやつた教育が成功したから、朝鮮人も自覚してきて、普通学校のような真似をはじめたといういい方ですね。総督府の政策よろしきをえて改良書堂になつてきたのか、朝鮮人自身が自分自ら自分たちの近代教育を除々にながら建設して行こうという希求の顕現であつたのか、簡単には今のところ決められませんが私は後者だと考えています。公立学校に入れば教育内容が民族として耐え難いように規制される、私立学校は弾圧される、とすれば朝鮮人は一体どうしたらいいのでしょう。「改良書堂」というのは国語（＝日本語）、算術、理科などのような近代的科目を加設するようにした書堂ですが、朝鮮人が自覚して近代的教育を書堂で行なおうと、自ら起ち上つてくると、すぐそれをつかまえて干渉を加え総督府の教科書を使つての、総督府の方針による学科目を課せしめた。ずい分めいわくなことだつたろうと考えるのです。学校令に規制されない書堂で自分の歴史を教えようとすると、総督府的歴史を教えさせられるようにされる。だからまたひつこむ。私は改良書堂とならなかつたものの方が本当の意味の近代的な改良書堂だつたものが多かつたと思つています。

阿部：実はですね、中国の場合、私塾があり、清朝政府も、民国政府も、みんなそれを学校の普及にマイナスだといつています。しかしなおかつ私塾はつづくわけですね。中国の近代化を、渡部先生の説に従つて見れば、私塾こそ中国人による自生的近代化の地盤だと

いうことになりますが・・・・

海老原：封建社会を通じての日本における寺子屋では、産業教科書だけで７００種ぐらいの教科書がつかわれていたといわれます。日常教育がなされていないと、常識的には、そのことは考えられないものと思いますが、書堂では日本の寺子屋での教科書に当るようなものはないんですか？

阿部：問題はそれなんですよ。書堂では金日成の写真をいつも拝んでいる。これはこれなりに重要な意義があるんですよ。なにかあまりうまく言えませんが・・・・

渡部：そこでは日常語である諺文が学ばれています。諺文は正式には適用しないものだつたのです。（写真を見せる）士大夫子弟の正式教育では漢字を学びました。併合後の普通学校では強く日本語を習わせられた。

書堂はさきほどもいつた通り、現在南にはありますが、北にはもうないのです。これは一体どういうわけか。ほんとうに民衆の願いにあつた近代教育のシステムができさえすれば吸収するのです。

宮田：この問題は重要だと思います。李朝下と日帝下では、書堂がはたした役割がどう違つているのでしょうか。又書堂における教育内容にどのたうな変化があつたのでしょうか。

渡部：それは、書堂で教える内容は、教科書からみる限りあまりかわつていない、これはちよつとふしぎです。それから、機能的にはすつかり変つています。旧時代は、徳永勲美「韓国総覧」によると「常民は志ある者のみ諺文とあわせて多少の漢学を学び以て日常往復の便に供せんとする」ものであつた。その証拠に、岡倉さんの書いている通りですね。合併後においてはその意味はもう変つてきます。単に日常生活実用語というほかに「日本」語に対する「朝鮮」語となつているわけですね。

宮田：機能の変ることはわかりますが、内容の方は、つまり教科内容というのですか・・？

渡部：改良書堂などはいわゆる西欧なみの近代的教科も加えてきております。しかし，その場合はすぐ総督府編集の教科書を使わせる、という風に政治的規制を加える（「書堂規則発布ニ関スル件」訓令）。だから、朝鮮人が監督のゆるい書堂で独自的な近代化をはかろうとする――それが改良書堂出現の原動力だが――そうするとそれを「日本」式の近代化にしようとする。国定教科書を使わせて、やはり俺達の近代学校になりかけたという。そこで朝鮮人はまた固く蓋をとじる。心理学でいう「殻化」ですね。私はそこをみなければならぬというのです。

阿部：もちろん、改良書堂の意味というのをですね、内容的側面だけでとらえるのは疑問だと思います。むしろ　ポリシイとして考えられることであり、改良書堂に関する明確な変革という先生のご意向はちよつと疑問です。

渡部：私立学校規則によると、教師は履歴書を出し「朝鮮総督これを不適当と認める者」（ずい分勝手な言い分ですが）は除外される。そこで私立学校では何もできない、したがつて書堂という形をとらざるをえない。そこで当局はいよいよ書堂に対する監視を強めその「換骨奪胎」をはかつたわけですね。

阿部：たとえば、オルガ・ラングが３２年にいつています。中国の場合も、近代的なウエストナイズされた学校が入りつつも私塾は昔と全く同じようになされた。それがプラスになつてないのです。

新島：渡部先生がいわれたような同じ私塾にしても、台湾の場合（書房）は非常に似た点があるが、本土では、完全な植民地ではない、というところから大きな違いがあります。台湾の場合、私塾で学んでその後公学校に入つた吾濁流という人の手記があり、これをみると書房の内容は、旧態依然たるものではあるが、旧態依然たるところに意味があるのは、漢文を教える、ということだつた、ところが公学校の方は、漢文を全然教えないということをいつているのです。昭和１３年ころから、つまり日中戦争がはじまつてからもう全く漢文を教えなくなります。そういう時になつても書房がまだ残つているというのは、中国人としての人間形成という面に役に立つたと思います。台湾の場合と本国の場合とでは、同じ漢文を教えるといつても機能が違つてくると思います。どうですか？

阿部：たしかに機能の違いとしてとらえなくてはおさえようがないでしよう。

渡部：実証的な悟性的な水準だけでは、被圧迫の苦難の中に生きた人々をとらえられないと思います。ちようど心理学でいうような、怒りというものは怒声となつてのみあらわれるとは限らぬ、極端な丁重さそれも怒りのあらわれである場合があるのですね。そのSymptonだけでとらえてはいかん、その原型的なものをとらえなくてはいかん。苦難にある民族のほんとの姿は、symton だけにとらわれることを脱してそういう考え方をしなくてはとらえられないと思うのです。

海老原：新興教育運動を研究する新教懇談会という集まりがあります。朝鮮で新興教育運動をやつて検挙された上甲さんという方が、福岡からみえて、当時のことを話して下さいました。その時の話で印象に残つたものは、万才事件以後非常に民衆の教育に対する熱意が盛りあがつたとのことです。それと日本人教師が朝鮮の奥地の学校へ赴任する場合は生命保険に入つてから赴任したものだという話です。日本の場合を考えてみると、たとえば、新潟県木崎村の小作争議の折、独自につくつた無産小学校、（大正１５年）での教育の過程で小作人の子弟として差別されていたのを解放するという時に子どもたちの学習意欲が非　常におこつたことがしるされています。また、野田醤油争議の時にできた無産小学校でも、わずか１週間ぐらいだつた教育が、子どもたちにとつて生涯忘れられない想い出となつているといわれている。

民族解放斗争によつて教育熱が盛りあがつたということは、日本の無産階級の運動のことから考えても推測できます。

渡部：実際に教えたものは、たとえば、表紙は朝鮮総督府編纂の国史（もちろん日本の歴史）だが中味は李朝史であつた。そして視学がくるとさつと中味を隠したというような具体的な記録があればはつきりするのですがね。

宮田：そういつた資料があります。その一つは定平農民組合に関する資料ですが成鏡南道定平郡では農民組合ができるとすぐ夜学をつくります　。その夜学の教が１９３０年末には３７カ所も作られ生徒数は１，２０３名にも及んでいます。学習は主に公民館を使つてやるのですが、その時の教科書は「資本主義のからくり」とか　、「なぜなの」とかいう本で日帝支配の本質を莫露するといつた明確な目的をもつているのです。これは一体私設学術講習会に入るのでしようか？

渡部：ほとんど私設学術講習会でしようね。しかしそれは道警察部の監督になつていましたが，一線の巡査さんは教育はよくわからないので、外見だけみてそれが一応問題なければよいのでした。１年ごとに新しく申請して許可を受けて行うのですが実際は何年もつづいて実質的学年制を現出していました。

私は京畿道の振威郡梧城面のある私設学術講習会へいつたことがある。もちろんそれは書堂の転身したものであつた。なるほど床は土間ですよ。みすぼらしい机がありその中をみると金日成の写真があつたり、李朝の年表？がはつてあつたりしましたね。公式にはおそらく国定教科書を使つて教えていることになつていたでしようね。そうした潜行的な姿の中で、抵抗しつつ細々ながら近代化の道をたどつていた、日本文化によつて民族文化を完全には侵蝕させまいということで精一杯だつたのです。ほんとに積極的に自らの近代的教育を築きえたのはだから間島の解放地区の中です。しかしその両方とも朝鮮民族がやつたのです。

最近北朝鮮ではモノグラフィックな調査もやつており、そういう具体的なところが段々解明されていくと思います。

小沢：いままで問題になつたことですが、日本、中国、朝鮮の場合、封建から近代へ移るその移り方が問題になりました。それで、いろいろと、お互にわかつたようなわからないようなところですが、一つ、日本人として、一番の重点に何を置くかを明らかにすることによつて、日本人なり、中国人なり、朝鮮人なりの教育の特質が浮彫りされがきます。そうした場合、朝鮮では書堂において民族の歴史を教える、そのことによつて朝鮮人となる、その内容は前近代的なものでありながらも、それを学ぶことによつて朝鮮人でありえた、そのことが当時の教育の内容の一番の中心点であつたと考えると、それぞれ近代化の時点で、教育内容の編成の仕方、どこに重点をおくかということが改めて問題になつてくると思います。

日本の寺子屋は、そのまま発展して学校になつたというものではないでしょう。しかし桐生地方のように、発展した時には日常生活に必要なものごとを教える、寺子屋そのものが学校へ移行しうるような形態をもちえたのです。その時の教育内容の重点は何かということを考えながら、もう一度討論していただきたいのです。そこで朝鮮の書堂が前近代的内容であつたけれども、それによつて朝鮮人として生きるものであつた、そしてこんどは反日思想がその上に出て来た・・・・

渡部：書堂で使用される書物は従来の例にもとづいてという前書きでもつて当局が指定しているが、そのうち、「類合」は朝鮮でできた文字学習用のものであり、「啓蒙編」「撃蒙要訳」は儒数的な儀礼道徳を平易に説いたものです。「小学」は諺解本が用いられた。孝経、四書、三経、通鑑、これは中国でできてますが、それから古文真宝、明心宝鑑、文章軌範、唐宋八家文読本、これは文章の練習用それから唐詩、それから朝鮮総督府の教科書で、「童蒙先習」はちやんと落しているわけですね。「童蒙先習」は１６世紀にできた初学用書でその中身はごらんの通り「経史之略」であつて、道徳的な文句を入れてはいるが、小学のような道徳訓戒的なものではなくて、当時の学問の百科全書的な要素の初歩的基礎を客観的に書いたものです。学問の意義を述べたり、中国・朝鮮の歴史の事実を述べたり、それをさきほどお話ししたように、吏読で読めるようにしてあつて、それで教えたわけですね。これをあきらかに総督府排除していつたんです。ということはやはり、その他に特殊な十二古都詩(柳得恭著)などのようなものとともに、民族の歴史を自覚する、または民族の自覚というようなことをもたらすものでおそらく、書堂教育の朝鮮人の側からする一つの根本的なねらいであつたと思います。だから非常に狡猾な形でこれを書堂から排除しようと当局はしている。先ほど否定的媒介といいましたけれども、総督府がそれを排除したというそのことから朝鮮人の書堂教育が何をめざしていたかがわかるんですね。

小沢：日本の寺子屋の場合、一応日常生活に必要な読み書き算を教えるというわけでしよ、そういう一種の民族の危機が寺子屋の教師とか教育内容に反映するというようなことはあつたんでしようか？

海老原：さあ、それは私もきかないけれども、一般的にはそういうように日常の学問であつてあとになつて幕末になればなるほど権力の中に掌把する政策が強まつたんじやないですか。だから結局、イギリスのようなブルジョアジーが非常に発展しておれば、マーチャント・テーラー・カンパニイというような、洋服学校みたいなのをブルジョアが自分でつくる、それがブルジョア革命をやればそれが専門学校へ移行していくということになつたんだろうと思いますが、日本の場合は、そこまでいかなかつたんじやないでしようか。だからあとは遠山さんたちのいう国学にに合つていつたような、田中正造みたいな人たちが新しい日本のイメージをえがくようになつたのではないでしようか、寺小屋にまではどうでしようね。

渡部：寺子屋については私、兵庫県の篠山にいた時に、あすこに寺子屋があるんですが、それは石門心学舎なんです。心学舎という形で寺子屋をやつた。藩主青山家は幕藩高級官僚大名であつて、たえず留守をするんです。そこで領地ではごく少数の武士で農民を支配しなけりやならない、そこで農民を下級役人として使うためにこれに文字を教える、で、そういうものを開いているんだけれども、文字だけ教えちや危険だから心学舎として教えているわけです。日本の場合、寺子屋は町方に多く発達したものだと思いますが、農村にあるのはそういう村役人養成的なものなんですね。朝鮮の場合は、都市がそう発達していませんでしたから、農村では大いに開かれた。ところが日本の場合、最近の在郷商人の研究などを見ますと、明治維新にのぞむ一つの勢力になつたのは在郷商人なんですね、町方商人じやなくて。町方商人というのは多くは特権的に藩政と結びついている、そうでない農村の在方の商人がだんだん商品生産者化してくる農民の商品流通と結びついてできてくる。そういうものはもう封建体制などは邪魔で仕方ないから、下級のいわゆる革新派の武士と結びついて幕府を顛覆して行こうとする、そういう明治維新にのぞむ主体的勢力になつて成長していくんです。日本でも急に明治維新が来たんじやない。そういう人々のところに寺子屋があればおそらく変つたろうと思いますが、しかし、では自分たちで寺子屋をつくつてそれに合うような教育をすればよかつたじやないかというけれども、そこまでの成長はなかつたというのが日本の実情だつたと思うのですか。朝鮮の場合は本当に外国の侵入があるまでは極端にいうと一種の封建的な夢に浸っていたようなもので、外勢が入つて来てからはかなり違つた民族的自覚の勃興というものか、書堂の教育の中に入つて来たというように考えるのですが・・・・。

海老原：しかしその場合、李朝の勉強をしてないんですが、職人の徒弟教育みたいなケースのなかで新たな発展の芽はないんですか？

渡部：これは京城の六矣てんというのか封建特権商人があり。また技術者というのは身分的にきまつていたが、日本のような意味での職人というようなものはないというのがこれまでの通説ですが、北鮮の方では、また日本でも最近の梶村秀樹君あたりはそうじやない、李朝末にやはりマニファクチュアが起つて来ているということをいつていますが、あるんじやないですかね。

旗田：地方から品物を都にもつて行くという程度のところなんですね。瀬戸物の職人の場合は明らかに賤民ですが、そのほかの職人はあつたかどうかね。

渡部：北朝鮮の歴史学ではそういうものを発掘しているわけですね。その一般社会経済史の研究の進展がなけれ　ば教育史だけでは進むことはできない。

阿部：その機能転換の問題ですが、中国の場合、解放区、辺区での民営学校というのはやはり私塾の延長だと思うんですよ。この内容といつたものがわからない。

新島：解放区の場合は、表面的にとつた政策からだけ見れば、東北で日本が私塾を改良してそこで盛んに皇民化のための教育をしたのと同じだと思うんです。つまりある程度利用して千字文を教えようが三字経を　教えようがかまわない、その代り多少改良した千字文をやる。そして北京師範大学編の「中国近代現代教育史」では、東北における奴隷化教育という章で、私塾というのは悪く利用された、とはつきり書いてあるんです。つまり封建道徳を注入するにあたつて私塾が日本帝国主義者によつて利用された。

阿部：結局、いうところの公営学校か民営学校かとジグザグユースをたどつてそういう二本足になつたんですけれども、民衆はやはり民営学校の方に行く、この前身はやはり私塾だと思うんです。これを内容的に　深く掘りおこして行けば、何かその辺の答が出そうな感じがするんですが・・・・

新島：ぼくは中国では、連続しないと思う。それは、一つは41年の　甘寧辺区の施政綱領で、新文字（ローマ字）を公用文字として普及することを規定した。すると一般の小学校でローマ字を教えなきやならん。そうするとローマ字のいやな農民は私塾をつくつちやうんです。それが整風運動後に政策が転換され、学校でも漢字を教えるようになりました。

そうなるとそれならばということで学校に来るようになつた。私塾がそのまま学校になつたわけではないんです。もら一つは３９．４０年の生産の非常に苦しい時にそれまであつた私塾がたくさんつぶれたと思う。多少豊かな農民が学校を経営するようになり、生産の自給運動などで、活気ができたのは４３年ごろで、このころになると解放された農民の要求で生産と密着した民営学校が新らしく生れてき、そこで、解放された婦人や農民、中農層あたりが新しい教育をみずからおこなつた。そして自然発生的にどんどんそういうのができる、だから実際はほとんどが新らしいものなんで、そこに連続をみてはいけないと思うんです。ただ、ローマ字に反対して生まれた私塾というのは、台湾で日本語教育に反対して存続した書房と似たところがありますね。台湾の書房で実際に教えられたものは、古典は古典だけれども漢字の読み方を福建語、広東語、客家語、つまりいろんな方言で読まれた、そして使う文字は漢字であるという点、これは非常に大きいと思うんです。東北では少なくとも戦争中でも４０年代になるまでは中国語が教えられています。それから漢文科というのもなくならないですよ。台湾の場合はそれが全然教えられないから、客家族にしろ福建人にしろみんな書房に行けば土語で授業ができるということと、漢字を通じて中国の大家庭の一員といううろか、本土とのつながりを感ずることができる。近代的な人間という場合に、個性の自覚というのが一つの柱だけれども、もう一つは大きな柱としてナショナリズムの問題、ナショナルな自覚というものが必要でしよう。これは他の条件がそろつてきた時にはそれまでと全く同じような同胞意識で結構なんで、その機能転換が起つてくる。その場合にことばを失つてしまうとその方面の自覚は妨げられる、そういう意味でちようど近代的自覚がおこつてきたところで民族の言葉を失なうというのはたいへんな問題だと思うんですね。台湾は５０年間日本語強制でしよう、伊沢修二以来日本語強制という点が台湾教育の一番の中心です。それに対する伝統的な中国人としての自覚を維持させようとしたのが書房だと思います。

もう一つは教科書にある中国人の歴史を公学校で教えないが書房に行けば教えられるということ。

幼方：フランスのアルジエリア政策はあれほど苛烈な弾圧をやつたにかかわらず、最後にどうしても勝つことができなかつたのはキサンのモスクですね。モスクはカンガンカイでは宗教ではない、あらゆる政治問題である、それから経済政策の問題、それの集中的なものとしてイスラエルがある。そこでアラビア語がかろうじてアラビア人の民族的連帯をつなぎとめた。やはり言語と歴史ですね。ただ解釈が時代によつてかわつてくる、渡部：結集の拠点であるということは、宣教師たちが最初教会学校を書堂の形をとつた私塾から出発させている。それはいくつかの宗教系の私立普通学校や私立各種学校の沿革記によつて実証される。それがむしろ小規模な場合の発生の自然な形であつた。併合後はそれに加えて書堂の形でやれば当局の監督はあまり来ない。宣教師の、つまり近代キリスト教の総督府に対する抵抗というものがそういう形をとつてきた。

阿部：それはむしろ逆じやないですか。むしろアンダーウッドの、解釈の違いでしようけれど、総督府よりも逆に宣教師の方がいうところのウエストナイゼリケイションのリーダーとしての地位をさきに確立しているわけです。その後に総督府が入つてきて、そのイニシアチブを認めるか認めないかで私立学校令の改正があるわけですが、先生のおつしやるように書堂をもつて云々というのはおかしい・・・・

渡部：アンダーウッドは、大正初期の書堂の増加について、「書堂という見出しのもとに形式上学校として掲げたその分類法によると共に、書堂に許された大はばな自由は、前節に記したような小規模の学校を書堂という名目のもとに開くことを助長した」(Modern Education in Korea. 1926. P. 179)と書いている。ミッション系のものも含めて、地方の小規模学校と書堂とは実態上大差はなかつた。黄海、平安道における当初の宣教師の教育事業は、後の時代の都市のそれから類推してはまずいと思います。「書堂」という「かたち」は初は発足の自然な姿であつたし、後には何か独自な教育を維持して行くうえのかくれみのとして利用されえたというような見方をしている。

阿部：数量的にみればむしろ逆じやないですか、ミッション・スクールを総督府は一応承認して、私立学校令でやかましくいわれたから書堂という形で一時にげた、ところがそれも書堂規則でおさえられたからそれが3・1運動に結びつき、次に3・1を経験した当局が私立学校令を改正する、こういう力関係になつている。

朴：その点で、ソビエト教育学で、私たちが日本でやつてる民族民主教育の学校教育を見て、ご存知のように非常に近代的な施設を整えてやつているところもあるけれども、学校とはいえないような所があるんじやないかというような感想が載つていたのを見ましたがその場合やはり、書堂の場合もそれと関連したものがあると思うんですけれども。いま書堂で主に機能が転換するようになつた、いわゆる日本帝国主義植民地下になつた場合の機能が変る原因となつたものは、そこで教える民族の言語、歴史を通じてそういうものに抵抗する原動力を与える場になつてるんじやないか、それが帝国主義侵略のない場合にはそういうことをやつてもそんな性格の変革といつたものはあり得ない、同じことをやつてもそういう条件の違いによつて機能が転換する、というのがやはり妥当な線ではないかと思います。その場合、私たちの学校でやつていること、それに32年に間島あたりで行なわれた金日成元帥の指導でなされた学校の形、児童団の基本になつたものもやはりそれだつたわけです。書堂は大きくわけて三つの時期があると思います。一つは封建時代、次に日帝下の、もう一つは現 在6,000ぐらい南朝鮮にあるといわれているものですが、この場合、教えている内容などが変らなくても政治的な条件というものの違いによつて本質的な機能の変化を見るべきではないだろうか、この点をやはり先ほどおつしやつたように、教育の内部だけじやなくて社会、政治の動きとどう関連させて見るかという視点と結びつけて考慮されるべきではないかということが一つです。渡部先生が根本的にとらえようとして問題提起なさつたその方向は、私たちの立場からも是非こうあつてほしいという方向だと思います。たとえば、学校教育制度史だけ、いわゆる官制教育だけを見た場合に、朝鮮人民または朝鮮民族の形成というものをはつきりさせることはできないのじやないか、その点からやはり書堂とか、また、日本帝国主義時代に講習会なり夜学会なりのいろんな形でなされたそういう庶民教育の形態をもつと重視すべきではないだろうか、という観点は当然私たちもそう願わしい方向であると思います。そしてその点で見た場合にやはり記録の点からは何もない。私たちの文献でももつと民族遺産というものを掘りだす必要がある。ぜひ必要な点ですが、官制の教育自体についての報告や記録はある。ここでもう一つ大きな問題ですが男女の教育ですが、書堂の場合にしろ、成均館にしろ、郷校といつた場合に、これはほとんど、官制もしくは庶民系統の学校にしても、男子だけに限られている。ところが女子の教育というものもなされているわけです。それがどういう形でなされたかということはほとんど文献にも残されていないんだけれども、事実なされていることは確かなのです。この研究をもつと私たちもしなければならないのですが、それをする場合に一つの極めてになるのは諺文の教育がどうなされたかという形態をとらえることだと思います。ところが諺文は朝鮮では軽蔑されて、男子のすべきものではないとか、燕山君あたりでは諺文で自分の悪口をいわれたから諺文を知つている学者を全部殺すとか、諺文の書籍を焼いてしまうというように徹底的な弾圧をして、そういう記録も残さないようにされたので、なおのこと今日記録をたどつて研究する面で資料がないわけです。この点も私たち教育にたずさわるものとしてやらなくちやならない一つの課題として提起されていますが、そういう点で、私たちの知らない資料がずいぶん日本にあるんじやないか、植民地時代にどんどん日本にも来たんですから・・・・そこでそういうものを発掘してほしいといという願いをここで一言お　願いしたいと思います。

もう一度たちかえりますが、書堂のいわゆる朝鮮民族の形成の問題と関連して今日私たちが日本でやつている教育の内容面とか方向の面では朝鮮語を教える、それから朝鮮の歴史を教えるということが一番の基本になつているわけですが、そういう中でやはり書堂との関連がどうか、民族の形成がどうなるかという問題です。それは結局それに対する日本帝国主義時代の動きがどうであれたかということ、今日の私たちの教育がそうであるということは、日本国民の教育の問題にもつながる一つの接点となる点があるのじやないかと見られるのですが、その点でももう少し私たち自身ももつと勉強しなければと思います。

渡部：女子教育で思い出しましたが、私の友人で呉泳鎮君、いま南朝鮮の映画界の成瀬ミキ男と言われていますが、この人が女子の家庭におけるお針歌採録蒐集して、それを日本語に訳し、卒業論文にしたのですが、これなどは母親がそれをうたいながら針仕事を教える、針仕事だけじやなくていろんな生活の教育指針がうたい込まれているんです。そういうものをこれから発掘しなければなりませんね。それから、先ほどからいつているけれども、やはり朝鮮の教育を実際にやつて苦心された幣原坦先生は多少感じておつた、うまい文句で書いていました。朝鮮の人は形勢が不利だとなるとそれに従つたような恰好をしながらその中で自分自らのものを作つていくんだから、日本はよほど要心しなければならないといつています。

阿部：問題が違うんですが、正規の学校で女子教育をはじめてやつたのはミッション・スクールですけれど、おもしろいんですね。学校の先生が全部女性で、来賓が来るとそれが男性の場合は幕を張るんです。そうして見せないんです。

海老原：沖縄の支配と朝鮮の問題とは非常に関係があるんじやないかと思うんです。日清戦争に勝つてはじめて沖縄の住民が、小学校に行きだしたという記録があるわけですね。それまでは中国の漢文なんかの影響があつてようやく日清戦争が終つてから日本への帰属感をもつようになつたとされます。またその沖縄での同化政策が非常にうまくいつたというので、朝鮮の教育改革には沖縄での同化政策が有効ではないかという議論がでています。それから、大正8年に高等教育の機関を相当多数新設して本土に配置したが、沖縄だけは専門学校をつくらなかつたのです。その辺の何か・・・・もう少しやつてみようと思つてるんですが・・・・

小沢：話はつきないと思いますが、この辺で終らせていただくとして、今日は主として、日日、中、朝の教育発展の方式をいわば照し合わせるような形で話し合いが進んだわけです。

渡部先生が報告の終りに提起された、日本人の手による朝鮮研究の今后の方向について、全面的に討論したいということではないんですが、重要な問題についてやはり自ずと討論が進んで来たという形になつたと思います。そういう点で今日は具体的な事実に即しながら朝鮮教育研究の今后のあり方というものが自ずと出たような話し合いになつたという点、非常によろこばしいことだと思います。時間の関係でおしいとは思いますが、これで終らせていただきます。

連続シンポジウム・第10回

日本における朝鮮研究の蓄積をいかに継承するか

総括討論

司会者　宮田節子（日本朝鮮研究所）
出席者　旗田　巍（都立大学　教授）
幼方直吉（中国研究所）
渡部　学（日本朝鮮研究所）
小沢有作（同　上）

1. 朝鮮観——その姿勢のゆがみ
2. 朝鮮研究と日本・アジア研究
3. 歴史学的研究と社会科学的研究
4. 蓄積の発掘を！
5. 当然蓄積すべくして蓄積しなかったこと
——研究の不足した点——
6. 朝鮮研究の普及と発展のために

朝鮮観—その姿勢の歪み

宮田　今日は，今まで9回にわたってやってきました朝鮮研究の蓄積をいかに生かすか，朝鮮研究をどう発展させるかということについて，話し合いを致したいとおもいます。まず旗田先生からお願いします。

旗田　そうですね，その問題を整理してみますと，第1に日本人の朝鮮観なり姿勢の問題がありますし，第2に，何が蓄積され又何が蓄積されていないか，また蓄積をどう生かすかという問題があります。中野先生は，美談を掘りおこすべきだと言われましたね。研究者の方で美談といえば，蓄積の中に，生かせるものはないか，これを発掘することでしょうね。それから第3に，今後どうするか研究体制の問題もふくめて今後の研究のあり方が問題です。以上3点が大体主なものじゃないかとおもいます。

渡部　「朝鮮史編修会」のシンポジウムがあったあとで，上原淳道さんが，「読書雑記」を送ってこられた中に，「蓄積するべからざるものが蓄積されている」という所感がありましたね。

旗田　そうですか，気づきませんでした。

渡部　これはなかなかむづかしい問題だとおもいますね。

宮田　旗田先生のおっしやった第1の問題ですけれども，私の考えて来たことを申しますと，このシンポジュームでは，日本人の朝鮮観なり，朝鮮に対する姿勢というものが，基本線として，くりかえし問題にされたと思うのです。それは，旗田先生が，かっての東洋史学は人間不在の歴史学であったと言われ，それを上原専禄先生は，対象に対する愛の問題という形で提起され，とくに中国研究に関しては，中国を愛の対象とした学者もいたけれども，朝鮮に関してはほとんどみられなかったということで，中国に対する姿勢との異質性という形で問題を提起されたと思うのです。それから先生は，対象への愛というけれども，その中味が問題だということも言われました。更に，同じ問題を，中野重治先生は，別の形で表現された。つまり，非常に単純に言えば，文学の世界でも日本人は朝鮮人をそれほど真剣にあつかってはこなかった，進歩の側にしろ，反動の側にしろ，ある作品，日本人の朝鮮観なり，朝鮮のイメージを作る上で，大きな影響を与えたものがかってなかった，朝鮮人が時々はでてくることがあっても，真正面から朝鮮人をとりあげることはなかった，ということをおっしゃったわけです。そしてさらに先生は，日本人の朝鮮人に対する姿勢というものは，戦後の進歩陣営の中にあっても，朝鮮人を利用するというか，たとえば，あぶない場所に朝鮮人をやるということがあったといわれたのです。ところで，そういった，朝鮮観なり，朝鮮に対する姿勢といったものが一般的に支配するなかで，私たち，朝鮮史を学ぶものは個々との研究成果をどう継承するかということ以前に，この問題を第1に考えなければいけないのではないかと思うんです。

旗田　同感ですね。

渡部　それを具体的なことで感じたのは，日本人と欧米人との，朝鮮の教育に関する見方がぜんぜんちがうんだからね。例えば，岡倉由三郎は「朝鮮には教育なしというも，なお過酷の評にあらず」ということを言うが，他の外国人はみんながそうじゃない，朝鮮には教育が普及していると，そう書いてある。そのちがいというものがね，やはりわかれ道の点なのですが，姿勢の問題ですね。

旗田　そうですね，それからここで考えなければならないことは，それが学問のなかにどう影響しているかということです。

渡部　そして姿勢のゆがみは，日本人の過去のあやまりが大きかったということだけではなくて，やはり，学問の上での，事実のつかみ方，つまり学問の方法において，結局たりないところがあったと言えるんじゃなでいしょうか。

旗田　そうですね，姿勢がわるいと，事実がつかめないのではないかと思いますね。私はこのまえのシンポジウムの時には，全く舌足らずで，又十分考えてもいなかったので少し補足します。その後考えたんですが，朝鮮史の研究のなかに，「日鮮同祖論」とか，「満鮮史」とかいう古い意識が未だに残っています。こういうかたちで朝鮮をつかむということは，それはやはり姿勢から来ているんですね，満鮮史というかたちで，朝鮮をつかめば朝鮮史という独自のものがなくなっちゃう。では満鮮史というのはどこから出てくるかと言うと，満鉄の成立と深い関係があると思います。恐らく，明治初期には，「満鮮史」という言葉はなかったと思うんですが，日露戦争のあとで，いわゆる「満韓経営」が現実の問題になると「満鮮史」がでてきて，それが3・1運動の時代になると，朝鮮人の民族意識の高まりに対抗して，それを抑えるために「満鮮史」という朝鮮史のみ方が一層つよくなってくる。「満鮮史」を最も強く主張した稲葉岩吉は，朝鮮民族というのは劣等なんだ，満洲からおちのびて来た連中なんだといっています。そういう姿勢が，学問内容にまではいって来ていると言う点を，もっとあきらかにしなければならないと思いますね。稲葉さんとはちがい，池内さんみたいに，学問と政治とを意識的にはっきりと区別し，純粋学問の世界だけを考えて朝鮮史を研究しながらも，「満鮮史」という言葉を使った人もいます。池内さんは主観的には政治のことは全く考えていませんが，これは逆にいえば，日本の朝鮮支配に気楽におぶさっていることでしょうね。この場合には，自分だけの世界を楽しんで，論理学の世界になってしまっている，と思うのです。ですから，そこからでてくるものは何かと言えば，朝鮮人のいない朝鮮史になります。そして「満鮮史」という言葉が気楽に使われています。姿勢なり，朝鮮観の歪みが研究の内部に歪みをひきおこしているのに，それには全く気がついていません。これは朝鮮研究者の一般的傾向であったと思います。

宮田　だから一つの方法として，旗田先生がやられたように，史学史をまとめてみるということが必要ですね。

旗田　それは非常に重要だと思います。

小沢　今まで言われたように，まちがった姿勢なり，民族観を持っているから，まちがったことを教えることになり，生徒に反映してゆく。

旗田　これは大きな問題ですね。

小沢　それは今でも大問題です。学校の先生が朝鮮についてどう考えているかによって，子供に朝鮮を教えるか，教えないかということがでてきて，教えるとすれば何を教えるかということになるのです。そうすると，やはり今の学校の先生は大部分がブルジョア民族主義的な考えにとらわれている。そうすると朝鮮のことは，とにかく教える必要もないと言うわけですね。ではそういうことを，どこでなおしてもらえるか，現実のいろいろな運動の中でもなおしてくれるということがあるが，やはり朝鮮史の研究史，又は実際の研究業績によってもなおしてもらえると思うのですね。

旗田　このシンポジウムでは，姿勢なり，朝鮮観の歪みを問題にするわけですが，世間では，それさえ気づいちゃいないですからね。まちがっているということは，全く考えてもいないわけで，きわめて善意にまちがっているのですね。やはり研究者の責任ということを考えますね。

小沢　とくに我々が教科書をみていますと，朝鮮史研究者の責任は重大ですね。まちがったことが堂々とでてます。

宮田　しかも，朝鮮についての一つのまとまったイメージが与えられないですね。知識がばらばらにきりはなされて出ていて。そして戦後の朝鮮認識は，南朝鮮の李承晩認識にすりかわっているんじゃないですか。

小沢　それは重要ですね。それから，中国に関して子供たちがどんなイメージを持つかと言うと，簡単に言えば，新中国のそれですね。ところが朝鮮については，韓国，李承晩でしょう。

旗田　そして朴正熙ですね。

小沢　そうです。全然質がちがいますね。

宮田　どうして，中国認識と朝鮮認識がこうちがうのか，これは十分考えるべきですね。その問題を，研究者の責任という観点からみれば，そのような研究のゆがみを究明しなければならないと思います。また研究それ自体がほとんどないということでしょうね。特に近，現代が……。

渡部　あってもそれを近世とむすびつけない。それは対象への愛とも関連しますが，李退溪・李栗谷などに対して，非常な尊敬の念をいだいている人が，近代ということになると朝鮮人はだめだ，ということになってくる。それは何故かというと，僕はこう考えるのですね。李退溪とか，李栗谷とかを，朝鮮の民族とか，国民とかから抽象して，把握する。李退溪などをささえた，朝鮮民族なり，その文化があったことを忘れている。ところが，そういうものから切り離して，思想の内容ばかりをみて，その思想家だけをえらい，えらいと感心している。だから後になって，朝鮮人は馬鹿だと言っても矛盾を感じないと，こういうふうに考えるのです。

旗田　そうですね。いいかえれば，朝鮮の民衆をみていないですね。大東合邦論なども，対等の形の合邦をいう点では全く非常にユニークなものですが，朝鮮の民衆をみていない。あの本がでた時には，東学党の乱がおきているんですが，それについてふれてはいますが，全然評価していないのです。それができない時代だったかもしれませんけど。

幼方　その点たとえば安倍能成氏の回想記－「槿域抄」ね，あれなども，自然，あるいは物の美しさは書いておられるが……

旗田　その点，私自身も反省するんですが，私は，向うで育ったんですが，朝鮮の子供と遊んだ記憶はない。今でも，朝鮮人の子供が，その顔まで浮んでくるんですが，しかしそれは，自然の風物としてでてくるんですね。服装なり，慣習なりがね。朝鮮人とじかにふれあったということがないですね。子供の時から。その点渡部先生どうですか。

渡部　同感ですね。

宮田　それは，はじめから，支配者として，行ってたからではないでしょうか。たとえば総督府の高官だった穂積真六郎という人がこういうことをいっていました。朝鮮にいる朝鮮人は好きじゃなかったが在日朝鮮人はいいというのですね。それはつきあい方が違うわけで，総督府の高官のところに集って来る朝鮮人と，戦後，立派な独立国の人間として，対等の人間として，先生の考えに反対もするし，喰いかかっていくような朝鮮人とは。つまり，じかに人間として触れると，立派な人間だと感ずる。支配者として行っているとそういう人間接触をする機会がないんですね。

渡部　京城日報にいたある人が，よく，「私は長くいてよくつきあったんだから，朝鮮人は事実そうなんだ」とよく断言される。しかし一概にそう言えませんね。

宮田　そうです。京城日報の記者ということでつきあうわけですから，相手の朝鮮人だってそれを意識して話する。又，事実をみたと言っても，その時のその人はその人自身の立場から見るわけですから。このことに気づいていないで朝鮮人はそうなんだ。自分は朝鮮に行ったことがない人よりはるかに朝鮮を知っているんだというぬきがたい確信になっているんですね。

渡部　それは，認識の方法というものについての学問的反省がないんですね。それを我々がやらないといけないですね。

旗田　支配者として行くと，そういう欠陥がでてきますね。私が戦争中にやった中国農村調査の時に，中国の農民にはずいぶん気をつかって友好につとめましたが，しかしやはり限界があった。革命なんかが起ってくるとお互の立場が当然はっきりちがいますからね。朝鮮の場合は居住地域まで全然別個でしょう。私は子供の時，馬山にいたのですが，日本人町と朝鮮人町は全然別でした。

宮田　それは金達寿先生のお話にもちよっとでてきたんですが，日本人は朝鮮人の中にはいっていかないで，ちよっとのっかっていた。

旗田　だから，朝鮮人が風物としてしか頭にうかばない。朝鮮人の考えなり，苦しみが実感されない。

渡部　そして逆に，汚いとか，チャチだとかみすぼらしいとか言うのですね。日本人だって，江戸時代なんかずいぶんちゃちだったでしょうがね，また，そういう外観だけをみて判断するというのは非常なまちがいですね。

宮田　私が渡部先生の書堂のお話を伺って感じたのですが実際に見てきたという総督府の人は書堂を「薄汚いところで，ゴチャゴチャ子供を集めているだけで，教育などと言えたもんじゃない」と非難するんですが，先生は，その中にある，民族のエネルギーというものをみてゆこうとされる。私はこれを非常に興味深い御研究だと伺ったわけですが，こういう観点が大事ですね。

渡部　アメリカの教育史家カバレーのものなど読んでみると，19世紀の年代までは，アメリカだってひどいもんですよ。地方の学校なんか書堂なんかの比じゃないですよ。18世紀以前はもっとお話にならない。しかし彼は，これこそ，アメリカ近代教育の淵源だといってますからね。アメリカについてそれを認めて，朝鮮についてそれを認めないというのはおかしなことですね。

旗田　やはり，朝鮮民族，朝鮮人というものをみていないのですね。

渡部　もう１つは，私が朝鮮史研究に着手した最初のころ，仏のモーリス・クーランの「朝鮮書誌序説」を，翻訳でよんだんですが，朝鮮の民族は非常に文化の高い民族だ。高麗焼と李朝実録と訓民正音とを生んだ，文化創造力の高い民族だというふうに書いてあるんですね。なるほどと，はじめてわかったんですね。これぐらいのことが，大学の文学部を出た者が，京城にいて知らないという程度だったんですからね。

旗田　満鮮史とは対照的ですね。満鮮史の学者は，３・１運動などがおこると，それをおさえるために，朝鮮にはいいものがなかったんだと，いう主張をやりました。

宮田　で，また朝鮮人にもそういうことを言わせていますね。御用学者に。

渡部　そして，李朝は党争派閥の歴史で。

宮田　そう。なにか恥しく，いまわしい歴史だと……。

渡部　そういわせておいて，じゃ俺が行って救ってやろうという態度がそのあとにすぐでてくるんですね。教育の方でも，書堂や，講習会が，ぶーっとふくれてくると，教科書の中の朝鮮に対する扱いもドギックなってきますね。民衆の盛り上りが大きくなると，朝鮮はつまらないんだと説く。

宮田　ところが面白いことに，これは，ある先生がお書きになったものに，昭和の武士道は朝鮮からというのがあります。戦争になってくると変なふうに朝鮮人民を持ちあげているんですね。つまり日本の武士道は関東から起った。関東というところは，朝鮮からの帰化人が多い。だから，今こそ，昭和の武士道は，この朝鮮の地からおこらなければというので。

旗田　渡部　ほう！

宮田　それは，日本の文部省もおどろくほどの勇ましさで，日本本国の教科書の方がそれを見習わなければならないといって，お賞めをいただいたとか。……（笑）

旗田　皇民化ですね。

宮田　とにかく，どうにでも書けるもんですね。

朝鮮研究と日本・アジア研究

宮田　では観点をかえて，問題を出していいでしょうか。これは第一回のシンポジウムで上原先生の提起なさったことと，私の考えになるのですが，朝鮮研究と，日本を含むアジア研究で，特に，旗田先生なども実感されていらっしやると思うのですが，朝鮮に関する個別研究が，日本の学界や，学問の中に，吸収されてゆかず，またそれを豊かにして行っていない。特に近代の場合，それを強く感ずるんです。これをどう考え，どう解決してゆくかということですが，その問題について上原先生は，第一に朝鮮史をやる人が，方法論的に，日本の学者が注目せざるをえないような成果をあげる事が必要であるとか，又四方先生は，もっと通史を出したらどうかともいわれた。社会経済史なり，文学史，思想史なりの通史をつくり，もっと日本人に知ってもらうような努力をしなければいけないとか。その他いろいろあるんですが，もう一つは，朝鮮史研究と日本史，それから，アジア史一般の研究で，それぞれの観点をどう有機的に関連させ，統一させるかということがこれからの研究を進める上での課題だと思うのです。

渡部　そのことですが，旗田先生のお書きになった高校世界史の教科書ね（教育出版），あれをこのあいだある人に見せてもらって，非常に興味深く拝見したんですが，あれ一つのサンプルですね。あれは，世界史の観点から，中国，朝鮮をみごとにひとつにまとめられているし，それにアジア史の部分が多いんです。先生は古代史の方をおやりになったんですか。

旗田　いやあの時は近代の方をやったんです。古いところは都立大学の村上正二君がやったんです。余談になりますが松田さんと一諸にやったんですが，松田さんは大英断で，アジア史の部分を最初半分とってくれたんです。とても，そうは書ききれなくて，かなりへらしましたが，ずいぶん多くとってくれたんです。

渡部　皇民化運動のことなどもね。それから，あれだけおまとめになったんですから，改訂版を出されたらいいのに，

旗田　いや，本屋は改訂版を出す気はないようです。あまり売れませんから。

渡部　いや，あれは私は大いに宣伝すべきだと思います。やはり，アジア史に統合し，世界史に統合する，このことは，むつかしいですが，先生の教科書は一つのサンプルですね。

旗田　世界史としての観点は大事ですね。

渡部　そういうことをやっていないから，朝鮮史研究がいつまでもすすんでゆかないんですよ。

宮田　そうですね，なんだか，ローカル線ののりおくれみたいで（笑）

小沢　世界史の教科書をみてゆきますと，５・４運動と米騒動とは全部出ているんです。しかし，３・１運動はほとんどのっていませんね。

宮田　同様のことなんですけど，一昨年の歴研の大会のテーマが，日本帝国主義の成立をめぐってということだったのですが，５・４のことは問題にするんですが，３・１のことは全然問題にしない。時期的にも，３・１の方が早いし，直接日本の植民地支配への抵抗運動ですし，規模だって大きいのです。それを，歴研あたりでも無視しているんですね。

小沢　そうですね。東アジアの中で日本をとらえると言うことはよく言われるんですが，具体的な作業の中では，日中関係としてとらえる。

旗田　その点は中国でもそういう傾向があったんですね。中国から侯外廬氏が来たときに，個人的にお目にかかり，話をちよっとしたんですが，その時，日本人の朝鮮観の話もしましたら，中国でもそうなんだ，朝鮮に対する大国意識が古くからあり，まだ残っているといっておられました。かつては，大変に大国意識がつよくて，朝鮮を独立国とは認めなかったし，関心もほとんどなかった。恐らく，５・４と３・１とを関連させて考えるということは，中国でも乏しかったんではないでしょうか。３・１のスローガンの中には中国問題がでますが，５・４の当時の中国人が朝鮮の問題をどうみていたか，私は知りませんが……。たとえば孫文などが，朝鮮問題をどう見ていたか。

宮田　中国でもそうですか。

幼方　勿論，最近は大分違うと思いますね。昔は，東北では，中国人と朝鮮人との接触もあったけれど，両者を区別する政策がとられたりしましたしね。その結果でしようね。

旗田　とにかく，アジアの中で日本を考えるという場合，朝鮮をぬきにしてはできないんだということを，実際の仕事の中で，あきらかにしなければいけませんね。それから上原先生が言われたことも。だが，いっぺんにはなかなかむつかしいんですが，とにかく，アジアを考える場合朝鮮をぬきにしてはできないんだと……。

宮田　その掛け声だけは，ここ４，５年叫ばれてはいるんですが……。

旗田　ただね，古代史では，それはやられているんですよ。昨年の史学会大会で，東アジアの問題に，朝鮮がでて，私も参加しました。岩波の，日本史講座でも，古代史では，朝鮮を大きな問題としてみているし…。ところが，近代がぬけちゃうんです。日本資本主義の発展の時には朝鮮がぬけてくるんです。

宮田　近代など，最も深くかかわっているところでぬけてしまっているんですね。梶村さんがこのあいだ，歴研の研究会で報告したんですが，その時も日本史の人人しかきていなかったとか……。

旗田　今度の歴研大会でも，古代史の方ではぜひでてくれという要望があってね。ただ日本史と比べて，朝鮮の方はまだ研究が粗雑で無理なんですが，とにかく出ようということになって。日本史においては，一番進歩的である近代史の連中が頑冥だな。

渡部　頑冥というより，先程も問題になった，政治的な背景による姿勢の歪みということでしょうし，支配の政策が，李朝や，近代の研究の欠陥を生んだということでしょうね。

旗田　ただこういうことはありますね。日清戦争までは，朝鮮研究がさかんだった。特に，古代史などは一種のブームで大陸といえば中国よりも朝鮮で，それから，当時の朝鮮についても関心がつよくて，まあいいかげんなものだけど，朝鮮事情だとか，朝鮮旅行案内といったものがでていますね。ところが，日露戦争以後になると，朝鮮はすんじやったというわけですよ。これはもう研究の必要なしということになったんでしょうね。

渡部　明治期のものでも，私がみたところでは，序文の中には，たいてい，「殖産に志す者の為に資せんとする」ということが書いてあって，つまり，自分の植民地としての価値如何というところに観点があったんですね。

宮田　実際，朝鮮を併合してしまうとあまり関心をしめさなくなる。これは総督府の役人が言っていたことですけど，朝鮮をとって，しばらくすると，日本の本国政府も，満州の方に関心を示して，朝鮮に配慮を払わなくなる，だから，なんとかして，朝鮮に資本を投下させよう

とヤッキになった，という意味のことを言っているんですが，一方，日本の学問研究がどんどん発展していった大正昭和の時期にそういう状態で，朝鮮への関心はうすくなってきて，日本資本主義や帝国主義の発達を植民地との関連においてとらえるという視点が全然脱落してしまった。そのようなマイナスの遺産が今になっても，朝鮮研究にはいりにくいということになっているんじゃないでしょうか。

旗田　だから，朝鮮を独立の国としてみとめるという観点もぬけてくるわけですね。

渡部　それと関連してですね，東北大学の人が，東京の文化は，東北を素通りして，北海道にゆく，つまり東北通過駅論をいう，それと同じようなことがあるんじゃないですかね。

幼方　朝鮮が日本の一地方としてみなされる。地域としての独立した存在という考えが眠ってしまう。

旗田　そうですね。中国の場合，敵国，あるいは対立する大きな存在としてみるんですが，朝鮮の場合はそれがなくなっちゃったんでしょうね。

歴史学的研究と社会科学的研究

宮田　もう一つの問題として，第1回のシンポジウムでこれも上原先生が，かつての研究においては歴史学的な研究と，社会科学的な研究とがバラバラであったということを言われたのです。朝鮮研究に関しても，それがありますね，それで，この二つのものをどう有機的に関連させて，具体的な朝鮮史や朝鮮民族のイメージをつくりあげてゆくか，そしてそれを日本人に与えていく上にどう協力しあえるかという問題があるとおもうのです。又それは善生先生の調査報告，あの尨大な業績をどう役立てるかということなどとも関連すると思いますが……それから，森谷先生も，これからの朝鮮史研究は方法論を問題にしなければならないといっておられますが，この点旗田先生御意見は？

旗田　さあ，どう考えていけばいいかな。

渡部　調査研究と歴史学的研究と比べた場合，前者の特色は，統計を使わなければならないが，その場合どうしても，たてよこのアイテムをきめてかからなければならないのですね。そうするとはじめから，自分の考えに基づいて一定の枠をきめてかかるのですね。ところが歴史学の研究では，それは邪道で，むしろ，与えられた史料を全部読んで，そのなかから共通点と特徴を帰納してゆくというやり方でなければならぬというのでしょう。今までの研究では，その二つが，うまくかみあっていないのではないかと，私はそう感ずるのですが，どうでしょうか。

旗田　私は根本からみれば，歴史学もね，調査研究も，同じでなくちゃいかんと思うのですが。

渡部　そのはずですね。

旗田　ところが，歴史学者の錯覚ですよ。紙にかいてあると，もう信用するのですね。それさえさらってゆけばなにか真理が探せると思っている。とんでもないまちがいでね。そうすれば，現代のものは処置なしです。これだけ新聞などがでてきてね。百年たてば，現代も大変古いことになる。その時に，これだけの史料をどうこなせるか。方法がなくちゃこなせんはずですよ。

宮田　朝鮮近代史をやっているある先生が，史料を全部よめといわれる。近代史の場合では，全部よむことは不可能です。

旗田　それはまちがいですね。極端に言えば歴史学に方法がないと学問じゃなかったと言えると思います。それがね，満鉄の中でもつくづくいやになって，苦労しましたよ。毎日毎日，議論しましたよ。あそこには，法律や，経済をやっている人も沢山いましたが，彼等は，やはり，なにが聞きたいか，と言う問題をもっていないと，やれないと言うんですね。で，問題を自分でつくれ，ということになる。歴史学は自分では問題はつくれないんですよ。紙に書いてないとつくれない。しかし頭でつくれなければうそですね。勿論，それは仮説ですがつまり自分の目をみがく，方法論をもつこと，それが大切ですね。社会科学はそれなりに持っていた。ところが歴史学はもっていなかったですね。

渡部　しかし，広汎な諸現象が，歴史的に展開してゆくので，つまり動いているのですが，社会科学的な方法と言うのは，それを一ぺんとめてしまうのですよ。

旗田　そういうことはないと思いますよ。

渡部　でもとめないと統計にでてきませんよ。

旗田　統計というのは，これはつけたしでね。歴史学的な見方というのは，あらゆる学問にでてきますね。

渡部　だから私は，社会科学的な方法だけでは歴史的な研究がもたらすものは，でてこないと言うことになる。やはり歴史学でもって大きいけれども，動的に時間の経過をずーっとみてゆくところがないと……

旗田　私はそうでないと思います。経済学者の朝鮮研究は，とうぜん歴史的なものです。それは実態調査をやるとしても，それがすでに歴史だと思うのです。一つ一つの地点がとうぜん歴史的な性格をおびており，又それぞれのあいだにちがいがあるのです。それを統一的にとらえるには，やはり，歴史的理解以外にはないのですね。

それから，資本論と言うのは歴史学です。

渡部　それはその歴史学者が，同時に社会科学的な資質と方法をそなえているのであって，社会科学と歴史学は，概念的には一応別のものではないかと思います。たとえば，鈴木栄太郎先生の「朝鮮農村踏査記」をみれば，歴史的なものは足りません。しかし，社会科学的には，非常にすぐれている。

旗田　それはそうですが，つまり，それは歴史学がたりないので，本来それはそなえているべきものだと思います。

ところで，先の歴史学の方法の問題ですが，歴史学の研究でいちばんいいのは実態調査だと思います。自分の目で見ないと見えないですよ。それから，複雑なものをみる時は，仮説がなければみることはできませんよ。仮説というのは自分ではもっていないと思っても知らんまに持ってますよ。持っているのだったら，それをもっと精密なものにしておいた方がいいのですよ。

渡部　そうですねえ。そして，論文なんか書く時に，自分はこういう仮説でやったんだということを明らかにすればよい。それがね，あるものをださないというのは，狡猾か，あるいは自覚がたりないかどっちかでしょうね。

宮田　仮説を，先ず持つことによって，それが訂正されたり，新しいものができたりするんですね。

渡部　それこそ，思考がうごくことですからね。しかし，アメリカの社会学などそれが足りないのではないか。

旗田　そうですね。

渡部　ですから，私は，おのおのの学問に，歴史的な方法があることは，認めるけれども，概念的には，歴史的な探究の方法と，狭い意味での社会科学的な研究方法ということは，別に考えねばならない。その綜合こそがのぞましい，と思う。

小沢　社会学的な調査，あるいは社会学的な方法というと歴史学的な観点がぬける場合が多いですよね。渡部先生の言われたことはたとえば，歴史的観点と，社会学的観点，その綜合としての社会科学として考えれば，よくわかるのじゃないのでしようか。

渡部　だから，僕にいわせると，今までの歴史学は，くいたりないですね。

宮田　つまり，明確な仮説なり，方法なりが必要だと言うことですね。

旗田　そういった点からいけばね，池内先生は，論理主義者でね。人間の理性というものを信じているんですね。史料になくったっていい。理づめでね，仮説をたてて，それが全部合理的に解釈がつけばいいというのですね。また，対照的に，和田先生は，史料にないものは出さない。史料にあっただけでいい。そうすれば，穴があこうが，どうしょうが知ったことじゃない。津田さん，池内さんは，一貫してものを考えなければいけない。そのためには仮説をたてなければいけない。もっと極端にゆくと，池内先生などは，史料が十なければ，論文が書けないと言うのは馬鹿だ，六つあっても十のことが書けないやつは学者をやめた方がいいというのですね……

渡部　極端ですけどね。

旗田　史料を，十，百といったって，現在のことを考えてごらんなさい。史料がありすぎて……。だから，史料主義というのは危険ですね……

渡部　悪しき史料主義はね……。仮説ということと関連して言えば，総督府が，公立普通学校の設立，私立各種学校の整理，減少にやっきとなる。そうすると，書堂や，私設学術講習会がぶーっとふくれる。これは，今日，私はまあ，朝鮮人の抵抗とみているわけですが，それは架空のこととは言えないですね。今，史料はないけれども，それを探せばあると思うのです。

旗田　それはね，史料を探すのも，こっちが目的をもってやらねば，偶然にはでてこないですね。

宮田　それから，一見つまらないと思える本でも，見方によっては価値のある史料になりますね。

旗田　それから，同じ史料でも，一回読んだら1回分の価値しかないのですが，10回読むと10回分の価値があるんですね。

渡部　それが，対象への愛ということと関連しているんでしょうね……。

蓄積の発掘を！

旗田　次に，蓄積の問題ですが，やつぱり，今までの研究や史料などで，発掘，その整理ということを考えてみたいと思いますね。

渡部　発掘で推奨したいのは，板谷英生氏の「満州農村記」というのです。朝鮮人の向うに流浪していった人の話なんです。昭和十年ごろでたんです。当時の日本人の姿勢からみれば，非常にすぐれたものです。それから，先ほど，東北通過駅論がでてきましたが，この板谷さんのものもあります。そこにやはり，着眼の姿勢がね，共通したものがあるような気がするんですがね。この方は，今でも生きておられるそうです。もう御老人でしょうが，一ぺん来ていただいて座談会をひらいてみたいですね。

宮田　もう一つ面白いのは出隆編の「ある哲学青年の手

記」で，「灰にするが可」と書いてあるんです。これがあの，伊藤博文の暗殺の頃なんかにすでに見解を出しているんです。朝鮮人が伊藤を殺したのはあたりまえだと，自分も，自分の国が亡ぼされたら，そうするだろう，ということを言っているんです。

旗田　出隆氏の自叙伝ですか

宮田　聞いたところによると，ある哲学青年の手記ということだけど，出隆氏が書いたのではないかという説も…

小沢　出隆氏の自叙伝によると，出氏の中学校か，高等学校の時のノートをですね，ある哲学青年の手記として出しているんです。やはり，出氏の自叙伝の中に，関東大震災のことが書いてある。彼は震災時に，長野に旅行していた。震災から，二，三日たつと，そこでも，朝鮮人の暴動があるという噂を聞いたが，これは，作られたもので，全国的に，意識的にばらまかれたものだと，又，僕がこういう考えになりえたのも，この大震災のことがあったからだとも書いてあるんですね。だから，こういうところに，「大東合邦論」などにはない，傾聴すべき姿勢があるんですね。

旗田　そういうのを，一つ一つ発掘していかなければなりませんね。

小沢　日本人の，朝鮮旅行記が沢山ありますね。これを集めようと思って，ポツリポツリですがやっているんです。

渡部　それに書いている朝鮮のことはそのままではあまりあてにならず役に立たないけど，見方などがね……

旗田　話がおのずから，日本人の朝鮮観の整理の仕方ということになりましたね。これは大きな問題ですね。それは，全部一ぺんにはできませんから，たとえば日清戦争なら日清戦争，或は，日露戦争，「日韓併合」の時期，又，3・1運動について，というように，問題別にかぎってね，これは大事な仕事だし，それをやりませんと，日韓会談についても，姿勢がはっきりしないような気がしますね。新聞—これは大変でしょうが，少くとも，雑誌，著書，などについてはやっておく必要がありますね。それから，更に言えば，幕末からのものもやるべきじゃないですかね。攘夷論者，尊王論者のね。たとえば，南洲のものとかね。

宮田　それから福沢諭吉のもの。

渡部　そういうものは，抜き書きでもつくってやるべきですね。

幼方　今までは，そういう知れわたった人のものだけですね。たとえば，明治の社会主義者のものね。それから柳宗悦とか。そういうものはぼつりぼつりあるけど，やはり，庶民の線まで掘りさげるべきですね。これは，やはり姿勢の問題ですね。やはり新しい方法なり仮説で史料を探してゆくべきですね。でてきますよ。

旗田　大変な作業になりますが，学生を訓練したり，研究したりするのに役立ちますね。

幼方　日本の，明治史研究が盛んになっていった時ね，吉野作造さんが中心になって，明治文化研究会というのを作っていましたが，主として文献の発掘をしていましたね。それを長くやって，その上にたって，明治文化全集というのができた。朝鮮史研究についてはそれがなかったですね。

旗田　関東大震災に関しては，姜君の努力で，ああいう史料集ができたわけですね。

渡部　あれだけの努力をはらってやればね，できるはずですね。

小沢　3・1運動のあたりは，宮田さんやっているんだし，日本内のもの，あるいは，その後朝鮮に旅行した人のものなどがあるんでしょう。

宮田　たとえば，原敬日記をみると，いろんな人が，入れかわり，たちかわり，やって来て，いろいろ言ってゆくんですが，「おって，この問題については，文書にして出す」と書いてあるから，そういうものがあるはずですね。

旗田　これ一つ課題として考えましょう。

渡部　文献綜合リストをね。

宮田　それから，史料を集めておくことが，大事ですね。特に近代史の場合なんか。私は，神戸のある人から，総督府関係の史料をリンゴ箱で二つほどいただいて来たことがあるんです。こういうものは，たんねんに歩いて集めないと，なくなってしまうんですね。お子さんや，お孫さんの代になると一文の価値もないことになって古物商に売られるとか……。

旗田　それは，大事なことですね。このほかにも蓄積を生かしたということがありますね。中野さんは，美談を探さないといけないと言っておられますが，学問の世界では，そういうことはないでしょうかね。

宮田　そういうものでは，久間健一先生の，「合徳農民一揆の研究」という論文，それに，「朝鮮農政の課題」など，一連の論文がありますね。

幼方　久間健一さんのね。あれはあの当時のものとしては異色でしたね。ああいうものが続かなかったですね。

渡部　西郷静夫氏の「朝鮮農政考」というのがありますね。あれは？　手に入れたいですがね。

旗田　総督府の調査資料というのが非常に沢山ありますね。ところが，あれを使った研究というのがあまりないんですね。これは朝鮮研究の体系的把握という努力がなかったせいですがね。

宮田　ええ。日本人のものではないんですが，印貞植の「朝鮮の農業地帯」は「小作慣行」をよく使いこなしていますね。善生先生の調査にしても，村山智順先生のものでも。

渡部　そうですね。自分でも持っているんですが……。ただ，書院について研究した時に「部落調査報告」を使って，しらべたことがあります。でも，あれも，散発的でね。それに，調査のたびに，意図が違っていますから，必ずしも一貫していないでしょう。それを調整するのに，何か別の史料が必要になって来ますね。

宮田　それから，総督府の資料の中には，分量の割には使いでのないものもありますね。たとえば，「治安概況」は毎年同じようなことしか書いてない。しかし，農村問題などは，農村政策の必要上，かなり詳しく調べてますね。たとえば，渡辺忍文書。これは，尨大なもので，渡辺さんが農林局長時代に政策立案のために使った資料があります。農村関係の詳しいもの，治安関係のものでは，毎年やる，道警察部長会議での諮問事項とか—全部なまの資料です。こういうものが，みんなに見られるような形で出るといいですね°

幼方　いろんな角度から日本人の朝鮮の見方の歪みということが問題になっているんですが，欧米人一今の欧米人でなくて，啓蒙期の欧米人の朝鮮研究をみると，日本人の朝鮮観との相違点と言うのが具体的にでてくるんじゃないかと思うんですね。グリフィス，もっと古くはダレー「朝鮮教会史」それから，アンダーウッド，リフィト・フォーフェンなんかの朝鮮研究があるんですが，こういうものをトレースすることも必要じゃないでしょうか。

旗田　ヨーロッパ人の朝鮮人に関する本では，グリフィスの「ハーミット・ネーション」ですね。あれだけは参考文献として，今西さんなり，「朝鮮史講座」の中にもでてきますね。

幼方　「クーラン双書」も，先の「朝鮮書誌序説」などいろいろあるんですね。

旗田　目録だけはあるんですが，原本はなかなか見られないのが多くて。

幼方　日本ではそういう系統的な研究方法がなかったんですね。上原先生流にいえば，世界史における朝鮮史というとらえ方がなされていなかったことですね。

渡部　グリフィスの「ハーミット・ネーション」は現地にいかずに，日本にいて文献だけで書いているんですね。あのグリフィスのハーミット・ネーション隠者の国），モーニング・カーム（朝の静けさ）という朝鮮のとらえ方は，後の人にもずーっと影響を与えていますね。最近の南朝鮮では，ギルモアをよく引用してますね。それから，ロシヤ大蔵省の「韓国誌」あれは，翻訳でしか読んでないんですがね。

幼方　原本は，東洋文庫にありますよ。

宮田　それから，ニム・ウェルズの「アリランの歌—ある朝鮮人革命家の生涯」というのがありますね。あれだって凡そ日本人の観点じゃないんじゃないでしょうか。エドガー・スノーが「赤い星」を書いたような。

旗田　そういうものを，もっと発掘しなければなりませんね。

渡部　それから地図も大事ですね。どこまで，自然認識をもっていたかということを知る上で。また，日本の地図などともつきあわせてみることもおもしろいんじゃないでしょうか。

旗田　そういうもののリストの整理が必要ですね。

幼方　東洋文庫だけでも沢山あるでしょう。

渡部　それから，京大の人文科学研究所にもありますよ。京都の人にも参加してもらってね……。

当然蓄積すべくして蓄積しなかったこと
—研究の不足した点—

旗田　次の問題に移りますが，蓄積したものでも誤ったものもありますが，また蓄積されるべきもので，着手されていないものもありますが。それをはっきりさせておきたいですね。

渡部　何でしょうね。もっとも顕著なものは。

旗田　先ず時代的にいけば，近現代ですね。

渡部　そうですね。それから近世だってね。内容的には，先の李退溪の時に述べたことと関連しますが，思想史の研究がないですね。とくに実学派の研究などほとんど手がつけられてない。それだけでなく，教育なり，美術，音楽など文化，あるいは文明の面。こういう研究が，日本人の中にはなかったですね。考古学としてだけあって。また言語学はあるけれども文学研究がない。

宮田　これも朝鮮人観と密接に関連していますね。

旗田　そうですね。そんなものをやっても意味がないと，ね。それは河野先生もこのまえのシンポジウームでおっしやってたですね。文学で価値あるものがないと。

渡部　ですから，こういうことがありますね。金素雲さんが採録された民謡とか，野詩ね。朝鮮ではこういうものが，発達しているんですが，こういうものの中に官の正史にはない，圧迫されながら悩み，苦しんでいる人々の考えや，感情が表われているんですね。それを広く，採録することが必要ですが。更にそれを単に李朝版歌謡曲集としてみないで，学問の素材として役だてていくということが大事ですね。そして，西岡さんの「日本庶民史」ですか。ああいうものをつくることが……

旗田　それから，朝鮮の法律とか，慣習法の研究が非常に少いですね。朝鮮経済の研究，これも不十分ですが，まだ四方さんなどがおやりなったんです。ところが，京城大学に，法文学部がありながら，法律家は朝鮮の法の研究はほとんどやらなかった。朝鮮では，内地延長主義というものがありましたから，あまり必要ない，ということだったんですね。台湾とか，満州，中国ではかなりやってるんですが，朝鮮にはない。梅謙次郎さんなんかの研究もあるけど，きわめて不十分で。したがって，朝鮮法制史というのがないですね。

渡部　ないですね。内藤吉之助先生がおられて，経国大典とか，いろいろな編纂，校定事業はあったんですがそれだけでおわってしまったんですね。

旗田　旧法典はかなり出版されましたが，研究となるとないんですね。中国の場合，江戸時代から，明治，そして現代にいたるまであるんですが。支配するのなら，当然，その土地の慣習法なり，伝統的な法というものを調べる必要があったんでしょうがね。それがないんですよ。

宮田　ただ，3・1の時にそういうことをちょっと反省しているんですね。鉄道敷設の時など，朝鮮人の墓地などをとりあげる。するとそれが，潜在的な反抗を生むんです。それで，3・1運動の原因として，朝鮮人のこの墓地を大事にするという慣習を無視したからだとかいって。

旗田　中枢院ができて，旧慣調査なんかやる。あの掛け声はあったんですが，実際やっていません。

渡部　同化政策のせいですね。それから，教育の面では，「童蒙先習」などがいい例で，それを知っていても，わざと隠すぐらいなんですから，本気になって調べるなどしないんですね。

旗田　そうです。材料は沢山あるんです。あれほど文献のそろった国も少いでしょう。

渡部　それから，当然あるべき研究でないのが，総督府の政策史研究ですね。小沢君なんかが，教育の面では着手しているんですが，これだけやっていてはわからないんですよ。農業，工業，など経済，警察その他とからみあっていますからね。これも，総督府のそういう史料をととのえて，研究してもらいたい。特に若い新進気鋭の方に，

宮田　政策史もそうですが，日本資本の朝鮮への侵入の問題，また民族資本の問題などもね。特に金融組合などは，……

渡部　本当に，これまだいろいろありますね。

朝鮮研究の普及と発展のために

渡部　先ほど，朝鮮史研究でやっていなかったこと，やるべきことが沢山あるということがあったんですが，大学院や学部の学生さんたちにとって，いいテーマがいろいろあるんですがね。

宮田　結局はいりにくいわけですね。

渡部　そのことについては，我々古い研究者に責任があるんでしょうね。入門書なり，テキストの適当なものを提供しえないという点でも

幼方　今西さんの「朝鮮史の栞」というのがありますね。あれは古いところが中心だと記憶しますが，ああいう研究のガイド・ブックが必要ですね。

旗田　やっぱり，ほかの学問には，ガイド・ブックがあですね。

渡部　日本史でも，西洋史でも。それが朝鮮史にはない

宮田　先生方にみんなで文献カードを出してもらって，文献解題みたいな簡単なものでもよいですし，必ずしも網羅的でなくてもよいですし，これだけは必要というものを。

渡部　それも先の文献リストと並行して。

旗田　文献リストとは別ですけど，私たちの高麗史研究でやっているんですが，それがもうかなりあつまっているんです。高麗史だけでなく，先にでた問題などを，どう考え，研究してゆくかというのがあったらいいですね。

幼方　これは，専門家のためのものでなくって，せいぜい大学院の学生あたりがくいつくものを，

旗田　学部学生も必要ですね。これは一つ考えるべきですね。

渡部　これ，企画委員つくって，具体的な案を練って，ぜひやりましょう。

旗田　朝鮮研究講座というものができるといちばんいいんですがね。ある人から，作ったらと言われたことがあるんですが，私，やめとけといったんです。そんなことやったら本屋がつぶれるからって，現在の力じゃできませんでしょう。

渡部　朝鮮史講座は久しくでてないですね。

旗田　大正の時期ですよ。だからもう40年ぐらいになるわけですね。

渡部　それはやっぱりどっかでやってもらうといいです

がね。朝鮮史としなくても朝鮮研究でいいですよね，広くね。

旗田　いろいろ話がでましたが，もう一つ，研究体制と言うと少し話が大きすぎますがこれ一つ考えていいんじゃないでしょうかね。あまりにもみなバラバラで孤立していましたからね。何らかの気運がでてきていますけれども，どこに行って勉強していいかわからない。中国研究ですと，いろいろ学生の動きがあったりしてね。中研連とか，全国的な研究組織もありますし，朝鮮史研究については，朝鮮史研究会とかあんなものがある程度で……。

渡部　研究体制についてはこういう感想をもっているんですが，つまり，今の時点では一方では運動がずーっと進んでいて，これに密着する形での直接的知識を要求するそういう一つの層があろ、一方では，学者は学者の方で，史料がたりないもんだから，局部的，断片的に研究をやっている。そして，その二つが結びついていないように思うんですがね，ですから，体制というものをつくる場合，それを支えるものがなければならないとすれば，それは大学と，研究機関と運動体とそれに参加している人々ですね。その結合ということ，これは実際にはいろいろむつかしいと思うんですが，これを考えないといけないと思うんです。

幼方　日本の大学で朝鮮史の講座をもっている大学はいくつぐらいあるんですか。

旗田　天理だけでしょう。東大には朝鮮史の講座ないでしょう。

渡部　講座はなくても，講義はあるでしょう。

宮田　旗田先生のところは？

旗田　講義はありますが，講座はありません。京都も，全然ないですね。

宮田　どこかの大学に一つできると大きいんでしょうね。たとえば，外語大に朝鮮語の講座ができるとかね。

渡部　やっぱり，早稲田か，慶応か，明治など，そういう大きいところに，がーんと一つできると大きいんですがね。

旗田　武蔵大学はできませんか。

渡部　経済学部だけですからね。

宮田　それ非常にもったいないですね。渡部先生や，森谷先生だって朝鮮史教えておられないんでしょう。昭和女子大の善生先生だって……

渡部　武蔵は，やろうとおもえば，鈴木武雄，森谷克己，それに私，3人がいるんですが。

宮田　錚々たるメンバーがそろいますね。

渡部　しかし一般史しかやれませんでね。

旗田　それから，朝鮮研究の普及のために，1ヶ月一ぺんなり，1週間一ぺん朝鮮に関する講座をやるとずいぶんちがうんですがね。朝鮮研究所なんかがもっと広くて，あそこがたまりばになればいいんですがね。しかし当面は，研究所ではなくてもね。どこかの学校で会場をかりて土曜講座でも開くとかね。立命館が土曜講座というのを何年かつづけているんですよ。最初のうちは葉書で連絡したりしていれば，そのうち常連ができると思います。

年令は学生から老人までね。話題もなんでもいいんですね。ただ朝鮮ということで。

宮田　所員が交替で行くとかね。

渡部　時と所を一定しておいてね。

旗田　こういうことが，比較的効果があるんですよ。もちろんこれだけで研究はすすみませんけど

宮田　でも普及活動と言う意味で。

幼方　形式も比較的自由にね。

旗田　裾野を広げることが大事ですからね。それから，研究所などでもいろいろ考えておられるわけでしょうが，学生層にふえてゆくのが一ばん確実だろうと思うのです。友好運動のなかで研究をひろげることも勿論大切なことですが，それはすぐには研究者の養成にはならないと思います。

渡部　それにつぎつぎかわりますからね。

旗田　学生層がでてくると，又学校の先生にでもなってゆきますし，大事なことだと思うんですがね。それから，朝鮮研究の学生の連合ができるといいんですがね。もうできるんじゃないでしょうか。

宮田　地方からいろいろ手紙もらってみると，みな困っているらしいですね。名古屋からわざわざ上京してきたり。

旗田　そう，学生も，毎年，しだいにふえています。今年はずいぶんふえました。中国研究ですと学生の連合がありますね。

宮田　中国研究の場合，各大学に，中国研究会というのがあって，それが集って中研連というのをつくっているんです。そうして，中研連ニュースなんか出している。各大学に朝鮮研究会みたいなのができるといいんですがね。

旗田　しかも中研連の人は朝鮮問題に関心が深いんですよ。たとえば中国学術使節団の歓迎の時にわかったんですが，あの人たち，特に現代中国を研究しようという人たちがね。朝鮮や，在日朝鮮人の問題に大きな関心を持っているんですね。中国研究とどういう関係があるかと聞いてみるとわからないと言うんです。しかしほおって

おけないと言うんです。

宮田　私や姜さんなんかも中研からでてきたんです。

渡部　法政大学にはあるでしょう。朝鮮問題研究会というのが。

幼方　今そういうのが発酵状態にあるんですね。それをすぐ組織にまとめるというのは，無理ですから，やはり学生の自発性にまって……。

旗田　やっぱり研究サークルをね，その時と所に応じたかたちでたくさんつくってゆくことですよ。今のところ，足場をつくらなくちゃ。大きな組織云々という段階じゃないでしょう。

幼方　そのうちある程度量がふえるから，質的にもなんとかしなければということで，新しい朝鮮研究会とか，朝研連とかをつくっていかなければならないでしょう。いろんな意見がいろんなところででるようにしてね。つまり大衆に根をおくというかな。その手はじめとして，先にもでた，公開講座などを始める。そして続けることですね。

宮田　「継続は力なり」

渡部　あれは名言ですね。これはぜひやりましょう。

「日本における朝鮮研究の蓄積をいかに継承するか」連続シンポジウム総目録

第１回　**「明治期の歴史学を中心として」**
上原専禄　幼方直吉　旗田巍　宮田節子
安藤彦太郎
1962　6月　5，6合併号

第２回　**「朝鮮人の日本観」**
金達寿　安藤彦太郎　幼方直吉　遠山方雄
宮田節子
1962　8月　7, 8合併号

第３回　**「日本文学にあらわれた朝鮮観」**
中野重治　朴春日　安藤彦太郎　幼方直吉
小沢有作　楠原利治　後藤直　四方博
旗田巍　藤島宇内　宮田節子
1962　11月　創立１周年記念号

第４回　**「京城帝大における社会経済史研究」**
四方博　安藤彦太郎　上原専禄　幼方直吉
旗田巍　宮田節子
1962　12月　12号

第５回　**「朝鮮総督府の調査事業について」**
善生永助　安藤彦太郎　小沢有作　旗田巍
宮田節子
1963　1月　13号

第６回　**「朝鮮史編修会の事業を中心に」**
末松保和　幼方直吉　旗田巍　武田幸男
宮田節子
1963　10月　22号

第７回　**「日本の朝鮮語研究について」**
河野六郎　旗田巍　宮田節子
1963　10月　22号

第８回　**「アジア社会経済史研究について」**
森谷克巳　旗田巍　渡部学　宮原兎一
村山正雄　宮田節子
1963　11月　創立２周年記念号

第９回　**「明治以降の朝鮮教育研究について」**
渡部学　小沢有作　阿部洋　旗田巍
幼方直吉　新島淳良　朴尚得　宮田節子
1964　5月　29号

連続シンポジウム・第11回

〝日本における朝鮮研究の蓄積　いかに継承するか〟

朝鮮の美術史研究について

報告者　中　吉　功　（東京芸術大学）
出席者　旗　田　巍　（東京都立大学）
宮　田　節　子　（所員）
大　坪　静　仁　（所員）

宮田　日本における朝鮮研究の蓄積をどのように継承するか——それは，どのように対決するかということを当然ふくんでいるのですが，そういう題目でのシンポジウムを10回，回を重ねて行なってきたわけですけれどもそのときに，考古学と美術史，さらには民俗，音楽，舞踊，演劇といった分野のほうまで行なう予定でしたが，適当な先生の御都合がうまくつかないままこんにちに至ったわけです。ところが，その後，本誌をよんで下さった方々から，ぜひ美術史や考古学の分野についてのシンポジウムもひらいてほしい，というような要望が多くよせられまして，それで今日，東京芸術大学の中吉先生にお願いして朝鮮美術史のほうのお話をうかがうことになったわけです。それで，美術史のほうは，日本では専門家もひじょうにすくなく，特殊な分野ということになっているものですから，朝鮮史一般に通暁していらっしゃる旗田先生にとくにおいでをねがって，司会をしていただき，いろいろと中吉先生からたくさんのお話をひき出して頂きたい，とこう思っております。

旗田　いや私もさっぱりこういう方面はわかりませんのですけれど，大切だということだけはわかるんですね。余りにもそういう方面を研究している方が少くて残念なことなのですが，幸い中吉先生がこの方面を専門に研究しておられ，ひじょうに大切な方だと思うのです。それではひとつお話をおねがいしたいと思います。

中吉　わたくし，30年ほどちょうど，新羅の仏像ばかりを問題にしておりますんで，今日は，38度線の北になっている金剛山のユテン（楡岾）寺という有名なお寺がございますが，そこに五十三仏という仏像があります．それに関係したことを少し申し上げてみたいと思います。この五十三仏というのは「東国輿地勝覧」に出てきます。輿地勝覧の「巻之四十五高城」の「仏宇」の項楡岾寺の条に関漬記をひいて五十三仏のえんぎを記しております。昭和13年に私がこれを調査しましたが，五十三仏というのですけれども，だいぶ盗まれたりなんかして散いつして今では，42,3点しかありません。主として如来形ですね。仏像には如来とボサツ（菩薩）とそのほか明王だとかいろいろありすまが，ユテン寺には如来とボサツとがあります。このうちの如来形30余点を分類しましたところ，4つに分類できるということがわかりました。それでこのことを昭和13年に発表したんですが，いま奈良の研究所の部長をしておられるカヤモト（榧本）さんがこれをおおいにあとづけて下さり，方々へ転載して下さったり，講演のときにひろうして下さったりなんかいたしまして，こんにちではだいたい定説のようなことになっております。

その36体の如来形を分類しますと第1形式と第2形式それから第3，第4形式になります。第1形式というのは「ツーケン（通肩）」，ツーケンというのは両肩から衣（コロモ）をぶらさげるのを言いますが，第2形式もツーケンですが，こういうヒダが両ともに下に流れるのが第2形式です。第3，第4形式は「ジョウハク（条帛）」，ジョウはスジという字でハクは帛ですね，この条帛，ふつう僧衣にみる下着，を左肩から右わきにななめにかけてまとい，こう(写真説明)結び目をつける。それから第3形式は，下が第1形式と同じで，第4形式はが第2形式と同じである，とこういう4つにわけられるのです。こういうまなこでみれば，ああこれは新羅仏だということがすぐわかると思います。鑑謝の基準といいますか，そういう意味で，新羅仏をみて，それが中国のものであるか日本のものであるか，わからんというときに，この公式でみればこれは新羅のものだということがわかる，その基準になるわけなんです。これは，文献がなにもありませんので，ただ様式から判断するよりほかにしようがないんです。時代はいつごろかといいますと，だいたい新羅の初期です。いうまでもなく新羅は，上代，中代，下代とわけますね，中代，下代を新羅一統時代としますと，その一統時代の中代から下代にかけての仏像が多いんです。ですから，新羅一統時代だけでいえばその初期，そういうような仏像がある。日本には日本の仏様があり，中国には中国の仏像がありますが，その中間形式として新羅のほとけ様がある，こういうようなわけでこれはひじょうに貴重なものです。五十三仏は今では北の方にあるものですから，先年高麗大学の李弘植さんがこれをみまして，私のもっている写真を全部撮らせてほしいと言ってこられました。今日ここにもってきているこれがそれです。これを全部複製して韓国で図版にするかどうかして出したいとこういうわけです。韓国の方からは撮りに現地へ行けないわけですからこれがまあひじように貴重なわけですね。北の共和国の方もまだユテン寺の仏像の研究にまで手がのびていないようですね。「朝鮮文化史」（1963・11，朝鮮民主主義人民共和国科学院歴史研究所編）をこの間みせてもらいましたが，この方面の研究はまだ手をつけていないようです。あちらの方で写真を上手に撮ってユテン寺仏像図集を出していただきたいと思います。

これがユテン寺の仏像です。こういう原形です。能仁宝殿という大雄殿――これは仏教の方では（ダイオー殿）といいますが――つまり能仁宝殿（ノウニンホウデン）というそのお寺の本堂ですね，日本でいうお寺の金堂にあたるところに楡（ニレ）の木の枝をたくさん出しましてそれに仏像を，枝にのせてあるんです。この写真では虫メガネでみないとわかりませんが，こういうふうにあるんです。これはどういうわけか，ということが問題になりますが，日本にはもと法隆寺に48体仏というのがありまして，それが阿弥陀の48願になぞえられておそらく48体というのでしょうが，朝鮮のこれも同じように，願おそらく仏説観薬王薬上に菩薩経をもとにして，それにのっとってこのお寺におさめたんで，この経典から53という数字が出てきているのではないか，つまりこの経典に由来して53体の仏像というものを蓄積して寺におさめたのではないか，とこういう説をカヤモトさんが推定されたです。しかし，これはそうではないのではないかと思うのです。私の考えでは，新羅で仏教がひじょうにさかんになったものですから，次々にお寺へ仏像をおさめたんですね。自分の両親だとか先祖だとかの供養のために一体づつおさめたのがいつのまにか53体になったものだからこれにこじつけたのではないだろうか。というのははじめから53体というものをぜんぶ作ったのであれば，様式が，つまり時代が，同じはずではないだろうか。ところが様式がみなちがうんですから，長い間にですね，おさめてそして後にあわせて53体になった，こういうことではないかと思うのです。その53体がここにありますから，これをいつでも提供いたしますから，将来新羅の仏様を研究しようという方がいらっしゃれば，この日本朝鮮研究所で，利用して研究して頂ければよいと思います。まあこれが第1，第2，第3，第4の形式で新羅の仏像を鑑定するときの基準になります。

× ×

以上は如来形の仏像なんですが，こんどはボサツ形の方です。ご存知のように，如来（ニョライ）というのは阿弥陀（アミダ）如来とか釈迦（シャカ）如来とかいうのが如来で，ボサツというのは観音（カンノン）とか十一面観音，モンジュボサツ，フゲンボサツなどですが，ボサツの方は如来の途中にある位の人をボサツといい，もっと人間に近い位の人です。如来はもっと高い位の人をさします。ボサツはもっと人間的である。人間的であるから，従って造形にもいろんな装飾をする，たとえば水瓶（スイビョウ），こういうとっくりのようなものを持つとか，身体が人間的ですから装飾をする，これがボサツです。

この新羅仏のボサツの様式をまた私は分類いたしまして，こんどの「朝鮮学報」（天理大学内「朝鮮学会」発行）の記念号に発表いたしておきました。これには，第1形式，第2形式と第3形式とがあります。で，これについては私は写真を数百点持っておりますが，李王家の美術館，いまの徳寿宮美術館，もとの朝鮮総督府博物館，いまの韓国国立博物館，そこの仏様を数百点ぜんぶ写真にとっており，それから，民間にある個人所有の仏像なんかの写真をとり集めたり，もらったりしております。ときどきこれはどこのものなんだとよく鑑定を請われますが，今日も民社党の本島さんともうひとりの方が仏像をもってみえましたが，それはひとつは日本の仏様でしたが，もうひとつの方は新羅の仏像でした。それはやはり釈迦如来(シャカニョライ)の特徴をもつものでした。

さて，ボサツ，ことに観音ですね，水瓶を持った観音さまですね，観音と勢至菩薩（セイシボサツ），観音，勢至（セイシ）の本尊は阿弥陀なんです。おシャカさまの両脇侍（キョウジ）つまりワキシ（脇士）はモンジュ（文珠）とフゲン（普賢）なんです。経典の約束から阿弥陀のキョウジは観音，勢至です。この観音，勢至を分類しますと，さっき申しましたようにこれは３つの様式にわかれることがわかりました。この写真はこれは第１形式ですね。こういう宝冠，（頭にはホウカンをいただき，額に化仏をあらわす）手には水瓶を，そして胸には胸飾りをして，ヨウラクをぶらさげる。肩から天衣（てんね）をさげると，うでにはヒセン（臂釧）という飾り，うでさきにはワンセン（腕釧），そういうものを持っている仏さまが観音，勢至なのです。ボサツにはみなそういう約束がある。それを分類すると３つの形式になるのですが，その第１形式は古いんです，新羅の初期にあたる，形式からいいますと。それはどうして比較研究わかるかというと，中国，日本との比較研究で，様式のでわかるんです。まあ美術史というのはほとんど様式の研究で，年号の銘があればそれで時代がはっきりわかるんですが，年号銘がないときには様式で判断するほかはない。で，この様式から考えるとこれは新羅の初期である。文武王の新羅を統一した初期のものです。それから景徳王代になるとこういうことになる，つまり，第２形式はジョウハクを左の肩から右の腋にななめにぶら下げて，そしてこれにはヨウラクとか胸飾りをつけないんです。これを第２形式とする。第３形式は同じボサツでも何にもないんですね。天衣（てんね）をぶらさげてそして何もないんです。こういう３つの分類をさいきん，（ずいぶん長い間仏像をみておりまして）まとめてみたんですが，こうしてみれば，新羅の仏様でも如来形が4つの形式にわかれ，ボサツ形は３つの形式にわかれる，こういう基準を頭の中にもっていただければ，美術史を専攻しなくても，そういうまなこで仏像をみれば鑑定というか認識ができる，まあこういうことをごひろうして今日は責をふさぎたいと存じます。で，あとは写真をみて頂ければ，はっきりわかると思います。なにかあるひとつの標準を持って認識されれば新羅の仏様もわかる。とこういうふうに私なりに考えておるのでございます。

× ×

美術史というのはほとんど様式の研究なんですが，様式のモトになるのは年号の在銘で，銘のあるものを標準にして，そしてさかのぼって時代を決めるというのが美術史の方法なんですけれど，朝鮮のものには，ひじように困ったことなんですが，年号のないのが多い。甘山寺（慶州郡内東面）の石造ミロク（弥勒）像と阿弥陀如来像には光背の裏に「開元７年」と明記してあり，この光背銘によって開元７年すなわち唐の玄宗の開元７年，新羅の聖徳王18年（西紀719）の作であることがわかるしまた聖徳王の皇福寺址三層石塔の中から発見された黄金製如来坐像には本像をおさめてあった銅函の蓋裏の刻銘によってで聖徳王5年（西紀706）以前のほど遠からぬときのものであることがわかるが，こういうように銘のあるものはそれが基準になるけれども，銘のあるのはひじょうに少ないんです。それですから，銘のあるもので年代を科学的におさえ，そして様式をきめて行く，そういうのが美術史の学問的な研究ということなんです. でも’どうしても年号がわからないときは，様式でいくよりほかしかたがない。まあこういうのが美術史学ですね。

それから仏教史からも研究をすすめていかなければならないのです。仏様をみていくのには仏教史をやらんといかん，というのは，新羅の歴史の中で阿弥陀経はいつごろ入ったかとか，あるいは元暁（ガンギョウ），義湘（ギジョウ）らの高僧が弥陀の経典をさかんに取り入れたとか，あるいは明朗大徳が密教を入れたとか，また義相は咸亨元年華厳経を入れたとか，そういうような仏教史のあとたよって，そうしてほとけ様をみていく，そういう方法が大切です。そのほかにもいろんな方法がありますけれども，私どもが仏像を研究するにはどうしても仏教史と，それから中国，日本との横の連絡の様式，それからいくよりほかにはどうしても攻め手がないんです。私がいま暗中模索しているのは仏教史です。指導者がないものですから，実に困っております。なくなられた江田さん，あの方が生きておられたら仏教史を教えて頂きたいものだと思っているんですが。もう何年か前のことですが忽滑谷（ヌカリヤ）快天さん，駒沢大学の学長さんでしたが，あの人の講演をきいたことがありますが，あの方はたいへんえらい方だと思います。「朝鮮禪教史」という本を出された人なんですが，この人がほんのわずかの間でしたが戦前に朝鮮に滞在されてそしていろんな朝鮮の仏教学者と会われて，それであとは文献だけで「朝鮮禪教史」（昭和５年）という本を出されました。私はたいへん助かっておりきすが，これも禪の方にだけかたむいており，密教とかそういう方面がうすいようです。それでも新羅は禪宗がおもですから役にたちます。それから李能和さんの「朝鮮仏教通史」（２冊，大正７年），これはほとんど漢文で文献ばかり出してありますから，あれをわれわれはしっかり読んでいろいろ手探りしています。それからもうひとつ，「朝鮮金石総覧」があります。これは根本史料です。この３つを私はよりどころとして独学しているのです。

× ×

新羅の漢文は難かしいですね。ことに仏典は漢字に死語になったような字をつかっているものですから，これから何かをとり出すことはひじょうに骨がおれます。数年前「朝鮮学報」に鉄仏について書きました（朝鮮学報第17集「実相寺鉄造薬師如来像小論」昭和35・10，天理大学内朝鮮学会発行）が，「朝鮮金石総覧」上巻三十八に鳳厳寺の証覚大師寂照塔碑（慶尚北道聞慶郡加恩面，新羅景明王8年，西紀924年，建立）の碑文がのこっていますが，その中に

「度我為僧，報公以仏，乃鋳丈六玄金像，傅之以銑」という記載がある。これは鳳厳寺の丈六玄金像の鋳造を終ったとき「銑＝つやがね」をもって仏像に傅彩したことを意味するものですが，鉄仏には鍍金は不可能ですから，この「傅之以銑」とはどういうことか，「玄金像」とはどういうことかが問題となります。松本栄一博士（芸術大学の教授でむかし学士院賞をもらわれた）は仏像の研究家であると同時に仏教にもくわしい方ですから，先生に「玄金像」とはどういう意味でしょうかとおたずしねたんですが，日本ではそういう用語は出てこないとのお話でした。中国の方には，私はまだあまり見てはいませんが，玄金像というのは中国の文献にもあまり出てこない。それが金石総覧に出てくる。それであらゆる本をさがして私は苦労して，上記の「朝鮮学報」所載論文の注にちょっと出しておきましたが「玄は黒」のことで，従って「玄金」とは「くろがね」すなわち「鉄」のことだと考えたようなわけです。つまり「玄金像」は鉄の仏像なんです。韓国の黄さんも「中吉さんが玄金像という新羅いらいの言葉を解決してくれた」と言って下さっております。玄金像というのは新羅の中代にはない。下代すなわち新羅末期になって使われた用語です。というのは，銅がひじょうに貴重なものだったらしいのです。三国史記に銅の使用を禁ずるということが出ています。それで銅を使用するということは財政の窮迫してきていた新羅の下代，この時代は衰退の一途をたどっていたのですから，そういう時代ですから銅で仏像をつくるのはひじょうに少くならなかった。お寺でもそういうものに使ってはいかん，という政府のおふれが出ている。それで鉄をつかうようになった。そこではじめて「玄金像」という言葉が登場してくることとなった，こういうことがわかったのです。それで，新羅の下代ということになると，中国でも五代になるんですが，ちょうどその時代に中国でも鉄仏が流行したんです。唐には鉄仏は少ないんです。唐末から五代にかけて鉄仏が多い。それが流れて新羅下代に鉄仏があるんですね。銅像，それに鍍金したのを金銅像といいますが，この銅像がひじょうに貴重になったものだから鉄をつかい出したわけです。銅に鍍金するというのは金のようにかがやいて，価値のあるものだ，という意味からです。全部を金でつくるのが一番いいわけですけれども，それではお金がかかりすぎますから，銅に鍍金して，ほとんど金銅像にしたのです。純金の仏様はいま新羅のもので2点あります，24金純金といっても22金くらい，はないですがね。いまあるのはほとんど金銅の仏像ばかりです。

こういうようなことも，小さいことですけど，朝鮮の美術史の研究家が少ないものですから，ひとりで何年も何年も孤軍奮闘してやっとわかった，というような次第です。日本では美術史学会の会員だけでも，5,6百人はいるでしょうが，日本と中国をやる人ばかり。日本のことだけやってもよくはわからないんですね。脇本さんという有名な美術史家がおられまして，1昨年か亡くなられましたが，その方が25年くらい前に日本の室町の水墨画を研究するのにはどうしても朝鮮画をやらなければならない，と言われました。加藤灌覚さんという方がおられましたが，この人はいわゆる物知り博士で何でも知っていた，えらい人なんです。考えてみると。論文こそほとんど書かれなかったけれどもじつに博学多識の方でした。この人が，周文という日本の室町期の水墨画の大家がいますが，この周文という画家の正体はよくわからないのですが雪舟などの先輩，先生にあたる人です，その周文は朝鮮に行ったことがあるということを李朝実録の中からみつけ出したのです。脇本さんはそれをもとにして「日本水墨画における朝鮮画のえいきょう」という論文を「美術研究」に書かれました。これはこの方面で唯一の論文なんです。日本の水墨画を研究する人たちは，どうしても朝鮮からのえいきょうがあるんだというばく然たる気持をもっているんですけれど，さて朝鮮画のこととなるとやる人がいない。同じように日本の飛鳥や奈良のほとけ様をやる人は何十人いるかわからないのに朝鮮のほとけ様をやる人はいない。それで何かわからないときには，あやふやに，あれは朝鮮のものだ，朝鮮からのえいきょうだ，という。そういう人がその九分九厘まで日本のことばかりを研究している人なんでまことに残念なことです。もっと日本の源流である朝鮮の仏像なり絵画なりを突っこんで研究して頂ければ，日本の美術史ももっと発達するでしょう。

× ×

旗田　ちょっとおたずねしたいんですが。確かに中吉さんのおっしゃったように，日本では朝鮮の仏像，仏画

そういう朝鮮文化の研究の伝統がない，と大ざっぱに言いますと言える，そしてそういうふうに無視されてきていたのを中吉さんたちが孤軍奮闘されたということをうかがったのですが，それに関してひとつおききしたいのは，如来を４つの様式に，ボサツを３つの様式にわけられたのですが，これと日本の如来なりボサツなりの様式との関連はどうなんですか。

中吉　私は日本のことを度外視してやったわけではございませんが，日本のは余りにも複雑でして。……日本は飛鳥時代に仏教が入っていろいろな仏像ができ，次に奈良朝を通って平安朝になってから密教が入ってきます。密教になると仏像の様式が何百とあるんです。それで，余りに複雑で比較できないのです。顕教の方の仏像はだいたい簡単ですが。朝鮮にも密教がありますが仏像がひじょうに少なく，それで比較にならないんです。新羅は絵画が失なわれたものですから，けっきょく仏像，つまり石像と金銅仏だけでみるよりしょうがないんですから，飛鳥，奈良朝の金銅仏，あの法隆寺にある48体仏あれから行くよりしょうがないんですけれど，それとまた新羅仏とはすこしちがうんです。新羅仏は新羅仏独自でみていくよりしょうがないのです。もちろん，おおまかには飛鳥，奈良の仏像と比較できますけれども，奈良朝以降平安朝になると，密教がさかんですから比較になりません。だから，もし比較するとすれば，奈良朝の金銅仏，法隆寺を中心とした金銅仏ですね，それと比較するんです。けれどもそれがまたひじょうに面白い問題です。日本の法隆寺にあった48体仏というのは今48体あるんですが，その中に朝鮮系のものがあるんです。この中には帰化人が作ったのかあるいは朝鮮から直接来たものかということが面白い問題で，それを日本の仏像の研究家が朝鮮を知らねばならないというので私に写真を貸してくれと来るのはそこなんです。新羅仏と日本の奈良朝の金銅仏との研究が残された問題です。旗田先生のおっしゃったのはそのポイントなんですが，比較するには余りにも日本のものが少ない。だから新羅オンリーで行くよりしようがない。けれども法隆寺の48体仏には新羅仏が，2.3 点まじっているというのがいま定説なんです。私もそう思います。そういう意味で日本の48体仏の研究は新羅仏をやらなければ解決できないのです。

それから帰化人の問題。この仏像がいかにも朝鮮くさいといっても，帰化人そのものがたずさわるには時代的にいかにも早すぎる。国中連公麿呂というのでしたかね，あの方がおじいさんが百済から来て孫の自分の代になってはじめて東大寺の大仏をつくる造東大寺次客になりましたね。そういうようなわけで，帰化人の仏師がきてそのまますぐに宮中にとりいられて仏様をつくるのには少し早すぎる。孫ぐらいになってはじめて地位ができ，宮中に採用されて仏像をつくる，そこで様式がいくらか変るんです。朝鮮くさいけれどいくらか日本化している，というのがあるんです。48体仏でも。これはもう純然たる朝鮮系だというのと，この様式は純粋の日本のものではない，まあ帰化人の孫くらいではないか，大分日本化している，というのがある。そういう仏像の研究はまたそれで面白いけれども，それが文献でなければみられないというので非常にむづかしい問題となり，これはまだ未解決の問題です。

×　　　　×

旗田　これも素人の質問なんですが，広隆寺のミロクボサツ，これは朝鮮仏だそうですが，様式でいうならどういう様式でございましょう。

中吉　あれはまた私の分類法とはちがって，思惟像といいまして，半跏思惟像ともいいます。新羅一統以前，三国なんです。今日は三国は問題にしませんでしたが，李王家のミロク像あれは新羅以前ですね。あれはどこから出たのか李王家の元簿を調べてみましたがどこから出たのかわからないのです。下郡山さんという方が徳寿宮の美術館の主任をされていらしたので，おたずねしようと思っているのです。この方は明治の有名な国文学者落合直文さん，それから弟の鮎貝房之進さんのご令姪です。いま千葉にいらっしゃいます。あの半跏思惟像は南から来たという説を日本の学者はみんなとっているのです。朝鮮の慶州の博物館に首のない半跏思惟像がある。これは関野貞先生が明治年に慶州の西の松花山麓の金山齋の附近でみつけたのですが，そうすると，あれは新羅形式だということになる。しかし，あれはどうも百済形式ではないかという説があり，それでは新羅も百済も同じじゃないかということになります。私どもは百済形式ではないかと思っていますが，べつにはっきりした根拠があるわけではありません。ただばく然とそう思うのです。新羅よりも百済の方にどこか似ている。関野さんもそう言っている，南の方から来たものだと。あれは北魏のもの，北方のものではなく南方式のものであると，関野さんは朝鮮美術史でいっておられる，私もそう思います。ところがですね，南梁にはものがないですね。棲霞山麓にすこし南梁のものがありますが，比較するほどのものがないのですね。だけどなんとなく梁から百済の方へ直通した文化ですね。南から来たものは百済へ，新羅は南方とそれから北方のものがいっしょだというのです。われわれのこういう気持からすると広隆寺のあれは百済式のものではないかという気がします。

宮田　先生，ちょっとおたずねしたいのですが，いろいろ形式をわけておられるのですけれど，全部を通してごらんになって，新羅仏の特質をどうつかまえたか，その本質みたいなもの，先生はここに「閑雅」の美しさということで言われておりますが，やはりそういった中国のものでもない，日本のものでもない，朝鮮独自のものというのはどういうのでしょうか。私たちちょっとみただけではよくわからないのですが……

中吉　それはですね，閑雅という言葉は文学的に言ったのですけれど，それはこういうようないろいろな様式をみたりして，それを抽象的に言ったものです。さびしい美しさ，というのです。中国はひじょうにあくどい，きめがつよい。北魏はどこかつよいところがあります。日本のものはどこか洗練されてすっきりしたものがあります。この中間的なものが朝鮮のもので，日本のものはおもしろ味が乏しいですね。仏像がきちっとしすぎています。仏像ではなくて，陶器から考えてみますと，日本の伊万里にしても，九谷にしても，瀬戸にしてもきちっとしていてなにか洗練されすぎている。中国はどこか強いところがある。朝鮮のものはそこがちがっていて，おもしろ味があるというか，親しみやすいというか，そういうところがある。朝鮮の茶脳は，朝鮮の焼きものは，日本の茶人のすいえんおくあたわざるところです。われわれの身近かなことでも，あまり利こうすぎる人のそばによると固くってね。朝鮮の焼きものはなにかしかつめらしくない，固くない，気がやすまる，そういうのが李朝の陶磁でしょう。それはそのまま仏像にはあてはまらないけれども，中国のほとけ様はひじょうにつよいところをもっています。日本のは，練られすぎている。そういう点で朝鮮のはどこか「閑雅」なところがあって魅力的です。

旗田　というと，朝鮮の特色は，仏像では新羅を特徴づける全体の印象，様式からなっているということになりますが，新羅以外のものはどうなのでしょう。

中吉　それはひじょうに難かしいのです。高句麗仏というのはひじょうに少ない。高句麗仏になると三国時代ですからね。新羅一統時代になりますと，もうそこには百済のものはないわけです。百済の仏像はどこかやんわりした南方的なところがみられます。数はひじょうに少ないですけれど，われわれは頭の中では設計してみているのです。

大坪　そういうことはモノが少ないところからきている点があるのではないでしょうか。前提となっている，あるいは大もととなっている中国とか日本とかはモノがたくさんあって，それをわれわれは系統づけています。そのたくさんのなかには，強くないもの，練られすぎていないものも，つまりさきほど言われた朝鮮のものと同じ持ち味のものもあるわけでしょう。奈良の大仏みたいに大きな事業の場合は洗練されているようにみえるんでしょうが，朝鮮の方のはモノが少ないから，いいものが残らなかったというかバラバラに残ったから，平均的に残ったから，それで中国のように強いところもなく，日本のように洗練されすぎているところもない。その中間の「親しみやすい」「気安い」そういう特色が朝鮮のものにみられる，とこういうことではないでしょうか。

中吉　それは，みつからないもので，もっと別の特色をもつもの，いいものもあるんでしょうがね……

大坪　僕は，きちんとしたものもあると思うのですが。

中吉　あるのです。ただおしなべてみると，どこか親しみのあるものという風に言える。

大坪　けっきょく朝鮮の焼き物にしても，何かこうヘンなかっこうのものがいいという人もいますが，焼き物としたらやはり中国のものがいいと思うのですが。

中吉　それはね，私が朝鮮のものは面白味があって好きだというのは，李朝について言うのです。高麗になるとね，ひじょうにいいですよ。私が閑雅の美しさというのは，李朝の焼き物です。

旗田　いま様式を考えてきたのですけれど，中国との関連はどうでしょう，様式のでかたは。朝鮮独自ででたものでしょうか。

中吉　それもまた難かしい問題で未解決なのです。「朝鮮学報」に書いておいたのですが，観音とセイシボサツだけにしぼって書いたものですけど，私は朝鮮はおそらく中国の直模だと思います。中国では経典にのっとって，それによって仏像を作ったのですね。それの朝鮮は直模だろうといわれます。様式は直接模倣ですね。だけどそこに朝鮮民族の民族臭が入るから閑雅の美が出てくる。中国人の作った固い力強い仏像ではなくて朝鮮らしいくさみが出てくる。

大坪　私も直模だろうと思います。

中吉　すべて朝鮮は，すっかり完全に独自なものでなく，中国の様式を模するのだがそこに民族臭が出てくる。それで解決するよりしようがない。日本もそうだと思います。

×　　　　×

大坪　先生も先ほど，おっしゃいましたように，仏教史の研究と並列して。それに経典との関係。どういう像の，どういう形式ができたか。といった研究もしなければならないと思います。新羅ではどういう経典が入っていましたでしょうか。

中吉　それはねえ問題なのですよ。仏教史をやらなくてはいけないのですよ。

大坪　仏教関係の方はそういうことをやらないのでしょうか

中吉　仏教関係者は仏教のことだけやるものですからね。我々は仏像をやるには仏教の経典をね，どういうものが入ったか触れておりますが。私は，朝鮮独自に経典を読んでこれはこういうふうにしなければならんと考えて作ったものではなく，中国のをそのままうつしたものだと思います。

大坪　持ち方などお経に出てくるかと思ったらお経には出てきません。それで経典が読めたかどうか疑問だと思います。

一同　そりゃよめたでしょう，今の人より漢文はよくよめたでしょう。

旗田　向う（唐土）へ留学を何度もしているし。

大坪　留学した人もあまり中国語を知らないまま行って……

旗田　その時分はほんとうに生活自体でぶっつかって行ったのだから，中国語はペラペラでしゃべり，経典はよく読んだでしょうね…

大坪　その点は心配ないですね。

宮田　命をかけてそれいっぽんでいっていたのですから……

大坪　そこで僕，その点が疑問になるのですけど，例えば，日本のばあい金銅仏などはほとんど朝鮮とか中国関係の人が作ったのではないかと思うのです，字をかくとかいうことも。それで，日本人は僕らが思っているほど文化程度は高くない，それでおしていってもある程度解決できる……

宮田　日本の仏像や何かがねえ

旗田　それはいつ時代についてですか

大坪　それはやはり奈良時代以前です。

旗田　なるほどね。

大坪　それで，日本人がほんとうに自分で考えて彫刻できるようになったのは平安以後だと思うのです。

中吉　それはそうですね。平安期の木彫は日本独自の発達です。それは日本には材料が，木が多いからね。朝鮮には木が少ない。木彫は日本独自です。……

中吉　日本の密教の図像は中国のえいきょうをうけず日本独自なものだと思います。密教の研究は日本の独自なものだろうと思います。

×　　　　×

中吉　われわれは暗中模索という意味で，あまり文献が少ないものだからかえって楽かも知れません。文献はあったにちがいない。仏典も入ったでしょうからね。

旗田　高麗初期には大蔵経まで出たのですからね。

宮田　あれだけのものが作れるというのはやはりその前に……

中吉　そうですね，その前に，新羅の時代に，そうとう素地ができていなくては，あれだけできない。文献は相当なものだったろうと思います。焼けてなくなったのでしょう。だから研究には楽というか，想像の世界になってしまう。旗田先生いかがでしょう，新羅や高麗よりも李朝の方がメンドウでしょう，文献が多くて……

宮田　李朝実録をよむだけでも大変で……

中吉　それに文集もある。その点では高麗の方が楽で，新羅はもっと楽……

大坪　李朝実録，あの程度でもよむのにひまがかかります。大蔵経をよんだかどうか……

旗田　大蔵経を全部よむのはなかなか大変ですからね。

宮田　しかしあれを書いた人がいるわけですが……

旗田　ほかのことは考えんでそればかりやるのだから。職人だからあれだけにひと筋に生きていますからね。

中吉　話をすこしもどして，さきほどの御質問に明快に答えられないのですけれど，日本の仏像の様式と新羅の仏像の様式と比較できないかということ，密教になると別問題ですけど，顕教としての仏教の銅像は，日本の奈良朝，それから48体仏，それと新羅仏とを比較するということをやってみますけれど，案外えいきょうがないんです。われわれは相関関係なんてことをしょっちゅう言うけれど，新羅の影響は日本に案外たいしてないんですね。

旗田　それは面白いですね。

大坪　ということは仏師が入らなかったということですか。

中吉　飛鳥時代には百済や高句麗のお坊さんが入っていますがね，奈良朝にはあまりえいきょうがないですね。もうすでに日唐交通が始まりさかんになっていったので朝鮮が度外視されたんではないでしょうか。仏像の方から考えると新羅の影響は少ないですよ。

旗田　それは日本で言えばどの時代ですか。

中吉　奈良朝です。石田茂作さんの研究によると華厳教の教典が新羅から入っています。それが朝鮮になくて日本に残っている。そういうのが一，二あるだけで案外奈良朝と新羅とは関係ないですね。お経は入っているが，新羅の仏像は日本にあまり影響していない。

旗田　影響の多い時代を考えるなら三国時代ですね。

中吉　そうです。モノは少ないですけど，文献上は。ですから48体仏ですね，あの法隆寺に残っている。あれには朝鮮らしいものが 2.3，点あります。それもどうしても朝鮮からでなくては解決できないものがある。

旗田　幼稚な質問ですけれど，あの「百済観音」といわれるものは百済のものですか，いったい。

中吉　あれはひじょうに面白いです。名前が百済観音なものだから。しかしわからないのです。美術史学会でも名前は百済観音で通っているから，なにか百済のお坊さんが来るか何かがあったのだろうというけれども，文献が全然ありません。様式からいってもなんにもないですね。

旗田　材料は？

中吉　樟（クス）の木です。ですから朝鮮にないものです。クスの木は暖かいところの木ですから。まあ北魏ではないということになっています。やや南ではないかと。あの流麗な衣からこじつけて朝鮮系だという人もいます。

旗田　顔はちがいますね。朝鮮とか日本などの仏像にないんではないですか，なにか異様な……

中吉　シイのミロクボサツ，これはもう大体定説として百済様式のものだということになっています。あの先年博物館にもってきた学生が手を折ったというあれは朝系鮮だと思います。しかし材料は檜（ヒノキ）です。名古屋大学の先生が研究されました。材木は朝鮮ではなさそうですね。

旗田　そうするとやはり向うの人が作ったものですかね。

中吉　と思いますね。朝鮮人の帰化人が作ったものと思います。百済観音像（法隆寺）のほか中宮寺の半跏思惟像，広隆寺の半跏像など，人の好みによっていろいろちがいますが，法隆寺のは日本化したというおもしろさがある，日本化した美の最高を示している，しかし朝鮮との関係においてひじょうに密接であるという点から別の方が好きだということもありましょう。

×　　　×

旗田　この前，三国時代の仏像と日本の仏像との関係についてある程度いろんな人が意見を出しております。あれはまあ本格的に精密な研究というところにまでいっているのでしょうか。

中吉　先程申しましたように，日本人は日本のことばかりやっている。朝鮮の三国時代のことをやっている人は　いないですね。

旗田　日本に残っているのだけみて朝鮮のをみないというのですね。

中吉　松原三郎博士という中国の彫刻をやっておられる方が，朝鮮のことがわからないといって私のもっている写真をみせてほしいと言ってよく来られます。美術史もまだまだ解決しない問題がいっぱいです。

大坪　先生，朝鮮のことをやらないというのは，はじめからぼう大な資料をもって，正攻法というやり方で研究した人が少ないということですか。

中吉　そうですね。関野貞さんは，あの人は建築史家ですから，平城宮の研究をされたのですがはじめて平城宮を足で測ったのです。それが今日の科学的測量の結果とちがわない。偉い人でした。あの人は明治39年に東京大学の工科大学から紀要を出されたが，その論文がやがて平城宮の発掘のはじめとなったものです。その後建築調査のために朝鮮に行かれて韓国建築調査報告を出されましたが，余技として彫刻も絵画も研究し，それがいまでも基本になっているんです。いまみんなが少しづつ研究をしていますが，関野さんの研究がすべて基本になっています。

旗田　どうも，朝鮮にはたいしたものはないんだという考えが日本人には先入観として政策的にあったのではないか，そういう気がしますね。だからりっぱなものを作ったって外国人にみせるオミヤゲとして，そういうふうに朝鮮のものをみていた。日本の東洋史の研究者仲間でも朝鮮史をやる者はバカ扱かいでしたよ。某々先生などは世界中のことがお好きで，それは実になんでも知っておられた，しかし朝鮮だけはやる気がしないとおっしゃっていた。全部が中国の模倣であんなものをやってもしようがないというのです。意味がないと。そういう先入観が学者にもあった。食わずぎらいというででしょうか。これはなにか定説みたいになっていたでしょうね。

宮田　それが美術の分野にも出ているのですね。

旗田　ですから私など困るのは，朝鮮史をやっていながら文化的な面が全くやられていない。今の中吉さんのお話をうかがってひじょうに朝鮮史研究者としてはずかしいわけです。ひとつは脱亜論もありますね。朝鮮史研究や東洋史研究は，日本人がヨーロッパばかりみていてヨーロッパがいちばんいいんだと，そういう考えがあって，さかんにならない。文明をね，愛するということがないんです。ホントウに朝鮮の文明を愛するというようなのは例外中の例外ですね。

中吉　あの四天王寺の瓦，若草伽らんの瓦はみんな百済系だということは石田茂作さんが言われたが藤田亮策先生が朝鮮で遺跡を掘って同じのが出ているのです。それから百済のお寺がですね。塔と金堂と講堂とが正中線上にあるということが浪速（ナニワ）の四天王寺にはっきり出ているのです。百済の寺趾を掘らなければ日本の伽らんは研究できないということになって，ようやく昭和も戦争前になってはじめて，朝鮮研究は必要だということになったようなわけです。それまでは旗田先生のおっしゃったような有様でした。

大坪　そうでしょうね，僕らのまわりでも朝鮮関係のものみたことがない。

×　　　　×

旗田　現在日本の大学で朝鮮語をやっているところはほとんどない。天理大学と大阪外語大学だけでしょうか。

宮田　そういう目でみるから，何もかもくもらされているということがあるのですね。

旗田　そうなんですよ。その先入観をうち破らなければならないですね。

宮田　若い人でも朝鮮文化が好きだとか，朝鮮美術をやりたいとかいうのは例外的ですね。やっている人でも朝鮮の文明そのものを愛してというよりも，何か思想的，イデオロギー的な面から入っている場合が多いようにみうけられますね。

旗田　なんというか，接し方，文明などに対する姿勢に問題がありますね。

中吉　でも中にはそうでない人もいますよ。日本の足利時代のラデン細工がありますが，これはどうしても朝鮮を研究しないといけないという人がいます。こんども重要文化財になっている。大倉集古館のものがありますが，あのラデンはいいものですよ，高麗のものです。

宮田　朝鮮にはラデン細工が多いのでしょう。

中吉　それはもう朝鮮独自の特産といっていいです。

一同　やっぱり日本人の姿勢がいけないですね。

宮田　だからあるものも見えない。

旗田　みようとする勇気がないんだな。

大坪　若い人は物がないから知らない，やろうと思っても。

旗田　昔はね，中国研究もそうですけれど，研究することは相手がつまらんものだとわかってくることであった。津田左右吉先生でもそうでした。あれほどの大学者でね，「やるほど中国はつまらない。あんなもののマネをしていたら日本はつぶれてしまう」というのが結論ですよ。脱亜論です。当時は，ひとつには戦争中の大アジア主義にたいする抵抗もありますがね。

中吉　それは研究されたのちの結論ですか。

旗田　いや研究するほどそう言える。そのまえの白鳥先生になりますと，論文はドイツ語で書かれ西欧の学会に発表される。それが東洋史の開祖です。これが東洋史学の空気です。それはヨーロッパに追いつけ追いこせという，それがまっすぐに……

宮田　それから先生，李朝とか高麗の陶器なんかでもなにかコットウ屋さんのいじくりまわしているものみたいな感じになっていますが，どういうのか詳しい感想をあまりききませんね。なにかすごく高価なもので，ふつうの日本人には手がとどかないような品みたいになっちゃって

旗田　尊敬してみるというのではないんですね。そこらへんがなかなか影響が大きいでしょうね。それはやっぱり日本の政策と関係がありますね。

中吉　私，今西竜先生のもとに個人的に接しさせて頂いたのですが，ずいぶん日本人がわるいことをして盗掘なんかやったようですね。それで今西先生らの骨折でねだんかまわず李王家で買上げてもらうようにし，それでとにかく今日みられるほどのものがようやく残ったというのですが。

旗田　今西先生は，さき程の日本の東洋史の学界の空気から言ってちよっとその点ちがっていましたね。ほんとうに朝鮮に根をすえて朝鮮独自のものと取り組む，そういうところがあった。ドロクサイところがあったかも知れないが誠意にみちていた。その点今西先生の仕事は永久に残りますね。もう少し東京の学会との密接なつながりがあればよかったのですが……。

　ではこのへんで。長時間どうもありがとうございました。

編集部付記――中吉功氏所蔵の朝鮮美術史に関する貴重な写真の数々は，逐次に複製整理して当研究所に備えつけることにし，その作業も着々とすすんでいます 。この方面に関心のある方々がこれを活用して研究に従事されることを期待します。

シンポジウム——日本における朝鮮研究の蓄積をいかに継承するか（その12）

朝鮮の考古学研究

出席者
三上次男（青山学院大教授）
渡部　学（所員）
宮田節子（所員）
後藤　直（東大大学院）

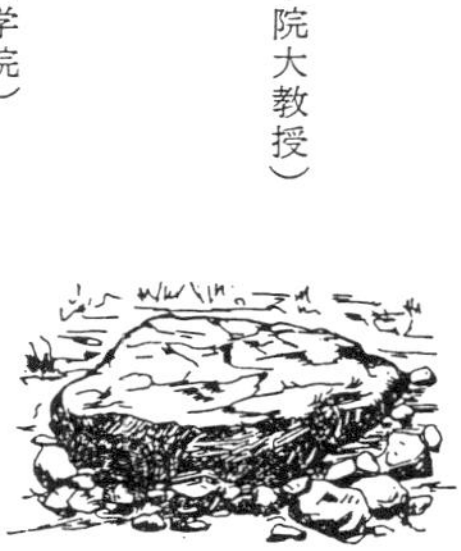

宮田　まず、朝鮮の考古学の研究史というようなことから、ひとあたり先生にお話していただきたいと思うのですが。いつ頃から、どのようにして日本人が朝鮮の考古学研究を始めてきたのかというようなことから。

渡部　なんにも考古学についてわからない人に向けてというようなことで。

三上　いや、それはむずかしい。（笑）

宮田　朝鮮の考古学を、日本人がどのように手をつけてきたのか、近代科学としての考古学は日本人が最初に着手したのでしょうか。

三上　そうですね。

宮田　その辺のところから……。

三上　朝鮮の考古学を日本人が先駆的に手をつけたのは事実です。それを、どのような手のつけ方をしたかということは、いろいろな角度から考えられるわけですが、その一つとして考えられることは、朝鮮の考古学は日本の植民地政策の一環として行なわれたということでこのことは重要な事実です。これはみなさんが実際に研究をなさっていて、案外気がつかれてないのです。このことは基本的に重要なことですから、あとでまとめてみたいと思いますが、まず、こうした状況の中で、研究がどのように行なわれたかということを最初に話してみたいと思います。

　日本人が朝鮮半島で、考古学的仕事に手をつけだしたのは、日露戦争の前でして、二〇世紀に入ってからです。それ以前には、外国人で、イギリス人であるとか、あるいはアメリカ人たちが朝鮮半島の調査をしていたこともあります。たとえば、ゴーランド（W. Gow-

land）という人で、この人は日本の古墳なども調べた人ですが、この人が朝鮮に入って朝鮮の支石墓を見てですね、これはドルメンだと指摘したことがありますが、これらはあまりその後は発展しなかった。そのほかにもありますが、全般的に見ていちおう日本人の学者が先駆をしたといってよいと思います。

日本人で最初に朝鮮半島の考古学的研究をはじめたのは、関野貞氏で、これは東京大学の工科大学が朝鮮における建築の調査を、関野氏に命じたのです。この関野先生が朝鮮にいかれて、当時ソウルだとかその他に残っている建築物を調べて、立派な報告書を工科大学から出しておられる。『韓国建築調査報告』というのですが。まあ、こうしたことが日露戦争前におこなわれていた。この時代は、日本の朝鮮考古学研究では史前期といってもよい時代で、まだ日本の植民地政策の一環には組み入れられていなかったようですね。ただ、日本での朝鮮の考古学的研究がこの自然科学者であった関野さんによってまず行なわれたということは、その後の日本人による朝鮮の考古学研究の一つの方向を決定したといってよいかと思います。良い意味で方向を決定したという点でですね。

その後日露戦争が始まりまして、その戦勝の結果、朝鮮半島あるいは南部満州地域が、日本の政治的支配下に入ると、日本の大陸侵出と関連しまして、日本人の調査というものが、朝鮮半島あるいは今の遼寧省方面にまで伸びたわけです。これは占領地の処置という問題とも関連して行なわれたわけですが、この当時調査は以前から調査をしておられた関野氏の手にゆだねられた。関野さんは谷井精一さん、粟山俊一さんといった建築学の分野での自分の弟子を連れて、朝鮮へ行って、占領地における遺跡の調査をしておられた。同時にその頃から、八木奘三郎さんであるとか、今西竜さん、柴田常恵さんたちが、八木さんや柴田さんは日本国内で、大正時代非常に活躍された方ですが、こうした方が、占領地における遺跡の調査にたずさわっておられた。そしてここではじめて、楽浪古墳の調査ということが浮かびあがってきます。平壌付近で、関野氏が大規模な古墳群をみつけて、これを調査することになった。最初の時点に楽浪古墳が浮かびあがったということが、また別の意味でその後の日本人の朝鮮考古学研究に一つの方向を与えたといってもよいでしょう。この時は、楽浪古墳だけでなくて、今西さんなどにより、新羅の遺跡などが調査されています。

模索の時代

こうして一九一〇年の韓国併合になるわけですが、この日露戦争末から併合までの時期は、日本の朝鮮考古学研究に対する一つの模索の時代といえましょう。まだ日本の朝鮮研究の方向が決定していなくて、どのように調査したらよいかということを手さぐりしていた時代といえると思います。こうした模索は、大正五年（一九一六年）頃まで続くと思います。総督府が大陸考古学に関係ある人たちを次々に召集しまして調査を依頼するということになります。その主力は関野氏でありましたが、かれ自体の中には、植民地主義者としての意識はあまりなかった、むしろ、かれは建築学者としてのかなり実証的・客観的に物をみるような、そういう性格の学者だったと思いますが、この関野氏がまず、朝鮮内部のジェネラル・サーベイ（全体的調査）をやった。そして当時かなり荒廃していたいろいろな建築遺跡を、どう保存するかということで、彼なりに考えたよう

です。多数の遺跡の写真をとり、それを後世に伝えるという非常に重要な仕事をされたわけです。この時の調査の結果が、『朝鮮古跡図譜』という全一五巻のものになったわけです。これが完成するまでには、非常に時間がかかり、昭和一二〜三年までかかっています。これには本来解説がつけられるはずだったのですが、実際にはそれは遂につけられずにおわった。最初の一、二巻には簡単な解説がついていますが、この調査には、そのあとでなくなった遺跡、建造物がかなり入っているので、その意味では今日非常に価値をもっていると私は考えます。ことに朝鮮戦争の結果、非常に多くの遺跡が破壊されてしまった。その原形が、この本でよくわかる場合がある。それで、ある意味では、日本のした仕事としては非常に大きな仕事であったと思います。

一九一〇年から一六年に至る間に、新たにまた数名の学者が加わりました。その一人が鳥居竜蔵氏で、関野氏が歴史時代の遺物に重点をおかれたのに対して、この人は主として先史時代の遺跡に重点をおいて、全体的な調査を行なっています。ただ残念なことは、鳥居さんの調査報告がほとんど出てない。大変な努力にもかかわらず、その遺産が後世に残らなかったということは大変遺憾なことです。それから、黒板勝美さんがこの頃から加わっています。黒板さんはたぶん、これは推測ですが、日本史の方ですから日本史との関係で入られたのだと思います。氏は好太王碑の調査もしていますね。と同時に政策面などにおおいに関係しているのではないかという気がしないでもないのですが、これは明確な資料があるわけではない。

総督府の時代

こうして日露戦争、ついで合併後の考古学における研究の模索という一つの準備段階を経て、一九一六年になって一つの大きな方向づけがなされる。これは中枢院の中に「朝鮮古跡調査委員会」というのができて、すべての古跡の調査はその委員会によって行なわれることが決定されたことです。この委員会は、数名の委員を任命し、その委員が実際の調査をする。これはのちのちまで大きな影響を与えた決定でした。しかし同時にこのことは、うらからいえば、朝鮮の古跡研究は総督府によって行なうのであって、それ以外ではやってはいけないということになるわけです。ただ一方では、この明治の終りから大正の初めにかけて大盗掘が行なわれましたから、これを防ぐという意味もありました。実際これによって救われた遺跡も多かったようです。とにかく、これが日本の植民地時代における調査の実践の基礎になっているわけです。この時或は少し遅れて委員に任命されたのは、関野、鳥居、黒板の諸氏に、池内宏、浜田耕作、原田淑人などの方々が加わりました。これらの委員の中には植民地主義者があまりいなかったということが、ある意味では幸いなことであったともいえると思います。これらの委員が、大正五年から毎年、朝鮮の遺跡の全体的調査をすることになります。

そしてあの有名な三・一万才事件になるわけですが、この事件以後は、朝鮮の人たちの民心を多少緩和するという意味もあって、総督府は文化事業をおし進めるようになります。さらに、一九二一年頃になると、総督府はもっと積極的に古跡調査をやるようになる。いままで中枢院という外局におかれていたものが、内局におかれ

る。つまり学務局の中に、古跡調査課というのがあって、ここで積極的に文化的姿勢をおしすすめるようになります。と共に任命された委員による調査もますます活発化します。このころになるとおのおの専門家は個々の遺跡にとり組むようになる。そこで、この間いろいろな注目すべき遺跡の調査が行なわれたが、重点的には、かつて関野氏によって行なわれた楽浪時代の遺跡の調査がかなり熱心にすすめられます。

なぜ楽浪時代のものがこのような脚光を浴びたかという点については、いろいろな問題が含まれていると思います。考古学者の意識からいえば、楽浪古墳からは立派な「もの」がでるからやりがいがあるといった単純な考え方もあります。それとまた、この調査が朝鮮ばかりでなく、中国の漢代の文化の性格を知るうえにも非常に役立つ考古学という面もあります。けれども重要なことは、当時の研究者には朝鮮考古学に対する全体の見通しの上にたった研究の姿勢というものがない。むしろ、いままでの考古学者のもっていた欠陥、つまり一つの全体をつらぬく研究方針によって調査をするというのではなくて、なにか「遺跡や遺物」の調査だけがすべてであるというような考え方があって、それがこの楽浪の調査に大きな力を注ぐことになった大きな原因だろうと思います。

しかし、この楽浪遺跡の調査をすすめていくうちに、他の遺跡の調査の重大さも次第にわかってきた。あの付近にはご承知のように高句麗の遺跡がたくさんある。この中には、壁画古墳の非常に珍しく、内容の豊富なものが存在したことから、この方にも興味をひかれていきます。さらに慶州の新羅の古墳も注目されるようになった。はじめは明治末の今西さんの慶州調査からですが、これが本格化したのは大正一〇年に発見された金冠塚からです。これは偶然の機会に発見されたもので、慶州南郊のある農民が土地の整地をしていたところ、いきなり金製品がザクザクでてきた。それでびっくりして、その発表を一切禁止して、これを政府で調査しなければいけないというので、浜田氏などが中心になって、やってみたところが、地下の正倉院と称されるほどの古墳が発見された。これが大正一〇年のことです。これが機縁となって、朝鮮の新羅古墳の研究がこれ以後非常に注目を浴びるようになりました。新羅の古墳は構造上、非常に盗掘が困難なものですからそれまであまり荒されていなかった。それで顕著な成果がえられたわけです。

またこれと前後して例の任那地方の調査も始まった。任那地域の古墳の多くは竪穴式の石棺または横穴式の石棺で非常に入りやすいのでこの方は盗掘がしやすかったためいろいろな困難はありましたが。

この時期の調査の中心はやはり古墳であった。しかし全然他のものは調査されなかったわけではなくて、古墳以外にも細々とやられました。その一つの例が、慶尚南道の金海の貝塚で、大正九年から浜田、梅原氏を中心に行なわれた。ここで、はじめて貝塚の科学的・考古学的調査が行なわれて、遺跡の意味もよくわかるようになります。これによって一～三世紀の南朝鮮の文化のあり方がわかったわけですが、この金海の貝塚の調査は当時としてはむしろ例外でしょう。もう一つ興味のあることは、今の洛東江の沿岸から、従来発見されたことのない性格の遺物が偶然発見されました。これは北アジア的、あるいは内陸アジア的要素が強い青銅具と思われるものです。それで、朝鮮半島の古代の生活・文化様式の中に、内陸アジア

と関連のあるものが存在するらしいということが関心をひきまして、それに対する研究もされています。これについては藤田亮策氏と梅原末治氏によって『南朝鮮における漢代の遺跡』という報告書がでまして、この時代の新しい問題が提起されています。従来朝鮮半島のことになると、外国との関係では中国との関係のみがとりあげられていたのが、もっと違った要素が朝鮮半島の古代の文化あるいは生活様式の中にあるということがわかり、新しい問題点を提起したという点で重要だろうと思います。

これらの調査はすべて報告が義務づけられていましたから、毎年「大正〇年度古跡調査報告」あるいは「昭和〇年度古跡調査報告」というような形で出版されました。これは、高度に実証的なものでありましたから、後の朝鮮考古学研究に大きな役割を演じることになります。

ところが、大正一三年（一九二四年）になると、総督府による調査事業というものが一大変化をきたします。これは総督府の古跡調査課が廃止されてしまったことです。これは国内問題とも関連のあることでありまして、当時はちょうど日本国内では例の第一次大戦後の不況がはじまりだした時期であり、軍縮なども行なわれた。そして緊縮政策が猛烈に実行されます。したがって古跡調査は、不急事業というので、不急事業というと、いつでもこの文化事業がまっさきに削除されてしまうのが日本の常ですが、それにひっかかって古跡調査課が廃止されてしまいます。それに伴なって古跡調査に対する予算も減ってしまうということで、いままで主として総督府に頼っていたものがなくなり、必然的に調査も縮少される。その後は一種の惰性で調査がおこなわれますが、大正一三年以降は活発ではなくなります。

ところが日本国内では朝鮮の文化に対する関心が逆に高まっていく。かつて古跡調査委員会時代になされた報告書がどんどん出るにしたがって、朝鮮半島の古代・中世の文化に対する関心がたかくなっていきますので、これはどうしてもすてておくことはできないという要望がでてきます。

しかし、朝鮮総督府は三・一事件のあと始末もついたことだし、とくに積極的ではなくなった。お金がかかって効果があがらない。しかもこれをやりすぎてしまうと朝鮮自体の歴史もはっきりしてしまってかえって困るという考え方もあったのでしょう。

しかし、日本側の学者の中から、文化的関係の面から日本を明らかにするには、朝鮮がわからなければ日本もわからないという意見もでてきます。池内宏教授などもそういう考えの一人ですね。

ここで昭和六年（一九三一年）、総督府も多少お金を出し、日本の国内でも基金をつのって、「朝鮮古跡研究会」ができます。ここでまた研究が再開され、まあ半官半民といった形です。しかし予算は以前と比べて窮屈なものでした。

ところがこの頃になると、研究者の範囲が拡がったということが注目されてよいと思います。総督府の博物館員、研究会の嘱託などもひろく加わるようになりました。研究会の構成が民主化されたといってもいいのではないでしょうか。

この前後から、藤田亮策、小泉顕夫、榧本杜人、小場恒吉、有光教一、斎藤忠、小野忠明、藤沢一夫といった人たちも加わっています。そうして単に研究者の巾がひろくなったばかりでなく、対象もひろがっていきました。古墳の調査はいぜんとして続けられました

が、これは、当時の学者の意識として、結果が派手にでるものに興味をもったということもあるし、金をだす方でも、石ころばかりでるより、立派なものがでた方が、だす方はうれしいということもあって、これは人間の心理としてやむをえないことだとは思いますが、こうしたわけで、古墳の調査は続けられた。

その結果でたのが有名な彩篋塚とか、王光墓であるとかですね。それから高句麗の壁画古墳、新羅古墳が活発に調査された。とくに新羅古墳は計画的にいくつかの古墳を発掘してその成果を出しています。遺物の豊富な三国時代の金製品がたくさんでるような古墳ばかりでなく、統一時代の八世紀頃の古墳の調査もこのころから行なわれ、これは主として有光さんがやった。それと従来あまり百済のことがやられていなかったのですが、この時期に百済古墳の調査が行なわれるようになります。これによって新しく朝鮮西南部地域の文化もわかりだします。

さらに新羅や高句麗の寺址の調査も行なわれ、とくに百済の寺址調査は、日本の法隆寺、四天王寺との関係などあってさかんに行なわれ、両者の文化的関係がかなり、はっきりしてきたわけです。

また、新石器時代の調査もこのころかなり組織的に行なわれます。とくに咸鏡北道の雄基の貝塚、この調査は、昭和四年から六年です。当時の雄基は調査が大変だったようです。あそこは国境でしょう。スタッフは藤田さんの下に小泉さんや榧本さんでしたが、話をきくと当時の雑誌の『中央公論』や『改造』を一冊もっていっただけで調べられてしまうというきびしさで、行く時には身元調査を厳重にされた。しかし、この調査も遂にその結果の報告がでなかったのは残念です。

それから例の支石墓などの巨石文化の調査がこの頃から始まっています。このきっかけとなったのは、大正十三年、平安南道の石泉山で一五〇以上もある大きな支石墓群が発見されたことです。これは考古学者として解明しなければならない、という気持もあって、支石墓に対する関心が高まったのです。藤田さんや小泉さんによってジェネラル・サーヴェイも行なわれました。

他には大邱の町の支石墓の調査が藤田・小泉・有光その他の諸氏によって前後三回にわたって行なわれ、報告書も発表されたので、現在でも、私どもの研究にたいへん役にたっています。こうしたうちに太平洋戦争に突入します。

戦争中は、軍の施設の拡張に伴なって、方々から遺物が出たようですが、少数の考古学者を動員して行なわれた調査も、その結果はまとまって発表されてはいません。わずかに、梅原氏の『朝鮮古文化総鑑』に成果の断片が発表されているにすぎません。

在野の研究

いままでお話ししましたように、日本の朝鮮考古学の研究は、多かれ少なかれ総督府の息のかかったものに終始している点が一番大きな特色になると思います。

しかしそれ以外に、朝鮮に住んでいた日本人の中には、考古学に興味をもち、非公式にやっていた人たちもいた。しかも、この人たちのした仕事は、総督府はやらなかった、新石器時代＝先史時代に重点がおかれていました。このことはのちに、役立つことになるわけですが、その中には、横山将三郎、宮川肇、大曲美太郎、笠原烏丸さんといった方がいます。この人たちの仕事で有名なのは、咸鏡

北道の油坂貝塚の調査、釜山絶影島の東三洞の貝塚の調査などでしょう。

それと、総督府に属していた研究者の中でも、自分の仕事として先史時代の調査をしていた人がいた。たとえば小野さんの大同江沿岸の新石器時代の調査、有光さんの箱形石棺墓や積石塚などがあります。次第に今までの調査だけでは、朝鮮半島の古代の歴史・生活史の解明には不十分だということに気がついて、それを補う仕事がすこしずつやられていった。そのうち敗戦をむかえるわけですね。

以上まとめてみますと、最初の関野さんの日露戦争前後の仕事は調査としては史前期であり、それから併合から大正五年頃までは考古学調査の姿勢の模索の時代、それ以後は調査が総督府の手によって集中的に行なわれた時代、それから朝鮮古蹟研究会ができる前後からが研究体制が少しずつ民主化して行った時代ということになります。

それから、研究対象としては、重点がまず古墳に注がれたことがいえます。これは日本でも並行した考え方でしたが、古墳の調査は獲物が多い、またわかりやすい対象だったということがひとつにはいえます。その際、総督府の調査事業それ自身に対する意図、あるいは限界は決っていたでしょうが、研究に際してどのような見通しのもとに研究あるいは調査をするかという点に関してはあまり明確ではなかったのではないか。それで仕事としては日本の考古学者は比較的客観的な調査を行なうことができた。考古学的研究に対する総督府の意志ははっきりしていたと思いますけど、それにたずさわる学者はその意志をどれほど理解していたか、わかりません。むしろ客観的に、実証的にとり組むという姿勢を示しています。その調査の結果は比較的、立派なものを残していて、それ自体はその後の朝鮮研究に役立つものであった、これは私たちは喜んでいいと思います。

朝鮮半島の調査はすべて朝鮮総督府指導下の官製調査であった。その結果二通りのことが生じた。一つは、日本人学者に調査が独占されてしまったということ。もう一つは、なぜ、朝鮮の遺跡を調査しなくてはならないのか、というその意義がぼけて、むしろ効果の多いものに目が向けられていった。それが墳墓偏重になり、楽浪郡時代遺跡の偏重になってきたわけです。民族の歴史の解明よりも、いかにも効果の多いことにばかり集中することになった訳です。そのころは日本でも、同じような考え方で調査がすすめられてきましたから当然のことだったかも知れません。先史時代の朝鮮の歴史の根幹をなしたものの解明に欠けるという結果になったわけです。

ただ一つよかったことは、遺物が原則的にソウルの一個所に集められて、朝鮮以外の地に出されなかったことですね。そうでなければ、朝鮮のものは全部外国に出はらってしまったと思います。国外にでたものがあったとしてもそれは調査以外の方法によって発見されたものであって、総督府関係の調査でできた遺物は他国には流れてはいかなかったようです。

このように政府自身としては、はっきりした調査に対する意志はあったわけですが、それにたずさわった学者には植民地主義者はすくなかったということは、幸いなことでして、その仕事は非常に客観的・実証的です。そのために残した研究は現在の独立後の人たちにも充分に役に立つと思います。

宮田　どうもありがとうございました。非常にわかりやすいお話で、素人の私たちにもよくわかったように思います。この話は総督府の文化政策史の一面としてみても、大変おもしろいですね。

三上　そうなんですね。楽浪研究をおおいに奨励したということの中にも、総督府の植民地的文化政策が無意識のうちに、あるいは意識的であったかも知れませんが含まれているということで、この点はおもしろいですね。

宮田　日本の朝鮮に対する教育政策、文化政策としてみても、非常に参考になるお話しだろうと思います。

渡部　『施政年報』でみれば、「古跡および遺跡の保存」という一章があるが、調査、保存、博物館となっている。これからみても、近代的文化の施設というものがゼスチャアとしてとられざるをえなかったのではないでしょうか。しかし、なんのためにそれをやったのかというと……

三上　本来考古学というものはその民族の歴史の発展を遺跡や遺物の研究を通じて明らかにしていくもので、それには一定の見通しがなければならないわけですね。それが政策ということになるとすこしちがってくる。研究の立場からみれば、当然朝鮮史的見通しがあってしかるべきなのですが。たとえば、古墳はただ単にそれだけを調査するというのではなくて、朝鮮の歴史の上でどんな関係にあったかというみとおしをしてから始めるのが本当なのです。朝鮮ではそれがない。まあ日本でも戦前はこれがそれほど考えられなかったことは事実なんですが。

後藤　朝鮮での石器時代の研究ですけど、日本でも山内先生などが始められた時期と、だいたい一致するようですが。

三上　それは日本の方が早いでしょう。

後藤　それまで個別的に扱っていたものを、歴史的に、全体的にみていこうとする傾向が、なにか刺激でもあって、でてきたのではないかと思うのですが。

三上　日本の場合には積極的にやる姿勢がありましたね、が、朝鮮にはそれがないんです。むしろ、民間の人が興味的に研究したものですね。

宮田　この中で、朝鮮人の学者の参加はどうなっているのですか。

三上　それはほとんどないですね。民間では、孫晋泰さん、民謡を研究していた学者ですが、この人が朝鮮を歩いているときに、支石墓に気がついて報告を書いています。多少民俗学的ではありますが。もう一人は、もと早稲田大学でバスケットの選手で独立後はIOCの委員だった李相栢さんも関心をもっていたようです。おそらく、朝鮮人の学者を受け入れる機構が総督府にはなかったのだろうと思います。朝鮮人学者はアウトサイダーであった。

宮田　それはみな在野でやられたわけですね。

三上　その間、金元竜さんが、京城大学で古代史を考古学的に勉強したということは注目してよいことだろうと思います。

宮田　ちょっと素人考えなのですが、三・一運動以後、総督府が文化政策として、懐柔政策をとっていったと思うのですが、そうすると、むしろ朝鮮人が参加しそうな感じなんですが。民族意識の昂揚と自分の国の過去の歴史研究とが結びつくように私なんか思うんですが、その辺はどうなんでしょう。

三上　それが、そうさせないような形になっていたのではないでしょうか。朝鮮人の歴史研究は、あまり歓迎されませんでしたから

ね。

宮田　同祖論と矛盾するからなのでしょうか。

渡部　文化政治といっても、総督府は日本人が朝鮮の文化を大事にするんだぞということをみせただけであって、朝鮮の文化そのものをほんとうに貴重に思っていたということではないでしょう。

宮田　それはそうなのですが、民間の抵抗の姿勢として、朝鮮人が自分たちの文化を発掘するという姿勢があったのではないかと想像したのですが。

渡部　地下何尺かの物はたしか国有ですね。だから勝手に手をつければ罰せられるということもあったでしょう。

宮田　朝鮮古跡研究会になっても、朝鮮人の参加はなかったわけですか。

三上　ないですね。もう一つ別の面でいえば、朝鮮古跡研究会のメンバーによる調査は、おそろしく綿密で、技術的に非常に程度が高かったのです。そういう精度の高い調査の中に当時の朝鮮人が入っていけなかったということがあります。

　それから生活の問題……。考古学では食べていけなかったですからね。日本でも、考古学なんか勉強する人は、食えないことを前提としたよほどキトクな人でした。

　もう一つ、これは私が朝鮮の人たちにうかがいたいことなんですが、わりあいと、朝鮮の人たちには、なにか古い「もの」への関心がすくないのではないかと思うのですが、どうなんでしょう。たとえば、古いものがどんどん捨てられてしまうことがある。もちろん、少数の人たちは、歴史に対して非常に関心があると思うのですが、とくに民族意識の強い人たちは。

宮田　それは日帝下でですか。

三上　そうです。

宮田　この頃の様子をみてますと、なにかとても過去の歴史を大切にしているようですらかピンとこないのですが。

三上　李朝時代はそうですね。たとえば文献などの文字に対しては敏感ですが物に対しては少しちがいますね。

宮田　文献偏重主義なのですか。

三上　そうなんですね。大事にしないということは、遺物とかそういうものに対してで、書かれたものは大切にするけれど、のこされた遺物に対しては、わりあいと関心を示さないということがありはしないでしょうか。

渡部　骨董屋というのは朝鮮にはないようですね。しかし個々の家の中では大事にしているのではないだろうか。しかしそれが客観的に価値があるものとして、外部に拡がっていかない傾向があるのではないでしょうか。

宮田　あまり大事にしてしまって、かえって外からみえないという？

渡部　その大事にする仕方が封鎖的なのではないか。

三上　だから、そういうことが、考古学の研究に人が集まってこないということにもなったのではないか。その代わり、中枢院に集まってきた人の中には、本とか文献に対しては極めて関心がありましたね。

宮田　それは李朝の科挙制度の影響もあるのでしょうね。

渡部　中国でもそうですね。

三上　中国でもそうだったが、やっと清朝になって考証学がおこっ

てきて、わずかながら関心がでてきた。その前はようするに物は愛玩物として、あるいは財産であって、歴史の解明の道具ではなかったわけです。

渡部　考証学は朝鮮では遂に成立しえなかったですからね。

宮田　では、朝鮮人自身の手による考古学は、やはり解放後といえるわけですね。

三上　戦後のそれは、共和国、韓国ともにそれは熱心ですね。ただし両者の間では対象と方向が違いますがね。

後藤　韓国でも古いところをやっても、先史時代になるとあまりやらないようですが。

宮田　先生、最初にもどりますが、関野先生が考古学に手をつけられたことが、その後の日本の朝鮮の考古学研究に一つの方向を与えたということはどういうことでしょう。

三上　それはね。関野先生の専門である、建築学が非常に実証的・科学的なものですから、とそういったことですね。それは例えば考古学が日鮮同祖論の道具にはつかわれなかった原因の一つになると思います。考古学という学問はそもそも、ドイツのナチでもそうであったように下手をすると両刃の剣になることがあって、民族の歴史を具体的に明らかにすることをとびこえて、それを民族の優秀性の証明ということにつかわれる。それが最初の出発点で、政治性のない自然科学者がこれにあたったということが、考古学を政治の道具にすることをすくなくしたといえるでしょう。

宮田　では、総督府の意図どおりにはいかなかったということですか。

三上　その意図というのも、どれだけ理解しようとしたかも明確ではないと思いますが。

宮田　黒板先生が入ってこられたのは、明らかに政治的意図があったと思いますが。

三上　そうですね、今西さん、黒板さんがはじめから中心であったら、かなり方向がちがっていたかも知れませんね。

宮田　これは末松先生にうかがったのですが、朝鮮史をやらなくては日本史はわからないといった黒板先生の一言で、朝鮮史編修会の予算がぱっとでたというようなことですね。

三上　東大でも、朝鮮史の講座がはじめは日本史に属していた。それを池内先生が、がんばってともかくわかれさせ東洋史学科につけたのですが、戦前はそんなわけできわめて不安定な講座になってしまって、結局は池内先生の退官とともに、訳がわからなくなりました。

後藤　雄基の報告はどうしてでなかったのでしょう。

三上　一つには藤田さんが、いそがしかったこともありますが、もう一つには、要塞地帯ということで多少、遠慮したこともあるでしょうね。

渡部　北朝鮮では戦後雄基のことをずっと研究していますね。

政策に密着しなかった考古学

三上　まあ、考古学の研究は日本ののこした学問的事業としてはよい方だったと思います。政策の方は全然別として、とにかくまじめな人が、まじめな報告書をのこしてくれたということはせめてものことです。

渡部　考古学は朝鮮史ほどには政策に密着しなかったどいうこと

が、先生のお話から言えますね。

宮田　やっぱり物だからでしょうか。それから、先生、内陸アジアとの関連で言われたのですが、それはその後どういう発展をしたのですか。

三上　朝鮮は、本来からいって、風土や生活のあり方などから見て、中国との関係より内陸アジアとの関係の方がつよいのではないかという気がするのですが。気候・風土的にそうだし、内陸アジアにつよい勢力がでてくると、朝鮮の王朝はこれと結びつく面がつよいですね。ことに北方の高句麗などは、突厥（トルコ）とたいへん密接な関係がありました。本質的には内陸アジア的なものが強かったろうという気がしているんです。ただ、高句麗は騎馬民族であるとは私は言わないんです。生活の基本は農業ですからね。馬を駆っているということなら中国・日本みな騎馬民族になるわけで、騎馬民族というからには、いちばん、生活のあり方が問題で、馬に乗っているだけが騎馬民族ではないわけですね。その生活の基本を牧畜に求めるか、農業に求めるかによって騎馬民族であるかないかと言えるのです。いまの騎馬民族説でいちばん無視されていることはそこだと思います。その点、高句麗の生産の基盤は農業で、高句麗の壁画に騎馬の人が描かれているが、あれのモチーフは、中国の漢代の壁画なんですね。

＊　＊　＊

宮田　先生、これから日本人で朝鮮考古学をやる人は、現在のところ直接発掘に参加できないわけですね。

三上　ええ、その点は非常に残念ですね。お互いがもっと接触すれば、もっと幅の広い意見がでるだろうけれど、もっと話しあいの場がないとね。

宮田　考古学をやっている方にとっては、学術交流は切実な問題だと思うのですが。

三上　いや、ほんとうなんですよ。そうでないと、お互いが違う土俵で相撲をとっている感じです。

宮田　これから、やろうという人たちに対してなにかそういう点で。

三上　やはり過去の遺産をしっかりふまえてほしいと思いますね。そして今、共和国なり、韓国なりでやっている仕事を、われわれがまず消化しなければならないということ、それにはただのみこむばかりでなく、やはり批判も十分必要だと思いますが、十分接触していくことが重要だと思います。将来、両方の交流をぜひしたいですね。片一方ではなくしてね。

渡部　どうもありがとうございました。

シンポジゥム…日本における朝鮮研究の蓄積をいかに継承するか（13）

日本と朝鮮

（そのまとめと展望）

〔出席者〕

旗田　巍（所員）

安藤彦太郎（所員）

渡部　学（所員）

幼方直吉（中国研究所所員）

梶村秀樹（所員）

〔司会者〕

宮田節子（所員）

日本人の朝鮮観

宮田　今日は、十回にわたるシンポジウムの総括と、それを土台として、これからの研究の問題点を出して頂きたいと思います。

まず、このシンポジウムで最も基本的な問題として提起されたのは、日本人の、朝鮮に対する姿勢、朝鮮観の問題であろうと思います。それを旗田先生は過去の朝鮮研究は、朝鮮人不在の朝鮮研究であったと提起され、上原専禄先生は認識の根拠は対象に対する愛だというランケの言葉を引きながら、明治以来、敗戦まで、日本の朝鮮研究は朝鮮に対して愛を持たなかったと指摘されています。それを中国研究と比較なさって、中国に関する研究は少なくとも中国を愛の対象としている学者もいたが、朝鮮にはいなかった。歴史学において柳宗悦が出現しなかったという形で指摘なさって、日本人の中国と朝鮮に対する姿勢の相違を提起されました。さらに中野重治氏は文学の分野において、同じような指摘をなさっています。つまり、日本の文学において、朝鮮人を真剣に真正面から取扱った作品は、進歩の側にしろ、反動の側にしろ、なかった。端役としてちょっと登場することはあるけれど、全面的に朝鮮人を扱って、それが日本人の朝鮮観に影響を与えたり、また朝鮮に対するイメージを作りあげた作品はなかったと指摘されている。また同じような朝鮮観のゆがみというものが、社会科学の分野においても、非常にねじ曲げられた形で出てきているということを森谷克己先生は悲痛な形で提起なさっている。中野重治氏の指摘の中でさらに重要だと思えるのは、そういった戦前からの朝鮮観のゆがみもさることながら、実

は戦後においても、しかも反動の側や一般の日本人ではなく、革新陣営もそういった朝鮮観の歪みとは決して無縁ではなかった、と指摘していることです。これは今ではかなりいろいろな人が問題として出していらっしゃるけれど、やはり六二年頃では非常に大胆な提起ではなかったかと思われます。革新陣営の中においてさえも、朝鮮人自身が持っている日本の国家権力に対して非常にデスペレートな抵抗力、反抗心、そういった力量というものを利用し、あるいは利用するという程腹黒いものではなくて、そういう力にもたれかかる姿勢があったのではなかったかと思う、と指摘されています。これは戦後の日本の思想にとっても、非常に重大な指摘ではないかと思います。

このように、個々の研究成果がどうであったかという以前に、日本人の朝鮮観があらゆる研究の中で、最も根本的な問題として存在しているという事が、このシンポジウム全体を通じて、第一番に指摘できる点ではなかったかと思います。さらにいえば、このシンポジウムの中に十分展開されなかったのは、そういった朝鮮観の歪みというものが、個々の研究に様々な変質を与えている事は指摘したのですけれど、それが全体として日本人の思想の中でどういうふうな位置づけにあったのかという点について、やはりこれからの問題ではないか、結局朝鮮観のゆがみというのは単独にあるのではなくて、いろんな反動的な思想と結びついて、ある一定の歴史的な役割を果しているのではないか、その構造をあきらかにしていかなければならないのではないでしょうか。まず最初に日本人の朝鮮観から討論の口火を切りたいと思います。

旗田　では、私から口火を切りましょうか。

今私は、学校で社会科教育というのをやっています。主として高等学校の教科書を材料にしてやっております。中には明治百年に反対の立場の人が書いたものも、入っておりますけど、それらを見ておどろきますね。これで良いのか、こういう教科書で教わったら明治百年反対とか何とかいってもだめだろうという気がする。と申しますのは教科書の中では併合と同時に朝鮮はなくなっている。これは全部の教科書に共通しています。併合までは、朝鮮は日清戦争、日露戦争とちょこちょこと出て来る。しかし併合と同時に朝鮮は一切姿を消して、あと出てくるのは朝鮮戦争で、その間全くブランクです。中国については民族解放運動は相当に出る。中国共産党も勿論出る。朝鮮ではほとんど何も出ない。最もいいもので三・一運動がすこし出る程度です。ですから朝鮮の歴史は「併合」と共に絶えてしまう。絶えてしまっているというのは、こういう論拠でしょうね。要するに日本に併合され、国がなくなってしまったのだから歴史もないという事でしょうか。それならば日本の社会運動なりデモクラシー運動の中で朝鮮を問題にすべきです。しかしそこでも一切ふれていない。どの教科書を見ましても、朝鮮人の解放運動は全然ない。そうするとそれを教わった学生はとまどいをするでしょう。「併合」ですっかり姿を消した朝鮮が戦後急に出て来て、朝鮮戦争で二つに分かれてけんかをする。これでは学生が朝鮮像など持ちようがない。明治百年反対をとなえるような人の書いたものでもそうです。やはり日本人の朝鮮に対する姿勢の問題でしょう。もう少し遡っていきますと、世界史の中で朝鮮が最初にでてくるのは漢の武

帝の四郡設置です。以後いつも征服の対象として出てくる。ベトナムの出方もまさにそれです。アジアについては中国ばかり詳しい。私はそれを一種の大国主義じゃないかと思います。こんな世界史ならむしろ、万国史としてベトナムはこう、朝鮮はこう、印度はこうとした方がましである、と極端な事がいいたいほどですね。これでは現在の激動しているアジアを理解しようがないではないでしょうか。

幼方　朝鮮に対する無関心と日本国民の朝鮮に対する考え方、日本人の朝鮮観というものは、それぞれの時代の一般庶民の感覚と研究者の専門把握と、どういうような関係にあるかということが一つの問題であると思います。戦後になって、日本における朝鮮の遺跡が、大分調べられてきた。李進熙さんのかなり詳しい報告があります。ああいうものが、現在も保存されているということは、単に偶然残っているのではなくて、庶民の間に愛するという気持があればこそ残っている。そういう感情がなければ、ある筈がない。そういう、国民の朝鮮に対する自然発生的な関心というものが、研究者の専門把握と、ある時代においては密着していたものが、切離されてくるというところに問題があると思う。だから日本人の朝鮮観の問題とこの専門家の研究把握の関係を史学史的に追及していく必要があると思う。そうすると、ある時代においてはクロスした時代があるが、研究者の専門把握ということが、部分的であるとはいえ庶民的なこの朝鮮に対する親近感と切離されて帝国主義的な発想で朝鮮を見るというようになってしまう。普通研究者は、研究対象に対してある一定の愛情をもつものです。例えばフランス文学の研究者はフランスに愛情をもち、中国文学の研究者が中国に愛情をもつということはあるんだが、朝鮮については研究をすればするほど、愛情どころか嫌悪をかんじるということがある。これは朝鮮とかインドの場合そうですね。ヨーロッパ社会の研究者と違って研究者の姿勢とかあり方、これは一体どういうものだろうかということを常に疑問に思う訳です。ごく例外であって大体において過去の朝鮮中国の研究者はやればやるほど、対象を軽蔑するという傾向が強かったんじゃないでしょうか。

そうすると、アジア研究の場合に、研究者が対象をバカにするという考え方がなぜ出てくるか。そこが一つの問題である。で先程申しました日本に残っている遺跡、いろいろな朝鮮文化の遺産というものと自分たちの研究がどう重なるのかということは殆んど関心がないですね。ただ、そういうものがある、というだけで、それをもたらした所の朝鮮人について関心が余りない。そういうところに問題があるのじゃないかね。

旗田　その点一寸問題はあるような気がするのですがね。庶民のなかにも朝鮮に対しては根づよい軽蔑があったんで、むしろ学者もそっくりそれに埋没してしまっているというのが、むしろ実情ではないかという感じがするのですがね。学者としての意識というよりも、その点では極めて卑俗な意識で軽蔑していたと思うのですが。

幼方　日本人の朝鮮観については、学者や専門家の朝鮮観は割合調べられているが庶民の朝鮮観は問題ですね。この辺になると確かに日清戦争以後は中国観と同じにだんだん歪められてきていますけれども、それ以前の段階では、旗田さんが「日本人の朝鮮観」で紹

介されたようにさほど侮蔑観はひどくなかった。しかしそういう朝鮮観は底流として断片的にある。表面的にはないけれども決して軽視すべきものでなくて、例えば民芸における柳宗悦の如く、彼が特別に孤立して出てきたのでなく、やはり民芸品に対する伝統的な日本人の近親感という地盤のもとに、出てきていると思う。そして明治以後の庶民の朝鮮観というものは、やはり学者と庶民の朝鮮観とは別個に調べる必要があるのに、後者は殆んど調べられていない。これは断片的なものでその後大きな潮流によって歪められてしまうけれども客観的にはあると思う。それは例えば関東大震災の時に朝鮮人がやられたことですね。戦後段々真相が判ってきていますが、やはり例外的には朝鮮人を助けたという事実もある訳です。そうするとこれを一律に日本人の朝鮮観のゆがみとすることはできない。やはりそこには庶民的な感覚と、支配階級からうえつけられたものとを歴史的に分析しておく必要がある。そうしないとポカッと戦後になって新しい朝鮮観が出てきたというのは、やや非歴史的だろうと思う。それをぼくは自身の体験を通じて痛感したことは、小松川事件です。小松川事件の時にいろいろな人があの少年を助ける会に何となく入っていた。その中には意外と、インテリでない貧しい人や若い人々に、朝鮮に対する新しい親近感を持つ人がかなりいる、ということを痛感させられた。決して極端に日本の排他的な朝鮮観というものだけで、日本人の朝鮮観を割切ることはできない、というふうに思う訳です。しかもそれが表面化されないために研究者の戦後の把握の場合にあまり反映してこない。そういう、ずれをぼくは感じましたね。その問題点は今後われわれが解決しなければならないのじゃないかと思います。

梶村　庶民的感覚の問題ですが、確かにお二人の指摘されたその両面が、一人の人間のなかにも矛盾したものとして同時にあると思う。そして状況に触発されてどちらかが表面に出てくる、というような曖昧な形で存在している意識の複合自体が問題なのでしょう。そういう場合の思想の変革はいい要素の断片を何とか拾い集めてそれをのばしていけば良い、という程単純ではないと思う。

幼方　その点は同感しますが、私の意図はいかなる専門的把握も日本人、朝鮮人をふくめて民衆の意識変革を媒介することなくしては正しい発展はありえないのでないかという方法論的な意味です。ただ過去の例外的な事例をつみ上げてゆけばいいということではない。

朝鮮観と中国観のちがい

安藤　日本人の朝鮮観と中国観のちがいはどこから来るのか。日本のアジア研究者はアジアに愛情をもっていない、が中国については愛情をもっている人がいる。そういう事をどう考えたらよいかという事なのですが。

日本はおくれて発達した後進国で、黒船によって開港を迫られたわけですね。そこで、日本人の間に政治的主張としては国権論と民権論の二つの対立が出た。国権論はいうまでもなく、ヨーロッパやアメリカなみになるために国威を発揚するということです。民権論の方もヨーロッパ、アメリカなみの民主国になるために国内改革をするという意見で、同じところから実は出てきている。政策として

の違いはある。国権論、民権論の両極を見ますと非常に違うけれども、その間には論理的移行過程がある。根は同じところから出ている。ぼくはこれを近代化主義と名づけたい。近代主義というと、もう一つ違った概念があるから……。そこから出てきた二つの対極ですが、国権に対する民権という対立、二つの考え方のパターンはおくれて発達した資本主義国、おくれて近代社会に仲間入りした国には多かれ少なかれあった。これは中国にもあったし、ドイツにもあった。ドイツの経済学にはイギリス的な自由貿易と、ドイツの保護貿易の対立がありました。で、もうひとつ、ドイツやヨーロッパ諸国にない特徴的なものとしては、東洋に対する西洋という対応があるわけです。その場合の東洋というものはですね、遅れて急速に上から富国強兵をやったので、ブルジョア革命が徹底しなかった。明治維新についての学問的分析は別にして、とにかく不徹底であったということで、いろいろな封建的な遺制が明治の天皇制の中に押しこめられて残ってきている。しかも古いものの源流は、朝鮮を通ってきたということがあるけれど、日本人の精神生活の大部分は、中国に源流を求めている中国に価値をおく。そういう考え方である、東洋に対する西洋という考え方が出てきて、これが国権論と東洋、民権論と西洋という対応になるわけです。しかも先程、申しましたとおり、東洋と西洋という対応は、やはり同じく、近代化主義から出てきた対応であると思うけれど、東洋の方は主として、重点をおいて、物事を観察しますと、非常に保守的な方へ片寄っていく。それから西洋の方に重点をおくと、やや進歩的な方向に片寄り民権の方にいく。東方の方に片寄ると、国権論の方にいく、そういう感じ方が出てくると思います。そこから今度は、物質と精神の対応が出てくるわけです。東洋は精神であり、西洋は物質である、ということで、主として、東洋に重点をおいて考えますと、かなり保守的であり、後ろ向きで、精神に重きをおくという、こういう思考の体系が出来るわけですね。西洋の方にいくと、物質の方に非常に重きを——精神もあるけれど——民権に重きをおいて考える。

そういうひとつの思考の型が出来てきているのですが学問の面で見ますと、東洋の方でいきますと、漢学ですね、徳川時代の朱子学が天皇制を護持する教学として再編成されて、漢学となって、それに対する洋学という対応が出来てきている。漢学というのは、もっぱら精神学である。洋学というのは、応用する学問であるとして、日本に体系的に輸入されたもので、主として、応用学の発達となって、漢学と洋学という対応が出ると思う。今度はその洋学、西洋、民権という立場に基点をおいて、二つの対立をみますと、国権、東洋、精神、という方向は「野蛮」であり、民権、西洋、物質は「文明」であるという対応ができる。「野蛮」と「文明」これを非常に典型的にいったのは、福沢諭吉だと思う。日清戦争の時に、大変喜こんで、これは野蛮と文明の戦争で文明が勝ったという言い方をする。それから今度は、国権、東洋、精神という方に重点をおいていきますと、アジアの連帯ということを言うわけですね。そして民権、西洋、物質の方を、西力東漸としてとらえ、それに対抗するという思想が出てくる。

ところが、これらの全部の根が、日本を近代化していくということに前提があると思うんです。即ち、結局どういうことになるのか

というと、国権、東洋、精神の方の系列からいうと、連帯が出てくるわけですけれど、その連帯は、日本の国家を安泰にし、西力東漸にそなえて、早く近代化して、他のアジア諸国を助けなければならない。例えば、中国については、支那保全論という形で出てくる。支那を保全する、東洋をして東洋たらしめるのは、神州男児の天職なりということを、頭山満は言っていますが、結局侵略と同じことになる。民権、西洋、物質という、文明の系列からいけば、「脱亜論」になる。「脱亜論」も「支那保全論」も結果的には同じになってくると思う。そういう思考の対応関係があると思う。だから東洋という方に非常に重点をおいて、中国を研究しますと、中国に親しみを持つ。

ところが……、話が前後しますが、国権と民権の対応が出てきた時には、国権の対象としては朝鮮が意識されていたんですね。ところが東洋と西洋という対応に至った場合には、朝鮮は抜け落ちた。それは中国の日本に対する影響が強いし、それから朝鮮を通ってさまざまな中国文明が入ったのであるけれど、本家は中国であるという意識が非常にある。朝鮮の朱子学は元は、中国の朱子学のいわば応用である。一番本元を探るんだということで、東洋と西洋という対応に立った場合には、朝鮮は抜け落ちた、もちろん、そこから出てくる精神と物質との対応でも、朝鮮は抜けおちてしまう。

野蛮と文明の対応では、完全に朝鮮は野蛮に入る。そういうふうに朝鮮は抜けおちていったと思うけれど、明治の初年には国権、民権の対応の中で朝鮮は考えられていた。ところが学問的認識ということでいくと、これは旗田先生にうかがってみたいけれど、漢学と洋学という場合の漢学は厳密な意味における中国や朝鮮研究ではなかったと思う。というのは、リースの歴史学が入ってきて、日本にヨーロッパの歴史まで伝えられ、更にフランスに発生したシノロジーが日本に輸入されまして、シノロジーという観点から、中国なり朝鮮なりをみるということになってくる。そして実験的に試験管の中にあるものをいじる。あるいは、西洋人の立場から分析するということになるし、一方東洋に密着すると漢学の立場に立つようになるから、学問にならない。東洋という立場から中国を見ますとね、非常に愛着を持ち、非常に保守的なものであり、東亜経論などにもつながっていく。そこから朝鮮は落ちてくる。そして、朝鮮を研究するというのは、本場の中国の縁辺、周辺史になってくる。満鮮史研究という形で洋学の中では捉えられてくる。

そこで朝鮮そのものに、スパッと入ってくるのでなくて、一回洋学をくぐって、その洋学の中におけるシノロジーの周辺の満州朝鮮を研究する、こういう意識が学問の分野では出てきていると思うのですよ。それがたまたま、日本の朝鮮侵略とくっついている。そして日本人は直接朝鮮へ行って、いろいろな調査を出来るというその立場を逆に洋学の中でのシノロジーならシノロジーの中で国威を発揚出来る。自分たちでやれるのはここなんだという学問的声威を高めたと思う。ここからは朝鮮に対する愛着は出てこないんじゃないか。そういうひとつの構造があるんじゃないかと思う。如何でしょうか。

旗田　朝鮮研究者が朝鮮に対して、愛情をもたないというのは、今、安藤さんがおっしゃった通り、朝鮮研究が洋学から出た事と関

係があります。西洋を基準にして、どこまで近代化しているかという尺度でみるから古いものほど、ばかに見えてくる。研究すればする程くだらん形になるのでしょうね。

朝鮮研究の意義

安藤　だから中国研究でも、洋学の立場に立っていけば、同じことじゃないでしょうか、津田左右吉がまさにそうです。それに対して京都学派には、内藤湖南とか稲葉君山とか号をつけて呼ぶ違いがありますね。東洋という立場から見ると、愛着をもってみるとそういうニュアンスの違いが出てくると思いますね。

しかしどちらも日本の近代化主義というようなものが、根底にあるんじゃないか。それは、アジア認識、ひいては、そこから、につめられてくるアジアを認識するための体系としての学問は、すなわち、帝国主義国が、持っていた学問の体系全体に問題があるし、その帝国主義国家であった日本に育った社会科学の一番の弱点というものを鋭く分析する、とっかかりに朝鮮研究がなり得るんじゃないか。朝鮮に集約されておるというふうに僕はおもう。中国研究でもそういう点があるけれども、朝鮮研究は特に傷が深い。だから中国についても、中華人民共和国の成立について、中国研究者の多くが予想しなかったわけですけれど、朝鮮については、いっそのこと、そういう点で今日の朝鮮というものを予想出来なかったと思うんですが、それでも先程の、中国は大国であるし、歴史的には、日本の文化の深流の国ですから、戦後中国についてのいろいろな研究書もあるし、少しづつ認識が新たにされつつあるけれど、朝鮮については、出てこない。それ程傷が深い。だから朝鮮研究のあり方を論ずるのには過去の旧帝国主義の時代に、日本の朝鮮研究は何故行われなかったか。そこにはどういう問題があったかということ。もうひとつは、今日尚かつ、朝鮮研究が盛んにならないのは何故か。これはまた戦後の、アジアにおける日本の地位というものの反省を伴わなければいけない。そうして、また何故、われわれは、朝鮮研究をしなければならないのか、このふたつあると思います。

宮田　他国の帝国主義的侵略を洞察し、批判するのは割合に容易ですが、自分の国の侵略、自分もその一人として加担している場合その帝国主義の思想からぬけ出すのは至難なことではないでしょうか。

安藤　その点についてですが、雷辺の雑感集に「暴君の統治下の臣民は、たいてい暴君よりも更に暴である」という言葉がありますね。これは抑圧されている民族の血のような叫びだと思いますね。

かっての日本人が、良く分らなかった感じ方ですね。日本人は帝国主義国家の国民だったわけで、その国民が、朝鮮を新しく把握する、対象への愛をもつ、対象への愛というのは、上原先生はシンパシイという英語でいわれていますから、共感といって良いと思いますけれど、共感を持ちうるためには、自分の国は帝国主義国であるという自己認識・帝国主義についての自己認識を持つ以外には、シンパシイを持ちえないはずなんです。まして、朝鮮に対しては。ところが、自己認識を持ったならば、早速すぐにシンパシイを持ちうるかというと、それだけではならない。もっと深刻な影響をわれわれに与えているようです。それはどういうことかというと、日本は

帝国主義国だという自己認識を理論的に持つだけではいけない。これはある人にいわれて気がついたんですが、差別感を持ちますと、朝鮮問題だけでなくて日本の問題も分らなくなってくる。それは例えば、安保の時にアイクの訪日反対を全学連が叫んで、とうとうアイクは来られなかったですね。そこで、アイクを日本に上陸させなかった、大変な成果であったというふうに、私なども考えたこともあったし、日本の進歩的研究者は皆考えたが、そう考えて良いかどうかということです。

というのは、沖縄にはアイクは上陸したわけで、沖縄は日本でないと思っているから、アイクの訪日を阻止しえたという、けれど、沖縄は日本である。良く考えてみれば、こんなことを考えなければ分らんということはおかしいので、これはやはり歴史的に強制されてきた日本の国内における差別感があると思うんです。そういうところにまで、色んな悪果が及んでいると思うんです。

宮田　他民族を抑圧している民族は、自分が抑圧され、支配されている事実も分らなくなってしまうということでしょうか。朝鮮研究は単なる外国の研究ではなく、日本自身のことを見極めることにもなるわけですね。

朝鮮は単なるかけ橋ではない

幼方　安藤さんのお話の中で、日本文化というのは中国から来ているという。これはまあそうです。しかし、日本文化が受けた中国の影響というもののなかには、実は朝鮮の文化、学問なり思想なりが、中国のものとしてきたばあいもある。しかも相当ある。たとえば、務台先生が指摘したように、安藤昌益の思想は、一六世紀の朝鮮の実学思想の影響をうけて発生したものではないかという説がある。まだ充分に立証されていないが。幕末から明治にかけての実学思想は、中国だけでなく朝鮮独自に発達したものに影響されていたのに、それがどうも混同されている。意識的に混同している面がある。決して朝鮮文化というのは、今日いろいろ研究されて分るとおり、中国文化の通過点ではなくて、やはり独自の民族的性格を持っていることが次第にわかってきた。

宮田　日本人が、朝鮮文化の影響を受けても、中国に一括して中国を源流と考えてしまう。例えば、去年朝鮮史研究会の大会で遺跡巡りをやったんですけど、広隆寺の弥勒菩薩のところの説明で、あれは明らかに朝鮮系帰化人なのに、ガイドは中国系帰化人と説明する。一緒に行った在日朝鮮人が憤慨して、早速ガイドに説明を訂正してもらわなければ……と申しいれたエピソードがありましたが、そういうふうに、何か朝鮮独自で発達して日本に入ってきたものや朝鮮人が作り上げたものが、一般に中国のものというふうに日本人に受止められていることが非常に多いのではないでしょうか。

渡部　安藤さんのお話、非常に整理されていて面白くうかがったのですが、私がちょっとひっかかるのは、「たまたま朝鮮への侵略が平行していた」というのが、たまたまというのは、難しい問題になるのではないかと思う。偶然的なものでなくて、必然的なものではないだろうか。

宮田　私も必然的なものだと思います。そして西洋的な目でアジアを眺め、アジア諸国を侵略して行く。しかし、日本が帝国主義国

に転化し、帝国主義間の矛盾が激化して来ると、手本としての西洋がじゃまになってくる。そこで西洋コンプレックスの裏返しとしての大東亜共栄圏の思想が出て来るのではないでしょうか。つまり、西洋の物質文明を完全にマスターして、しかも落ちぶれてしまったアジア諸国の精神文明の正統なる後継者である日本こそが、アジアの盟主でなければならないという……。

安藤　そうだと思いますね。そして、朝鮮については非常に早くから、日本の中に取りこんで日本の意識のなかにとりこんでいるということでしょうね。だから、大東亜共栄圏という場合も、満洲というものを中国から切離して考えて旧満支ブロック経済ということをいったりするけれど、朝鮮は切離して考えるわけで、朝鮮は入ってこないですね。

宮田　ところが、朝鮮では、朝鮮人民を日本の侵略戦争にかりたてる思想宣伝をする。つまり日本と最も血が近くて、しかも一番はじめに日本と一つになったのだから、日本の次に位置づけて、もっともおくれている「満人」を救わなければならないという思想宣伝を行なう。抑圧の移譲とでもいいましょうか。

安藤　思想宣伝も行なわれたが、実際そういうことをやったんでして、米の配給も違ったでしょう。「満人」と朝鮮人と日本人という段階があったんじゃないですか。そういう形で中国人と朝鮮人との間に民族離反を現実にはやったんでしょう。それが抵抗運動の中では、朝鮮人と中国人とは一緒に闘ったわけで、一緒に中国東北地方でゲリラをやったんですけれど、そうでないところでは、朝鮮人と中国人の民族離間をやり、それがかなり後にまで、中国人の朝鮮人に対する反感を作る結果をもたらしたのじゃないでしょうか。

戦後における朝鮮観

宮田　問題はそのような日本人の思想が、日本帝国主義の敗北とともに、どうなったかということです。それは朝鮮の独立を日本人がどう受けとめたかともかかわりあうのですが、一体、戦後日本人の朝鮮観は変ったでしょうか、どうでしょうか？

梶村　そういうふうに問題を設定するなら、総体として基本的に変ってはいないと思う。例えば現代朝鮮論が本格的に科学の対象として扱われる資格を依然として与えられていないということも、その一つの端的な現われであると思う。また歴史の方では、ぼくたちは一国史的な観点というものを確立しなければならないということを一貫して強調してきた。それに対して、朝鮮史以外の方から世界史の中で位置づけなければならないという批判がある。ぼくたちの朝鮮史についての一国史的な観点というのは、そういう日本人のための世界史像にとって必要不可欠なものと確信していますが、日本史乃至は西洋史研究の直面する状況認識の機械的延長があってなかなかのみこんでいただけない。それら研究上の現象的問題も、大きくは、戦争責任の問題がかなり論じられて、一応いわゆる戦後民主主義という面を評価しえたとしても、植民地支配という問題が、思想的に十分に克服されないままずるずると来ているんじゃないかと思うんです。

旗田　変った面も確かにあるが、先程の教科書の一例を見ましても、わかるように、変らない面がつよいと思います。敗戦によって

質的に転換するのでなくて戦前の意識が停止状態におかれているというふうなことじゃないでしょうか。それは敗戦認識にも関係すると思いますけれど、中国に対しては戦争責任を感じ、朝鮮に対しては何も感じないというような問題がある。ですから、思想が変ったとまではいえない。切れている、戸惑いしているということはいえるかもしれませんが。

宮田　私も基本的に日本人の朝鮮観は変っていないのじゃないかという気がします。何か日本の反動思想の核に朝鮮があるように思う。戦後の反動思想の抬頭の中で、日本人の朝鮮観が大きな役割をはたしている。たとえば、日本の再軍備の過程をみても、当時李ラインの漁船拿捕の問題が大きく騒がれて、それが、日本を再軍備させる上に大きな説得力をもって、庶民の間に浸透していっている。つまり、アメリカやソ連と闘うほどの軍備は持てないにしても、朝鮮人になめられないくらいの軍備を持たなければとか、軍備を持たないから、李ラインで日本人が捕まるのだとかいうことが日本の一般庶民の感情に非常に入りやすいし、また日韓会談の時も、南朝鮮の学生が日本の国旗を焼いたりすると、日本の進歩的な人までが、いわゆる愛国心をむき出しにして非難する、南朝鮮の学生が侵略する日本に反対するのは当然で、それを支持すべき人まで、民族感情を露骨にあらわす、根は非常に深いと思います。

何をうけつぐべきか

戦前の朝鮮観のゆがみについては、かなり指摘されていますが、しかし、戦後の現在も基本的には、余りかわっていない。そのような情況の中で、私達が戦前の研究をどう継承するかということになると、これは大変きびしいことになってくる。戦後の朝鮮史研究というのはまず戦前の研究を批判することから始まったわけですけれど、その批判自体にも問題はあるし、また研究者が非常に少ないから、自分が研究しているところでは批判しているけれど、他では戦前の学説をそのまま受け入れている、ということがあると思う。例えば、ひとつの論文でも、戦前の研究を、徹底的に批判していながら、しかし、他の個所では、戦前の学説を何も吟味していないという矛盾もみられる。又停滞論にしても満鮮史観にしても、それぞれの史観のはたしたイデオロギー的な役割や、政治的役割を批判しても、まだ内容そのものにおいて、それらをのりこえるまでにいっていないのじゃないでしょうか。

梶村　この企画ではずっと戦前の遺産継承の問題を検討してきたわけですけれど、断片にしろともかくも継承出来るものは、何かという形でまず考えていくことになり勝ちの面があったと思う。今後の方向として、「継承」ということをもう少し厳密に考えた方が良いんじゃないか、断片そのままを、これとこれが使えるというかたちで、拾いあげていくのは、決して継承ではなくて、使えるものを「利用」するということに過ぎない。むしろ、本当に継承するのには、厳しい批判を通して批判することによって継承していくしかないんじゃないか。

安藤　たしかに、梶村君のいうように、戦前のあれこれやの成果を受け継ぐということではなくて、もちろん、戦前におけるいろいろな研究、論策というものを、我々として受け継がなければいけな

いけれども、あれやこれやを部分的に取り上げるということではなくて、学問の質みたいなものが、全部変らなければ正しく受け継げないということであると思う、そういう時期に我々は来ているんじゃないかという気がする。

宮田　戦前の研究を継承する、むしろそれをどう受け継ぐかということよりも、どう体制として、質的に、根本的な批判をするかということですね。

安藤　そうですね。

宮田　もっと緻密な批判をやっていかなければならない。批判しているつもりで足をさらわれて、同じ土俵の上に載っている、ということが、あるんじゃないかという気がするのです。

梶村　過去の業績にそれがブルジョア的なものであろうと、それ以前のものであろうと、それとして優れたものがある。優れているものを使える次元で使っていくということは当り前のことです。学問が歴史的なものである以上、そうするほかないし、現にそうしている。だから意識的に継承するということを考えるとすると、むしろそういう部分部分として、全体の体系から切離すと、すぐれたものが、如何にある意味で、マイナスの遺産と結びついていたかという構造が問題だ。そういうマイナスの遺産を継承する、つまりマイナスをプラスに転化するという意味で、継承の問題を考えていくということが、一番必要なことであろうと思います。

宮田　では、この辺で、これからの研究のありかた、問題点に討論を移していって頂きたいと思います。

現代朝鮮研究の方法

梶村　現代朝鮮についても、それなりに研究されてはいるわけですが、しかし、国際関係論の研究者がその一端として世界政治のパワーポリティックスを分析する中で、南北朝鮮の問題や統一問題を一寸扱う、あるいは、日韓関係の場合、日本側について、ちょっとしたシェーマを持って、それに合わせて、その関係論をやる、それで分るという姿勢が大部分ではないでしょうか。そうではなくて、現代朝鮮をやる場合にも、人民史観といわれようと何といわれようと、朝鮮人民が現に課題にしていることに即して、朝鮮の内側から問題を展望していくという形で、やらなければいけないのではないか。

安藤　現代朝鮮研究の大きな問題は社会主義の問題があります。朝鮮も北半分では、社会主義が実現しているわけであるけれど、かれらが、どういうふうにして、社会主義に到達したか、ということを、朝鮮に即して、もちろん、国際関係なども見ながらですけれどそれを把握すると、社会主義というものが、今の世界史の中でどういう位置をもっているか、どういう動き方をしているかということを、他の社会主義国との関連において捉えていこうということ、それからその社会主義が日本の我々に、どういう関連をもつか、教訓として役立つか、というような視点があると思う、やはり現代朝鮮研究のひとつはそれだけではないかもしれませんが、社会主義の問題になるんじゃないでしょうか。

宮田　梶村さんの提起と関連するんですけれど、何か今の朝鮮の

捉え方は、アメリカの極東戦略の一環、中国封じ込め政策の一環として、とらえて、朝鮮独自に捉えられていないような側面があるような気がする、過去の研究の負っていたゆがみが、現代朝鮮研究にも影を落しているような気がするのですが……。

安藤　北は大切であるけれど、北を研究するということは、南をおろそかにしていいということでなくて、南における人民の闘いというものを、特にわれわれとして詳しく紹介し研究もしなければいけない。しかし、朝鮮民族というのは、いろんな制約があるけれども、北半分は社会主義というものを、自らの手で、摑んだのですから、矛盾もあると思うけれど、とにかくそこに到達した。如何にして、到達し得たか、又南の人たちが、今どのような闘いを目指しているかということを、可能性として、どういう闘いをしているかということを、現在の時点に立って、検討してみる必要があるでしょう。

渡部　昨年の秋、京都での朝鮮史大会の懇談会の席で私が私どもは「近世から見通して、近代を！」今後の若い人は「近代から見通して現代を！」研究してほしい。そういうことを言いましたら、井上清氏が「近代から見通して現代を！」はもちろん更に「将来を見通して現代を！」ということをおっしゃった。非常に含蓄に富んだ御発言だと思っているが、いま安藤先生から、お話がありました可能性というものは必然性に支えられた可能性でなければ、夢想に終ってしまう訳ですし、そうすると、そういう可能性、もしくは必然的未知数の中で、開発すべき可能性を、どう捉えるか、ということになれば、どうしても朝鮮の近代というものを、ただ日本によって侵略されたというようなことだけでなくて、朝鮮そのものを一つの歴史的実体としておさえておかねばならない、ということは、朝鮮を、たとえば日本と中国という二つの歴史的実体のマージナル・ゾーンとみないということである。朝鮮自体の今日のいろいろな姿にまで成立していく社会構成のメカニズムといいますか、法則性、そんなものを考えなければいけない。それと今の南朝鮮の学者たちは跛行性とか不均衡性とか抽象的な言葉だけでまだ規定してすませている。植民地であれば、社会や経済に片ちんばがあるのは当り前でそういう片ちんばが一体何なのかということの具体的で積極的な内容ある進歩はまだなされていないんじゃないか、そういう点を、我我は今後、開拓して、朝鮮の人の協力はむろん必要であるけれど、開拓していきたい。でないと必然性に導かれた可能性による、現代から見通して将来を、同時に将来を見通して現代ということは出てこないと思う。

朝鮮史研究の課題

宮田　現代朝鮮の研究でも、国際情勢分析の一環として、朝鮮をとらえ、朝鮮自体の内的矛盾の把握が弱いということが指摘されました。勿論、歴史学の方でも、同様な問題をかかえているわけですが、しかし、ここ二、三年、そのような姿勢を克服し、朝鮮史独自の発展法則を追求しようという努力がはじめられて来ている。日本における朝鮮研究が、そのような方向に向うには、それなりの必然的な歩みがあったのですが、しかし、南北朝鮮、特に北朝鮮における一国史の貫徹、合法則性の追求が大きな影響を与えていることも

事実です。一方歴研などでは、東アジア像の検討とか、世界史的視角から一国史をとらえようとする問題意識がある、そのような視角と、朝鮮史の独自な発展法則の追明とを理論的にきちんとおさえておかないと、朝鮮史研究の成果が日本の他の分野の研究の中にとり入れようがなくなるのではないでしょうか。

梶村　ぼくは、現在の日本において、原則的には、北朝鮮で出されているような一国史的内在的発展の観点を基礎にすえることが、全く正しいと思う。植民地支配の責任の問題が片づいていないということからすれば、そこをどうしても経過しないわけにはいかないだろう。それのうえに立つというか、そこから出発して、東アジア世界なり近代世界資本主義体系の像を実在として考察してゆく。

旗田　東アジアの問題が出てきたのは、現に東アジアが世界の動きの焦点であり、新しい世界の革命というか、それを理解するために、東アジアが重大な意味をもっているためだと思う。ところが実際歴研で、東アジアというものをやりますと、前近代では冊封体制が問題になる、中国中心の世界が考えられ、あとは周辺諸国となりこれで実は終っていると思う、それでいいのかという感じがする。しかし朝鮮史研究者の場合はどちらかというと、朝鮮だけで見ようとする傾向がつよい。外に眼をつぶるという傾向が一方にある。その両傾向のうちどちらを取って、どういうふうにやっていけばよいか、という点で、われわれは悩んでいるわけです。

宮田　冊封体制などは、中国を中心とするその周辺の国、中国の文化圏という視角が出てくるのではないでしょうか、しかしその周辺の国自体に、確固とした独自性がある、その国自体は決して周辺ではない。特に朝鮮史の場合、その独自性の追求が第一義的で、その上に立って、広い視野をもたないといけないのではないでしょうか。日本人にはとりわけ、朝鮮の独自性をみとめない思想があるのですから。

旗田　それはあると思いますね。多少話がずれるかもしれませんけれど、朝鮮史の研究は、日本の歴史学の中で行なわれているわけです。日本歴史学全体の動きというか、関連というか、それと共に進んでいっているわけです。しかし私自身を含めて反省しますと、朝鮮史研究のあり方は特殊なんですね、朝鮮史研究というのは、なにか、日本の歴史全体の中でも、特殊部落的なものになっている、これはあまりいいことではない、従来の歴研大会をみましても、朝鮮史は決して主流にならず、いわば素通りされてしまう、これは一体、どうしたことであろうか、単に研究者が少ないとか、人材が少ないというだけなのか、研究の視野に問題があるのか、ということを感じるのですが、朝鮮史は、独自に歩んでいる、日本の歴史学全体の動きから見ますと、かなりかけはなれている、それはそれ、これはこれというような歩み方をしているような感じがする。

宮田　朝鮮が問題にされるときは、方法論的に朝鮮が欲しいというのでなくて、いれないと朝鮮研究者がうるさいから。極端にいってしまえばそういうことがある。（笑い声しきり）

安藤　歴史学だけでないと思いますね。歴史学はまだいい方である。個別各国史というのがあるから、たまには、朝鮮研究者がうるさいから入れてやろうということがあるけれど、これが文学になると、もっとひどいですよ。ぼくは文学者でないけれど、世界文学全

集があちこちから出ますけれど、世界文学全集の中に、中国文学が入ることさえない。これは変な話であるけれど、それでも辛じて、入るのは、魯迅である。ところが朝鮮文学は、まさに、外国文学であり、世界文学のひとつであるけれど、入ったことはない、全然入らない。文学は各国別にやるものであるのに考えてさえいない。ましてや政治・経済とかになれば、殆んど入らない。

旗田　哲学なんていうのは、世界哲学でなしに、西洋哲学しかない、他は話にならない。アジアの哲学なんていうのは、考えてもいない。

安藤　例えば、西洋経済史というのは、どの大学でもある。日本の経済史というのもある。日本人だから……。東洋経済史というのがない。まあ殆んどないだろう。どこかに偶然あっても、その東洋というのは、中国なんで、たかだか入っても印度で朝鮮は入らないんですね、政治学でもそう。例えば、比較憲法論というのがある。比較憲法論の中には、中国の憲法は入らないんですよ、余り日本と関係のない、それ程われわれと密接に関連しないような国の憲法が入っても中華人民共和国の憲法は入らない。その位ですから、朝鮮のそういう法律が日本の法律論の視野の中に取り入れられた上で、法律論が展開されるということはまずない。

渡部　まえにいつか旗田先生が、法則性の追求ということを、おっしゃっておられたのですが、法則性というのは、一つには非常に抽象的な、例えば奴隷制から封建制へというような法則性も、もちろん考えられるけれども、歴史の流れてくるその範囲内で法則性があるわけで、例えば私のいまやっていることでいいますと、西洋中世スコラ哲学で普通論争のなかに出てくる唯名論とほぼ似通ったかたち、しかもたいへん変ったかたちのものがほぼ同時代に出てきている。それは微細な徴候とみれば見られるものなんですけれど。そうすると、そこにやはり法則性というものがいわばしみ出ている、やっぱり朝鮮をみないと世界全体の思想の発展の見通しをつけるということは、本当に具体的に内容の充実はできないのではないかという気がしているんです。つまり朝鮮はそれだけのものをもっているということです。

梶村　日本史と朝鮮史の現にある落差の問題ですが、方法論というのは、本来そうあるべきではないけれど、研究史の発展段階のちがいは大きく規定される。平たくいえば、日本史の研究の方がけたはずれに進んでいるのです。

東アジアという問題が、日本史研究者から出てきた事実経過として明治維新論を内在的な問題、社会構成体論としては、やりつくしたとは言えないまでも、いきつくところまできてしまって、これ以上何かを加えていかなければ、もっと生産的なものは出来ないところにきている。そこで、何を加えるかということになると、やはり世界史的状況の規定性という要素が欠落していたことに気づき、一国史的観点の批判となった。それはそれとして肯定的なことでしょう。

ところが、そこから内在的発展が、世界史か、というようにきわめて抽象的に、問題を図式化して本来そうでなかったはずなのに、二者択一的に提出された。内在的要素を追求することを時代おくれとみるような、不当な単純化がみられ、それをどこへでも機械的に

あてはめていくという傾向があったと思う。それに対して先程言ったように私たちが、朝鮮を方法的に一国史的にやるというばあい必然的に外側の世界史的状況を捨象しようもないことを前提としている。具体的には一国史の内的発展は、近代においては外からの影響で、ゆがめられたところの発展しかありえない。近代のみならず……社会主義の問題を考える時にも、実験室の中でなくて、歴史的に現在の国際的な、構造の中での社会主義の問題として、しかも内側からみていくという、きわめてオーソドックスなことなんですけれど。どうもそれがスムースに通らないのは朝鮮史研究者の側の問題だけではないように思います。

そして朝鮮のばあい内側の社会構成の変動からみていくという視点さえ従来なかったから、まずそこからおさえていくほかないということです。そういう意味で、当面、日本史などの人に、すぐに直接に役に立つということができなくても、しかたないと思います。

旗田　確かに研究の薄さがある。日本史ですと、たとえば古代史をみえも、それだけで非常に尨大な研究蓄積がある。朝鮮史にはそれがない。これは、いっぺんには作られるものではない。そういう弱さがある。もうひとつは、ナショナリズムの問題がある。特に、北朝鮮の研究では、その一国史的方法というものは、単に一国史というだけでなくて、それを支える思想としてのナショナリズムが猛烈に強い。日本人は、ナショナリズムに戦争中の日の丸の旗を連想し、逃げ腰である。朝鮮ではちがう。真向からナショナリズムが出てくる。たとえば英雄が無数にいる。そういうところの両国のズレを痛感します。そこら辺に大きな問題があるのではないかという気がする。歴史とナショナリズムという問題……。

梶村　あえて言えば、朝鮮人の立場からいえば、内在的発展ということは、強調するまでもない当り前のことですだから、むしろ、朝鮮人だったならば、一国史ということだけ言っているのではなくて、丁度日本人の日本史をやっている人と同じような自国史に対する問題意識、もっと必要なんじゃないかという気がします。それに対して、むしろ日本人の方こそが、一国史的な内在的発展性を朝鮮についてはいっそう強調する方法的観点にたつ必要がある。

宮田　現実には、丁度逆になっていると思う。朝鮮の場合には、一国史を強調する、またそうする思想的必然性がある、やはり、植民地支配の問題とからむけれど、朝鮮人は、日本によって、その民族性や文化や言葉を奪われた。それが、解放後、自国を建設するのに、どうしてもそういった植民地根性を克服して民族的主体性を確立することが問題となってくる、それが、一国史の追求となり、強烈なナショナリズムになっているのではないでしょうか。

旗田　これは学問の交流にも関連することと思います。学問の交流の仕方には、いろいろあり、翻訳とか著書論文の交換は、すでに行われている。しかし内面的な交流は非常にむつかしい。発想の地盤があまりにも違いすぎてかみあいようがないという問題がある、任那問題はその一つでしょう。

幼方　朝鮮で歴史家が出てきた有名な古代史の分国問題についての個々の実証方法についてはさまざまな意見がありますね。ああいう思い切った発想は、日本人には、全然出来ない、ああいう発想をしてくる根拠がなんだということを、理解しなければ、交流はとて

も話にならないのではないか。少し大きな問題をいえば、独断的でなく朝鮮の歴史家が出来ない朝鮮史ということを、目ざしたらどうなるか。いいにしろ、悪いにしろ、従来のマイナスの遺産を、未来の歴史像と結びつけてやっていくより仕方がない。その場合に、朝鮮の歴史家のイメージと、我々のイメージが食い違ってくることもあるだろう。

旗田　大変に大きい食い違いがある。朝鮮史の範囲についても問題がある。渤海をどうするか、朝鮮史に入れるかどうかという問題がある。建国年代についても考え方が数百年ちがう。またむこうでは、西洋紀元前後には、封建社会ができていたということになっているが、日本人でそのように考えるものはいない。そこで、さっき幼方さんのいった、何故そういう考え方が出てくるのかということを考える必要がある。

幼方　個々の面まであまり細かく論争するのは、あまり意味がない。そういう発想を理解しつつ、我々は、朝鮮人のやらない——食い違っても仕方がないので、朝鮮人のやらない朝鮮史とは、従来の日本史にたいする批判がふくまれてくる。なぜそういうズレが出来るかというと、やはり、東アジアの諸国の置かれた条件が、東アジアの中でも、それぞれ違いますからね。そういうところからくるので、僕はこれは、学問の方法の中からだけでは、解決出来ない問題があると思う、しかも、その中で、学問がなし得なかった問題を、今するどく、東アジアで出している、そういうことは、予想出来ますけれど、これはすぐに学問と、ストレートに結びつけるということは、さしあたり、出来ないことだしね、しかし、ソビエトのアカデミーで出した世界史のなかの朝鮮史の批判ね、あれはやはり注目すべきでしょう。新しい世界史の書きかえを真先きに要求しているのは朝鮮です。

旗田　あれなどは、どういうふうにうけとめるのか、単なる中ソ論争の一環として、受けとっていいのか……。

幼方　ベトナムの問題でも、ベトナムが、これだけ国際的に問題になっている時に、日本では、まともなベトナム史は、一冊もない、こういう状態は、過去のマイナスの遺産のあらわれというか、しかも、よく、我々が、ベトナム支援ということを聞きますけれど客観的にみれば、こちらがベトナムに支援されているようなものでそうなると、ベトナム史の講義とか叙述というものは、やはり東アジア及び世界の歴史の書きかえに大きく貢献する可能性をもっている。当面の間に合わないかもしれないけれど、展望としては、そういう問題が今、我々の前にある。これは単に、政治的な問題だけではなくて、未来の世界史の書きかえに、ベトナム史や、朝鮮史の問題が非常に大きく貢献するのじゃないか、現代史だけの問題かというと、そうではないと思う。それが近代以前の歴史の書きかえにも当然、影響を及ぼしていると思いますね。

発展段階説への疑問

幼方　中国でもやっている。朝鮮でもやっている。資本主義の萌芽の研究。あれは結局発展段階説から来たもので、ああいう方向にはぼくは疑問を持っている。あれは西ヨーロッパの経済史の方法なんだけれど、むしろああいう方向でない形ね、何かというとやっぱ

り農民の動きこそが、資本主義の問題よりももっと重要なのではないか。アジアの農民はヨーロッパの農民とはちがって、プロレタリアートに近い側面をもっています。

旗田　それは、こういうことになりましょうか。資本主義がなければ社会主義はないという発展段階として、資本主義を一生懸命探して行くということでなくて、場合によっては資本主義がなくたってやれるのだ。こういう風な考え方で……。

幼方　だから西ヨーロッパの図式をアジア諸国にストレートに結びつける研究は現実に即さない。

旗田　朝鮮では朝鮮における資本主義の内在的成立というものを肯定的に見ております。日本では日本の近代の否定的側面を主張するのですがね。

梶村　肯定的・否定的といっても価値判断の問題じゃない。萌芽があったにしろ、なかったにしろ、法則的事実を押えていかなければ、科学的歴史像を構成しようがない。その場合一般的法則は西欧だろうとアジアだろうと基本的に同じです。例えば同じ範ちゅうを指標としながら経済史的事実をとらえるということは手続き的に抜かせないと思う。それを抜いたら、やっぱり特殊性論の裏返しになる。アジアにとてつもなく超越的な奇手が法則性を離れて存在するという発想は、一種のエキゾティシズムであってそこに生きる人民の苦悩を理解出来ない。

旗田　その点問題は残っているので、幼方さんがおっしゃることに、私もかなり近い考えを持っている。

旗田　客観的な事実の追求というだけでなく誇りに支えられた追求という発想がある。

安藤　資本主義の研究はもちろん必要ですが資本主義がこれこれの段階にくると熟柿の落ちる如く、社会主義になる、この辺まで来ていないからこの国の社会主義はまだ本物ではないという考え方はおかしいのじゃないか、そういう枠の中では幼方さんの発言に賛成である。資本主義というものは本来世界性を持つものであって例えば中国の例でいいますと、世界資本主義の圧倒的な攻勢の中で一番しわ寄せを受けることになったのは中国の農民で、何故イギリスに社会主義が起らなかったかというようなことの反論になるわけですが、一番ひどい目にあった奴が立上って資本主義を超える権利があるし、そういうエネルギーが、湧いてくると思うし、法則的にもいえると思う。一番ひどい目にあって半封建性の中でがんじがらめになっていた農民さえもが解放されないんだったら、そんな社会主義は意味がないから。そのものこそが解放されなければ意味がない。運動のエネルギーがそういうところにある。単なる経済構造論の論理だけでなくて、もう一つの運動のエネルギーという一つの系列を入れて考えるべきだと思いますが。だからこれだけ資本主義が中国に発展していた、あるいは北朝鮮に発展していたから社会主義に移行できたということではないと思う。

北朝鮮の場合もそうであろうと思う。一番ひどい目に会ったのは南北をふくめて朝鮮なんで、農民が立ち上るのは一向差支えない。かれらが立ち上って解放されないような社会主義ははじめから意味がない。イギリスでは立上らなくても結構喰っているから、そういうことをいうと、良く米びつ論だとか、階級分析論としてはおかし

いというけれど、それは運動のエネルギーという論理を入れていけば解決できることであると思う。そういうふうにぼくは思います。

幼方 資本主義の研究というものを決して無視はしない。それ自体として十分貴重なものである。それ自身独自に研究されなければならない課題ですよ。課題だけれどそういう点から歴史の原動力を求めるというのはどうも歴史解釈として現実に合わないということをいいたい。

安藤 そういう意味ならば賛成ですね。

梶村 そういう歴史の原動力を基本的なところで社会経済の変化が規定しているというきわめて常識的なことです。

安藤 立上るのは資本主義があるからというばかりではない。

梶村 ぼくはぼくのいったことは北朝鮮の発想と全然隔絶的で交流の余地がないとは思っていない。ナショナリズムを理解することが必要かどうかというより共通の志向性は自らあるはずだと思う。

それにナショナリズムを仮に「理解」したとしてもそういう心情のもとに出された歴史事実なり体系をそのまま受け入れるということではないでしょう。心情を適当に書き連らねれば歴史になる訳はない。立証できないものを歴史の名前で出すことは、あえていえば朝鮮人にとっても歴史に対する甘えになり、まず朝鮮人自身にためにならないものになるんじゃないか。ナショナリズムを理解するという次元の問題じゃない。日本のわれわれはそういうことじゃだめなんだということを、自分の仕事で証明しなければならないし、しかも更にそれ以前に古い日本のマイナスの遺産をはっきり方法的に克服しきらなければ、ナショナリズムのぶつかりあいになるだけでしょう。研究そのものというより日本の全体の状況を朝鮮の歴史家が素直に耳を傾けようじゃないかという形に変えていかなければ……。

幼方 ベトナム的特殊性というような中に極めて普遍的な原理が形成されつつあるというふうな、極めてオプチミステックかもしれないけれど、そういうふうに考えればどうか。これはまだ実証を要することでぼくは断定はしませんけれど、そういう可能性をもっている。そういうふうに何とか的特殊性ということは、必ずしもこういうふうに歴史は動いてゆくものであるとそのまま受け取っていいかどうか……そういう意味で価値観の転換が行われつつある。古典的マルク史観というものは主として西ヨーロッパの地域研究で、そういう地域研究の制約というものが主観的意図にも拘らず客観的に存在することがあるんじゃないか。唯物史観の方法にしてもその世界史の転換に決して機械的にあてはめられるものではないというふうに思います。

それともう一つの例を挙げるとアフリカの歴史で、アフリカは従来暗黒で歴史はないといわれておる。ところが六〇年、いわゆるアフリカが独立するに従ってその各国の民衆の歴史が追及されてくると決してそんなものではなくソ連の世界史がやったような物指で歴史を切っていったというものでなく、段々に独自の歴史が今日明らかにされつつある。

安藤 だからアジア・アフリカ諸国の民族の抵抗の歴史と抵抗運動が物指そのものの改定を迫っているということでしょう。

宮田 そう思いますね。

安藤 朝鮮の歴史家が出している時期区分の問題も従来の西洋の

時期区分の基準よりいちじるしくはずれているし、そのはずれ方は中国の場合と似たようにはずれている。両方共大変はずれて、ぼくらは分らなくて困るけれど、六四年に幼方先生と一緒に朝鮮に行った時に、向うの歴史家がいっていたことを思い出す。「そんなことはわれわれは知っている。新しい基準を探している、旧来の基準でもって朝鮮をそれにひき寄せて理解しようとしていない」ということをいってましたけれど、朝鮮のだした今の基準がいいか悪いか、議論の余地があるし、問題もぼくはあると思っていますけれど、一つの試みとして一つの大きな動きの中で、世界史を書直される大きな時代にわれわれが踏み込みつつあるのじゃないか、その試みとして出されているんじゃないか。そこからみると大変な気宇壮大な一つの試論だという感じがしました。

豊かな朝鮮像を

旗田　私はこれは自身の反省ですけれど、朝鮮研究をやりましても、新らしい朝鮮史像がまだ生まれてこない、ゆたかな歴史像がない。これまでの研究は経済史中心で、国民の思想なり文化なりの研究の欠除は驚くべきです。愛するということはまず文化が考えられてよいことで、文化を愛するという形から当然人間を愛するということが生れてくる。そういうことが欠除している。中国については文化が大きい研究対象になっていますが、朝鮮についてはそれが極めて乏しい。やっぱり朝鮮の文化というものをやらねばこのままではいけないと思います。最近朝鮮の近代史の本が出ました。これは立派な研究ですが、しかし文化がぬけている。淋しいですよ。中国や日本でしたら明治だって大正だって文化の叙述は豊富です。朝鮮近代史の叙述には文化がない。文化のない民族が出て、いつも闘争ばかりしているということになる。（笑声）ひからびたものになってしまう。

宮田　たしかに旗田先生のおっしゃるように朝鮮については豊かなイメージがありませんね。中国ですと魯迅の作品や「中国の赤い星」などで傷つきなやみ、それでも闘い抜く中国人に深い共感をもちながら、いきいきしたイメージを持っている日本人は多いのですが、朝鮮にはそれがない。解放闘争の事実は知っていても、それを闘い抜いた朝鮮人については知らない、ということがあるのではないでしょうか。

旗田　そういう点で朝鮮側の研究にも問題がある。「聖人」「君子」ばかり出てくる。金玉均にしても生れた時から大秀才で……（笑）

幼方　北朝鮮だって南朝鮮だっていろんな問題があるわけでしょう。文化の問題について朝鮮人は自国の芸術を黄金の芸術というでしょう。あれは手前みそでもなんでもなく今日しだいに国際的にもみとめられてきています。ぼく自身の個人的好みも入っているけれど、音楽とか舞踊とかそれからうたですね、そういうものは中国にまさると思います。ただどうしてあんなすぐれた芸術がうまれていたか、その歴史的な理由がよくわからない。

宮田　一人の魯迅に対する理解が、日本人の中国観を大きく変える。魯迅を知らない者は中学生でもいないですものね。

渡部　皇城新聞で保護条約のスクープした張志淵（一八六四〜一

九二一）、この人の研究を目下やらされているのですが、その文集『竜庵文橋』を通読して最初その猛烈な抵抗精神に感激した。そこで次にそういう抵抗の基礎になったものは何かと思ってさらに読み返してみるとこんどは実につまらない。けれども折角だからと思ってもう一度読み返してみると彼のつくった詩のなかに「十虫詩」というのがある。それは半ばおきまりの漢文美文調ですけれど、私が今まで見てきた朝鮮の文集にはそういう詩はあまり見当らない。はじがばち、くも、あり、とんぼ、みみず、がま、ちょう、かとあぶ、かえる、みつばち、など日常身辺にあるところの昆虫その他を一つ一つじっとみつめていく詩です。くり返して読んでいると、朝鮮民族の先進的えい知をたたえた冷徹ですき透った眼が感覚的に感じとられて、私などは、畏敬と畏怖を感じます。これが一九世紀末朝鮮の代表的一知識人の一番底にあった生命的な思想的根源ではなかったか。それは体系的にまだ整っていませんから、一見しては立派でないかも知れませんけれど、われわれはそういうものを見落していたのではないかということを感じました。

旗田　われわれはつい西欧的なものばかり探そうとしているからちぐはぐになるので、もっと朝鮮的なものをみるべきだと思う。それが一番朝鮮の力になったのではないかと考えます。

梶村　社会経済史と人間を対比させて後者をとるという人間観に抵抗を感じます。例えば色川大吉さんが日本史における社会経済史の蓄積を踏えた上で、明治の精神史を極めて実証的かつリアルにやられたような意味で、社会経済史的な蓄積の上で人間にとっての状況を明らかにした上で状況にゆがめられ、満身創痍になってしかも主体性を追求する存在として、人間・思想をそれ独自として追求すること。それは全くそうしなければいけないとぼく自身思う。

幼方　文学なり思想を通じて、社会経済史的に追求してゆく方法もある。例えば「紅楼夢」を読んでもあの中に社会経済史的なものがある。

旗田　今までそちらの方をやる人がなかった。

宮田　朝鮮そのものに関心をもって朝鮮に近づいて行くというのは少しで、むしろ侵略の責任を追求するとか、闘いを追求する熾烈な問題意識が先に立っていても、それはいいんだけれど、それに終始しているのが現状で……

旗田　豊かなものがなくなって……

幼方　これはペースは変るけれど中田薫さんがね、江戸時代のいろんな文学作品で、あの当時の法の歴史を研究した。法というのは直接的な人間関係ですからね。それを受けついだのが仁井田さんの中国法制史です。これに匹敵するような朝鮮の文学作品を使った朝鮮史の研究というのは、どうですか。

旗田　まずないでしょう。やはりそこまで行ってないですよ。無限に資料があるけれど。そういう意味で「春香伝」一つだけでも法制史的にみることだってできると思いますけれど。

渡部　たゞ、われわれが思想や人間を通してみていくと、どうしても社会的なとらえ方が局部的になる。法の制度とか社会構成そういうような社会科学方面の研究が進まないと、先に進めない。ですから幼方さんのいわれるような問題も全体的に研究が進まないと出てきにくいのぢゃないかと思います。

宮田　では長時間ありがとうございました。結論のでるような問題ではありませんが、さきほどいわれたように今や世界史は全面的に書きかえられなければならないような時期にきている。しかも朝鮮の歴史は世界史を書きかえさせるような質の問題をもっている。そればかりではなく朝鮮研究は日本人にとって単なる一外国の研究ではなく、日本の現在の歴史的立場を明確にし、日本人の思想変革を迫るような問題をもっている。このように日本人にとってどうしても避けて通ることの出来ない朝鮮問題は、その重要さにもかかわらず研究者も少く、未解明の問題が山積している。だから若い研究者にとってこれほどやりがいのある研究対象はないのぢやないかと思います。多くの研究者の出現を待望して、このシンポジウムを終りたいと思います。

〃注〃

本シンポジウムは、一九六二年六月二五日、本誌五・六月合併号に第一回が掲載され、この度の第十三回目の総括討論を最後に終了した。

シンポジウム

丁若鏞（茶山）の思想の理解のために

出席者

高橋磌一	歴史教育者協議会
西　順蔵	一橋大学教授
尾藤正英	東京大学助教授
朴　宗根	在日本朝鮮人科学者協会会員
渡部　学	武蔵大学教授
梶村秀樹	日本朝鮮研究所
楠原利治	〃

梶村　今年は封建末期朝鮮のすぐれた実学思想家丁若鏞（茶山）の生誕２００周年に当り、世界平和評議会もその顕彰をよびかけています。それで、日本朝鮮研究所としても、この機会に日本人にとつて殆んど全く忘れられた思想家である朝鮮封建末期の実学思想家たち特にその集大成者といわれる丁若鏞の思想史的位置づけを行ない、今后の研究の一層の展開の基礎としたいと考えたわけです。

朝鮮の思想史の検討は、大きくは儒教文明という共通の基盤の上にたつ中国及び日本の封建思想史の研究のためにも比較の材料として役に立つだろうし、その逆の関係も勿論あると思います。所が、従来朝鮮の研究は朝鮮の研究、中国の研究は中国の研究というように余り相互に交流なしに進められてきたきらいがあつたように思います。そこで、今日は中国思想史、日本思想史ご専門の先生方にもおいでいただき、相対的におくれている朝鮮思想史の研究のために種々ご教示をえたいと考えたわけです。

で、はじめに朴宗根さんに丁茶山の経歴や社会的背景、その思想の主要な特徴を簡単に報告していただき、それを中心に討論を進めるようにしたいと思います。

朴　私は今丁若鏞から近代の研究の方に移つているので、先生方の前でお話するほどのもものもないわけですが、ただアウトラインと素材を提供する意味で少しばかりお話したいと思います。

§ その経歴

丁若鏞は１７６２年の８月５日（陰暦６月１６日）京畿道の広州近くで生れました。彼は当時の両班（支配層）の野党派である南人派の丁載遠（地方長官などをした人）の第４子として生れ、茶山、与猶堂などと号していました。

彼は非常に秀才で、１６才の時から李瀷の「星湖文集」を読み、朴趾源等他の実学者と交遊し、実学思想の研究を始めました。また当時中国を経由して紹介されていた天主教と西洋の自然科学の書籍を入手して研究に没頭したようです。このような傾向は当時南人派の風潮でもあつたようです。

そして２２才で進士科に及第して官吏になり、傑出した彼の才能と改革思想は朝鮮の啓蒙君主といわれる国王の正祖に認められ、暗行御史・承政院副承旨・金井察訪・谷山府使・兵曹及び刑曹参議などと政府の中枢機関に参与して多くの弊政を改革しました。

これらの改革は、当時執権派であつた西人老論派の利害と真向から対立するようになり、西人老論派の攻撃のほこ先は南人派中でも特に丁若鏞等に集中してきました。その口実として、丁若鏞が邪学（天主教）の信者であると主張された。

このような事情から、彼は早くから左遷、流配などの苦難の道を歩まねばならなかつたわけです。

老論派の専横は正祖の在命中はその牽制を受けていたのですが、正祖の死を契機として１８０１年に邪教問題を持ち出して南人派の天主教関係者を死刑に処しました。丁若鏞も死刑に処せられる所だつたが、信徒にデッチあげることができなかつたのと、強力な与論によつて罪を減ぜられ、全羅道の康津に１８年間も流配させられました。その後も丁若鏞の釈放論が政府内に何度もあつたのですが、その都度徐龍輔等の反対で実現を見なかつたのです。

彼は流配地の寒村で内外の書物を読み彼の思想体系を確立させました。流配を解かれてからは彼は再び官職につくことを拒絶し、著述に専念して余生を送り、１８３６年４月７日（陰暦２月２２日）になくなりました。

以上のように丁若鏞の経歴は思想家によく見られるような波瀾万丈の生涯であります。特に注目したい点として、彼は政府の中枢機関で実際の行政を行ない、地方長官として制約を受けてはいたが具体的改革を行なつたことと、流配地の農村で農民のありのままの現状をみ農民からじかに色々のことを具体的に聞かされたこと等は、封建末期の他の思想家例えば、ルソー、安藤昌益などと異る面を持つものと思います。はつきりしたことはいえないが、たゞ批判のしつぱなしよりも、何か新しいものを対置し、模索しようとした面が強いのではないかと思つていますが・・・・・

§ 天主教徒？

丁若鏞の思想の特徴に入る前に、彼の生涯に決定的な打撃を与えた所の天主教との関係つまり天主教であつたかどうかの問題でありますが、これは先にも述べたように、後期には、天主教徒でなかつたということは事実だと指摘されています。たゞ彼の一門には天主教徒の代表的な人物が多く、ことに黄嗣永、李壁、李承薫、権日身、丁若鍾等はいづれも丁若鏞の姻戚もしくは兄弟でありましたから、嫌疑をかけられる状況にはありました。また、彼も早くからそれらの先輩によつて西洋の書物と文物に関心を抱き天主教との関係も密接なようでしたが、比較的に早く天主教の非合理性を見ぬき、西学から天主教（信仰）と西洋文物（科学）を分離して、前者を排斥し後者を積極的に摂取したといわれています。

このことは、熱烈な信者だつた兄の丁若鍾なども丁若鏞が天主教を批判していることを残念がつており、また丁若鏞自身黄嗣永等を非難した文章を残していることからもいえると思います。丁若鏞が信者であつたならば、まずイの一番に殺されたでしょう。

§ その思想の特徴

次にその思想の特徴ですが、当時朱子学が官学の正統の地位をえており、封建社会の精神的支柱であつたことは中国、日本と同様でありますが、朝鮮では特に朱子学の最も観念的な側面である性理説が受け入れられ理気論などの論争を展開していたのです。実学派は、このように経世治民の立場から遊離した空論空談の性理説を虚学とし、これを内在的に批判して経世済民の実事求是の合理精神に立脚した学問を志向していたものといわれています。

実学の形成される歴史的条件をおおまかに指摘してみますと、まず第1に社会的には豊臣秀吉と後金の侵略に抵抗して戦つた両戦争を契機として愛国思想と民族的自覚が高揚したことであります。この戦争を通じて当時の朝鮮社会の矛盾が露呈され、その批判者として登場するのが実学派であります。実学派は外国文化の摂取を強調するがそれよりもまず事大思想を批判して朝鮮の民族文化の尊重を強調しています。

第二には、中国の考証学と西洋文物の影響をあげることができます。当時朝鮮は特に「尊明思想」で清に対しても鎖国政策を強化しており、この「閉ざされた社会」の唯一の通気孔は毎年中国に出かける燕行使節でした。燕行使節には幾多の学者が随員として参加して中国の考証学と西洋の文物をとりいれてきたわけです。
当時また西洋の漂流民が多数いまして一定の影響を与えています。勿論当時の西洋の自然科学は驚異の対象となつたようです。丁若鏞は西洋技術の積極的取入れを強調しています。

以上の条件とあいまつて思想史的には空理空談の性理説の学問のドグマ化に反対して経世済民の合理的な学問の確立を目ざし、「人民の日用に無補であれば学問でない」とする立場であつたといえましよう。そしてその学問の実用化は現存の社会体制の枠にとらわれたものでなく究極的には封建社会の変革を志向しているものと思われます。

§ 二つの土地制度論

実学者たちは先にもふれたようにただ単に批判するだけでなく、新しい社会を模索し、その改革案を具体的に提示しています。新しい改革案の中心問題は土地制度の改革論であり、しかも私有制度そのものを批判しているのは共通しています。しかしこの私有制度の弊害を如何に除去して改革を断行するかになると各人各説に分れる。その中でも丁若鏞の思想はずばぬけていると思われます。

丁若鏞の土地改革思想に関する論は二つあります。その一つは「経世遺表」で、国王に建議して王権による上からの改革を企図したものなのでその限界があります。彼もまた土地改革を社会改革の中心問題とみており、土地改革を土台としてその上に他の改革を行うことにしております。

彼の土地改革の主眼点は耕作者である農民にのみ土地を与え、農民以外の士大夫、商人、手工業者には土地を与えるべきでないことを強調しています。この点は他の実学思想家と比べて特徴的な点であります。

このことは土地を一般人民に平等に分配するのではなく耕作能力に応じて実質的な平等を主張していることを示しています。この「能力に応じて」の土地分配理論はおおまかにいえば、西洋における市民革命の理論的代弁者といわれるロック(イギリス)ルソー(フランス)などが土地所有の原理として「労働による所有」論を展開しているのと相通ずるものをもつていたと思われます。

彼は土地を最大限に利用して農業生産力を上昇させることに重きをおいたので、一見封建的危機に対応する体制内での対応策としての反動的なものにも受けとられがちですが、農業生産力を上昇させることは資本主義を展開させる基礎であるし、人民を土地から分離させることは資本主義発生の条件を作る道を開く肯定的な主張として評価できると思います。

なお丁若鏞の「能力主義」論は土地分配にのみ見られるのでなく、人材登用論にも一貫しています。封建社会において「能力主義」は封建的な身分的特権と基本的に相容れないものをもつているものとして注目してよいと思います。

以上が合法的な土地改革論のアウトラインですが、更に一つの重要なことは地主問題です。丁若鏞は一般論としては私的土地所有を非難するのに中国古代の井田論をテコにしています。そこには特に私的所有者がいなかつたことを高く評価し、その後の私的所有の発生を万悪のもとであるときめつけています。しかし「経世遺表」ではその理想にもかかわらず現実論としてはこの理想はかなり後退して、一応地主の存在を認め相当の年月をかけて私的土地制度を排除しようといつています。農民の負担の問題になると色々よく分らない問題が多いですが・・・・

もう一つの系列に属するものとして「田論」というものがあります。極めて簡単な形でのべてありますが、これは土地をはじめ社会の徹底的な改革を唱えたもので空想的な社会主義論といわれています。ここには土地の一切の私的所有を排除して、３０戸位の協同体が土地を集団的に所有し集団労働して、その労働日数に応じて収穫を分配する構想が示されています。この構想は非常に特異なもので丁若鏞を高く評価する一つの根拠となつています。

以上、丁若鏞の土地改革思想をみてきたわけですが、ついでに申しますと彼は確かに農本主義者であることには違いないですが、その展開の仕方に発展が見られるものと思います。当時の進歩的な実学思想家は例外なく農本主義の立場で商業と手工業を抑えるべきことをのべていますが、丁若鏞の場合だとその初期の考え方と後期の考え方には違いがみられます。つまり後期には農本主義はかなり後退して商業と手工業を積極的に奨励すべきことを唱えています。たゞ封建権力に結びついた特権商人（豪商）は排撃しているものと思われます。このような彼の見方の前進は当時の商業資本の進展に対応したものと思われます。

以上の経済思想と同時に彼は政治思想において独自の理論を展開しています。それは彼の「原牧」「湯論」「原政」などに端的にみられる人民主権の社会契約説的な思想です。アウトラインを申しますと、本来治者（君主）は人民のためにあるものであり、下から人民によつて選ばれたのが治者の発生した歴史的根拠であつたが後世になると全く逆になつてしまつた。そのため、法律なども人民が人民のために下からきめたものだつたのが後世は逆になつてしまつたというのです。当時の支配者を大盗だときめつけ、そのものを除去するためには本来の姿にもどすことを強調しています。
つまり君主が人民の利益を裏切つた時にはその君主を追放すべきであると主張しているのです。

また外敵の侵略を防ぐための軍制の強化は非常に強調されていますが幕末の佐藤信淵の富国強兵論などにみられるような侵略的性格が全くないことがちがう点です。軍制論も先の田制論を基礎にして民兵制のかたちで展開されています。

以上政治、経済思想の特徴をおおまかにのべてみましたが分つていない点が多く、また哲学思想関係は「朝鮮哲学史」（後掲資料参照）にくわしくのべられているのでふれませんでした。彼の著作は今日残つているものだけでも５００冊をこす尨大なものですが、内容的にも百科全書的で哲学・政治・経済・軍事・自然科学・医学・歴史文学など多方面にわたつています。

§　何へのアンチテーゼか

渡部　朴さんのいわれた実学派の反封建的性格ということに関して３つほど問題を提起してみたいと思います。朴さんは丁茶山の経歴ということから彼の思想の性格づけあるいは位置づけをされましたが、経歴ということには、彼の生きた時代ということと彼の出自ということとが不可欠ですから、この２つの点からの考察点ともう１つは「実学」という概念のうえでの問題点とをあげておきたい。

第１に、丁茶山の生きた時代は、祠院の大撤毀（１７４１）による書院を根拠とする在地士林勢力の抑圧、経国大典を修明した続大典の成立による統治体制の再編強化

（１７４４）東国文献備考の編集（１７７０）、西学の禁断（１７８６）、什伍相聯之制（わが国の五人組にほゞ相当）の提唱（１７９２）など、英祖・正祖・純祖の三代にわたり中央集権の実をあげ王権の伸長した時代であり、従つて在地封建勢力は王権におさえられることに対抗してその封建体制を固め自分たちの基盤を固めていこうとしていたと思います。そうすると南人派に属する丁茶山らの実学派の思想というものをみる場合それがただちに封建制度そのものへのアンチテーゼとしてみられてよいのか、私的大土地所有の排除といつてもどういう私的所有の排除か、たとえば近代的な所有をも排除したのか、排除すべき封建というものをどうおさえていたか、はかなり問題だと思います。教育の面ではセンス・リアリズム的なものも出てはいますが、一方では科業、学問//取才・教化という型の依然として封建的な枠の中にとどまつている。その辺をどう統一的に考えたらよいか・・・

第２には出身の点ですが彼のような典型的な両班つまりgentry の出身者がこういういわば進歩的思想をもつたことをどう考えるか。彼は不遇貴族ではあつても下級貴族ではなかつたと思うのですが。例えばルソーの思想がフランス革命の思想的原動力の一つとなつたということは、それが勃興するフランス・ブルジョアジーの思想をある程度代表していたからだと思いますが、丁茶山の場合彼の思想がその後の朝鮮の歴史的展開にどうつながるかという問題です。

第３に実学の概念規定が必ずしも明確でない。朝鮮では古くから仏学に反対した李斉賢の場合など新しい思想が前のものを批判する場合いつも自分こそ実学であるとの立場をとつてかかることが多いのです。だから丁茶山らの実学がどういう内容によつて何へのアンチテーゼをたてようとしたのかが明らかにされなければならない。性理学へのアンチテーゼのようでもあり訓詁学へのそれでもあり、天主教に対してもそうであつたともいえるようだが、そのテーゼをどうとらえていくか、それがはつきりしていれば、あのようにたちきえになることもなかつたと思います。

朴　社会経済的面では反封建性が非常に強いが、思想的には儒教の否定が弱いのは事実と思います。基本的に反封建思想かどうか、今南北朝鮮の学界ともそれを問題にしていますが経済とか政治とか個々の側面をとらえて展開している段階で、丁若鏞の思想を部分的ではなく構造的に把握する所までいつていないのが実状であります。そういう側面論としては確かに近代思想ではないでしょうが、反封建思想とはいえるのではないかと思います。ただそこで何故後に継承発展されて近代思想と結びつかなかつたかということですが直接的には１８０１年の大弾圧で実学派が一網打尽にされてしまつた。封建反動の力が極めて強かつたのだと思います。無論その后も実学派は金正喜・金正浩など続きますが、その経世的・社会改革的側面は後退して考証学的な面が多少継承されるにすぎない退化状態に陥つてしまつた。丁若鏞が再評価されはじめるのは開国後金玉均など改革派によつてで、特に韓末の愛国啓蒙主義運動の中で大きく評価されるようになるのです。同時に一般的にいえることは当時の朝鮮社会の未成熟、つまり弾圧をはね返して実学を継承発展させる層が弱かつたということがいえると思いますが、特に西欧の如く丁若鏞の反封建的思想の側面が一応順調に継承発展されていたならば今日丁若鏞の評価においてもかなり反封建思想が鮮明にうつるものと思われますが、何しろ彼の後の一応の断絶の問題は大きいと思います。

梶村　朝鮮史の場合、茶山などは比較的家柄もよく合法的面での活動も有名だつたので文献が今日まで伝つたけれど、うもれてしまつたより平民的な立場の思想家が多数いたろうということも特に考える必要があるのではないでしょうか？丁若鏞が孤立して傑出した存在だつたかどうかはまだ断定できない。現に朝鮮哲学史などで埋れた思想家の発掘作業が成果をあげはじめている。植民地時代から今迄ずつとそういう機会はなかつたわけです。

渡部　確かに茶山の著書は罪人の著書だからというので公刊が禁ぜられていてずつとすべて写本で伝つてきたのですからね。それにしても例えば認識論の面でも先験論に対して経験論を唱えたそこだけみれば近代的ですがそれもまた不徹底です。

朴　何に対してのアンチテーゼかという問題ですが、これはやはり正統的儒教教学・性理説に対してと思います。ただ儒教もしくは朱子学一般に対しての批判はそれほどではない。当面の朝鮮の支配的なイデオロギーである性理説に対して、その限界は認めざるを得ないと思いますが、意識的にそれと離れ対抗するかたちででてきてはいる。天主教に一時的たりとも実学派が熱中したのも正統的な教学への対決意欲からと考えられます。

渡部　太極という考え方の枠はそのまま認めてその中で退渓、栗谷に反対しているのではないかな。

朴　現に政治的なものと直結して（このことがその一つの特徴といえるでしょうが。）権威をふるつている空理空談に対するためにその尊重する原理である尚古主義を逆手にとつて対決する形式をとらざるをえなかつたということは考えられるでしょう。尚古の形式によつてではなく客観的意義を評価すべきではないかと思います。実際は古代をテコにして新しい思想を展開していると思います。

§　万物の根源は「理」か「気」か

梶村　実学派の展開と平行して或いはからみあつて支配的教学の枠の中で主気論と主理論との論争があるわけですね。前者が一般に唯物論的進歩的性格のものとされていて確かにそういうようにみえるのですが・・・・

渡部　退渓は理を重んじ栗谷は気を重んじたというが栗谷が野党的とはいえない。勿論思想史を政治的評価と直結しうるわけはないのだが・・・・

西　今の中国でも哲学遺産の評価に関して、主理論、主気論がそのまま観念論、唯物論といえるかどうかということで議論が分れています。確かに伝統的価値基準を批判・否定しようとする立場の人は主気に傾いている。「気」というのは大体活動的な観念で「理」という観念的な固定したものをつき破つていくために気が設定される。たゞ中国では理中心思想と気中心思想の間に時期的には長くないが明中期から王陽明などの心学があつて、この時仏教が儒教に入りこむ。思潮としては理一心一気という順です。心学の徹底したのが明末の李卓吾ですがこれはもう儒教とはいえない。徹底ニヒリズムで批判的だが批判の根拠がなくただ否定するだけです。

理の権威が心学によつて批判し尽されたあとに気の思想が出てきて、これにもとづいて明末清初の学が実学として出てきます。が実学の中に心学のもつていた仏教的なものがうけつがれたのではなく、実学が文献煩瑣主義になつた所をも一度ひつくり返すのがまた、心学というか、仏教思想です。これはもう１９世紀の終で龔白珍・康有為などの今文公羊学派の人たち、それから古文学派ですが章太炎などももつともはつきり仏教的ですね。大体中国の古い王朝体制の自己否定のてこになるのはいつも仏教です。それも中国化されたそれですが、そのかわりそれは新しいものを与えることができない。

渡部　中体西用論などはどこに位置づけられるのですか。？

西　それはその前です。王朝体制が状況に自己を適応させようとして採用したもので、まず洋務運動の中体西用論、それから変法派の立憲君主制論へとだんだん大きく譲歩して行くのですが、結局日本とちがつて失敗した。それが何故かは大きな問題でしようが。そこで最后に出てくるのが「何もない。たゞ中国は中国だ」といつてがんばる章太炎の仏教主義です。これは他から冒されるのは許しがたいというのであつて積極的自己主張ではない。外から圧迫してくる限りにおいて身を守るが圧迫がなければ自分もないというわけです。それは積極的な政治指導理念にはなりえないものでだから清朝が倒れると章太炎は全く何もすることがなくなつた。その后全く別の所から積極的なものとして出てくるのが孫文の共和論ということになります。

梶村　今のお話をきいていて何となく朝鮮の東学思想のことを思い出しました。これは純粋に下からのもので、非常に非合理主義的神秘主義的な色彩が強い。

朴　東学は思想としては１８６０年代つまり欧米の挑発的侵略の始つた時期に生れています。中体西用・和魂洋才論的な妥協的なものでなくトータルの抵抗であることは確かです。天主教の発達した地域と東学の発達した地域の一致ということからみて、西学との対立関係で発展したという要因があると思います。

渡部　実学が更に進んで自己否定的段階に達したものとみるわけですか。

§ ジエントリ・ラジカリズム

尾藤　資料(後掲資料)を拝見して丁若鏞の特色は私はむしろ経済思想よりも政治思想のの面で非常にラジカルなことだと思いましたね。資料の記述は若干ととのいすぎているという感じもしたが。

高橋　僕もそれを感じましたね。少し話がうますぎる位整つている。思想史というものはもつと複雑にからみあつて解きにくいものだと私の体験では思うのだけれど。

尾藤　つまり儒教にはもともと易姓革命の思想がありますが、それがここに社会契約説といわれているようなかたちで明快に出ているでしよう。君主は人民の意志によつて変えられると。これは日本思想史には余り出てこない考え方ですね。それを抑える力の方が強くてこの面だけについていえば江戸時代の日本とは異うんだなという印象ですね。

高橋　出てきたのは幕末の吉川仲庵のように独立宣言をそのまま翻訳したようなものですね。

尾藤　それはまたヨーロッパ的なものが影響しているわけで儒教の中から出てくるものとは別ですね。そこで僕はこのような儒教的な一種の民主主義乃至民本主義の出てくる社会的基盤はどこにあるのかと考えるのですが、この場合やはり先程gentryといわれた両班つまり在地の地主が科挙の制度を通つて官僚になつてゆくという体制、在地の封建的基盤を拠り所として中央権力に対しては批判的姿勢をとる、そういう体制が対応していると思います。中国にもそういうものがあるが日本にはない。少くとも兵農分離以后は。ですから先程この時期王権が非常に伸長してgentryと対立したといわれたのをなるほどと思いました。王権が伸長してそれに対して旧来の地方地主が封建的特権を守ろうとするとそこからいわば専制主義に対立する分権主義という意味での、近代的なものとはちがうが一種の民主主義が出てきうると思います。日本にはそういう基盤はなかつた。

そしてそういうgentryは農村に基盤をもつていますから中央権力には批判的だけど、

それ自体としては社会的には保守的でしようね。だから新しい技術や科学文明をとりいれるということになると保守的だつたと思うが。

日本の江戸時代の武士は農村に地盤をもたないから非常に不安定で上の権力に対しても弱いわけですが、不安定であるだけ一種の技術的改革などには積極的になるという可能性があつたと思います。名古屋大学の波多野善大先生が清末中国では gentry に当る階級つまり郷紳層がまだ存続しうる状態にあり、行きづまつたとは考えていなかつたとされています。日本の場合、下級武士層が生きていけない位非常に社会的に行きづまりを感じていた。それが結局日本と中国の社会変革のあり方をかえてしまつたと思う。中国の方が保守的でうまく中央集権できなかつた。それが良かつたか悪かつたかは別問題ですが、朝鮮の場合も今のお話のようにｇｅｎｔｒｙが健全で強かつたとすれば技術的な実学の面では後継者が出なかつたということもありうると思います。

朴　丁若鏞には大地主に対する中小地主の抵抗を代表しているという面がありますね。実際もつていた土地は非常に少なくて土地所有からの所得よりも官僚としての所得の方に生活の基盤があつて在地地主的性格は割合弱い。

尾藤　それでもやはり日本近世の武士の場合は土地所有ゼロですから非常にちがう。

渡部　だから召されれば出でて職につくが、召されなければ家にあつて風化を郷党に及ぼすのだといういわゆる「用捨行蔵」の考え方になるのですね。

尾藤　そうですね。類型としては中国に近い。しかし中国ともまたちがうのでしようね。まだよく分らないが。

§　むしろ「理」の哲学の線？

尾藤　理と気の哲学の問題ですが、理の哲学とよばれるものは一種の合理主義ですね。道徳的な意味における合理主義、すなわち徳なき者は君主の地位にあるべきではないという易世革命思想は、儒教の中では正統思想ですから、同時に儒教の正統が理の哲学であるとすれば、革命思想は理の哲学と結びつくべきものですね。だから理の哲学は反動的で気の哲学は進歩的だとわりきるとこういう易世革命の思想が位置づけられなくなる。つまり丁若鏞の思想はむしろ理の哲学と結びついているものではなかろうかという気がします。

西　理・気という用語は宋学以后ですが、理の哲学、気の哲学に当る対立は昔からあると思います。思想家でいえば孟子と荀子です。儒教の中に秩序を強調する流れと天下の実体つまり人民を強調する流れとがある。勿論人民を強調するといつても君臣体制・天下体制は否定しないが。正統教学として採用されるものは大体秩序中心なんです。そして異端ではないが批判派が人民═天下の実体を強調する。その批判派の主体は地方の gcntvy です。そして理というか秩序派の主体は大官僚御用学者です。これはかなりはつきりしている。

尾藤　孟子から朱子への線が理の哲学に当るわけですね。

西　しかし朱子の思想の全体のくみたては荀子なんです。性理学の内容に入れば孟子から沢山とつていますが。

尾藤　そうですか。どうも僕は道統論をそのまゝ信じていたものですから……

朴　理が易世革命をさゝえる原理だとすれば実学派が理をより所にして正統を唱えるという位置づけも可能でしようが、しかしこの頃の儒教が理中心のものとなつていてそれへの反対派として出てきた実学派は正統派の中に入つていなかつたからこそ易世革命の本来の原理をもち出して攻撃しえたということだと思います。

§　歴史意識と「上帝」観

西　所で朝鮮では朱子学の后陽明学が入るということはなかつたんですか。

朴　あるにはあつたようですが弱かつたようです。

西　それから丁若鏞には歴史論はないですか？一般論としてでなく変化の構造についての。

朴　実学派は朝鮮の文化の尊重から自国の歴史の研究はしていますが（おそらくナショナリズムの原型の形成という意味をもつていると思われる）西先生のいわれる様な変化の構造に関する直接的な歴史論はないと思います。たゞものの見方として「弊策」という論文でどんなものでも久しくなれば必ず弊害（今の言葉では矛盾といえよう）が生ずるのは天地自然の理である。聖人の作つたものでも例外ではないから新しく改革すべきだとのべています。このことは社会論に適用すれば封建社会を永遠的に固定化し、絶対化させようとした封建的な考えと相容れないものと評価したいのですが……

西　権威的なもの例えば天子や聖人にケチをつけて否定しているようなことは？

朴　孔子の権威を利用して当時の社会を批判することが多く、先にいつた君主権の批判として君主の発生と社会契約的な考え方をのべていますが、また「技芸論」などでも昔の人より後世の人間の進歩を強調しており、聖人のできることなら今の人間にできないことはないと強調しています。

所で一つおきゝしたいのですが、丁若鏞の思想形成の契機としてはやはり中国の伝統思想の中にそれを求めなければならないと思うのですが、それは古学派的に儒教の原典の方に求めるべきなのか、それとも黄宗羲あたりでしようか。それと天主教や西欧思想も中国を通じてうけいれているわけですが、中国での当時の西欧思想はどうなつていたのかということです。

西　翻訳された資料をみると、その思想の要素としては殆んど中国にある儒教的なものでその原型が墨子にあるものもある。それが儒家に流れこんで清朝初期の実学まで続いているわけです。お話の範囲で一番似ているのは清朝中期の戴震ですね。たゞ一つ清朝のどの思想家も持つていないものがある。それは天帝・上帝という観念ですね。中国では明察にして峻厳な上帝という唯一神的な観念があるのは墨子だけです。清朝の町学者などが、自己の私生活で道教の多神教的ないろいろな神を信じている例はあるが。これはその意味では突飛な感じがします。

尾藤　日本では中江藤樹などが同じようなことをいつていますね。

西　あれは書経の陰騭思想ですね。ともかくこれは以外は要素としては一応中国に全部あるといえます。(註　あとで原文をよんでみると丁若鏞の上帝観念は全く朱子の学の《いわゆる朱子学のでない》それです。哲学史に引用された部分の原文から察する限り、彼の上帝はキリスト教のそれでないのは勿論、いわゆる陰騭の上帝でもない。反省の極つき当る道徳的確信の超越的根拠とでもいうべきものでしよう。これは朱子学の理のもつ側面の一つであつて、理がその表面的概念にもかゝわらず、権威主義的でありまた伝統的道徳内容を所与としているのはこの側面からです。上帝観念に関する私の発言は「朝鮮哲学史」の叙述にもとずいて思いすごしの理解をした結果だつたといえます。)

たゞ、これらのいろいろな要素が一人の人の思想としてどう統一されているのかちよつとイメージが浮ばない。一方には清朝中期の、政治的社会的関心をもちえないで経学という権威の枠の中で素朴な合理主義を展開させている考証学の方法をとりいれていながら、それと清朝初期の経世致用の学のもつていた活潑な哲学的意気・思想的活動の所産がいつしよになつている。その上にこの天主教の影響ともみられる考え方。それらをどういう風に統一させるべきか?

それから、さつきちよつといつた歴史は変化するという明確な自覚が理論のかたちをとつてあらわれること。これは中国では清初・清末の両方にかなりはつきり出ていて(中期にはないが)清末になると歴史の見通しまでのべているが、それが、こゝに見る限り出てないですね。これは何故か?清初・清末に危機意識のあつたためだといえば丁茶山にもありそうなものではないか。

高橋　今うかがつていて、そこでいつている「実学」ということばの意味やその実体がよく分らない。僕は来る前、僕の専門にしている幕末の洋学における実学とどう似かよつているかというところに興味をもつて出てきたのですが、今の所ではうつかりそういう所に簡単につなげて考えない方が良いという感じを持ちました。天主教の問題がからんでいたりするし、むしろ日本でいえば徳川初期の天主教が医術と結びついて入つてきた状況などにむしろ比定された方が近いのではないかと思います。

§ 百科全書派？

梶村　西欧の自然科学を積極的にとりいれようとする姿勢は一つ実学派の実学派たる所以としてあるわけですね。

朴　政治に密着して人民生活に関心を持つ所から来る実用主義的側面は日本の洋学にも通じていると思います。みな自然科学に非常に詳しくて丁若鏞も水原城構築と先進技術の積極的奨励・種痘法の導入など有名です。

渡部　そのことと関連するのですが、儒教の枠の中の中体西用的なものが日本にもあつたのですか？また洋学と洋学者の意識との関係について。

高橋　理気論などもやつている。平賀源内など極めて空想的なかたちでポンポン出してくる。いわば百科全書派ですね。この辺とどうも似ている。

渡部　それから杉田玄白が実際ふわけして内臓を調べたりした場合実際の経験を通してのみ本当の知識が得られるとするのは儒教的思想に対して英国経験論的知識が入つていたのですか？

高橋　それだけはつきりした自覚があつたとは思えません。儒教の中に親験実試ということばもあるがそれを自覚的に実行したとはいいきれない。むしろ余り整理しない意味での実利という考え方が成長しつゝあつたという面は非常にあると思います。

§ 天主教の社会的役割

西　丁若鏞の天主教・西学についてですが、中国でいえばこれは明らかに阿片戦争の頃からの西学とは異質で、その前段階１６～７世紀のそれと比較すべきものですね。そこで中国の天主教ですが１６世紀に天主教・西欧思想が入つた時、日本ほどキリスト教は浸透しなかつたといいます。士大夫階級などは全く特殊な人だけしかうけいれなかつたし、一般人民の中に入つたものの信仰の実体は全く土着的なものに変つていた。天主教は天学・地学・人学という体系として自然科学を持ちこんだわけですが、中国では天学（神学）は全部すてて地学（自然科学）それも特に天文学など一部の分野だけを学んでいる。天学は意識して追い払つた。たゞ西学が入つてしばらくの１７世紀中ごろに思想的活動をした方以智という人がヨーロッパの科学知識を非常に豊富にとりいれ、そして非常にユニークな思想を持つていました。人間の知識は技術によつて発展することをいつている。実際自分でやつてみてそう思つたのでないかもしれないが。この程度でしかなかつた西学・天主教を朝鮮の実学派が持つて帰ると朝鮮では有力な思想の要因となつた。とするとこれはちよつと面白い。どういう人たちからペキンで学んで帰つたのだろうかと思います。

朴　朝鮮でも鎖国していたので中国使節に行く、それが密閉された所への一つの窓になつていた。それについて行つた人が天主教をえて帰る。滞在期間も相当長くて学者と交つたりしています。いろいろなものをみて地球儀や時計・書物などをもつてきたりしたようです。

西　中国では陳腐になつているものが朝鮮では斬新にみえたということですね。

朴　明に対する事大思想から辺境から出た清を夷敵視し、その交流を形式的なものにとゞめようとしていたので、清の独自文化と入つてきている西洋文化も容易に朝鮮に入る状況でなかつた。その后先進学者による西洋文化の取入れ状況をみると、天主教と儒教とははじめは対立するものとしてでなくごつちやにうけいれられている。それが后になつて天主教を批判し排除することによつて、西学の中から宗教を排除して科学をとりいれることになりますが、当時は天主教の側でも儒教を信仰とみるか哲学とみるかについてはじめゆるやかな線が出ていたが、責任者が変つてこれは信仰であるから厳禁されねばならないということに変つたわけですね。この政策の変更からやがて朝鮮でも祭礼禁止が大きな社会問題となりそれが弾圧の契機になつたわけです。それにしても朝鮮ではかなり信仰されている、しかも狂信されています。女性を含めて・・・・

梶村　天主教の影響はいわれているよりも強かつたように思います。とすると受入れる素地としてのそれぞれの国の思想状況のちがいが問題になる。

朴　封建的な身分制度の身動きできない枠に対しての抵抗の思想的より所の役は果しえたわけですね。当時庶民は思想的には空白地帯に放置されていたということも一因でしょう。仏教も禁止されていましたので。

§　「反封建」と「封建批判」

朴　迷信の打破など丁若鏞の場合一般的にはかつこつきではあるが合理的な啓蒙思想としての受容の撰択の立場は一貫していると思います。ただ儒教思想への対し方があいまいで

す。社会経済的にはかなり反封建ですが‥‥

高橋　その際にも封建批判と反封建ということとちがう。余程綿密に探つていかないと。社会的つながりにしても経済的に遅れているから農民斗争に触発されてでてくるということもありうると思います。その点が証明できるかどうか？安藤昌益について林基氏の最近の研究でも従来と異つて農民斗争と武士出身のインテリの結びつきを見出していますね。具体的に細かくやらないとそういうことは出てこない。思想史はそうたいらに簡単にはいかないと思いますね。

梶村　それにしても土地制度論がかなり具体的に精密に展開されているのは実学派の思想的特徴ですね。

朴　一つはもともと儒教のオーソドツクスの思想「経世済民」と後には富国強兵的な考え方と、もう一つは「経世遺表」「牧民心書」などで丁茶山自身がいつているのですが土地の実情をみると余りにも現実が悲惨で流涕せざるをえないというような要素があると思います。

高橋　余りひどいからそういう思想が出てくるということですが、安藤昌益についても東北の遅れた状況の中から出てきたという考え方が従来されてきたのですが、林基さんの最近の研究で教えられた所によると、生産力が実際には高い地域から出身しているのですね。そして百姓一揆の上昇期に結びついている。悲惨だから耕さざるもの食うべからずが出てくるのではなくて、人民の斗いの昂揚期にこそ高い思想が出てくるということを林君は実証したのだといえましよう。今の問題もそういう観点から調べていつたら意外に大きな真実を発見できるのではないでしようか。

渡部　丁茶山が9才の時にできた東国文献備考をみても市場経済が全国津々浦々にまで確立している。それなりに商品経済の飛躍的な発展があつた時期だということは確かですね。

§　「自我」について

梶村　結局要素として近代的なものを探してみれば、あれもあるこれもあるということになるわけですね。ただ「我思う故に我あり」というこれだけはちよつとないように思いますが？

朴　個人的自我の点はどうも分らないが、中国への事大主義から朝鮮中心に発想するという民族意識は確かに出てくると思います。

渡部　経験主義は自己の感官を信ずるということだ。これは不徹底だつたが。

西　中国には無我としての自我、天下の民としての自我は昔からある。しかし我思う・・・・はない。日本だつて自覚的なものは今でも怪しいですね。

高橋　厳しい弾圧にあつた時例えば高野長英が白州などでいいたいことをビシビシいう。そういうものには僕なんかほれちやうが・・・・

楠原　そこでは西欧のそれに先行する封建時代のキリスト教の性格との関係が問題になりますね。それに近代をいうのに何も自我をもつてくることはないと思う。

西　孫文だつて生産のことは考えるが別に自我について深く考えたりはしない。考えるのはむしろ胡適です。

梶村　いい悪いじやなくてそこに非常に大きな問題があると感じるのですが・・・・

§　結論―体系をとらえよう

朴　形而上学・科学技術・社会経済変革論・政治論などの要素をずつと見てきたわけですが、今朝鮮で南でも北でも盛んに丁若鏞が研究されていますが、都合が良い材料だけ拾つてきてこんなに進歩的だと規定するようなやり方も目につきます。それだと又都合の悪い面だけえりだしてきて逆のイメージを描くこともできることになつてしまう。同じ丁若鏞の著書でも例えば「牧民心書」と「経世遺表」とでは全く目標が異うのです。「牧民心書」の場合は一応全構造的な改革をぬきにして、その枠の中で地方官として任に当る時になすべきことをのべているのです。その中に出てくることと一般的な改革案である「経世遺表」との間には矛盾する所がいつぱいある。それを平面的に並べて評価するのはまちがいで、次元を異にしたものは異にしたものとして、それぞれの論理から結びつけ丁茶山の思想の全体的構造を明らかにし位置づけるという仕事がこれからなされなければならないと思います。性格規定を余り前面に持出し性急な結論を出すことに主眼をおくと却つて構造的にとらえられないと思います。

渡部　なるほど、僕は牧民心書を中心に教育思想をみたが、これは守令の心得として体制を前提とする理論なんですね。

梶村　今日はむしろ朝鮮史の側で教えていただいたことの方が非常に多かつたようです。ここで得られたヒントが今后の研究の発展に生かされればと思います。長い時間大変ありがとうございました。

☆　　☆　　☆

③ 講　座

朝 鮮 語 講 座 案 内

朝鮮を知るためには朝鮮語の知識が不可欠です。朝鮮の新聞・雑誌・文学をよみ、朝鮮民族の底力のある行動力と超人的な建設意欲の源泉と、朝鮮民族の生活と思想の陰影をかたちづくるその高い情緒性と豊かな感情をくみとり理解することが必要です。

日本人の立場に立つ、朝鮮問題に対するしんけんな研究を組織する目的で、下記のような、朝鮮語学習の集いをひらいています。みなさんの積極的な参加を望んでいます。

Ⅰ第２期朝鮮語初級速習講座

期間，62．11．13〜，63．2．26

会費　全期3,０００円（前納）

テキスト、研究所篇教科書

	火　曜　日	金　曜　日
6〜7.30	朝鮮問題	朝鮮語
7.30〜9.00	朝鮮語	朝鮮語

Ⅱ朝鮮中級学習会

毎週１回　水曜日午后６時〜９時

テキスト、初級学校「国語」教科書（１年〜６年）を輪読

Ⅲ飜訳研究会

毎月１回　土曜日午后３時〜６時

テキスト　現代朝鮮文学選集第一巻（朝鮮作家同盟出版社版）

アジア，アフリカ講座の御案内

—ＡＡ研・中研・朝研合同主催—

来る５月１５日より７月５日まで、約２ヶ月にわたる「アジア・アフリカ講座を開催することになりました。最近のアジア，アフリカ，ラテン・アメリカの情勢の発展を正確に理解し研究や実践に役立つ講座として三研究所が協力して企画したものです。多数のご参加を望んでいます。

≪第１部≫　5月15日より6月5日まで、 4講座毎週１回水曜Ｐ・Ｍ6.00， 参議院議員会館第１会議室

≪第２部≫　6月10日より7月5日まで12講座、毎週３回Ｐ・Ｍ6.00より中国研究所会議室

毎週月曜　日本朝鮮研究所担当　　毎週火曜　中国研究所担当

毎週金曜　アジア・アフリカ研究所担当

会費１回１００円（通し券は割引されます）

アジア・アフリカ講座第2部案内

日　本　と　朝　鮮

日本にとつていちばん近くていちばん遠い国 — 朝鮮については、支配国としての角度からの知識しか普及していませんでした。そのことをこんどの日韓会談問題のなかで痛感させられました。日本人民の手による朝鮮研究の課題を推進したいと念願する当研究所は、日本と朝鮮の正しい関係を追求する仕事を通じて、日本人民のゆがめられた朝鮮観を正すことに努めつつあります。

本講座は、南北朝鮮の実情を客観的に知る手がかりを提供すると同時に、日本帝国主義の過去と現在の対朝鮮関係を分析し、当面、日韓会談粉砕の運動に理論的側面から貢献しようとするものです。

日本帝国主義と朝鮮（過去と現在）

　6月10日　　安　藤　彦太郎

日韓会談反対運動の歴史的意義と役割

　6月17日　　寺尾五郎・畑田重夫

南朝鮮の政治と経済

　6月24日　　川　越　敬　三

朝鮮の経済建設と平和的統一問題

　7月 1日　　藤　島　宇　内

第　2　部　会　場

と　き　　毎月曜午后6～9時

ところ　　中国研究所

かいひ　　1回　100円

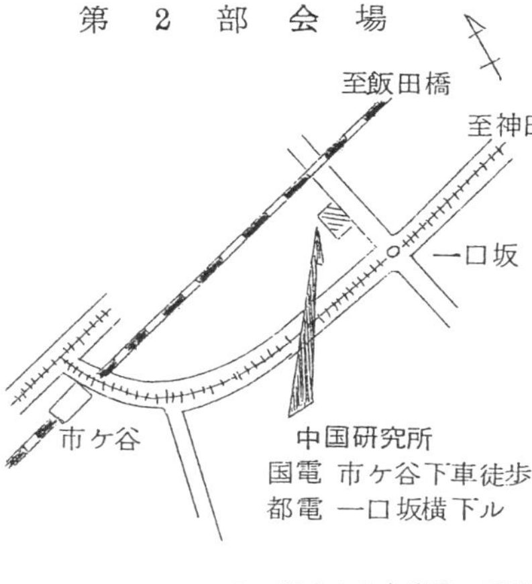

国電 市ケ谷下車徒歩7分
都電 一口坂横下ル

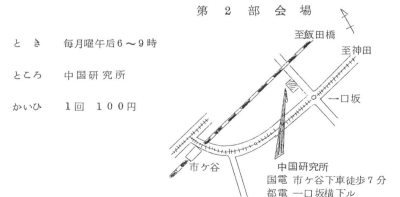

日韓会談反対運動の歴史的意義と役割

所員　畑　田　重　夫

日韓会談反対運動の歴史的意義を考えるためには、まず三年前の「安保斗争」の意義を検討しておかねばならぬと思います。なぜならば、よく言われているように、日韓会談の推進は、新安保体制実現の第一歩にほかならないからです。

そもそも、旧安保体制から新安保体制への移行はどういう意味をもつていたのでしょうか。ドル危機時代（ドル防衛を必要とする段階）におけるアメリカの極東政策上の要求と復活した日本独占資本の帝国主義的要求との結合点に、この安保改定が存在していたのであります。軍事的にみるならば、単なる基地貸与協定段階から、相互防衛体制（自動ならびに相互援助の原則による）への移行でありました。これを世界史的観点からいうならば資本主義の全般的危機の第三段階における国際帝国主義の新たな対応姿勢――政治、経済軍事政策の極東における表現であるといえるでしょう。帝国主義的な政策であるかぎり、そしてまたそれが軍事的な体制であるかぎり、反帝平和の斗争を招くのはこれまたとうぜんでした。１９６０年春を頂点とする日本人民の斗争は、前後２３回におよぶ統一行動として展開されました。しかし、重要なことは、「安保斗争」を日本人民のみの斗争であつたと理解してはならぬということです。新安保条約の条文には、「極東における国際の平和および安全」云々という表現がいく度か使われています。「極東」の範囲とは何か、をめぐり、国会の安保特別委員会で大論争があつたことは皆さんもご記憶のことと思います。極東規模の支配体制にそのまま見合うように、極東規模の人民による抵抗斗争を招いたのでした。世界的にも大きな波紋をなげかけましたが、少くともそれは日、中、朝三国人民の共同斗争でした。

日本人民が中心となつた斗争であつたことはいうまでもありませんが、中国人民は、上海で１８０万、北京で１００万というふうに、全国のあらゆる都市で空前の規模の抗米援日集会（アメリカ帝国主義に抵抗し、日本人民をはげます大衆集会）をくりひろげました。

朝鮮人民もまつたく同様にたたかいました。われわれ日本人民が岸信介政権を退けたその年に、南朝鮮で李承晩政権が倒れたという事実は、日本人民と朝鮮人民のたたかいが連鎖関係にあつたことを如実に物語つていました。６０年５月には、日本の総評、中国の総工会、朝鮮の職業総同盟の三組織は、アジアからアメリカ帝国主義の勢力を一掃するための共同行動にかんする声明書に署名しました。アメリカと日本の支配階級が、極東規模の「安保」体制をしこうとしたとき、極東三国人民が共同で起ちあがつたところに、「安保斗争」が迫力ある歴史的なたたかいになつたゆえんがあつたのです。

この極東三国人民のたたかいは、米日両国支配層にとつてひじように大きなショックとして作用しました。それかあらぬか、条約は通つたものの、米日両国とも新たな政策でもつて臨まざるをえませんでした。いわゆる「ケネディ＝ライシャワー＝池田＝大平路線」といわれる一見やわらかくて、巧妙な政策をとつてきたのです。とくに、日「韓」台三国の事情にもつともくわしいライシャワー夫妻（ライシャワー大使は日本語と中国語、ハル夫人は日本人ですから日本語はもちろんのこと朝鮮語をしやべることができる）を駐日大使に任じたことは注目すべきことでした。ライシャワーは、たんに駐日大使というべきのみならず、極東大使、日「韓」台三国大使あるいはＮＥＡＴｏ大使と呼ぶ方が適当ではないかともいわれたものです。コンロン報告（１９５７年にアメリカ上院外交委へ提出された外交問題報告書）の趣旨、つまり「政権にある政府とつき合うだけではもはや十分ではない。一つの社会内で手のとどくかぎり多数の人々とつき合う」ようにしなければならぬという方針を忠実に実行し、ライシャワー夫妻は、日本の野党である社会党や総評の幹部などとも積極的に接触しました。学者、文化人にも懐柔の手をのばしました。池田内閣もいわゆる「低姿勢」で臨みました。要するに、第二の「安保斗争」をひきおこさないようにして、新安保体制を実現しようというのがかれらのねらいであつたのです。

１９６１年6月には、池田．ケネディ会談（いわゆるヨット会談）がありました。実はこのときに、原子力潜水艦問題も、日韓会談も、日本医療団の南ベトナム派遣問題も話合われたのです。しかし、これらを公然と即時に実施できなかつたところに、安保斗争の成果があつたといわねばなりません。少くとも、安保批判勢力は、アメリカの極東政策のタイム・テーブルを２年ないし３年延ばさせることに成功しつつあるわけです。６１年10月２０日からは、第六次日韓会談がはじまりました。「韓国」側首席代表がアメリカ国籍をもつ喪義煥であることは、日韓会談の本質が実は米日会談、すなわち日米新安保体制のなかみそのものの一つであることを象徴するかのようでした。

第一次日韓会談がはじまつたのは１９５２年２月でした。それ以来、会談そのものは何回か中断されました。朝鮮民主主義人民共和国や、在日朝鮮人、日朝協会の会員などはさいしよから日韓会談反対を唱えていました。しかし、運動としては、ひろく日本人民をとらえるまでにはいたりませんでした。日韓斗争において、三年前の「安保斗争」のような波のもりあがりは想像さえできませんでした。しかし、第五次の会談までとはちがい、第六次会談こそはいよいよ最後のものとなるであろうという雰囲気が人々をとらえるや、反対斗争もまた新たな意気込みでとりくまれはじめました。

昨年の秋、ようやく「安保斗争」が生んだ統一戦線組織「安保国民会議」が日韓会談粉砕斗争に位置づけを与えるところまできました。それまで日韓会談が、日朝協会や在日朝鮮人の間でしか問題になつていなかつたということは、それが「韓国」の問題かせいぜい日本と「韓国」の国際関係であるというふうにしか理解されていなかつたということの反映でした。わたくしたちの研究所が日韓会談につき、日本人の生活と関連させ、それがほかならぬ日本人の問題であることを口やかましく教宣したのも昨年の秋から冬にかけてでありました。（パンフ『私たちの生活と日韓会談』参照）６２年9月１１日、安保国民会議は幹事会をひらき、日韓で統一行動を展開することを協議しました。１０月２０日、日韓会談妥結を策して「韓国」の金鐘泌前情報部長が羽田空港におりたつた日、安保国民会議は、活動停止状態に終止符を打ち、「日韓会談の重大な事態にあたつて国民に訴える」という趣旨の声明を発表して活動を再開しました。つづいて２５日の第三次全国統一行動は、キューバ危機ともからみ合い、予想外にもりあがり、日韓会談粉砕のたたかいの口火をきることができました。

日韓会談粉砕の行動は、賃上げや合理化反対をたたかう労働者階級をはじめ国民の全階級・階層にひろがりました。１１月１５日から２５日に第四次統一行動週間、１２月10日から１９日に第五次統一行動週間が設定され、中央、地方で日韓を中心とする斗争が展開されました。１２月はじめのいわゆる「ケネディ発言」は、日韓会談を中国封じ込め政策との関連でとらえるべきことを示唆し、ますますアジア諸国民の警戒心を促がしました。朝鮮民主主義人民共和国人民も全力をあげて「韓日会談」反対をたたかいました。

池田内閣は日韓斗争が第二の安保斗争をまねくことを極度におそれ、炭労の大量首切りと日韓、大学管理法と日韓、失対打切りと日韓とがむすびつくことをさけるために苦慮しました。とにかく日韓斗争が、安保国民会議の活動再開を促がしえたことは、性格上からいつてとうぜんのこととはいえ、日韓会談反対運動史の観点からみれば、画期的なことでした。わたくしは、日韓会談粉砕斗争の「総聯、日朝協会的規模から日本の国民的規模」への発展というふうに呼ぶことにしています。

しかし、そこまでもりあがつた日韓会談反対斗争も、昨年の暮から今年のはじめの南朝鮮の政情不安定化とほとんど時を同じくして退潮するという弱点をさらけ出しました。日韓斗争の波が小さくなつたのは、統一地方選挙や春斗のためだというみ方がありましたが実は地方選挙や春斗の時期より以前から、下り坂になつていましたから、まちがいなく南朝鮮情勢によつて、油断、楽観が生じたのです。日韓会談の相手側が、グラグラしているから、「日韓会談は中止か、もしくは無期延期になるだろう」くらいにうけとつた人びとが圧倒的に多かつたのではないでしようか。これは、日韓会談が、新安保体制の実現だという理解の弱さが影響したといわざるをえません。米日支配層は、南朝鮮の軍事政権がゆらげばゆらぐほど、新安保体制の確立をめざすために、同政権にテコ入れすべく、日韓会談の成立を急がざるをえないのだという関連性が運動の中ではつきりと認識されていなかつたわけです。

三月になりますと、アメリカの原子力潜水艦日本「寄港」、Ｆ１０５Ｄ機配備の問題が日本の平和勢力を奮起させるようになりました。ほんらい、ケネディの新戦略―大戦略もしくは柔軟反応戦略方式といわれるもの―の立場からみれば、核潜艦も、Ｆ１０５Ｄも日韓も統一的に把握すべきものです。したがつて核潜艦段階になると、日韓斗争はそれと統一され、さらに発展すべきであるのに、必らずしも本日現在はそうなつていません。日韓斗争はことしのはじめに終り、今度はポラ潜反対斗争だというふうに、きりはなしてたたかおうとする空気がなきにしもあらずです。米日両支配層は、軍事的にも、政治的にも、経済的にも、事実のうえで着々と日韓会談をおしすすめているのです。人民の側からすれば、追い対ちのチャンスであるにもかかわらず、残念ながら、日韓会談反対斗争は下り坂をおりたきりで、上向きに転じていません。学生、労働者を中心とする南朝鮮人民は、極端な無権利状態のなかで、米軍当局、朴軍事政権にたいする抵抗斗争をつづけていますがその斗争の質を正しく評価することも忘れてはならぬ大切なことだと思います。

６・２３の原潜反対の大集会が近づいていますが、そのなかで日韓会談にかんするプラカードがどのくらい眼につくか、わたくしはわたくしなりにそれに注意を払いながら横須賀へゆきたいと思つています。

日韓会談反対斗争は、組織的には日本にみるように安保国民会議を再開させる原動力たりえましたし、中国封じ込め政策との関連で不十分ながら日・中・朝三国人民の斗争にな

— 4 —

りつつあります。これはアジアの平和、アジア人民の友好、連帯という観点からみて、きわめて大きな歴史的意義をもつものということができるでしょう。

さて、日韓会談粉砕斗争が果した役割ですが、わたくしは主としてつぎの二つの積極的役割を指摘したいと思います。

その第一は、日韓斗争こそ、いま「安保以上のたたかい」になろうとしている米原子力潜水艦日本「寄港」阻止を中心とする平和斗争のもりあがりの土台を準備したのではないか、ということです。これは、わたくしが主観的にそう判断しているのではなくて、各職場、地域で奮斗する活動家の人たちがひとしく語っているところです。つまり、日韓斗争が前段的貢献をしたというわけです。さきにも申しましたように、日韓斗争は過去のものであり、これからは核潜艦反対斗争だというふうに理解するならば、それは大きなまちがいですが、日韓斗争は日本の民衆斗争、平和斗争に貴重な経験の蓄積をしたことは事実です。日韓会談の本質理解が、「沖縄を返せ」「基地反対」「核実験反対」「ポラリス来るな」などの斗争とちがい、きわめてむつかしいということを考え合わせれば、「前段的貢献」の役割は高く評価される必要があるでしょう。

第二には、日韓会談粉砕斗争が、指導的な人びとに、あらためて、日本人のなかに朝鮮人への無関心、朝鮮人べつ視、軽べつ観念が根深く存在しているということを気づかせました。そして、かなり多くの良心的な人びとが、旧支配民族（いまもまたそうでないとはいえない）としての日本人の対朝鮮観を改める必要性、日本と朝鮮のあるべき正しい関係を一日も早くうち立てる必要性を痛感するようになりました。在日朝鮮人の殉難史を日本人の手で明らかにしようという空気が、歴史学者や社会運動家のなかで急速にもりあがりつつありますが、これはまさに日韓会談斗争が生んだものでした。とくに、ことしは関東大震災の４０周年記念の年です。虐殺された朝鮮人の慰霊行事を盛大にくりひろげようという計画が全国各地ですすめられているときいています。真の日朝友好のために、日韓会談反対斗争は、このようにしてすでに大きな役割を果しつつあるのです。

まだ斗争は終つたわけではありません。日韓斗争はむしろこれからです。三年前の安保斗争のときのように、極東の支配体制―軍事体制を打ちやぶるため、日中朝三国人民は共同してたたかいつづけなければなりません。

来月、わたくしどもが、中華人民共和国と朝鮮民主主義人民共和国を訪問するのも、直接的には日中朝三国の学術交流の窓口をきりひらくという任務をおびているのですが、情勢が情勢であるだけに、話題は三国人民の連帯行動にかんする重要な相談に及ぶにちがいありません。日韓斗争の歴史的意義をさらにかがやかしいものにし、役割をさらに大きなものにするためにも、聴講者の皆さんのご奮斗に期待をよせながら、お話を終りたいと思います。（１９６３年6月１７日講演）

南朝鮮の政治と経済

所員　川越敬三

1. 韓国は後進国か

日本の一般の常織では、「韓国は後進国だ」ということになつている。経済的にも、政治的にも文化的にも「おくれた国」だというのである。日本の為政者は、そのことを前提として南朝鮮に対する政策をたてているようにみえる。たとえば自民党のコリア・ロビイストの1人である賀屋興宣政調会長は、日本は大国になつたのだから反共国家群のために応分の寄与をせねばならず、それには後進国援助に努力することがよく、その意味で日韓会談に伴う対韓経済援助は有意義であり適切だ、と書いている（63.3.11読売）。

たしかに南朝鮮の経済はおくれている。表の統計は軍事政権が発表したもので信ぴよう性に疑問がないでもないが、これによつてみても工業が発達せず、農業国であることは歴然としている。そして別の統計によると、農業経営はひどく貧弱だ。5反未満の農家が全体の56％を占め、平均8.42反にしかならない。生産性は米穀反収平均1.4石、つまり日本の明治末期のそれに相当する。工業が低く農業も零細なことから行商人的零細商人の数が異常にふくれ上り、それが第3次産業部門の就業人口の不自然な高さを生み出している。

だがここで見落してはならないのは住民の文化性の高さである。周知のように朝鮮には日本より古い固有の文化の伝統がある。のみならず現在でも文盲率は10.4％にすぎず、就学率は決して後進国のそれではない。

関連していえば非生産的な人口として軍隊の60余万人がいる（陸軍55万、海軍1万5千、空軍1万5千、海兵隊2万7,500と公称）。また完全失業者は200万〜250万人、潜在失業者100万〜300万人といわれている。さらに年令別人口統計によると、今後労働力人口はますます膨張する。吸収されるところがなくて、比較的知的程度の高い若い労働力がいつそう剰り、社会的矛盾が一段と激化するわけである。

このようなゆがみはどこから来たのか。日本の支配層は南朝鮮における経済の後進性と、教育ある（ことに日本語が通用する）余剰労働力の存在とを、いわゆる対韓経済進出にと

南朝鮮の人口動態統計（１９６２年１２月１日現在—４月４日経済企画院発表）

常住人口＝	計	２６,２７７,６３５人（前年比＋3.３％）
	男	１３,１４５,２８９人
	女	１３,１３２,３４６人
戸数＝	計	４,５３９,０７１戸
	農家	２,４６５,１４５戸（５４.３％）
	非農家	２,０７３,９２６戸（４５.７％）
産業別就業人口＝	総就業者数	１１,５２３,４５２人（総人口の４３.９％）
	第１次産業（農林、漁業）	８,２５２,４４０人（７１.６％）
	第２次産業（製造、鉱業、建設）	４５１,３７３人（　３.９％）
	第３次産業（サービス業）	２,０５０,７６２人（１７.８％）
	その他	７６８,８７７人（　６.７％）
年令別人口＝	２０才未満５１.８％　２０～４０才２７.２％　４０才～２０.５％	
文盲率＝	6才以上の国文未解読者	２,７２７,２００人（人口の１０.４％）
就学者＝	小学　４１６万　中、高校　１０８.５万　大学　１４.６万	

つて有利な条件だと考えているらしいが、これは余りにも単純ないし粗暴な態度である。南朝鮮社会のゆがみの原因を理解することなしに臨もうとすれば、特殊な便宜はたちまち特殊な困難に転化せずにはいないだろう。

2. 経済破綻の原因

南朝鮮経済の危機的様相はすでに広く知らされている。生産の絶対的低さから輸入に大きく依存せざるをえず、そのくせ輸出品がないので国際収支は慢性的に赤字である。差額はアメリカの「援助」に頼つてきたが、「援助」削減もあつて外貨危機におちいり、輸入をひき締めたらとたんに物価が高騰した。とりわけ今年は、凶作や災害の影響で食糧危機が深刻である。５月１日の軍事政権文教部発表によると、学童４１６万人中欠食児童は１０８万人に達したという。ソウルの人口１２０万世帯のうち５５万世帯が要保護世帯だという統計もある。

日本では、南朝鮮経済の破綻の原因についていろいろなことがいわれている。一番多いのは歴代韓国政権の“失政”のせいにする説明である。つまり——朝鮮戦争の破壊のあとアメリカと国連は復興を援助したが李承晩の治政がでたらめで貪官汚吏が横行し私腹を肥やした。そこで軍事政権が登場してきたが、かれらも能力がなかつた――という。つけ加えて、――アメリカが李承晩を上手に使いこなせなかつたことにも原因がある、アメリカは朝鮮統治に経験のある日本の手腕にもつと依存すべきだ――との我田引水論もおこなわれている。果してそうだろうか。一例を電力の場合に見よう。

慢性的な電力不足は南朝鮮の工業不振のもつとも重要な原因の一つになつている。６１年の発電量実績は１７億7,000万ＫＷＨにすぎなかつた（北朝鮮の６２年の実積は１１４億ＫＷＨ）。このような電力不足の根源はアメリカの施策にある。もともと南朝鮮は電力需要の約７０％を北朝鮮の豊富な電力に依存してきており、南北分断後も一時期この関係が続いていた。ところが１９４８年5月１８日、米軍はこれを断ち切つて米本国から老朽火力発電プラントを持ちこみ、南朝鮮の発電をアメリカの重油、石炭に依存する火力体系に切りかえさせたのである。

この事実が象徴しているように、本来一本であるべき朝鮮が人為的に南北に分断されたことそしてアメリカが南朝鮮を余剰商品市場化したことにこそ、南朝鮮経済の今日の破綻の最大の原因をみるべきである。アメリカの南朝鮮への「援助」総額は１９４５年から６２年までに約１００億ドル、そのうち「経済援助」は３４億5,000万ドルにのぼるがその８０％は原麦、原綿、原糖、トウモロコシ、タバコなどの余剰農産物だつた。残り２０％の資本財、建設財と称するものも、大半は軍事施設か余剰農産物の加工施設にすぎなかつた。「経済援助」が工業の振興に役立つどころか、逆に古くからの農業地帯を荒廃させたのは当然である。

のみならずアメリカは、この「経済援助」を見返り資金に積み立てさせ、税収奪とあいまつて軍事予算をまかなう仕組みにしている。６３年の韓国政府予算（当初）７６８億７０００万ウオンの才入のうち見返り資金は２７１億3,000万ウオン、税金は２８１億ウオン、才出のうち国防費は２１２億5,000万ウオン、警察費などを加えると実質的軍事費は才出の７０％～８０％に達するといわれている。人民の生活はこのような軍事費にひどく圧迫されている。

3. 政治危機の慢性化

政治の面でも、アメリカとの関係を捨象することは許されない。南朝鮮の既成政党、既成政治家、高級将校はたいてい、すべてアメリカの占領に寄生する買弁勢力だと断定してよい。米軍は南朝鮮占領と同時に土地を含む莫大な旧日本人所有財産を没収し、その何割かを払下げることによつて買弁地主、買弁資本家を育成し、「援助」政策遂行の過程でもそのような特権階級を作り出した。韓国政府とは、アメリカがそれらの買弁勢力を糾合し、でつち上げたカイライ政権にすぎない。

韓国政府のカイライ性は対米諸条約の上にも明瞭に反映している。現状でいえば、軍事的には「米韓相互防衛条約」（５４.１１.１８）によつてアメリカに従属し、韓国軍は「大田協定」（５０.７.１５）にもとづいて在韓「国連」軍すなわち米軍に指揮権を渡している。兵器も「ＭＳＡ協定」（５０.４.３）により米軍が掌握している。経済関係では「米韓経済および技術協定」（６１.２.８）があり、予算編成に対する事前承認権がアメリカにある。軍事と財政に自主性がなくては、到底独立国とはいえないが、そればかりでなくアメリカは、「援助」の効率的使用のため、との口実で南朝鮮のいつさいの内政外交に干渉できる仕組みを設けている。その機関の中心は、駐韓アメリカ大使館、駐韓アメリカ経済協助処（ＵＳＯＭＫ）および駐韓「国連」軍司令部である。

この１月以来、南朝鮮の政局の混乱がしきりに伝えられているが、朴正熙一派と許政、張勉ら既成政治家との争いは、その限りでは“コツプの中の嵐”、すなわちアメリカの支配体内での争いである。しかし同時に、このような争いがいつやむとも知れず続けられていること自体は注目に値いする。結論からいえば、アメリカの支配の危機の深まりを意味しているといえる。

南朝鮮政情の激動は、じつは今年１月からはじまつたものではない。１９６０年の李承晩政権の崩壊が出発点である。朴正熙軍事ファシスト政権の登場は小康状態を意味せず、そそのような非常手段によらなければ事態を収拾できなくなつたからだつた。いまやそれすらも根底からゆさぶられてきたのである。その背景には、今年の４.１９におけるソウル大学生の宣言文に示されたように、たえがたい民生苦を押しつけた“外国”とその手先たちに対する民衆の激しい怒りがある。

「韓国は後進国」であり「大国日本はこれを援助」すべきだという宣伝は、日本国内で日韓会談妥結の雰囲気を煽るかぎりではある程度有効かも知れないし、また日韓会談でひともうけをたくらむ南朝鮮の買弁勢力からは歓迎されるかも知れない。けれども、これがそのまま南朝鮮の民衆に対して通用するはずはない。「反共国家群の団結」だとか「釜山に赤旗を立てさせないため」とかいつても、それはすでにアメリカにたつて試験済のことである。まして日本の資本家たちが、「使いよい」とみなしている労働力、日本語を理解できる人たちというのは、同時にまた、かつての日帝支配の害悪をもつともよく知つている人びとである。依然として根強い南朝鮮民衆の対日警戒心、日韓会談に対する反ぱつは、日本支配層の認識の甘さを裏書きしている。（１９６３年6月２４日講演）

語学講座・研究会のおしらせ

≪朝鮮語≫

中級講座（午后6時～9時）

月　「国語」教科書　　菅野裕臣　担当

木　朝鮮近代革命運動史　　梶井　陟　〃〃

「会話教室」（午后6時～9時）　隔週火　　大村益夫　〃〃

「朝鮮通史」輪読（毎火・午后6時）

「国語」教科書学習会（毎水午后6時）

≪研究部会≫

現代朝鮮研究（午后6時～9時）　毎月2回　　第2、第4金曜

朝鮮近代史研究（午后6時～8時半）　毎月1回　　第4土曜

朝鮮文学研究（午后6時～9時）　毎月2回　　隔週火曜

朝鮮教育研究（午前10時～正午）　毎週1回　　火曜

連続シンポジウム（午后1時～4時）　毎月1回　　日時不定

朝鮮語講習会ご案内

初級　週2回一水曜日，金曜日一

中級　週1回一木曜日一

期間　4月11日（月）～7月8日（金）

時間　毎回午後6時～8時

受講料　初級　4000円（申込と同時に納入）

　　　　中級　2000円　　一分割も可一

会場　日本朝鮮研究所

申込期日　4月9日まで

申込先　日本朝鮮研究所

住所　東京都新宿区新宿1一68

電話（352）1835・2601

講座のお知らせ

☆火曜講座

事務所の移転などで、しばらく休んでいました火曜講座を次の日程で行ないます。

四月十八日／午後六時／新宿ビル九階（新宿駅西口安田生命ビル隣、一階は東京銀行）

テーマ「民族教育問題の背景」

講師　藤島宇内氏

四月二十五日／午後六時／会場右に同

テーマ「朝鮮の国際路線」

講師　川越敬三氏

一回百円の会場整理費を頂きます。

☆朝鮮語講座

一九六七年度上期朝鮮語講座を左記の要領で開講します。本講座を終了するとかんたんな文章を読み、かつ、かんたんな会話も可能な能力を身につけることができます。御応募をおまちしています。

期間／四月二十一日（金）から七月二十一日（金）までの三ケ月／毎週、月・金／夜六時三十分から八時三十分まで／受講料／三ヶ月四千円／会場・事務所／申込先は当研究所です。

火曜講座のお知らせ

定例の火曜講座を次の日程で行いますおさそいあわせのうえ、是非御参加下さい。

☆五月九日

テーマ　**「韓国大統領選挙と今後の政局」**

講　師　田　駿氏（評論家）

☆五月二十三日

テーマ　**「みてきた朝鮮」**

講　師　平井巳之助（明大講師）

☆六月十三日

テーマ　**「ベトナム戦争と韓国経済」**

講　師　高田　保（所員）

☆会場　**新宿ビル九階**（新宿駅西口、朝日ホールの向いのビル）

注意　午後六時以後は、地階一階の駐車場入口より、エレベーターで九階に上って下さい。駐車場入口は、ビルに向って左の小路にあります。

☆　時間　**午後六時より八時三十分まで**

参加費一人百円頂きます。

火曜講座のお知らせ

定例の火曜講座を左記の日程で行います。おさそいあわせのうえ、多数御参加下さい。

☆　六月二十七日

テーマ　**「朝鮮の古代文化」**

講　師　三上次男（青山学院大学教授）

☆　七月十一日

テーマ　**「日本文学に現われた朝鮮観」**

講　師　朴春日（文学者）

☆　会場　新宿ビル九階（新宿駅西口、朝日ホールの向いのビル）

注意　午後六時以後は、地階一階の駐車場入口よりエレベーターで九階に上って下さい。駐車場入口はビルに向って左の小路。

☆時間　午後六時より八時三十分まで。

参加費一人百円頂きます。

火曜講座のお知らせ

八月一ヵ月休講しましたが、左記の日程とテーマで開講します。おさそいあわせのうえ、是非御参加下さい。

☆九月十二日
テーマ　「昭和初期の日朝人民の連帯」
講　師　三宅鹿之助氏（東洋大学教授）

☆九月二十六日
テーマ　「古代日本の南朝鮮経営は史実か」
講　師　石田英一郎氏（東北大教授）

☆会　場　新宿ビル九階（新宿駅西口、朝日ホールの向いのビル）
注　意　午後六時以後は、地階一階の駐車場入口より、エレベーターで九階に上って下さい。駐車場入口は、ビルに向って左の小路にあります。

☆時　間　午後六時より八時三十分まで
参加費一人百円頂きます。

火曜講座のお知らせ

定例の火曜講座を左記の日程で行います。おさそいあわせのうえ、多数御参加下さい。

☆　十一月七日
テーマ　「琿春事件」について
講　師　姜徳相氏（朝鮮史研究者）

☆　十一月二十一日
テーマ　近代思想史をめぐって
講　師　旗田巍氏（都立大教授）

☆　会場　新宿ビル九階（新宿駅西口、朝日ホールの向いのビル）
注意　午後六時以後は、地階一階の駐車場入口よりエレベーターで九階に上って下さい。駐車場入口はビルに向って左の小路。

☆時間　午後六時より八時三十分まで。
参加費一人百円頂きます。

新講座を一月から開講

日本朝鮮研究所では、各所からの、朝鮮問題をもっと専門的に勉強したいという要望に答えて、来年一月下旬から新講座を開講します。

すでに去年から開講した研究生制度も二年目を迎え、現在、月一回の研究会をもち、順調に進んでいるが、今回の講座は、この研究生になりたくて都合でなれなかった人、また、さらに集中的に、かつ専門的な朝鮮を知りたいという方々のために開かれます。

講師／旗田巍氏（所員都立大教授）
テーマ／朝鮮史をふまえた、朝鮮人の日本人観
日時／一月二七日より三月下旬まで毎週土曜日（全一〇回）、午後三時～五時
締切／一月二〇日
受講料三、〇〇〇円

なお、この講座の他に、次のような講座が予定されています。

＊朝鮮近・現代史／梶村秀樹・宮田節子氏
＊朝鮮戦争／畑田重夫氏
＊民族教育論／小沢有作氏
＊現代朝鮮論／樋口雄一氏

これらの講座については、のちほどおってお知らせします。講座のお問合わせ、お申込みは当研究所まで。

研究生と講座のうごき

研究生第一期生は二年目を迎えて八名が残り、梶村秀樹所員のもとで〝満州における抗日武装闘争〟を年間テーマとして、各自がそのなかでの個別テーマにとりくんで発表している。一一月一〇日は梶村所員の〝武装闘争の沿革〟、一二月八日は角田玲子研究生の〝抗日武装勢力の形成・発展と東満党における諸問題〟、一月一九日は松田博研究生の〝一九三〇年代の日朝人民連帯について〟、二月九日は梶村所員の〝一九三〇年代の経済状態と朝鮮・満洲〟がそれぞれ報告された。

一方研究生第二期生は昨年一一月三一名が応募し、宮田節子所員の指導のもとに、毎回二〇名を越える良い出席率で勉強が進んでいる。ここでは一年を通して〝朝鮮近・現代史〟が宮田講師を中心になされている。これまでに〝朝鮮近代史の問題点〟〝一九一〇〜一九年代の日本の朝鮮支配〟〝一九一九年の三・一独立運動〟について行なわれた。なお二月二二日は〝一九二〇年代朝鮮の農村〟について行なう。

これらの研究生とは別に一月末から旗田巍所員を講師に〝朝鮮人の日本人観〟の講座がはじまった。毎週土曜日、全一〇回、一二名が参加している。この講座は朝鮮朱子学者と開化派の日本人観の勉強であるが、これまで、日本人の朝鮮観はわずかながら研究されてきたが、朝鮮人側から日本をみた分析は皆無に等しい。アジアの民族解放闘争の思想史的側面を遠くさぐる非常にユニークなもので、参加者の期待が高まっている。

研究所のうごき

講座　研究生（一年生）は、三月一八日「金嬉老事件と在日朝鮮人問題」をテーマに研究した。旗田講座は、「朝鮮人の日本観」の七回目を終り、四月下旬に予定講座を終了する。梶村ゼミは、四月一二日、鈴木研究生の「在日朝鮮人の沿革」が報告される。

研究会　四月一四日、文学研究会が「朝鮮文学史」をテーマに研究会がもたれる。全所員研究会は、四月二六日に、「武装ゲリラ・プェブロ号事件後の韓国」というテーマで、所外より講師をまねき研究会をもつ。一方、〝日本人がなぜ朝鮮問題に取組ねばならぬか〟という内容の本の出版企画を推進するための理論面の研究会が近く開かれる。

火曜講座、朝鮮語講座　しばらく休んでいた火曜講座を、四月二三日より再開することになった。同じく四月下旬より、朝鮮語初級・中級の両講座を開講する。具体的な要綱は、いずれも近く発表する。

研究所のうごき

朝鮮語講座

初級は五月六日から、毎週月、金曜日の週二回、講師に上甲米太郎氏を迎え九名で発足、一方中級は五月九日から毎週木曜日の週一回、四名でスタートした。

研究生

研究生一年生は、四月一八日、宮田節子所員を講師に「農興振興運動について」、五月一三日は、「日朝人民連帯をめぐって」それぞれ行なわれた。六月二七日は梶村秀樹所員により「朝鮮現代史」が行なわれた。

一方、二年生では、五月一七日、由井鈴枝氏を報告者に、「朝鮮民主主義人民共和国の成立過程」というテーマで研究会がもたれた。六月は「ブルジョア民族主義者の周辺」というテーマで石川節氏が報告を行なった。

所内研究会

四月二六日、「最近の韓国の諸情勢」というテーマで、また五月七日は、「民族教育」についてそれぞれ研究会がもたれた。

一方、文学研では「朝鮮文学史の中の近代小説の登場」というテーマで、毎月一回、研究会がもたれている。

新講座

五月二七日から六月二五日まで、畑田重夫所員を講師に、「朝鮮戦争の歴史」を全五回、毎週火曜日に行なった。

研究所のうごき

朝鮮講座

朝鮮語中級は、七月二七日に、初級は、同月二九日に、それぞれ無事終了した。秋季朝鮮語講座を九月末から開講する予定である。

研究生

研究生一年生は、七月二九日、ふたたび「日朝人民の連帯をめぐって」勉強し、八月は、受講者の都合により休講。九月からは、いよいよ最後の朝鮮現代史に入り、予定の一年が終了する。引続き、一一月から新期研究生を募集の予定である。

研究生二年は、七月一〇日に、欄木寿男氏を報告者に「朝鮮における日本帝国主義のファシズム運動について」が報告、討論された。八月一六日には、梶村秀樹所員がゼミナール一年間の「総括」を行い、今後の運営のあり方として、二年間継続してきたので、一応ここで終止符を打ち、所内の各研究会に合流してゆくことが確認された。梶村ゼミ終了者は、こぞって所員になって欲しいと梶村所員より要望が、合わせなされた。

所内研究会

毎月一回の所内定例研究会は、六、七月休会となった。文学研究会は、六月九日「崔南善の文学について」、七月二八日「李光洙の文学について」それぞれ研究がなされた。

講座

五月下旬から六月下旬にかけて、連続五回畑田重夫所員の「朝鮮戦争の歴史」は、好評裡に終了。九月下旬から新しく、小沢有作所員の「民族教育論」を毎週一回、連続五回の講座を開講する予定である。

日本朝鮮研究所才二期研究生

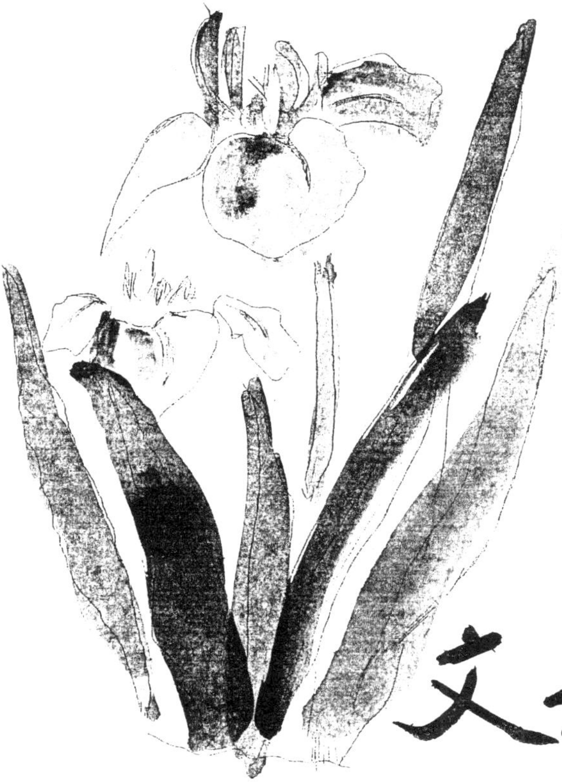

文集

一九六九・二・

No.1

学習経過

第一回	67・10・	自己紹介・今後の方針	
第二回	11・13	朝鮮近代史の問題点	宮田先生
第三回	12・13	1910～1919年代について	〃
第四回	68・1・22	3・1独立運動	〃
第五回	68・2・22	1920年代朝鮮農村の経済状態	〃
第六回	3・18	金嬉老事件と関連して在日朝鮮人問題	佐藤先生
第七回	4・18	1930年代農村振興運動について	宮田先生
第八回	5・13	日朝人民連帯の歴史について(一)	吉岡先生
第九回	6・27	現代史(一) (解放後の朝鮮を基本的にどうとらえるか。)	梶村先生
第十回	7/29	日朝人民連帯歴史をめぐって(二)	吉岡先生
第十一回	9/16	現代(二) (南朝鮮と日本)	梶村先生

職場での斗いと
朝鮮問題

――A君への手紙（1）――

小林文美

A君

毎日顔を合わせ、同じ職場で一緒に働いている君に、今あらためて手紙を書こうと思い立ったのは、こうした形で僕自身問題をすこし整理して考えてみたかったからなのです。

君は、先日僕に「すこし朝鮮ずき過ぎているんじゃないか」って云いましたね。その時の僕の釈明が、君に充分納得してもらえなかったことは、君のようすからもよく分っていました。あの時、沢山の議題をかゝえての会議の席だったこともあってそのまゝにしてしまったのがどうもひっかゝっていたのです。そこでもう一度議論をむし返してみたい。できればW君やN君などとも一緒にこの問題にかぎって討議する時間を持ちたいと思うのです。その時のたゝき台にするつもりで、僕らにとって朝鮮問題とは何かを考えてみることにします。

はじめに弁解じみるけれども僕がいわゆる朝鮮ずいてからのこの一年、朝鮮を多く話題にのせるようになったことを除いては、職場での斗いや、仲間にそのことによってあまり迷惑をかけていないということを、君は認めてくれるでしょうか。確かに、朝鮮研究所の学習会を理由に、会議の日程を僕に合わせてもらったことが二回、集会に欠席したことが一回ありました。しかしその場合でもみんなの了解を得たはずですね。なぜ、こんなことにこだわるのかといえば、君も知っているように、僕たちのまわりには、「学習」が強調されるかげで、実はそれを口実にして職場での斗いをサボッルような傾向がまだまだ充分に克服されずにあるからなのです。

それはさておき、一口に「朝鮮問題」といっても、僕たちとの関り合い方からすればそれは二つに分けておくことが出来るとおもいます。

一つは私たちの斗いの課題とも云うべき朝鮮問題です。

「外国人学校法」や「帰国協

1

定打ち切り」などのいわゆる「在日朝鮮人問題」も、日韓条約をよりどころにしての対韓経済進出の問題も、倫理的に人道的に許しがたい問題だということだけではないはずです。エンゲルスも「イギリスに於ける労働者階級の状態について」でアイルランド労働者の役割について述べているように、まさに僕たち日本の労働者の劣悪な労働条件を支えるものとして「朝鮮問題」は機能しているのであって単に朝鮮人に対する攻撃だとして見逃すことができないのはもちろんのことです。

あるいはまた、「三矢作戦計画」に単的に現われているように、朝鮮問題を抜きにしては考えることが出来ない「平和への斗いの問題もあります。

このように、僕たちが今直ちに斗わなければならない沢山の課題が朝鮮をめぐってあるのにもかゝわらず、僕たちの職場では、そのどれもがまったくお座なりにしか取り上げられてきませんでした。率直にいって、僕自身、目の前に具体的に現われてくる職場の問題に追い廻わされていて、ほとんど何も積極的に推し進めることができなかったのです。そのこと自体、やはり大きい問題だと思います。斗いの原点としての朝鮮問題とでも言えるでしょうか。日常の職場での斗いを含めて、僕たちの生活の姿勢をきめるものとしての朝鮮問題です。少し大げさすぎると言うなら言い換えてもいゝ。「朝鮮問題」は僕たちの斗いに、どんな武器を与えているのか、また与え得るのか。これです。

僕が、君や周りの仲間に「朝鮮問題」持ち出したのは、その中に現在の情勢、とりわけ、支配権力の尖兵としての役割を果させられている「税務署」という僕たちの職場でのさまざまな問題を考える鍵が、実に豊富にあるように考えられるからだったのです。

君にその点を理解してもらえなかったのは僕に、朝鮮についての具体的な知識が乏しいので、まだまだ観念的な理解を前に押し出しすぎているからだと、反省しているところです。

では、僕たちの職場のどのよ

うな問題と朝鮮問題が関り合うのか。大雑把にいって次の三つにまとめることができそうです。
①権力差別支配が何のために持ち込まれたのか。
②それは僕たちをどのように苦しめてきたのか。
③それを受け入れ、さらにそれに協力するとき、僕たちの中にどんなゆがみが生ずるのか。

もちろん朝鮮問題がこれらの問題にズバリ解答を出せるなんて言っているのではありません。たゞ一九一〇年の朝鮮併合いや一八七五年の江華島事件以来の日本の朝鮮侵略の厂史を僕の職場における、当局の支配の様相と重ね合わせてみるとき、それがあまりにも酷似していることに驚くのです。と同時に、日本人民のそれへの抵抗の厂史の中に、僕らが汲み取らねばならぬ多くの教訓を予感するのです。

もう少し具体的に挙げてみましょう。

・僕たち全国税労仂組合に対して一年間に十三名の仲間の首を切るという大量処分を含めた大弾圧と、極めて露骨な分裂工作が当局によって加えられたのは一九六一年でした。五万人国税労仂者のうち全国税に止まる者二十人という現実を生みだしたそれがどんなものだったのか、当時まだ職場に入っていなかった君もすでに「税務署残酷物語」や「統一の旗の下に」などで知っているでしょう。「勤務評定」をテコにしての秘密と差別の人事は国税労仂者を分裂させ当局の意図のもとに動く徴税ロボットに仕立て上げていったのです。

こうした中で、一九六二年、ナチスの租税法に範をとったといわれる「国税通則法」体制がうち出されてきました。民商・労音それに朝鮮総連などは「特団」として区別され、徹底的な弾圧調査がやられるようになりこれをみせしめとしての「納税思想の高揚」が図られたのです。税務署に毎日日の丸の旗が立つようにさえなってきました。

こうしたことは、大逆事件とそれに続く「冬の時代」が、日韓併合に始まる朝鮮侵略と大きく関り合うことゝちょうど符合するように思えるのです。

その共通項を一言で言うなら

支配権力の人民収奪は、権力の走狗となる者の諸権利をたゝき伏せ、眠り込ませることによって始めて可能だということでしょうか。僕たちがほんとうに民主的税務行政を行おうとするなら、まず職場に於て奪われている基本的諸権利を自分たちの手に取り返すことが、どうしても必要なのです。

だがもっと難しい問題は、現在のこうした職場、仕事のやり方が必然的に僕たちにもたらしている「ゆがみ」とどう斗うかということだと思います。

一九二二年あの関東大震災の直後、竹槍で朝鮮人をつき殺した自警団員の「正義」は今、僕たち税務職員の中に再生しているのではないでしょうか。朝鮮問題は家に帰ればよき夫でありやさしい父親である一人の人間が同時に一方で人間そのものをふみにじる权力に献身出来るという、おそろしさを鏡のように僕たちに自覚させるのです。

そして、この僕たちの中に巣喰っている「ゆがみ」との斗いを抜きにしては、僕たち国務労仂者のどのような权利回復の斗いも労仂条件改善の斗いも全労仂者階級の支持を受けることは難しかろうし、また勝利もできないだろうと思うのです。

朝鮮と私

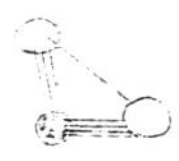

中島信行

これほど近くそれでいて遠い国があるでしょうか。近年おりにふれて朝鮮ということばを聞くと深く関心を持つしかしそれがなぜと聞かれても甚だ無責任かもしれぬが答えることばが私にはない。

単純ではあるが同じ人間でありながら日本人の中にいる朝鮮人に対する軽蔑、社会科教育の中に流れる朝鮮観、それがそのまま真実自分の物にしてはならな

4

いように思われてきた。教育をまったく受けていない私には朝鮮問題を研究するなどと、大それたことは出来ないが研究生である以上はすこしでも学び知ってあやまれる朝鮮感が正しく理解されるならば幸いに思う。
私は子供の頃、ある劇団に所属して居た時に、母を日本人に父を朝鮮人の中に生れた子供の役を演じたことがあった。
戦争で別れた母を尋ねてはるばる日本へ父と共に会いに、しかし事情あってわかれる時にあのアリランの唄を母に私が歌って別れる場面があった、ところが子供心に役になりきったゝめか涙が出て声にならずいつもおこられた想い出がある。
　音楽の好きなわたしは、アリランの曲も好きな唄の一つである。
　また親しくして居た友人に幼な馴染みで近藤君という友が居た。とかく幼な馴染み等は共に社会人となると音信とだえ往来せぬものだが彼れだけは二十年からの付合いである。其の友人が朝鮮人であった事がつい最近わかった。何の抵抗もなく受け入れられることが出来た。
そんなことが私に朝鮮へ関心をもたせた理由ではなかろうかと私は思う。
想い出せば東京オリンピックの際、ソウルに住む友人が来日しホテルへ会に行った。
語学の出来ぬ私は、通訳を通して話し合った。其のおり趣味は何かと質問すると読書「ドクショ」、散歩「サンポ」と日本語で答えた。ところが驚いたことにドクショ，サンポは常につかわれることばであるそうな。
また気候、風俗、習慣などと、大変共通点がある。風俗、習慣などにおいては言うまでもなく中国文化の到来と共に日本への橋渡しとしての朝鮮その存在をけして無にしてはならず、もっと知るべきではなかろうか。
　中でも忘れてならないことは宗教である。仏教はインドに生れ、中国、朝鮮そして日本へと流れた仏教が朝鮮半島に渡ったのは四世紀の後半で日本へ仏教が伝えられたのもこのころ百済の聖明王から、金銅の釈迦像と経典が献上されたと言う。
　七世紀において新羅では仏教

5

を国教とし統一国家を完成させたとも伝えられる。その仏教の繁栄と流れの中で文化の発展はまことに目覚ましい物であったと思われる。にもかゝわらず、インドを始め東南アジアの今日の文化発展の遅れ、始めは何なることか、私には不思議でならない。宗教は文化の発展の前進をたすけ、一方では前進を妨げ弊害にもなっている。

南朝鮮においては、その弊害まことに大であろう。農民の間に行渡っている自然崇拝と巫女や風水師(うらない師)の根強い流行がそれである。この風習はあながち農村ばかりに限られていない。都会地にてもしばしば見聞される。また儒教思想は今日なを社会に大きな影響をもっている。

支配者層がそれを採入れることによって民衆を支配し、自らも大きな影響を受けてきた。
諦観に似た、自然主義とシャーマニズムが根強くはびこっている有様である。これらすべてが宗教を元として始っていることは語るまでもないでしょう。
南北に別れ、その苦るしさ、悲しさは筆舌には表わす事はできますまい。しかしそれが政治イデオロギーでの問題であったとしてもたゞ単にそれだけが問題であるとは私には思えない。
私は宗教家ではないが大集経にいはく、「我が法の滅せんを見て捨てゝ擁護せずんば是くの如く種ゆる所の無量の、善根、悉く皆滅失して其の国、まさに三の不祥の事有るべし、一には穀貴、二には兵革、三には疫病なり・・・王教令するとも人随従せず、常に隣国の侵嬈する所と為らん。」この文、朝鮮・日本民族にあたりはしないか。
「我が法の滅せんを見て」とは真実の思想・理念が滅するお国の主権者が、のほゝんとしていたら三つの災難があって主権者がどんな政令をくだしても民衆はいうことをきかないことだ。
一穀貴とは物が高くて民衆が買うことが出来ない、生活程度が下落することでインフレのことである。二に兵革とは、戦争の災難を受けることをいう。三に疫病とは伝染病であり、民衆の精神分裂をも意味する。「常に隣国の為に侵嬈せらる。」とこの文は東洋において日本および朝鮮の今日の姿ではないでしょうか。

人間に宿命ということがあるならば国にも宿命ということがあろう。するならばなんと不幸の宿命にある朝鮮民族であろうか。

我が身にひきあてゝ思うなら胸つまる思いである。その不幸、苦しみを取りのぞくことがもしもできるなら、力無い私ではあるが、何かの役にたつならば、共に幸せきづく応援をばしたい。

世のおろかなる指導者よ，悪夢より目をさませ、民衆は真実の幸福平和を願っている。

朝鮮民族もそうであろう。

私のこれからの人生の中に朝鮮は共に生きて行くだろう。

朝鮮民族の幸福をお祈りつつ

・・・・・・・・・・

以上

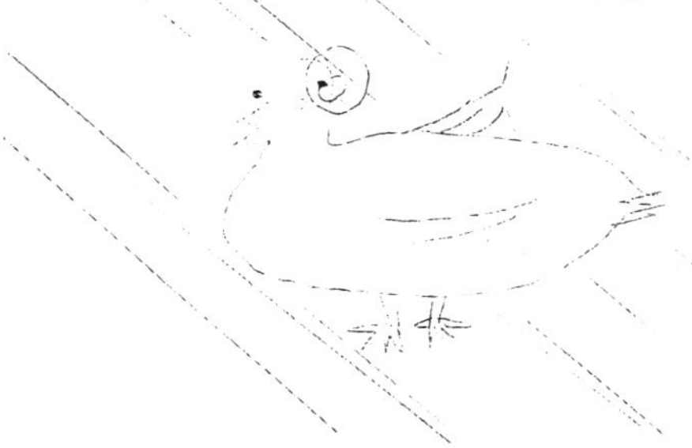

難問

斎藤尚子

先日、研究講座アンケート用紙と共に「文集刊行のよびかけ」が郵送されて来ました。一通り目を通して、机のひきだしにしまったとき，すぐにも書ける心算でした。

締切日がいよいよ迫って、更に連絡の葉書をもらって、ペンをとったまではよかったのですが、アンケートの最初の問いに直面して、たちまち立往生をしてしまいました。

問一は「朝鮮問題に関心をもったきっかけは何ですか」というのでした。

たしか，今回の研究講座が開かれた最初の夜に，聞かれたことで、その時はそれなりにもっともらしい答を、した覚えがあります。あとで考えて，何ともキザな答えで，やり切れなくなりました。ですから今度こそキザでない表現をとろうと思案しました。思案すればするほど答は難しくなってきます。言葉は思想とかゝわっていますから。あげくの果に、大変平凡な答を書いてしまいました。

『自分が朝鮮からの引揚者であるということゝ、児童文学作品を書きたいということ』

さて、それを返信用の封筒におさめて、机の隅に置き、夕方ポストに投函するつもりでいました。ところが、何ともいたゝまれない気持ちになって、同じことを、また、ここに書く結果になってしまいました。

一口にいって、その問に対する答は、口に出して言えば言うほど、またいかにもゝっともらしい理由を、つければつけるほど真実から遠ざかって行くようで空しくなってしまうのです。

先ず、引揚者であるからという第一の理由をとって言えば、おゝかたの世間の人は安易に納得するでしょう。けれども、それでは朝鮮からの引揚者の何十万という日本人が、みんな今日朝鮮問題に関心を持っているでしょうか?

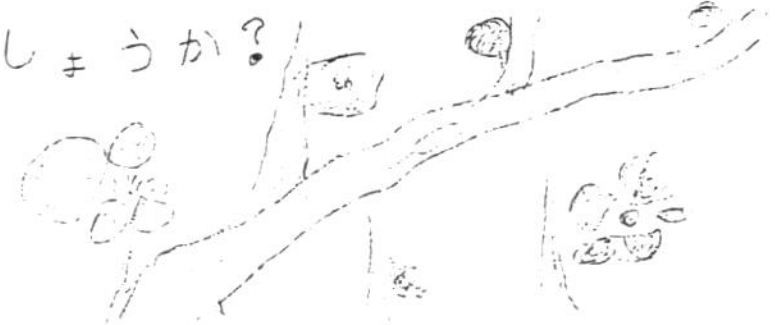

それが、もしもほんとうなら、この引揚者全員が、自己の利益になる在外補償獲得のために示したエネルギーの何分の一かを両民族を考える方向にも示したはずではありませんか。結果、現実はもう少し変っていなかったでしょうか。第二の理由、児童文学作品を書きたいため、とというにいたっては、全く理由が希薄です。

なぜ、児童文学作品を書くことが、朝鮮問題と関係があるのか、不可欠であるのかが、わからないからです。

このように書けば、或る人はこうもいうかも知れません。

「それは、引揚者であるあなたの、朝鮮の自然や、旧知の朝鮮人への愛情から発している郷愁の一種にちがいありませんと」と——。

しかし、郷愁とは過去をふりかえる心情の中に現れる現象ではないでしょうか。それならば過去の時代を忍ぶ写真集とか、せいぜい同窓会の楽しい集りによって、心は充たされもするでしょう。

朝鮮の自然が、とりわけ季節

8

季節によって痛いほど思い出されはしますものゝ、たゞそれだけのことでしたら、わざわざ研究会に出かけて行く性質のものとは、思われません。

朝鮮問題とは、そもそも私にとって、何なのでしょうか？

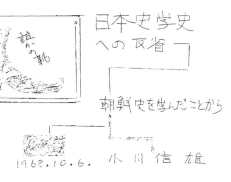

私は、私のことばで、それを考えようとしている段階であって、答はこれから見つけるものゝ。体験を通って一つの真実が自分のものとなるように、ことばを通って一つの真実が具現され、自己と他者の前に提示されたとき，それが答といえるかもしれません。

ともかく、朝鮮に住んでいた二十余年間には、朝鮮問題は、私にはありませんでした。当時、朝鮮は皇恩のあふれる日本の一部分という認識にたっていましたから――――――――。その根底がくずれさった時、朝鮮問題は私の中に棲み、私は朝鮮を追われて日本に住むようになったのでした。まるで，生命のように混沌としたかたちで、あるいは、生命と分ち難い混沌としたかたちで、朝鮮問題は、私の中に居着いたのでした。地下水のように意識の底にもぐって、ある時は、独りすゝり泣くような望郷の思いとなり、ある時は、突然炎のようになって自由の存在を，真実を証そうとして，何かに向って激しく燃え上るのです。

以上、だいぶ長々と書いてはきましたが、結局のところ具体的な回答にならず、あいかわらず漠としたものになってしまいました。

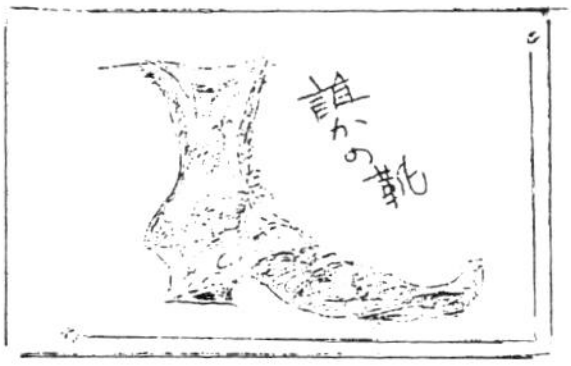

日本史学史への反省
朝鮮史を学んだことから

1968.10.6.　小川信雄

ナチズムの御用理論，地政学（geopolitik）という学問は現代の我々には耳なれぬものである。しかし地政学は「ナチスの地と土、の土にたいして、血における種族学と同様の役割をはたし」（『政治学事典』の地政学」の項、P.890)ており、政治地理学から分派してきたものである。政治地理学はドイツのラッツエル(F. Ratzel 1884～1904)の Politische Geographie (1897)がその最初のもので「彼は国家をもって土地をその不可分の構成部分とする一つの有機体と理解し、その機械論的・決定論的な方法にしたがって体系化をこゝろみた」(同書の政治地理学」の項 P737)のであり、ドイツでこの政治地理学は発展した。それは帝国主義がこの学問を発達させたのであり、「植民地ないし市場分割の斗争を、これからの政治地理学者は地理的空間の争奪におきかえてとらえようとしたというイデオロギッシュな役割をはたした」(前同。)その意味でこの地政学はけっして過去のものではないということが大方の人には理解していたゞけるのではないかと思う。戦後、日本帝国主義の御用理論となった我が国の地政学はどうなったかと言うとその破産宣告は不完全な形でしかおこなわれなかったように思われる。それは地政学批判のものは地理学の分野では飯塚浩二氏の『地理学批判―社会科学の一部門としての地理学』(S23年)『世界史における東洋社会』(S23年)ぐらいではないかと思えるからである。現代の日本人民の解放にとって主要な敵の日本独占と米帝国主义がこの理論の再編強化をはかっていることは明白であり、(京都大学東南アジアセンター問題対策協議会『京都大学東南ア研究問題 資料集』1968年5月)、現にその危険性をはっきり指摘する地理研究者もいる。この意味から「史を学ぶものにはこれらの問題のもっている重要性は最近の『近代化論』の盛行とともに十二分に記憶され、注意される必要がある。それも学問の内面まで、いわば学問史の問題として受けとめることである。人民に奉仕する学問を発展させるためには従来の学問の負の遺産までも我々は必然的に背負いこまなければ創造は出来ないのだから尚更のことである。だから山辺健太郎氏の『日本の韓国併合』における、平野義太郎氏の『民族政治の基本問題』をあげて「大アジア主義」批判も当然であると思う。竹内好氏の真摯な「アジア主義」研究も理解出来るが侵略と連帯はある場合には区別が出来ない（『アジア主義』解説）というような理解は私には理解しがたいのである。それは戦時中『魯迅』を書いていたことは平野氏とはちがって雲泥の差があるし、また私達が竹内氏を信用し、尊敬も出来ることなのだが・・・・・・。

平野氏の著書から山辺氏の引用と同じところだが以下、引用してみよう。

「異民族統治の要諦は、異民族の信頼と尊敬とをかちうることによって、民心を把握するにあり、この信頼と尊敬とを、従来、英米蘭人は人種的優越による権威によって獲得した。

日本の民族指導及び統治の理念はこの英米蘭の人種的優越に基く搾取的植民政策と異り、八紘為宇の大精神に基き原住民をして各能に応じ分に従いその処を得しめ、進んで自然に中核たる日本の聖業を輔翼するように導き、かれらをして大東亜興隆の栄誉を相倶に享受せしめんとするにある。・・・日本国家の優越性を証明すべく窮極の道は、専ら戦勝にある。従って、日本国家の優秀性を会得せしむべき大道は、区々たる宣撫や片々たる啓蒙の方策ではなく、帝国の戦力増強と作戦遂行とに原住民を全面的に動員協力せしめ日本が勝つにある。従って、現段階において日本の優秀性を会得せしむべき統治の方式は、全般的な各種施策の平均的推進ではなく統治地域の人と物とを挙げて重点的に戦力の増強に活用し、日本が戦争に完勝することそれ自体にある。そうして、又、原住民が凡ゆる困難に堪へ犠牲を忍んで大東亜戦争を勝ち抜き、大東亜共栄圏を建設し、日本の完勝によって自主的な民族向上を達成せしめることそれが現段階の民族指導の原理である。」（P29～30）　随分、長く引用したが、よく読んでみると、まことにアイロニー豊かであり、「弁証法的」である。それは自分が意識せずして、自己の帝国主義的本質を暴露しているからである。これを執筆したのが昭和18年12月、いくら戦争中「アシズム統治下のことゝはいえ、完全な戦後世代の私などには『講座』の代表的論者として『日本資本主義社会の機構』を書いた人との同一の筆であるというのだから、おどろくというよりは信じがたい。善意にみれば戦争中のことだから仕方がないとでも言えるが、戦後、平野氏は実践にはともかく、学問的に自己批判をしたというような文章は私は知らない。最近の平野氏の『大井憲太郎』などを読むとやはり、問題はあると考えざるを得ない。「大井が明治政権から憎まれ、裁判所から九年の禁獄に処せられたのは、朝鮮の独立党・開化派の金玉均をたすけ、朝鮮の保守反動の張本人、大院君を倒す改革（渡韓計画）のドンデンがえしに、日本の専制政府を顚覆しようとした（自由党大阪事件）からである。」（傍点，小川）あるいは、「日本の専制政府を倒そうとした大井ら自由民権運動の平民的急進派が朝鮮・中国などアジア近隣の民族を圧殺していた、それらの国々の封建的支配階級と欧米勢力との結託を向うにまわし、反封建・民族独立をめざす改革の方向において、朝鮮・中国の人民と「兄弟のように、扶けあい艱難相済わう」としたことである。それが自由党大阪事件になり、憲法発布後は、東洋社会党の結成になった。」（同，はしがき）という指摘である。これについてはすでに中塚明氏の『厂史評論』188号 の「大井憲太郎の厂史的評価——とくにアジア連帯の側面について平野義太郎氏の見解を批判する」があるが、私も基本的に中塚氏の批判には賛成である。私には平野氏のMarx主義方法論に根本的なメスをいれる必要を感じる。それは山田盛太郎氏の『日本資本主義分析』も左翼的生産力的偏向があるが、いずれにせよ『機構』『分析』が日本資本主義発達史研究においては野呂栄太郎『日本資本主義発達史』と共にバイブル的存在であるからである。この『分析』、『機構』が共に日本資本主義研究にとって偉大な成果だとみる私などの見地からは尚更のことである。

山辺氏はMarx主義の歪曲について、小山弘健氏『日本マルクス主義史』の「戦時下の研究のわい曲と偏向」に全部賛成してそれをまとめている。

「戦時下の研究・・」の特徴は，第一に、Marx主義の方法をつかわないだけでなく，非マルクス主義の方法を自発的にとりいれた。第二に経済主義のかたよりが一層ひどくなり、社会政策論、生産力（戦力）増強論に転化した。第三に、歴史主義の傾向がつよくなり、歴史研究の対象は過去へとさかのぼった」『日本のマルクス主義―その発展の歴史と文献』（『思想』1956年7月No.385）

私はこの問題が日本におけるマルクス主義的方法による学問研究の中で克服すべき一面をしめしているように思えるし、いまゝでのべてきたことから、日本史学史について、それも、日本近代とアジアとのかゝわりを研究した歴史について研究にまとめなければならないことを感じさせている。

田中彰氏の「先進国際勢力に対する日本と中国との対応の相違を資本主義への自生的契機の問題として捉えようとしたのは、かつての服部之総の明治維新論の主要な発想のひとつであったが、現在の中国革命の成功という現実を前にして、この点はあらためて問い正されてよい。」（『日本史研究入門』Ⅱ P.189～190）のことばにしめされているとおり、我々の展望はあるのである。東洋社会をその特殊性（例えば水）において「停滞性」理論を与え、現代の東洋の「停滞」を肯定するというようなことは、許されない。現代の東洋の「停滞」は実は帝国主義によってもたらされていることを、我々は知るべきである。このことを理解しえない学問は帝国主義の御用理論となることをまぬかれないだろう。ウイットホーゲルはこの典型的な例であろう。「東洋の水が東洋を永久に決定するといったよう諸学者の風土的な必然論は、東洋の過去のみならず、現実の状態には勿論適応していない。東洋の水は東洋を永久に決定するものではなく、東洋の水は東洋を理解する「一つの鍵ではあっても、その『万能の鍵』ではない。」（仁井田陞著『増訂・中国法制史』P.60）というすぐれた指摘にも示めされているとおりである。

尚最後に、いままで述べてきたことは、実は我々の世界観の問題としても、把握すべきである。朝鮮問題でも、日本人には「朝鮮停滞論」は根強いし、そして「8・15解放以後現在に至るまでも、この日本社会では朝鮮人にたいする民族差別思想が根強く残っており、最近の日本軍国主義復活とともにそれがさらに助長されていることである。日本人の中には朝鮮人が祖国をもった独立国民であることをまだ認識あるいは承認しない人が多い」（朴慶植）「民族的差別——朝鮮問題と関連して——」（『未来』68.24）それは「日本内部の問題として，沖縄や部落などの差別がとりあげられる。これと、在日朝鮮人問題とは、もともと、異なる性質の区別すべき問題である。このことをはっきり認識できない所に日本人の思考の盲点」（朴慶植『朝鮮人強制連行の記録』P.12）があるということが、一つの原因になっているからではないかと思う。

総花的になってしまったが、自分の考えをまとめてみた。

もう一つの視点

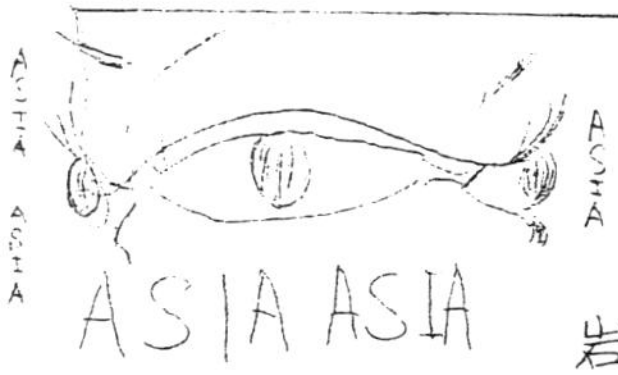

岩川作正図

今年は「明治百年祭」の行なわれる年である。これに対する批判も多くでている。私はそれらのうち少しは読んだつもりであるがまだ何かものたりなさを感じていた。

そのようなときに、私はむのたけじ氏の『たいまつ十六年』を読んで，私の「何かものたりなさ」の、その正体がわかった。

むの氏を知っている人は少ないと思う。というのは氏が地方在住の、地味な活動をしてきたという「日本的な悲しい事情」があるからだ。私が感銘したのは「中国の要求」と題する一文である。それは昭和二三年八月二六日付の『たいまつ新聞』に載ったものであるというから、ずいぶん古い評論といえる。ところがその内容から受けた感じは正に現代的である。それは喜ぶより悲しむべきことだ。むの氏はそこで当時の中国の国共両陣営と「対日問題」に関してはほゞ同様の要求、即ち戦争をしかけないし、またしかける必要のない日本を要求していたことを指摘したあとで次の様に述べている。「日本のことをきめるのは日本人自身であるから、中国の考えに服従する必要は毛頭ない。中国も服従や迎合を望んでいるとは思えない。事実において、中国の対日要求と正真正銘の解放を要求する日本人民の課題とが一致していることを認めないわけにはいかないのである。」このことは中国ばかりでなく朝鮮とて同じであろう。広くはアジアと言っても妥当であろう。

氏がその一文をものにしてから二〇年たった今日の日本は事実においてこの「課題」が解決しないうちに、否!解決しえなかったからこそと言うべきであるが、政府が「明治百年祭」を強行しょうとしているところまできた。「明治百年祭」は羽仁五郎氏が言うように「相手は七〇年で勝負しちゃ負けるという公算をたてることだ。したがってそれ以前で勝負をやろうとしている。それが紀元節の復活であり、『明治百年』である」とまで断言しているように、「安保体制」の維持の布石であることはたしかだ。ところで、この「安保」は安全保障どころか、実は軍事条約であり、「戦争をしかけない、しかける必要のない日本」を要求する者にとって、正に必要のないものである。

このような意味を持つ「明治百年祭」とむの氏が昭和二三年に書いた文章を重ねてみると恐ろしい事実がでゝくる。「明治百年」のイデオロギーが先の「課題」を陰蔽しているのは支配者の論理であるから驚くにたりないにしても、これを批判する論理の中で「明治百年」という言葉のためには、日本・中国・朝鮮人民を含めてアジア人民の「

—15—

課題」の側面からの批判が欠落していることだ。言うなれば「明治百年祭」を日本史の、日本人民の立場からのみ批判して、中国史・朝鮮史、或くはアジア史の、戦前日本が支配した国々の人民と共同の「課題」とし、共同で闘う『連帯』の立場から発言が少なすぎるということである。これはむの氏の提起より退歩である。

山田昭氏は「・・・紀元二六〇〇年祭が二〇数年たったなお現在、朝鮮人の記憶に生々しいほどにたゝきこまれていたことに驚かざるをえなかった。しかしその驚きは同時に恥ずかしさも含んでいた。建国記念日反対運動のなかで、わたしの頭のなかにあったのは、被害者意識だけであった。紀元節とか紀元二六〇〇年祭といったものが。このように他民族に直接的加害をしていたことは夢にも考えてみなかった。理屈ではわたくしたちが日本帝国主義に協力することによって自ら被害者になると同時に、アジア民族に対する加害者となったことは、わかっていたつもりである。だがそのわかっているということが、いかにあやしげのものであるかが、いやというほど思いしらされた」と述べている。

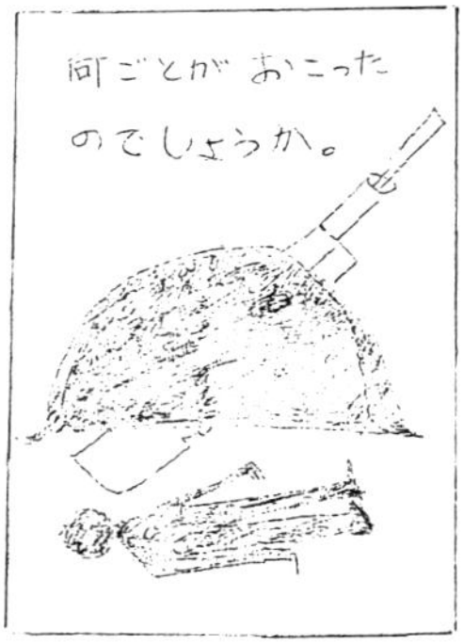

私も全くそうだと思う。だがこれは「二十三年」の確認であり、進歩はない。現在の段階では「明治百年祭」批判の中にアジア人民の側面からの批判をもう一つの視点として付け加えることだ。

私の「ものたりなさ」の正体はわかってもいかに解決するのか。「課題」とは何か。『連帯』とは何か、またいかにして『連帯』するのか、と解決して初めて批判として有効になり、真の解決にもなるだろう。だが今それができるだろうか。私はその前に山田氏も言うように「そこに示された日本人と朝鮮人との意識の断層をとことんまで洗いざらしてみなければ、日本人とアジアを見る視座を確立することはできないだろう」と思う。このことは当然アジア民族すべてに該当する。

朝鮮人がわかって、日本人がわからない、ということに私はかつての支配民族・国家の人民の悲哀と責任とを感ずる。なんと日本人自身が「支配者の論理」を身につけてしまっていることか！これを洗いおとさない限り真の「明治百年祭」批判は自らのものになりえないのだ。

私はすの氏や山田氏の論評を読んで私自身の「何かものたりなさ」の正体を知って身ぶるいした。

だが日本人民の前にある困難は日本人民をきたえるだろう。私の前にある困難は私をきたえるだろう。そう思って私はその困難をうけとめ、行動していきたい。（1968年10月5日）

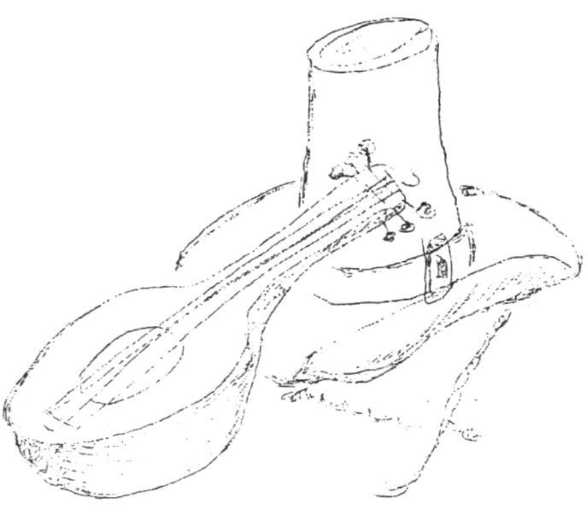

私と朝鮮研究

鈴木秀子

私が朝鮮問題とかゝわるようになったのは昨年の四月、朝鮮研究所での朝鮮語講座に出てからのことである。それまでの私は、朝鮮関係の概説書を買って読む程度でしかなかった。

なぜ朝鮮に関心をもち、朝鮮語をやるようになったかということは、一口で言うのはむずかしい。学生時代、アメリカの黒人問題に関心をもちべんきょうしたことが、"差別"ということなら、日本人としては朝鮮問題をやるべきだという結論に至らせたことは事実である。

学生のとき、政治に関心がなかったわけではない。しかし当時の日韓問題はそれほど私の興味をひかなかった。また黒人問題を私がやっていると知って、朝鮮問題こそやるべきだと忠告してくれた人もいた。それでも私は朝鮮をやろうかということにはまだいかなかった。いまから思えば残念であっけれど、考えてみれば、黒人問題をやったことで回りみちをしたけれど私を朝鮮問題に近づけさせたのだろう。

日朝協会があるなんて知らなかった。朝研に来て、ある所員の方が、朝鮮問題に関心をもつなんて、日朝協会に入っていたのですかと聞かれ、入っていませんでしたと答えたらそれでどうして朝鮮に関心をもつのかというようにふしぎそうな顔をされた。私の方こそそういう考え方こそがふしぎであった。なぜなら、私は朝鮮研究を自分の生き方とのかゝわりあいでやろうと思うのであり、そのために既成の組織の枠でなんでも解決できるとは思えないからだ。私は日本人にとって朝鮮問題とは、そういうものだと思う。

しかしこのような考えに至るには、なんとしても飛躍があるかもしれない。が、こゝではまだ充分いゝつくすことはできない。今後の研究過程で明らかにしていきたいと思う。

こゝでは、私が朝研の事務局につとめるようになったことについて書いてみたい。

私が朝研に入るきっかけはさきにも述べたように朝鮮語講座からである。学校をでてから、朝鮮を勉強したいとおもっていたことをやっと語学を媒介としてやってみる機会がもてた。語学は好きだったがあくまで手段だった。（こんな考えだからいつまでたっても朝鮮語は上達しないのだが・・・。）

朝鮮語をはじめた頃、朝研に事務の人がいなくて困っているという話をきいた。そのころ、私は名もない、小さな出版社につとめていたが、やめたいと思っていたところだったから、さっそく志願をした。朝鮮研究をやれるよいチャンスだ、と思った。しかしいろいろ聞いてみると、私に求められていることは研究とは何の関係のないそろばんを入れていればよいということだった。それでも研究所にいればなにか得られるだろうからたしかにためらいもあった。研究所といっても、大衆食堂の二階のうすぐらい、小さな部屋一つだ。研究所なんて名ばかりの気がした。朝鮮研究をやろうなんてことは、なまやさしいことではないんだと思う。いつつぶれるかわからない。それにお給料もやすいし、社会保険もない。家で、相談したら、まるで気ちがいだといわんばかりであった。なにをしてもいいけれど、迷惑だけはかけてくれるなというのである。朝鮮というからには、「北」のことにちがいない。「北」のことをやるなんて、もし万一なにかあったらどうするのかというのであった。私の自己満足のために家族にまで迷惑をかけられてはということなのだろう。そういわれると、その反応の中の朝鮮に対する偏見、蔑視によけい反感を覚え、なおのことあまりあるものかと思った。

しかし不安はあった。それまでして、私は何をしようとしているか、いったいそれほどまでして、やらなければならないのか。その自信は正直いってなかった。やはりあきらめよう。自分のことさえ満足にできないのに、なにが朝鮮だ、と。

そう決心して何日か立ち、研究所の事務局長の佐藤さんにお会いし、「実は……」と多少

— 19 —

うしろめたい気持ちで、やめたいときりだした。ところが、佐藤さんは私の言ったことをきかれたのかどうか。とうとうとしゃべりました。およそ一時間位、正直にはおぼえていないが要するに、勉強ができるかどうかということは、その人の主体性の問題だ、困難の中でやるからこそ意味があるということだったと思う。なんでも、それでもできませんといえないような演説だった。それともそれをまともにした私が少々バカ正直だったのかもしれない。

こうして、私は朝研につとめるようになってしまった。自分では相当覚悟していたつもりだったが、やはり実際と想像にはひらきがあるものだ。毎日毎日およそ研究とは縁のないことばかりつづく。しばらくたつと、どうして私はこんなことをしなければならないのだろうと思うことしばしばだった。

でもいまさらやめられなかった。それにみんなが、どうせ長つづきしないと思ってみている。

そうこうするうちに研究生の講座がはじまった。私の周囲に

おこしつつ研究の雰囲気がでて来た。こうして、わずかずつではあったが私の朝鮮研究は朝研研究会をとおして進められた。初めは、おもしろいところまでいかなかったが、やっと一年たったこの頃おもしろくなりかけたところである。

研究所での私の仕事と、朝鮮研究とは、あいかわらず直線にはつながらない。しかし、以前よりは、かすかに細い糸でつながったかとも思う。雑務の中でも、それを通して学んだこともいろいろある。その内容はかんたんにはいえないが、ただ研究だけではえられない、人生の貴重なゝにかを。それがわかったことは私にとって大きな収かくだと思っている。他の人の経験することの出来ないものを私はこの一年で学んだという気がする。とくに去年の夏の研究所の"危機"はいろいろな意味で考えさせられた。その中で、私の朝鮮研究に対する姿勢はだんだんとただされていく。いまの日本の状態の中で朝鮮研究をつづけていこうとすることが、どういういみをもつのか、どうしてこんな状態でも、なおかつ続けなければならないのか。

私はやはりやっていかなくてはならないのだろうと思いはじめている。

それがなぜかをはっきりさせていくことが今後の私の課題でもある。それと同時に、私の周囲にこのような考えをひろめる努力をすること、このことこそが私の"願い"になるような気がする。私の家族は、いまではしかたがないとあきらめるようになった。それは、かならずしも朝鮮問題を理解してのことではない。ただ、新聞、テレビで朝鮮のことが話題になると、"ホラ、おまえの朝鮮だよ。"なんてことをいうようになったのはすこしの進歩だといえないだろうか。私はまだまだ朝鮮についてなにも知らない。これからはじめるのである。私がべんきょうすると同時に、一緒にべんきょうしていく仲間をふやしていこう。その仲間は、朝研の研究生である。私たちはなれあいを否定する。そしておもいあがりも。自己の中の弱さや悪と斗いながらこの初心を持続させていきたい。完

(1967.2)

—20—

味と民族によせて!!

神宮滋

1. イメージの朝鮮

どんなに朝鮮に関心のない人でも、朝鮮というと朝鮮料理がイメージとして浮びあがり，つぎに、からい唐辛子を連想するようである。朝鮮―朝鮮料理―唐辛子というイメージが目に見えないが、ちゃんとした一本の鎖に結ばれて，日本人の心の深層にひそんでいるようである。私が，朝鮮問題に関心をよせていることは、私の周囲では周知である。だが，どんな内容を持って，朝鮮に関心をもっているのかまで知っている人は数少ない。それは、私のアピール不足の一つの欠陥でもあるのだが。

しかし、ともかく、私が朝鮮に関心をもっていることを知っているものだから，私に話をあわせてくれる親切心からか，話のおもむくところ，朝鮮料理ということになる。いわく，「辛くないの」,「くさいわね」などなど。だが朝鮮料理を一度もたべたことがなさそうなのに，そんなことを云う人が少なくない。それも若い人に多かった。

2. 朝鮮料理のシンパサイダー

私は、周囲の人と積極的に朝鮮料理屋へでかけるようになった。といっても，はじめから，何も意図があったわけではない。たまたま，私が長らく外食生活をしているので，時にスタミナを補給し、あわせてその頃覚えたビールの味をたのしむには朝鮮料理が都合よく，そして，一人で飲みくいするよりは、大勢の方がにぎやかでよかったからである。しかし，いつ頃からか，どこへいこうかなどと仲間で思案投首するときは，さっと機制を制して，朝鮮料理へ道案内するようになった。もともと，私は，朝鮮料理が好きで，今でも週に二,三度は必ず行っているくらいだから，都内に何軒あるかしらないが，仲間うちで飲みくいする話がどこでもちあがっても，さっさといいところへ手引きできる自信がある。 そんなわけで，私はずいぶん多くの人と朝鮮料理へでかけた。何といっても，朝鮮料理をくいながらだと朝鮮問題も話しやすい。日本と朝鮮の厂史，朝鮮の文化，在日朝鮮人問題など，口の重い私でも，だんだん調子がのってくる。だが腹いっぱいくうとか，お酒がまわってきたりすると，聞く方もおうようになってしまうせいかどうも問題の突こみがにぶってしまう。そのためか，私には朝鮮料理のシンパサイザーは結構多いのだが，それが朝鮮問題のトンムにまでいたった例はきわめて少ない。

3．民族の味

私は，会社づとめをしているが，時には昼休みを利用して神田ガード下までゝかける。それも一人ではない。会社の同僚や若い女の娘四五人と一緒である。不思議と女の娘はビビンバが好きである。はじめは，「辛い」「くさい」などといっているが一二度強くさそうと，おかしなもので朝鮮料理が好きになってしまう例が多い．女の娘は昼はラーメンが大好き，といった誤まった見方はたちまち破られる。自分たちだけでもでかけるようになる。そして，どこどこのビビンバは美味しいなどと知らせてくれる人もでゝくる。「くさい」などとはいわない。これが民族の味だと思うのであろう。

4．民族の誇り

私は人と一緒に朝鮮料理屋でかけたときは，こんな話をするのが好きである。どんな民族でも民族に特有の味，特有の香辛料をもっている。中華料理はにんにく，西洋料理はこしょう，日本料理はわさび，そして朝鮮料理は唐がらしと。西洋の近代史は，誰れでも知ってとおり，こしょうを求めて海洋にのりだしたときに始まる。からい唐辛子のついたキムチのない朝鮮など想像できようか，私はとてもできそうもない。そして，色々いったあげく最後には民族には，民族の心があり，そして民族の誇りがあると，きまって私は結論づける。日本と朝鮮の友好は，民族の心，民族の誇りにふれることが最も大事であると思う。

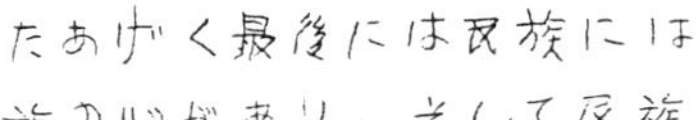

5・合理と不合理

あるとき，朝鮮料理の女のシンパサイザーがこんなことをいってのけた。ビビンバ，コムタン，チゲなども美味しいのだがもう一つ焼肉はどうも不合理ではないか。おいしいはずの汁のところが，ボタボタ水に落ちて燃えてしまう。それから，しばらくして，私はヂンギスカン料理をつゝっくお会をもった。そのとき，それまでは何とも思わなかったのだが，逆型鍋に肉をのせて焼くヂンギスカン鍋はいかにも合理的だと気付いた。鍋の手のところにたまった汁は，サジですくってのんでもいゝしそこに肉をひたして美味しい。日本，蒙古いやいや，どの民族が開発したか知らないが，なるほど逆型鍋は素晴しいと思わず感嘆したことを覚えている。

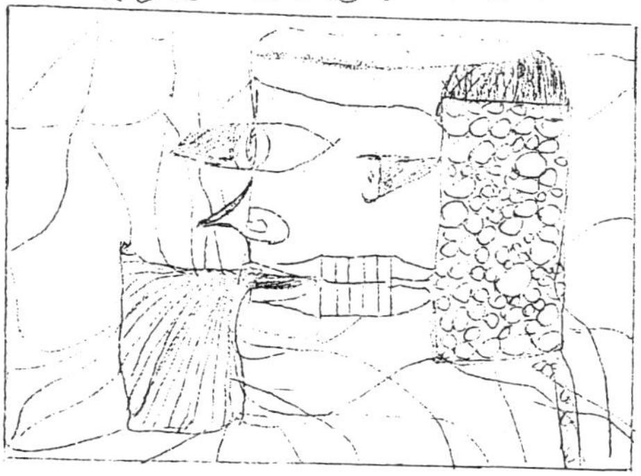

「研究」講座に参加して

渡辺ゆき江

日本朝鮮研究所については名前しか知らなかった。そこにどんな人々が活躍するのか、何をやっているのか予想もつかなかった。連絡の封筒の発信名の日本のみがいような印象と、何かあるとおもわせた。第一回目の研究会に出て関係諸氏の話を聞き，それが事実であればとても信念のある人間集団であると思った。所員の方々、誰でも自己負担で研究所を支えているということだった。先，これなら「イケル」と思った。あまりにアタリマエのことが軽視されているのが現代学者がたきなのだから。

それから一年がすぎ、この幾回かの研究会で，中国問題より以上に，朝鮮問題が深かく，鋭く日本の責任と日本の将来を日本の人々に切りつけかつ問い続けるのに、格好の課題であるのではなかろうかという感想を持った。

在日朝鮮人の存在が日本の植民地支配と戦争のもたらした結果であるという歴史的事実は明らかにされたけれど、一向に我々一人一人の内部の暗黒な部分の解明がなされていない。それは、わたしたちが受けついだ歴史の中に対朝鮮への見方、態度が片手落ちした型でしかないからではなかろうか。それは、中国、アジアに対してもそのような思想構造なのだろう。

このような簡単な理解ではあるが、すこぶるやる気を起こしている。わたしの意志として、これらの問題を、どう解決していくのか学習を続けたい。
持続性をもち，執拗に追求することによって意味があるのだろうと思うし、その点で，大変なことなのだろうとも考える。

わたしの全生活がこのことを続けるということで、一つの規制と同時に幅をもたらしてくれることを望む。（1968、11）

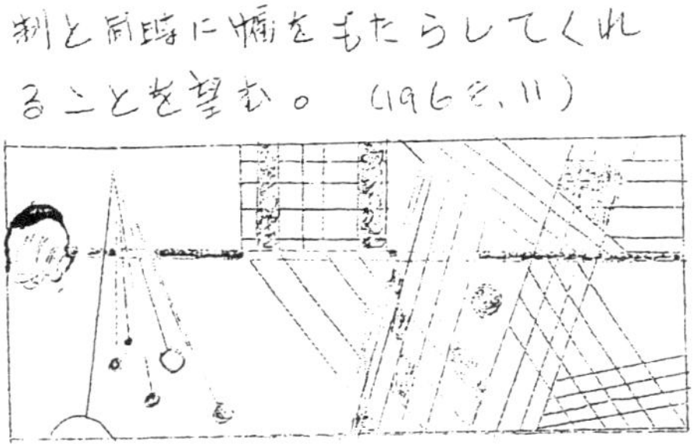

宮田先生の印象

（研究会で四回ほどしか先生におめにかかれなかった。）

先生は，オカッパ頭の有吉佐和子ばりの才女顔を持っている。それに目の光りは，「わたし好きなことは遠慮なんかするものか」というフテブテしさというか，自由奔放とまた，他人など考慮しないつら構えを感じさせ，大変太腹な人だとおもった。そして「三・一運動といえば，宮田」といわれる人であり，四年くらい以前だったか　　朝鮮を研究する必要性を多いに強調していた早大の女学生であった友人が，崇拝していた宮田という女の人であったことがなるほどとうなずけた。

わたしたちの研究会では，幾度か，朝鮮と取組む意義について，トウトウと述べ，生活も職業も主張も違うわたしたちの胸を，げんこつでなぐりつけた。痛かったです。一種の乱暴さに腹がたった。一般に先生とはこんなものであろうか。これは何故かと考えることによってしか，わたし自身を慰める方法がなかった。先生はご自分の到達した、研究上の結論を述べているのだ。これは過程ではないのだ。よって，この結論が生まれる苦痛など，あったとしても，どうでもよかったらしい。また先生においてはなかったのであろう。

だから第二期研究生の第一年目は，「ご講義拝聴」という形で進行した。既成研究の尊い成果をきくことが出来たのには，多いに意味があった。

先生が朝鮮研究を始めた動機は、小さい時の朝鮮人暴力事件の体験から「一切の大人」を信用しないという結論に達し，それが，朝鮮問題研究への原動力であったと述べていた。先生のすぐれた感覚力に驚いた。そのことは，当時の大人の朝鮮観というものを形造っている背景そのものゝ全面否定するということが必要不可欠となるだろうし、何よりも先生が大人となった時，それが本当に先生のものとなったかどうかが，先生の行動によって，生活によって示され，ためされるのではないかと考えつゝ先生のお話しを聞いた。　おわり

研究講座アンケート

別にこれといった動機もなく，アンケートをとった。たゞ，忙がしくて何をか文章化することが不可能な人のためにだった当初の目的は裏ぎられ，原稿提出者とアンケート回答者が重なっているからである。しかしこれから色々判断つきかねる，研究会の問題が起きた時の参考に，また朝研ではアンケート保存するといった考えもなさそうであるから，いざという時のために，文集の中に入れることにし，かつ文集の厚みへの助けとする。よって設問は無統一。

1. ①氏名・年令・職業
○印は二年目研究会主席者.
2. 朝鮮問題に関心をもったきっかけは何ですか.
3. 研究会で感じたことは何ですか。
4 現在，朝鮮問題のどこに関心を持っていますか。何を知りたいですか。
5 ①朝鮮人と話したことがあり

ますか。㋺ 朝鮮人の歌や踊りを見たことがありますか。

6. 朝鮮に関する本（小説・詩なども含めて）を読んだことがありますか。印象の強い本の名。感想など。

7. 研究会で学んだことを今後どのようにのばしていきたいと思いますか。

8. 研究所への希望。例えば、機関誌「朝鮮研究」に何をのせて欲しいかなど。

9 その他

・　・　・　・　・　・

1. 中島信行　26才　工員

2. 日本人の中にある朝鮮人に対する軽蔑とあやまれる朝鮮感。

3. 朝鮮問題は始めてなので大変むつかしいとおもいました。

4. 南北問題

5. ㋑あります。㋺あります。大変興味を持った。

6. 岩波新書「激動する韓国」
今日の南北朝鮮の様子が学べました。

7. 不勉強のため、私自身もっとしっていきたいと切に希望する。学んだことを少しでも社会の中にあって、あやまれる朝鮮感をこらしめていきたい。

8. ――

9 ――

---

① 御宮滋　26才　会社員

2. 朝鮮人の歌や踊りにとても感銘をうけたこと。

3. 間のびした感じをうけた。一定期間，集中学習があってもよかったと思う。

4. 朝鮮人の民族の心にふれたいと思っています。そのため歴史・文化・経済・社会など何でも知りたい。

5 ㋑ある。友人も何人かいる。
㋺ある。大好きだ。

6. 槇村浩「間島パルチザンの歌」

7. 出席が少なく，学んだ量が少ない。2年目講座があったら，そこでもっと続けて学習したい。

8. "みんなの欄"があったらよいと思う。そうしたらチャンとした論文にまとまらなくても，その都度、各人の考えの断片でも知りえる。思考の断片に時に大きなひらめきがある。

9 研究会は，参加する人のも

のということで、研究の内容・方法運営などで，みんなが積極性をだしていくように相互に努力したいと思う。

---

① 柏村忠志　24才　労仂者

2. 日本に朝鮮人がいるのはどうしてかという疑問.

3. 頭で朝鮮を理解したが実践の場ではどうなるだろうか。

4. 日本と朝鮮（南半部）との経済関係及政治。

5. ㋑ある　㋺見た

6. 「日本と朝鮮」勁草書房.
日本民族の責任とは，何であるかということを考えさせられた。

7 頭デッカチにならぬように実践の面でふるに発展させたい。

8. 日米安保条約と朝鮮関係の理論的解明。

9. ——

---

1. 伊予田弥助　33才　郵便局員

2. 民族問題を考えるなかゝら隣国の朝鮮について関心をもった。

3. 自分の考える対照をはっきりさせなければならないと考えた。

4. 朝鮮の農業と農村について。朝鮮の民謡についても興味がある。

5. ㋑ある。　㋺ある.

6. 残念だがまだない。

7. 朝鮮問題についての学習のための手引きにはなったと思う。学習の成果についていえば，私自身不勉強のためのせいか、講ギも身についたとは不たしかなものですが，朝鮮問題にたいする「どうあるべきか」という〃態度〃は講ギのなかゝらつよくうけとめることができました。

8. 私自身テーマをまだもっていないので，いま特に希望するものはありませんが，これから援助して下さることを期待しています。

9. 研究生のみなさんによろしくおつたえ下さい。

---

① 海老沢千代美　31才　主婦

2 隣に朝鮮人が住んでいて，朝鮮の話を聞いて真実を知りたいと思って。（風物・植民地時代の憲兵の残酷さなど）

3. 1の理由で研究会に出席したが回を重ねる毎に大変な問題に首をつっこんだなと思い

今後私のとるべき態度は一体何であろうと考える様になり、それをみつけて行きたいと思う。

4. 朝鮮の植民地化と，その解放斗争。在日朝鮮人。

5. ①ある　㊁ある。

6. 「アリランの歌」に感激した。

7. 具体的には今のところわからないが，考え続けたいと思っている。

8 ——

9 ——

---

① 斎藤尚子　52才　童話作家

2. 自分が朝鮮からの引揚者であるということ，と児童文学作品をかきたいということ。

3. 研究会の後半を，家庭の都合や自分の研究，健康の都合で欠席したので，あまり言えませんが，何か紙一重を置いた感じです。

4. 日本が関係するすべてのこと。人間像（庶民）

5. ①あります。㊁あります。

6. 40～50冊（旗田巍「朝鮮史」，藤島宇内「朝鮮人」，太平出版社「日本と朝鮮」シリーズ1·2·3「アジアアフリカ講座」，ニム·ウェルズ「アリランの歌」「罪と死と愛と」朴寿南編，「ユンボギの日記」「朝鮮人強制連行の歴史」「玄海灘」金達寿，「朝鮮終戦の記録」森田芳夫，「朝鮮総督府」柳周鉉。

否定，肯定を含めて読んだ本は全部よかったと思います。

7. 作品の陰の力として更に広く深くのばしていきたいと思います。もちろん現代に生きるためにです。朝鮮人の書いた文学作品をもっと読みたいと思います。

8. 旗田巍先生を囲む，何等かの研究会をして頂きたいと思います。（1ヵ月に1～2回）

9. ②の問に対する答えが適切でありませんが，資料として，三·一独立宣言文を頂いたことは，感謝でした。結局自分がもどかしく感じることは自分がまだはっきりしたテーマをつかんでいないためだと思いました。

---

① 小林文美　33才　公務員

2. 日韓会談の斗いがきっかけですが，それを今日まで一応持続させ得たのは，職場における差別の問題。

3. 問題の根深さを今更ながらかみしめているところです。だが同時にそれを大衆の中に投げかけることの不足とそれに対応する運動論の不足。
4. 朝鮮に対して現在まで続いている植民地支配が日本人をどのように大きくゆがめてきたかということ。
5. ㋑あります。 ㋺あります。
6. 朝鮮人強制連行の記録など。こうした事実がわれわれ日本人に何の痕跡もとどめていないように太平な毎日が過ぎていくことへのあせりのようなものがあります。
7. まわりの仲間とりわけ若い仲間と一緒に勉強していきたい。
8. ——
9. ——

---

① 岩川依丕図　23才　立大経済大学院
2. 「きっかけ」は特別に思いあたりません。部落問題から自然に入っていったように思います。
3. 私自身の勉強不足。研究生間の意見交換不足と全体としての討論不足.
4. 戦前日本の侵略形態・支配体制，「日韓条約」以後の日本の侵略形態・支配体制，両者の関連と相違，etc.
5. ㋑ありません。㋺ありません.
6. 「東方の人」　西野辰吉.
7. もう一度整理してから，行動のための・研究のための指標としたいと思う。
8 —
9 —

---

① 小川信雄　24才　明治大大学院日本史
2. (1)日本史をやるためには、それだけでは片づかないと思ったこと。(2)たしか「ユンボギの日記」を読んでから関心をもつようになったこと。
3. 朝鮮史研究の発展に感心しました。
4. (1)朝鮮近代史，(2)日韓以後の南朝鮮について，(3)朝鮮民主主義人民共和国におけるマルクス主義理論と前衛党について。
5. ㋑あり　㋺なし
6. 中野重治「雨の降る品川駅」「ユンボギの日記」，小沢有作，藤島宇内「民族教育」，「日本の中の朝鮮」。

7. 自分の実践と理論のために
のばしていきたいと思う。
8. 現代の南朝鮮の政治・社会
経済・文化の構造的研究。
9 ——

---

1 森眞子 24才 無職
2. 大学時代に韓国に探検部員
として訪れ，帰国後，朝鮮人
に対する根強い偏見を知った為。
3. ——
4. 南北統一問題．朝鮮人に対
する偏見をなくするためにど
うしたらよいか，何をすべき
か，考えたいと思います。
6. 「アリランの歌」ニム・ウェルズ
金山，私の中に潜在していた
朝鮮人に対する優越感が消え
ました。
7 正しい物の見方に立って新
しい日朝関係を作り出すため
に努力したいと思います。
8. ——
9. ——
5 ㋑ 韓国人と在日朝鮮人（北・
南）と話したことがあります。
㋺ あります。

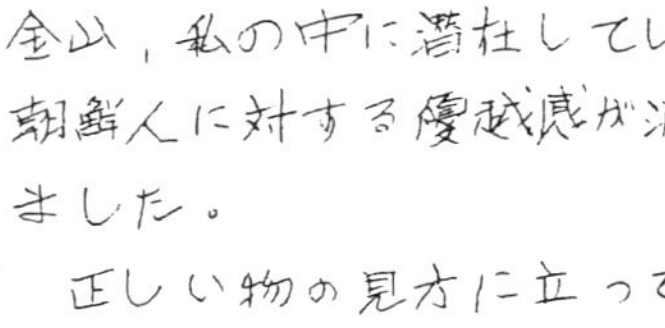

① 山本良江 18才 予備校生
2. 私が朝鮮民族であるとい
うことから。
3. 自分自身の勉強不足。また
月に一度では少なすぎると
思います。できれば月に二回
4. すべてに関心があります。
ただ，知りたいということ
です。（これではいけないと
思います。
5 ㋑あります。㋺あります
6 私の場合雑誌が主なもの
です。世界文化社「朝鮮」
カラー写真，これはその国
の紹介という形をとってい
るものですが，朝鮮民主々
義人民共和国と韓国の両方
がのっている所がおもしろい。
7. 私はまず自分自身の知識
あるいは、認識としてそこ
を基礎としていきたい，そ
の基礎から私自身なりに勉
強して問題点をさぐってい
きたいと思います。（自分
自身の知識だけに終らせた
くありません．
8. 大学生，勤人の方々を対
称とするのもよいのですが
私位の頭の持ち主でもわか
るような講座があったらと
30

思います。（佐藤さんが書っておられたように高校生位を対象としての講座など。

9 ――

---

① 渡辺ゆき江　25才　学生

2. 在日朝鮮人の社会保障問題。

3. 日本において何故に朝鮮問題が前面にでてこないのか。オ一に国民的課題とはなりえない構造をさぐることに趣味があると思った。

4. 現時点（日韓会談以後）の日朝問題。

5. ㋑有。㋺有。

6. 「朝鮮文化史」上・下　美しさと、民族的力強さを感じました。

「現代史資料　朝鮮(一)・(二)　三・一運動」よみすゝ、事実を知ることが我々の思想を変える第一歩ではないか。

7. 一般的に知識をつめこむことはもちろん、専門的に学習してみたい。

8. 日朝関係 or 朝鮮動向年表をのせてほしい。
今の日朝関係を問いただすような特集をたえずくんで欲しい。

9. ――

cutting・後記

大変長い間、原稿集めに時を費やしました。大変皆さまにおまち頂きましたが、やっと、お手元にとゞけることが出来ました。

またヒッコク原稿依頼しまして、自発性を尊重したつもりですが、イヤなおもいをさせましたことをおわび致します。

次回には、是非原稿をかいて下さい。文集か何かの役に立つことを心より願っています。このことが、文集刊行に努力した心の支えでした。当事者のみしか知りえない楽しみをあじわいました。外は雪が降っています。

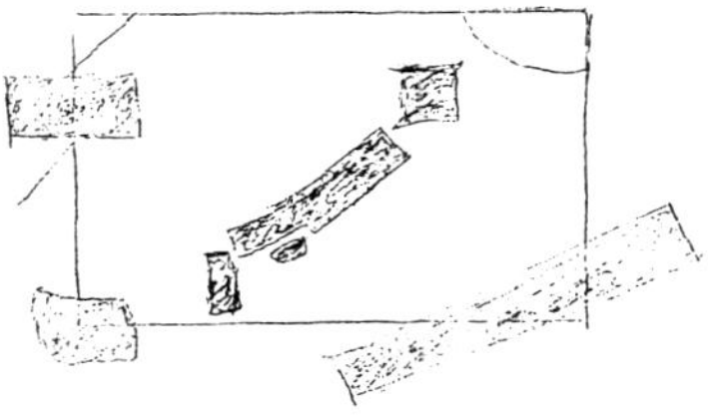

1969.2.

第二期研究生文集No.1

④出版物案内

最近発行されたパンフレット案内

△日韓会談　その陰謀を粉砕しよう

国民文化会議日韓問題研交会編集・発行　（1963年2月1日 ¥20）

△戦争と侵略をたくらみ国民の生活を破壊する

日韓会談を粉砕しよう

安保条約破棄兵庫県民会議（1963年2月　¥30）

△ **現代の怪談・日韓会談のはなし**

日朝協会福岡県連合会　（1963年1月15日初版 ¥50）

≪新刊パンフレット紹介≫

岡田春夫著

「ポラリス戦略と日韓会談」

「日韓会談と“ポラリス戦略”はメタルの表裏で」あり、新安保条約の具体的実施であることを、説得力のある文章で述べた、良書。とくに、南朝鮮の政情不安定による「日韓会談」に対する、あまい見方等を反省する上での、時をえた資料でもある。

（B6判、39ページ、20円、日韓問題研究会・衆議院第二議員会館303号室）

★

パンフレット「私たちの生活と日韓会談」について.

年末から新年、2.3月と、日韓会談反対運動のなかに、運動におけるもっとも弱い点とされている日本人の立場からこの問題を考え追求し、日本人の責任において問題解決にとりくむことの弱さ、に対し、このパンフレットが現状克服のための役割を果した点再確認したい。

5万5千部の配布という事実は、運動の波にのったとはいえ、それを行った最大の原因は、パンフの内容にあった。問題の焦点を適確・明瞭に しかし誰にでも読まれ、理解されるように工夫されたことが、大衆にうけ入れられたのである。例えば多くの反応のうち、忙しい家事労働に携っている婦人層とくに女房族を一気によませた、そして、これはたいへんだ、なんとかしなくてはならぬと思われたことなどがあげられる。また上下2段という新形式が、そして下段の豊富な註釈文が若い労働者の学習意欲をかりたてる役割を果した等、新しい経験であろうかと思う。

50円パンフを成功させたことも、従来の20円、30円の常識化した固定観念をうちやぶり、運動に自信を与えるという、運動にプラスする冒険を成功させた。

A. (55,000×40 = 2,200,000.)×0.8 = 1,760,000.

1,410,000 / 790,000　　1,410,000 / 350,000

B. 55,000×35 = 1,925,000

1,410,000 / 515,000

983,272
(300,000 [illegible])
683,272
96,320
5)279,592 (155,911.8

さて財政的問題については.

① 現在までの売上総額 55,000部×40 = 2,200,000円.

入金	1,410,000円	(65%)
残金(未収)	790,000円	(35%)
無料、寄贈(5分)	110,000円	
実額	680,000円	

② 在庫 15,000部をどのように消化するか.

10,000 — 売る	500,000	×0.8	400,000
5,000 — 訪韓カンパに使用	250,000		250,000
			650,000

③ 支払の件.

残金 638,940
稿 350,000
988,940

未収 400,000
→1,050,000

★ パンフレット「日本の将来と日韓会談」の編集・発行について

㋑ 地方選挙終了后の状況のなかで「ポラリスと日韓」問題から停滞した運動の再び波が訪れるであろうし、そのため、「私たち」の段階から「日本の将来」の展望を明らかにする段階へ移行する時期として、第2弾を出す必要がある。

㋺ 日朝協会の大会 6月1、2、3日にむけて作成し、この大会にて売り込むことによって日朝協の活動家と密接につながる必要がある。

㋩ 共和国訪問者を主に、第2弾パンフでお土産の内容をつくる。

㋥ 第1弾の戦略的な停滞をその第2弾で突き破る。1,2冊合本にして売り込む。

㋭ 編集委員会： 10日稿了。15日印刷入。30日発行

1. 30万。
2. 印刷屋のセンテイ。交渉。
3. 6.7.8月清算の目途
4. 10,000部
   - 原稿料　120枚 × 300 = 36,000
   - 印刷料　@25 × 10,000 = 250,000
   - 宣伝費　12,000円 + 3,000円
   - 諸雑費　10,000円
   - ハガキ 1枚5円　5,000 = 25,000
   - 印刷　0.5 = 2,500　（計 27,500）
5. 10,000 × 40 = 400,000

★ 編集委員会

黒沢、寺島、川越、中神、梶村、渡部、小沢、畑田、村原。

編集長……北田	1. 常勤所員　週1日。
副編集長……川越	2. 三研究所合同講座。
中神	
梶村	3. 論難委。
小沢	
（窪田）	
村原。	

≪複刻資料案内≫

新興教育パンフレット第１輯

李北満著

帝国主義治下に於ける
朝鮮の教育の状態

昭和６年発行の旧著を研究資料として油印に完全復刻したものです。

関東大震災から得た教訓

—関東大震災における軍・官・民の行動とこれが観察—

昭和３５年陸上幕僚部が発行したパンフレットを、Ａ５版に原本のまま写真印刷で復刻したものです。

上記２冊いづれも実費で希望者にお預けします。但し部数が限定されていますので、至急お申込み下さい。

朝研シリーズ刊行案内

★　訪朝報告集第１集

内容　日朝中三国学術文化交流促進に関する共同声明／日朝学術交流発展のために／金日成首相との会見記／自力更生のスローガンの下に／北朝鮮の医療制度／思想の面からみた朝鮮／新しい人間と教育の創造／朝鮮の学界／平壌・信川・板門店・石岩／平壌市民大会での団長演説／座談会／団日誌

Ｂ６判・会員頒価　３００円

１２月初旬　発行予定

希望の方は，限定出版ですから，はやめにお申込み下さい

★　朝鮮民主主義人民共和国経済統計集

１９６４年版の独占翻訳出版

１２月中旬発行予定

予価　３００円

文化史刊行ニュース

第一号

一九六六年二月十日発行

東京都新宿区新宿一丁目六八番地

朝鮮文化史刊行会

「朝鮮文化史」が朝鮮研究の出発点

渡部学

先年、じぶんの仕事の関係で宝月氏たちの編した高校用の「日本史」の教科書（山川出版）を全巻いつきに通読した。また私自身の近親者が関係した高校用の「国語」の教科書の国文学史編を通読した。そして、こんにちの日本史や国文学史の研究水準の高いこと、またその高校における教授の水準の意外に高いのにおどろいた。これを理解し記憶する生徒もたいへんだろうが、これを教える先生がたがさぞ骨のおれることであろうと思つた次第であつた。

われわれが日本の歴史上のいろいろなことを頭にうかべ、語るばあいには、こういう諸知識がつねにまつわりついていわゆる「素地」となり、「図形」となる当の知識をいわば彫りあげてそのイメージを的確にしている。たとえば「上田秋成」と言えばかずかずのイメージが複合してうかび上つてくるけれども、「朴仁老」といつてもその種のものはうかび上つてこない。朝鮮の歴史を私どもが語るばあい、こういう知識構成の質のちがいがあることは、あんがいなおざりにされているのではないか。こういうことで、日本の何時代に何はどうであつたのに、朝鮮の何時代の何はどうであつた、というようなことが言えるであろうか。根本的に質のちがつたものを「比較」するということはそもそもムリなことなのである。にもかかわらずわれわれは、言葉に出す出さないは別として、つねに比較しながら朝鮮の歴史的な事柄についての知識を習得している。少くとも私自身などの朝鮮研究は、こういう基本的なそして決定的な限界のうえでなされてきたように痛感される。

これが「朝鮮文化史」を読みながらの切実な私の感想であつた。この文化史に述べられているようなことは、その多くが朝鮮人にとつて常識的なこと、少くとも常識として要請されること、であろう。私にとつては、それらのひとつひとつを知るためにずいぶん苦労した、というような事柄もなかにはある。もちろんその追求の過程で、副産物としてえた貴重な知識もあるにはあるが、もつと早くこの書をみて、ここから出発すれば、ずいぶんラクであつたろう、あるいはいつそう研究の効率があがつたろうと思われる。

これからは、この「朝鮮文化史」があらゆる朝鮮研究の出発点あるいは常識線となることを切望したい。そうすれば、もつと共通のひろばが広くふかくなり、朝鮮研究も能率の高い前進をすることができるであろう、と考えるからである。

朝鮮文化史刊行に関する経過と現状

いままでの経過

一昨年夏北京シンポジウムの帰途、当研究所所員が中心となつて学術代表団を編成し、朝鮮民主主義人民共和国を訪問しました。その時、招待側の社会科学院より、最近の研究活動の成果として「朝鮮文化史」の寄贈を受け、あわせてこの書の日本語版発行について双方の意見交換を行いました。これが文化史刊行の出発点となつたのです。

代表団は帰国すると直ちにこの件を報告、研究所として、ぜひとも日本語版刊行を成功させようということに決まりました。第四回総会の席上でも確認され、早速とりくむことになりました。

まず第一に翻訳作業にとりくみ、渡部学、大村益夫、梶井陟、梶村秀樹、塚本勲、楠原利治、武田幸男の各所員と北村秀人、片岡公正、結城宗二の各氏の協力を得て、一九六五年六月に初稿を仕上げました。併行して、どのような本に仕上げて行くか、という具体案をねりあげて行き、同年七月、写真撮影を含む実務代表団三名を、朝鮮に派遣しました。そこで、文化史刊行を双方の共同の仕事として位置づけ、刊行の暁まで互いに協力し合うことを約したのです。現地における写真撮影も、朝鮮側の絶大なる協力、例えば美術館の一部を閉鎖し、美術品をガラスケースからとり出し運び出して撮影させてくれました。約一カ月の実務作業を終え、帰国するや、訳文の完成、日本、南朝鮮に在る文化財の写真収集、刊行会の組織、印刷所の選定、販売活動の準備等々を精力的に開始しました。

訳文の完成と写真の収集

現在では、訳文が完成、総合編集へ進むところまできています。主として渡部、大村、梶井の三所員が中心となり、桑カ谷、樋口等の所員も協力、この他中吉氏、三木栄氏、有光教一氏、田村専之助氏、三上次男氏、末松保和氏、旗田巍氏、森下文一郎氏が監修あるいは助言をして下さつています。本文に付す訳注・ルビーについては、前記の諸氏の協力のもと二月中旬完稿をめざしています。

写真、これは、原色版、グラビア版、本文挿画の三種類あります。原本に収録された写真の目録と写真(カミヤキ)は著者側から提供されましたが、現物が、日本・南朝鮮にあるために、複写ものが多いこと等で、新しい撮影が必要となりました。今まで購入を含めて約二〇〇点を収集して参りました。これには東京芸大の中吉氏の力添えが大きなものでした。その他朝大の李進熙氏、京都博物館長塚本善隆氏、それに田中一松氏、熊谷宣夫氏の御尽力の賜物といえましょう。はじめての経験であるためこの先しはらく苦労をつづけましょうが、平凡社や美術出版社の方々の協力も本づくり写真集めに役立ちました。収集の過程では、例えば天理参考館の蔵品などでは約十六万円を必要としたり、あるいは天理図書館では安堅の名品夢遊桃源図をエイトバイテン版のカラーで仕上げてくれたりしました。今後どうしても収集したいものに根津、浅草寺、総持寺、知恩院、日銀、小倉コレクション民芸館等があります。撮影願いを出しているところです。日本語版に挿入する写真目録も徹夜の泊り込み作業で仕上げたり、湯河原の教員寮でつめこみになつて作業を進めたり、最終段階での仕事を続

けています。

刊行会と印刷所と豪華本

印刷所も日本における美術印刷の最高峰である、本社を京都にもつ便利堂（創業明治十一年）で、原色版をやることになりました。しかも六月刊行にまにあわせるべくとりくんでくれました。これは、所員の方々の協力と、刊行会委員諸氏の力によるものと思います。安倍能成氏をはじめとする刊行会のメンバー、その機能等については研究所第五回総会の資料に述べた通りです。まつたく、ここまでくるには随分多くの人々の理解と協力をうけてきました。しかもほとんどすべての人が、この事業に賛同の意を示したことは、朝鮮の分野では画期的といわねばなりません。ちようど過ぎたこの期間には国論を二分した日韓条約問題が起つていた時でした。それゆえにこそといえる面もありましようが、いたく朝鮮に関心を寄せている多くの日本人をひきつけあわせて、朝鮮文化の正確なる認識を求めている状況を知りえたというわけです。どうあつても立派な本、豪華な本として刊行を成功させねばならないのです。豪華本は値段が高い、従つて勉強したい個人の入手がむづかしくなる、それは、金持しか買えないことを意味する、結論として学問を一部の者に従属させることになるから反対だ等という意見もありました。しかし現状からみて、また豪華本をつくるというのはそれ自体を一種の文化財に仕上げる仕事の一つだという考えに立つて、著者側と相談の上、進めてきたのです。これまでの経過はよくおわかりと思いますが、ここに至るまで多額の経費を調達しなければなりませんでした。それを支えるための仕事も多難を極めたことはいうまでもありません。しかし私たちの事業を理解されたうえで、融資に応じてくれた金融機関の方方の協力があつたからこそ今日までの成果をえたといえます。

配本について——予約募集のこと

さて、本づくりの仕事とならんで、配本の見通しを立てる作業がでてきました。基本的には独立出版をきめ、その配本の営業面を、研究所の外廓団体である株式会社亜東社が担当することに決りました。そこで昨年末「内容見本」を作成（降旗美術印刷所）し予約募集を開始しました。「読書新聞」「朝鮮時報」等に紹介が出たこともあり、この本に対する各方面の反響は大なるものがあります。予約獲得の方針としては、三月末までに申込みを締切るほどの勢いでとりくむことです。数十冊をまとめて買とりたいという申込みが、書店、日朝関係組織からあつたことは、方針をつらぬく上におけるプラスの局面といえます。二月には「内容見本」の第二版を出し、最後の追いこみに突入いたします。今まで以上の多数の方の力添えを切望する次第です。

「朝鮮文化史」予約募集の要領

一　基本的な態度
「買つて下さい、お願いします」式の消極的・商人的態度は絶対にとつてはなりません。
「早く予約しないとなくなるから」という、積極的な高姿勢・強腰が基本です。その上で次の諸項をよく説明して、柔軟な態度で交渉して下さい。
経験のない予約募集活動はやりにくいなどという弱気な心を一掃して、文化史それ自体に確信をもつて仕事に当ること。
〃ひとに勝つより、己に勝て〃

二　これだけは必ず言つておくべし。
イ　「内容は、空前絶後、最高のもの」
ロ　「今後一〇〇年間は、これが定本となる」
ハ　「朝鮮文化のエンサイクロペデイアである」
ニ　「社会主義国ではじめて出された唯一無二の民族文化史である」
ホ　「日本における最高の紙・最高の印刷・最高の造本による豪華本である」

三　原色版がいかにすぐれているかの説明を忘れないこと。その主な点は、

イ　イギリス製の特殊カラーフイルム（日本では市販されていない）の、しかも、八×一〇インチの大版（エイトバイテンという）で撮影、最低の場合でも四×五インチ（四《シ》ノ五《ゴ》版という）を使用。
ロ　一つの現物について、三種類の異つた露出で三通りの撮影。
ハ　その三種類のフイルムをそれぞれ電子製版機（バリオクリッシオグラフという）にかけて三種の凸版原版を作製。
ニ　その一つ一つを現物と照合して最も適切な原版を選び出す。
ホ　印刷インキも、被写体の性質によつて、それぞれ独自に調合して使う。
ハ　日本における最高の美術印刷所で刷り上げる。
（普通よく知られている大日本とか共同とか凸版とかいう印刷所の作品は、大量生産用のものだけで、本格的な美術印刷の中には全く入らない。せいぜい週間誌の表紙とか、絵葉書とかをやるだけのものにしか過ぎない）
ト　限定された二千部だけを、手工業的な入念さで刷り、気に入るまでやり直しながら一枚一枚仕上げていくものであること。

普通の人は、これらのことをほとんど知らないのですから、特に印象強く説明して下さい。

四　やゝ専門的な人々に対しては、
イ　本書にはじめてその全貌をあらわすものとして
安岳古墳壁画　（在北朝鮮）
（在南朝鮮）　いづれも原色
安謙筆　夢遊桃源図全巻　（在日本）

等々があること。

ロ　人名、地名、件名、書名等につき朝鮮語・日本語・英語の統一発音を付し、読み方の定本になるようになつていること。

なども説明した方がよい。

ここでカタログの裏表紙にある十大特色をよく読んでおいて説明すること。

五　なぜ限定部数にしたかについては、

印刷のところで説明してあるように

二千部以上刷つたのでは、本当によい原色印刷はできないこと。

二千部でもやゝ多過ぎる位で、本来なら一千部とすることが技術的には最も適切であること。

余りにも要望が多いので、やむなく二千部にまでふやしたものであること。

を説明すること。

六　値段が高いと言われた時の答え方

間髪を入れず、すぐに

「この本自体が、すでに文化財なのです」と答えること。

そして、もう一度、前の印刷過程がどんなに入念、細密なものかを説明し直し、したがつて完成された本が、どんなに貴重なものであるかを説くこと。

さらに、北朝鮮、南朝鮮、日本にあるすべての朝鮮文化財を網羅するために、どれほど多額の経費が必要であつたかもあわせて説明すること。

七　普及版はつくらないのか、という質問に対しては、

要望が広くあれば

数年後に

白黒写真の挿図のみで

つくる場合もある

と言うこと。

限定出版の直後に普及版を出すなどは道義的にも出来ないことを説明すること。

八　話の一番最後に

さりげなく

すでに相当部数の予約が来ているので

三月末日を待たずに予約受付を〆切るかも知れない旨を言い残す。

一度であきらめずに二度、三度と押しまくる。

「成せばなる。なさねばならぬ何事も

ならぬは　人のなさぬなりけり」

（株）　亜　東　社

朝鮮文化史　上下二巻

予約制　二、〇〇〇部限定出版

予約価　二一、六〇〇円

（正価　上・下計二四、〇〇〇円）

予約〆切期日　昭和四一年三月末日

〆切期日までに限定部数二、〇〇〇部の申込を受けました場合は、予約受付を打ち切らせていただきます。

〆切期日以後は正価となります。

銀行振込みの場合は左記の銀行の株式会社亜東社の口座へ願います。

三井銀行四谷支店

富士銀行四谷支店

同和信用組合本店

文化史刊行ニュース

第二号
一九六六年二月二〇日発行

東京都新宿区新宿一丁目六八番地
朝鮮文化史刊行会

「朝鮮文化史」上巻を読了して
—その所述内容の特徴寸感—

渡部 学

「朝鮮文化史」上巻（高麗末期まで）の決定稿完成は、原色版三十四点を含む図版三〇〇余点をもあわせて、いよいよ最終段階に入つた。

訳文の調整のため、図版とにらみあわせながら、こまかく読み通してみて、つよく印象に残つた所述内容の若干について、寸感を記してみよう。

第一編の「原始時代の文化」は、旧石器時代、新石器時代、青銅器時代の三章から成つているが、戦前に朝鮮文化について日本で説かれていたような「金石併用」説の観念が美事にうちくだかれている。もつとも、金石併用説といつても、冶金技術のまだ未熟な青銅器時代の初期に、石器と青銅器との両種の利器が併用された、というだけならかくべつ問題はない。問題は、それにまつわる次のような解釈なのである。

すなわち、朝鮮の住民はもともと石器しか「つくれなかつた」が、紀元前二～三世紀の頃に漢の侵入があつて、「それによつて」中国の進んだ金属文明が入り、ここにはじめて金属の利器が「つくれる」ようになつた。こうして併用が行われはじめたのである、とこういう考え方なのである。この理論は、素材だけ変えると、朝鮮の住民は高度の近代的機械はもともと「つくれない」から日本や米国が入つて行き、「それによつて」、「つくれる」ようになる、ということになる可能性を蔵しているわけである。 いわゆる近代化理論も、もつてまわった表皮をはげば、案外こんなところではないだろうか。

朝鮮文化史では、新たに発掘された「屈浦」（くっぽ）里の旧石器文化、それを継承し発展した各地の新石器文化、さらにそれと同系の遺跡の中から出土してくる青銅器文化の遺物によつて、朝鮮の住民が自らの文化を自足的に展開したことを実証的にあとづけている。漢の文化が、なるほどより高いものではあつたとしても、それは「侵入」した文化であり、漢民族の植民地文化なのであつて、「朝鮮文化」ではない。いなむしろ、そういう「侵入」した文化に抵抗しつつ、それを自らの刺戟として活用し、自足的な発展をとげて行つた、と、こういう考え方で記述が構成されている。

第二編の「古代朝鮮の文化」では、西北方の王険朝鮮および満王朝の古朝鮮、東北方の扶余国、それをひきついだ高句麗、それから高句麗の遺民が興した渤海、それから朝鮮半島のほぼ大部分を統合した新羅、これらの統一的一体的な固有系譜性が綿密に論述され、戦前の日本で行なわれたいわゆる「満」「鮮」史観（そこではもともと両者は別ものであるが日本の指導のもとではひとつになりうる、という基本的発想があつたが）にたいして、朝鮮民族一体史観とでもいうべき雄大な歴史観が提起されている。そこでは「ますらおぶり」とでもいうような北方系文化の雄こん性が強調されているようである。

余談で恐縮だが、昨年であつたか朝鮮大学の講堂落成記念に招かれて同大学で芸術舞踊団その他の公演をみせて頂いた。その時にどれがいちばん印象的であつたかについて、二三の人の感想をおうかがいしたが、金剛山の羽衣の舞踊がよかつたという人と朝大学生の校歌合唱がよかつたという人がおられ、それぞれに私も同感であつたが、しかし、それらは、歌舞伎や同志社大グリー・クラブの合唱など、質はちがうかも知れないが水準的には十分比肩しうるものが日本にある。私の感想では、鼓舞というのであつたか、身につけた小太鼓をたたきながら、その鼓動を表現しあげた雄壮なはげしい律動の女性群舞に、すつかりいきをのまされてしまつた。あれは日本にはない。私はあの舞踊を振りつけた指導者にいちどおあいしたいものだと思つている。

このようなますらを的朝鮮文化が、せんさいな「たおやめぶり」の百済、新羅の文化と統合されて行つたのが新羅「統合時代」(オ四編)である。北方に花咲いた渤海の文化は十世紀初めに契丹によつてじゆうりんされたが、渤海は高句麗の文化をうけつぎ新羅と交流し、やがて次の高麗において融合して行く。新羅については戦前「新羅の朝鮮半島統一」とか「新羅一統」などといわれたが、この「朝鮮文化史」では、すべて「新羅の統合」といつている。新羅の支配力は西北は礼成江あたりまで東北は咸興あたりくらいまで(歴史的に正確なことは詳説できないが)であつて「朝鮮」の「統一」ということは、北方の高句麗、渤海の遺民および文化を融合しこんで、こんにちの鴨緑江、豆満江の線までをおさえるようになつた高麗についてはじめて言えることである、という見方のようである。とにかく、「新羅一統」文化を朝鮮文化の原型視し、その他は漢四郡の「楽浪文化」と「満洲文化」とみる戦前のわれわれの姿勢を根底からくつがえすものがある。

もうひとつ非常に教えられたことは、一国の文化現象というものは関連的事態のなかでみてとらなければならないということである。われわれは通常、美術史など工芸史だの思想史だのという領域的にきりとつた歴史をみせられてきた。この「朝鮮文化史」も章、節はそういうふうに分節されており、執筆者もそれぞれその分野の専門家が登場して書いている。しかし、社会科学院ではそうとうの連絡、討論を準備して編さんしたものとみえて、全体的な有機的一体性がかなりよく構成し出されている。なかには、もちろん、それでもちよつと首をひねらせるような記述にであうこともあるけれども、全体をよく読むと解消してしまうものが多い。たとえば、三国の技術と科学の章のなかの「医学」のところに「新羅でも古い記述によると、人びとが白衣を好み、夏には飲食物を氷にひやす、という記録がみられる。このことは、新羅においても衛生医学的知識が早くから発達していたことを物語る」、という記述があり、私はこれには首をかしげて考えこんでしまつた。これは論理学でいう「後件肯定の誤謬」の代表例みたいであるからである。つまり白衣をきたからとて衛生的知識が発達していたとは限らないのである。しかし、石窟庵にみられる建築設計の技術、東洋最古の天文台、慶州の都市生活で人びとが木炭を使用したこと、それから金冠その他の美術工芸品のせんさいちみつな美感と技術、仏教の発達、吏読式表記法の案出、「郷歌」の発展等々をみていつて、新羅の文化の全ぼうを頭に描いていくと、ふしぎに上記のような「かしげた首」がなおつてくる。もちろん現今の社会の衛生ということとは較べることはできないけれども、当時としてそのような高い文化をもつた人びとが白衣を着たということの理由には、こんにちの日本の神官やみこにみられるような、清潔—白衣の間の必然的関連のあつたことを、比較的スラリと了解することができる。「白衣」というと「染料不足」=「技術遅滞」そう考える方がまちがいである。こういうことをこの「朝鮮文化史」は教えてくれるのである。この本のように、きわめて具体的に即物的に文化諸般の現象を一貫的に総合解説してく

れた書物はこれまでになかつた。日本人の偏見を、べつに責任のがれをいうわけではないが、ただ感情的あるいは一方的主張によつてうちたたくのでなく、水のしみわたつて行くように冷静な知性に訴えて「ときほぐしていく」、そういう努力が、いままでに余りに乏しかつたのではなかつたか、とそういう感懐をいだいたわけであった。この書物が日朝両民族の友好に寄与するところは、時間はかかるかも知れないが、ほんとうに地盤のあるしつかりしたものとしおおきなものになつて行くのではなかろうか。

それから、さらに気づくことは、日本の上代文化がどんなに大きく朝鮮文化に負うているかということである。これはしかし、日本でもほとんどの人が十分承知していることである。けれども、われわれは「朝鮮から」の文化によって日本文化のれい明をひらかれた、ということは知つていても、その「朝鮮」の文化がその当時においてどのような構造とひろがりと系譜をもつていたのか、その後それがどうなつていたのか、それには余り関心を示さない。もらつたその「物」だけに関心をもつている。しかし「物」とくに文化的な「物」は、すべて人間の尊い営為のたまものであり、それをわかち与えたということは、なおそれ以上に尊いものに基づいている。それを忘れた「物」の文化史的見地から、いわば「入ってきた」水道管か何かのように朝鮮をみてきたのではないだろうか。「朝鮮文化史」は各時代の文化が朝鮮人民の外来侵略者にたいする苦しい戦いと、封建支配層の圧制のもとでの苦しい生活の中からきずき上げられたものであることを、全篇にわたつて強調している。これを読んでいくとき、私は、明治末期に本多庸一の言ったような、朝鮮の文化的旧恩に報いるために、目下朝鮮にちようどほどよい日本の文化を持つて行かねばならぬ、というような安易な立言はどこをおしても出て来そうにない。

最後に、私じしんの懐旧談を記してしめくくりとすることをお許し頂きたい。九年前、私が朝鮮教育史に着手しはじめた頃、末松保知先生が、朝鮮のことを研究する者はわからないことがあつてもたずねる人がない、どのようなささいなことでもすべて自分の力で解決しなければならぬ、と言われたことを想い出す。私は、朝鮮で「湖南地方」、「湖西地方」といぅが何を基準にしてそういうのかわからなかつた。水原に「西湖」というのがあるが、あの西湖が基準では地理的にどうもあわない。文献にも「湖西人材乏し・・・」などとひんぱんに出てくるがどうもわからなかつた。たずねる人もなく年をへたが、数年前に丁茶山の「雅言覚非」をよんで、金堤の碧骨堤の南が湖南（全羅道）、提川義林池の西が湖西（忠清道）ということがわかつた。「朝鮮文化史」はこの種の朝鮮を研究するうえでの常識事項の数々を示してくれる。また、日本朝鮮研究所の所員の努力で数多くの訳注を付してこの種の事項の解説がしてある。これからの朝鮮研究者は、この書をふみ台にして、これまでよりはいつそう能率的に、ささいなことについての知識不足につまずくことなく、前進することができるであろう。私どもも、煩をいとわず、読者諸氏がすこしうるさく感ずるくらいに訳注を数多くつけて行くよう努力しようと考えている。

「朝鮮文化史」刊行その後の経過

(1) 訳文決定稿の完成と図版総合編纂の完了

本文の訳文は、ところによつてはあまりに直訳的で、朝鮮語の発想法や言いまわしになれない一般日本人向きには不適と思われる部分もあるので、そういうところは、かなり自由に、原意をそこなわない程度に日本語流の言いまわしや表現にかきかえる作業を、全巻にわたつて行ない、すでに完了した。

また本文中に出てくる重要な人名や事項については、末松保和顧問の示唆にしたがつて、日本語流のよみかたをひらかなでルビを付したうえ、朝鮮語によるよみかたをローマ字で音標表記しておいた。これには渡部、大村、樋口、武田、梶村の諸所員が協力した。

そのほかに、この書物を一般日本人にすらすらとよんでもらうため、出てくる語句に、固有名詞と普通名詞とをとわず、豊富に訳注による解説を付けることとし、渡部所員を中心に中吉功（美術工芸）、李進熙（考古学）、三木栄（医学）、田村専之助（天文気象学）、梶村秀樹（一般史）、大坪静仁（美術工芸）、畑田重夫（マル・エン選集引用文）その他の諸氏の積極的な御援助を頂き、数百項目にのぼる訳注を完成した。

また、本文に引用されている詩歌の訳文は、もつとも苦心を要したところであるが、幸い梶井　氏によつて、平易でしかも流麗な訳文を得ることができた。

図版の綜合編集は、過去三回、延べ七日にわたる泊りこみてつ夜作業で、写真原版の入手、選定からわりつけに至るまで数百点にわたり、すでに完了した。

原色図版三十四点はすでに、この方面での日本オ一級の印刷所である京都の便利堂に、発注をおわつた。これによつて、一九六三年新たに発掘された高句麗壁画古墳、すなわち黄海北道安岳オ三号古墳（美川王墳墓）のあの壮麗な壁画の全ぼうが、その一千余年を経てなお変つていない美しい原色で、読者のまえに展開されることとなつた。

また、安堅の「夢遊桃源図」（天理大学）の原色図版のほか、日本国内に蔵されているすばらしい高麗仏画や、らでん細工の原色図版も、そのままのすがたを紙上にあらわし出すことができることとなつた。

(2) 予約募集について

予約締切りの三月末を直前にして、配本の追い込み作業も進んでおります。

販売方式は直売を原則としますが、この期間、販売取次所が次のように決定しました。

九州地方
　日朝協会福岡県連合会
　福岡市天神町一丁目一五番三号　天満ビル内

大阪・兵庫・和歌山地方
　日朝協会大阪府連合会
　大阪市北区富田町二七　笹々屋ビル内

京都・奈良・滋賀地方
　株式会社　大安京都出張所
　京都市左京区川端通り丸太町下ル下堤町八八

名古屋地方
　日朝協会愛知県連合会
　名古屋市中区宮前町一ノ一七

東京・北海道・中部地方
　株式会社　亜東社
　東京都新宿区新宿一丁目六八番地

東北地方
　日朝協会仙台市部
　仙台市東一番地一二　最上ビル内

各地方の予約申し込みは右記にお願い致します。

予約はすでに、各地方だけで数百冊が契約成立しております。これを突破口に、東京地方では、日朝協会本部をはじめ各民主団体、在日朝鮮人総連合会の推せんを受け、各大学図書館を中心に、

各界諸氏から申し込みが殺到しております。
　三月末予約〆切は不動の方針です。学校予算等の関係で支払いが四月以降になるという場合も全て、正価支払いという条件で取扱つております。なお、支払い条件に関しましては、所員の保障がある場合には十分考慮したいと思います。
　ある常務理事はすでに6部の申し込みを獲得し、原物購入を原則とする図書館にも、数次の交渉のうえ入金した例もあります。また大安京都出張所の話しでは、予約募集に行つて、ことわられたことがないということでした。才五回総会でも要望、確認されましたように、予約獲得、販売もまた文化史刊行事業の重要な一部分であり、全所員の御協力なくしては、この事業を成功させることはできません。
　各所員は最底三部の責任部数を遂行すべく、中心的な活動としてとり上げられることをお願い致します。またお手数でしょうが、予約状況を至急御連絡いただきたいと思います。

写真撮影・収集の状況

日本国内における写真の収集は、困難を極めた。日韓条約問題との関係から、とりわけ文化財返還に対する所蔵者の危惧感も手伝つて、現物さえ見せてもらえないという状態がかなりの期間あつた。しかし、朝鮮文化史刊行会に集まられた諸先生方のお力添えで、ひとつひとつ解決しつつある。上巻は一応予定のものを収集し終つたが、下巻でもまた同じような努力が必要となろう。
　まずなによりも、おどろくべきことは、朝鮮の文化財が、厖大といえる程日本各地に収蔵されていることである。一面ではすぐれた朝鮮文化への刮目と愛好が日本人に根強くあると云えるのだが、他面では、朝鮮文化史の中で指摘されているような、両国間の不幸な関係をも示していることを強調せねばなるまい。従つて日本での写真収集が、不幸な関係を少しでもよくする方向に役立つならば無上の光栄と思い努力を続けているわけである。
　現在まで収集（撮影ならびに複写を含む）したものは、三百余点となつている。そのうち代表的なものをあげると次のようなものである。

一、浅草寺蔵
　慧趆筆　楊柳観音図（全図、部分図　カラー　四×五版）
一、大本山総持寺蔵
　高麗仏画　提婆達多像（全図、部分図カラー　四×五版）
一、日本銀行蔵
　高麗仏画　釈迦立像（全図、部分図　カラー　七×五版）
一、知恩院蔵
　三十三観音図
　浄土観音経曼荼羅図
一、天理大学図書館蔵
　安堅筆　夢夢桃源図（全図、部分　カラー―エイトバイテン）
一、大倉集古館蔵
　菊唐草螺鈿小箱（側面　正面　カラー　四×五版）
一、根津美術館蔵
　阿弥陀如来像
　阿弥陀三尊像
　　（全図、部分図　カラー―四×五版）
　地蔵菩薩像
一、天理参考館蔵
　古陶器、画塼等約二十点
　この他、朝鮮医学の権威三木栄先生、京都大学の有光教一先生

東京芸術大学の中吉功先生、朝鮮大学李進熙先生をはじめ、出版社やカメラマン等数多くの方々の協力を得て、前述の通り多数の写真が集まつたのである。ここに謝意を表し、下巻完成でさらに円満なる収集が可能であるよう願う次才である。

お願い

予約申込〆切期日が迫ってきました。この三月三十一日がすぎると、正価の弐万四千円となります。お早目に申込みいただくよう、予約申込者の方々に御推せん下さい。

研究所の所員各位は、少なくとも「朝鮮文化史」を三部、予約申込みを獲得されるよう力を注いで下さい。すでに発送いたしました「朝鮮文化史予約カード」にて予約可能な方々のご紹介を至急にお願い致します。「朝鮮文化史」刊行事業の成功のために、才五回総会の決定にそつて、ご奮闘下さるようお願い致します。

朝鮮文化史　上下二巻

予約制　二、〇〇〇部限定出版

正価　二四、〇〇〇円

（三月末まで、二一、六〇〇円）

「朝鮮文化史」に関する編集上の、業務上の連絡は左記へ願います。

東京都新宿区新宿一丁目六八番地
朝鮮文化史刊行会事務局　(三五二)二六〇一
木元賢輔
井上学
株式会社　亜東社　(三五六)三六五八
大溝正昭

文化史刊行ニュース

第三号

一九六六年五月一六日発行

東京都新宿区新宿一丁目六八番地

朝鮮文化史刊行会

「朝鮮文化史」日本語版発行に対する
―朝鮮側の熱意と協力について―

寺尾五郎

わたしたちが朝鮮の友人とはじめて朝鮮文化史の話をしたのは三年前に古屋理事長を団長とする才一回の朝研代表団が一九六三年に訪朝をした時のことです。話をきりだしたのはわたしたちの方で、「朝鮮文化史というような性質の本はないか？なければ、どんな不充分なものでもあれ、日本人の手で書いてみたいぐらいのつもりでいるのだが…」とある宴席で発言したのに対し、たまたま列席されていた金錫亨教授が、「いや、もうじきわれわれの書いた朝鮮文化史が刊行される予定である。そんなに興味がおありなら、先づ才一番に、あなた方に献呈しよう」と言われた。

翌、六四年に、北京シンポジウム日本代表団の中から一〇名の朝研関係者が訪朝した時、前年の約束どおり、「朝鮮文化史」(初版)が、社会科学院を通じて、わたくしの手に渡されました。

ここから「朝鮮文化史」の日本語版発行の問題が具体的にはじまつたのです。計画の原案も、全くわたしたち日本側から提出しました。翻訳を日本人の手でやること、大部数発行形式ではなく限定豪華美術本とすること、図版については日本側の責任と努力で追加増補すること、等々、すべて日本側の発議です。はじめ朝鮮側はやや理解に苦しむような点もあつたようですが、一旦諒解して、わたしたちの計画を支持してからは、それこそ、今度は、こちらが驚くほどの身の入れ方で大変な協力をしてくれました。

六五年度における、歴史博物館・美術博物館・民俗博物館ならびに古墳壁画などの日本側による現地撮影等に朝鮮側が示してくれた応援と厚意は、全く異例なものと言つてよいでしよう。また本文翻訳文の校閲についての指導と協力も、協力の域をはるかに越える熱い支援でした。

たとえば、本文執筆の全員四十余名の学者が、わざわざ一堂に会して、それぞれ検討をしてくれただけではなく、その後の新しい補筆までしたという一事をもつてしても、朝鮮側がどんなにこの「朝鮮文化史」の日本での発行を重視し、わがことのように支援してくれているかがわかります。

のみならず、すでに印刷段階に入つている現在でも、毎月のように、新しい写真ができたから今からでも追加したらどうかとわざわざ送り続けてくれているほどです。

こうした過程で、「朝鮮文化史」は、文字通り、日・朝合作の一大事業になりつつあります。真の文化交流とはかくあるべしとでも言えるほどの親密な協同事業になりつつあります。

こうなつたのも、一つには、「朝鮮文化史」の内容についての朝鮮側の満々たる自信があるからであり、一つには、これが、豪華美術本として日本で出版されることの学術的、文化的ならびに政治的な意義が高く評価されているからであろうと思います。

『朝鮮文化史』の叙述の底にあるもの

渡　辺　　　学

この書が「文化」というものをどのような視座からみているか。本書の叙述の基底に一貫して設定されている　それは、われわれが注目するに値いするものがある。

いま、例を、関根貞著「朝鮮の美術工芸」（雄山閣　東洋史講座　才十巻　昭和六年）―少し古いから、今日の日本の東洋史学はこの域をこえてはるかに進歩しているが―にとり、その慶州石窟庵の記事をみると、まず

「此石窟は全く新羅の工匠の創意に出でしものにして恐らくは仏国寺の石段階や多宝塔と同一人の意匠に出でたのであろう構造の奇抜技工の精妙抜類絶群と謂うべく古今を通じて半島人の作り出した大傑作である」

とこれを絶讃してはいるが、石窟庵そのものについての叙述は

「此石窟は平面円形にして径二十二尺六寸其前面に入口を設け其外更に長方形の前室ありて入口の左右の壁には仁王像を高肉彫にし更に東西壁及び南に矩折せる壁に八神将を分ち刻している又入口の左右の側壁には四天像を各二軀づつ陽刻して以て石窟の外観を壮麗にしている石窟内に入れば中央に高さ九尺の釈迦の坐像が蓮座の上に載つている其端厳の相好偉麗の体軀……実に朝鮮における彫像中の最傑作である」

となつている。

この石窟庵に関する叙述を「朝鮮文化史」のそれと比較してみると面白い。「朝鮮文化史」では、石窟庵に関する主要な叙述は才十四章才一節の「技術と科学」のところと同章才四節の「美術」のなかの「建築」と「彫刻」のところとに分けて叙述してある。いま、前掲の関野博士の叙述（それは日本人の朝鮮文化への取り組みの視座を代表するものであると考えて）と、比較しながらたどつてみよう。関係叙述部分の全文をいちいち掲げていては紙面が足りないから、かいつまんで記していくことにする。

才一節「技術と科学」の「技術」のところでは、石窟庵が、その設計技術において、平面・立体幾何学の諸原理の導入と材料である石材の特質に応じた加工を考慮したうえでの構造力学上の諸原理の巧みな適用を行なつていることをまず指摘している。そして、庵の全構造と配置とが、半形十二尺の円と球弧、その内接六角形を基礎とした合理的組み合わせから全体が構成されていること、アーチ型天井の帯模様に五段層に組み立てられていること。など高度と数学的知識と精密な施工技術がよく総合されていることを具体的に説明している。

次に才四節の「美術」中の「建築」のところでは、「吐含山の中腹、東海の眺められるところに位置している石窟庵は、朝日が窟室内に安置してある釈迦如来像にまでさしこむように設計されている。ここを訪れる人たちは、まず……（以下省略）……」という書き出しで始まる。前室と廊下の左右壁面の諸守護神の彫刻の間を通りすぎて高さ約三米の釈迦如来像の前に至る。そしてこの如来像を円く囲む壁面の十一面観音をはじめとする数多くの陽刻立像、その上の十個のがん室に安置された菩薩坐像を拝む。すると、訪れた人びとの目は自然と半球形の天井の方に向つて行くが、天空をかたどつたこの天井は、蓮花文様を刻んだ中心の蓋石できつちりとまとまりがつけられ、目はまた自然に下降して行き、このひとまとまりの壮厳な立体的世界、すなわち小宇宙のなかに立つひとりの人間として、中央に立つ如来像を拝むようにな

る。と、このような叙述のしかたなのである。

次に「彫刻」のところでは、如来像について

「注目すべきは、光背の処理である。ここでは従来のように光背を像の体軀に付着させないで、後壁に刻みこんである。こうすることによつて、仏像を空間の制約から解放し、人がすべての面を廻りながら見られるような構造にし、丸彫刻としての性格を十二分に発揮させている」

ということを指摘している。しかも、驚嘆すべきこととして、光背のまわりに彫刻してある蓮花文様の花びらの装飾が「上にいくにつれて疎に、下にさがるにつれて密にあん配され、みる人の目の錯覚を正していること」を挙げている。つまり、人間の眼は、近いところは詳しく区別してみるから、花びらが密でないと十分な飾りとしての効果を発揮せず、遠いところは間隔がせばまつてみえるから、花びらを疎に配置してもよい、という心理的作用にあわせて、装飾彫刻を配置してある、というのである。

以上、本書の石窟庵についての叙述そのものの組み立てと指摘点とをみてきたのであるが、これらから、次のようなことをわれわれはくみとることができる。

そこには、つねに窟室とか彫刻像とかいう物的存在としての「物」そのものよりも、それを創造するにあたつてはたらいた「人間」の精神的活動、さらにそれらの芸術品を享受する「人間」の精神的活動が、よりいつそう強調して描き出されている。石窟庵に入つて行つて仏を拝む、その人間のはたらきが、もつとも自然に、もつともふさわしく、もつとも有意義に、行なわれるように当時達成されていたあらゆる知識をフルに活用して、全体の構造がつくられている。しかも、その拝む中心となるところの釈迦如来像に、東海の日の出がきつちりと射しこむように設計されている。その心憎いまでの全構成を読者にはつきり示し出しているのである。関根博士の叙述では、もちろんその意匠の奇抜、精妙を述べてはいるが、また上記のようなことは研究の結果としては知つていたのであろうが、本書のような「人間」に即しての具体性が乏しいのではないであろうか。石窟庵をつくつた新羅人の「観念の力」がこのような「実在世界」を創造的に構成するという逆作用を及ぼしえたことは、ひつきようこの実在世界をとらえたその認識の高くかつ精密であつたことを物語るし、それはまた同時に、客観世界からの新羅人の人間としての主体的な超出がすぐれて高かつたことを物語る。

「朝鮮文化史」が共和国の著作である、ということから、日本の人びとは「唯物的」な例の調子であろうと浅はかに本書をうけとる傾きはないであろうか。「人間」を注視し、「人間」を尊重する本書の視座は、単なる素朴唯物論的視座（それはかえつて資本主義国の方に多い）に低迷しているものではないことを知らなければならないであろう。

「朝鮮文化史」訳者の一人として

梶井　陟

待望の「朝鮮文化史」の下巻の整理にとりかかり、上巻はすでに校正に入つたこの頃になつて、〃とにかく、しんどかつたなあ〃という気持ちが、しみじみと浮び上つてきている。

妙なものだ

一昨年の十月の終り頃だつただろうか、研究所の寺尾さんから、わたしたち翻訳関係者に緊急召集がかけられ、御託宣を受けたのが、この朝鮮文化史の翻訳であつた。

以来今年の三月あたりまで、ある時は朝から晩までほとんど坐りつづけで翻訳にとりくみ、またある時は連日の泊り込みで原稿の

整理にあたる、というような激しい仕事の連続でありながら、まだまだエネルギーが蓄積されているような感じがしていたのに、ポツポツと出はじめた上巻のゲラを見たとたんに、全身から力がすーツと抜けていくような虚脱感に襲われてしまつたのだ。

この調子でいけば、こんなにも苦労をしてつくつた文化史の実物を手にしたら、わたしは寝込んでしまうかもしれない。仕事の中味を知らない人たちにとつては、わたしのこの言葉は、いささかオーバーに受けとれるだろう。

たしかに、八〇〇ページを越えるたいへんな分量だとはいえ、その中には相当量の図版や表が入つていたし、ましてわたし自身が受け持つたスペースは一〇〇ページちよつと、全体の約八分の一程度にすぎない。しかも、寺尾指令?にもとずいて飜訳陣を構成したとき、そのスタツフは十人をこえているし、その人たちの専門分野もかなりな方面にわたつていたので、わたしもそれほどひどい負担を感じなかつた。もちろんたんに物理的な問題を考えただけでも、その後の自分の生活に、相当な制約が加えられてくるだろうということは、予測できたのだが……。

ところが、それが甘かつたのだ。

もうすでに、内容見本やパンフレットを通して知られているように、この本は、一定の時代ごとに中味を区切り、およそ文化と名のつくものならば、なんでも科学から美術、文学にいたるまであらゆる部門を網羅したものなのである。だから飜訳者にとつては、その分担量の多少にはたいしてかかわりなく、ほとんどの分野の飜訳をしなければならないという負担がかかつてくることになる。

「なあに、普通の飜訳能力があれば、なんとかなるじゃないか」と、そんな気持で引き受けたものの、それが要するに、思いあがりというものだつた。

朝鮮語の場合、日本語とはちがつて、文字にしたとき、まつたく同じ表記になるものが非常に多い。これは朝鮮語そのものをよく知らない人でも、辞書をめくつていけばきつと気がつく点だろう。わたしはだんだん飜訳を進めていきながら、思わず頭を抱え込んでしまう場面に、いくたびとなくぶつかつた。

わたし自身は、自分の手もとに比較的いろいろな方面の資料をそなえているはずなのだが、そのどれをめくつてみても、原文がどちらの意味を言おうとしているのか、判断に苦しむことが少くなかつたのだ。飜訳がうまいかまずいかということになれば、小説や詩の方が、はるかに比重をとわれる場面が多いと思うのだが、科学、哲学、歴史、地理、美術などの場合には、ある一語の誤訳が完全に命とりになつてしまうことが、当然あるはずなのである。極端な場合かもしれないが、その語のために、著者の意図が正反対になつてしまうことさえ、ありうるからだ。

わたしといつしよに、才一段階の飜訳に参加されたある人が、〃この二ケ月あまり、毎日オンモン（諺文）ばかりとにらめつこしていたら、頭がおかしくなつちやつた〃と、つくづくため息をついていたことがある。おそらく誰もが同じ思いだつただろう。

わたしたちの飜訳は、こういう才一段階での苦労をへた上で、さらに何回かの集団討議、読み合わせ、専門家の意見などを積み重ねつつやりあげたものである。そしてさらに必要な資料のしゆう集に、事務局の人々が、総力をあげてとびまわつた結果、やつとここまでこぎつけたというわけだ。

むかしも「朝鮮文化史」を、日本語で書いたものが全然なかつたわけではない。しかし、一つの研究所がこれほど、持つてる力を総動員して訳をしあげた例は、おそらくないだろう。

〃この調子でいけば、実物を手にした途端に、寝込んでしまうかもしれない〃というわたしの言葉が、いつわりでもオーバーでもないことを、読者のみなさんに知つていただける日も、もうそう遠くはなさそうだ。

「朝鮮文化史」発行と朝研の民主的財政活動の確立

大溝　正昭

戦前三十六年間にわたる日本帝国主義の植民地支配の罪悪を暴露し、今再び復活しつつある日本軍国主義の南朝鮮再侵略の企図を粉砕する活動を系統的かつ精力的に実行してきた、わが研究所は、日韓条約粉砕斗争の中で、全所員が夫々の持場で可能な力を発揮して重要な役割を果してきたことは、当然なこととはいえわが研究所の偉大な実績であり発展の基礎ともなつている。

朝鮮文化史刊行事業は、これらの重い課題を負い、鋭い斗いの活動の中で研究所を中心に着々と準備され、日韓批准前後を貫く一貫した重要な課題としておし進めてきた。

われわれは朝鮮の独自のすぐれた文化を日本に紹介することによつて、しかもそれを際立つた豪華な造本、最高の技術をもつて広めることによつて、日本の学界、文化界、出版界に存在している朝鮮への偏見を衝撃的に互解させること、そのことによつて、限られた朝鮮問題関係者の層を打ち破り、保守層を含めた新しい広範な層の人達との交流を深める突破口として、朝鮮文化史刊行会を組織してきた。

朝鮮文化史刊行事業はこの観点から、刊行会を組織し、研究所事務所を確立し、㈱亜東社を設立し、人員の充実を実現し、学術研究分野に於ても組織化を計り内容を深め、多太な成果を収めつつ現在もなお強力に歩み続けている。しかるに研究所を中心としたこの偉大な成果の蔭に、何故か財政活動のみが常に忘れられ、恐いものにふれるが如くなおざりにされてきた。

一部の人間の努力で一民間研究所の財政活動を克服する形態は、発展過程の一段階までとしては、それなりに高く評価出来るが、それは基本的な財政活動への発展的ないしずえとしてとらえなければならない。

幸い本年才五回総会に於て、朝鮮文化史予約募集活動を中心に①所員ならびに朝鮮研究講読者の増員化　②事業活動の確立等財政活動の基本方針が確認された。

研究所の本年度の全収入の半分弱を文化史収入から計上されているが、これだけの臨時収入はおそらく本年をおいて他にはないのではないか。

されば研究所の民主的な財政活動を確立する年とし、本年こそそれを実現させなければならないし、それは一に文化史予約活動を積極的にするか否かにかかつている。

何故なら、文化史予約活動は単にお金を集めることのみに終る性質のものではなく、一人の朝鮮文化に対する認識を深め、人と対することによつて政治性が高まることは云うに及ばず、肝心なことは、予約活動に踏み切る積極的な姿勢こそが研究所全体の信頼感につながり、財政活動に参加した個人個人の自覚こそが民主的財政活動の出発点であると確信するからである。

パンフを売り歩いた苦しかつた湯島時代、朝鮮研究の発送代もなかつたやるせない頃を思い出し、初心に帰り今年こそ鞭打つて頑張り通そうではないか。

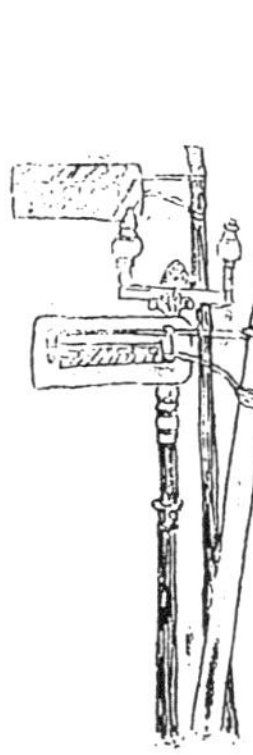

みなさんに

文化史刊行ニュース才二号が三月二〇日に発行されてから二カ月が経ちました。研究所全所員集会にむけて、才三号をお届け致します。

すぐる二カ月の間は、文化史刊行事業（その編集の面で）の上で、一つの重要な時期でした。

十日間、ほぼ連日・泊込によつて、　総合編集を終えた原稿は、四月初旬に印刷所の工場に入れられました。私達と印刷関係者とは和気合々たる雰囲気の中で熱心に、真剣に文化史刊行の意義を語り合い、しつかりと一つになつて困難をのりきり、最高・最上の「文化史」にしようと感動をもつて決意を固め合いました。

本文印刷は、校正担当者と印刷所の熱意とによつてすでに初校を九分九里終了しました。原色版も、便利堂の心を配つた努力によつて十数点初校を終了しました。愈々、上巻六月末発行めざして奮斗を続けております。又、下巻編集業務も、研究所所員をはじめ、多くの方々の積極的なご協力によつて、本文整理、図版整理と着実に進んでおります。

それにつけても、本号大溝論文にも述べられていますが、文化史予約獲得活動を一層力を入れて不断に追求していただくよう、とくに切望いたします。

朝鮮文化史　上下二巻

二、〇〇〇部限定出版

正価　二四、〇〇〇円

上巻　六月末発行

下巻　九月末発行

「朝鮮文化史」に関する編集上の、業務上の連絡は左記へ願います。

東京都新宿区新宿一丁目六八番地
朝鮮文化史刊行会事務局（三五二）二六〇一
木元賢輔
井上学

株式会社　亜東社（三五六）三六五八
大溝正昭

⑤ その他

学生懸賞論文審査報告

4月15日締切りの、“日韓会談”をテーマとする学生懸賞論文は、一名の応募しかありませんでした。しかし、その一篇は多忙な学生生活のなかで、まじめにまとめられたものでありました。全審査委員の慎重な審査をえましたところ、残念ながら、入選論文には該当しませんでした。ご本人には、格別の措置として、原稿を返却し、今後の精進を期待する意味で、“朝鮮研究月報”を半年分無料送付することにいたしました。以上をもつて、ご報告といたします。審査委員の先生方のご協力を心から感謝いたします。（係）

読者アンケートの報告

編　集　部

「朝鮮研究月報読者アンケート」は昨年末で第1回目をしめきりました。みなさま方の御協力により、多数の回答を受けとり、今后月報をより充実させ、発展させて行く上での、参考になりました。厚くお礼申しあげるとともに、そのまとめをここに報告いたします。

I　回答を寄せてくださつた人たちの

A：職業別

1. 大学教授	6. 高校教員
2. 自由業	7. 中学教員
3. 商　業	8. 教組役員
4. 大学院学生	9. 医　師
5. 大学学部生	10. 会社員

B：年令別

20代	50%
30代	18%
40代	25%
50代以上	7%

C：所属機関団体

㋑言語学会・朝鮮学会・中国古代史学会・現代中国学会・経営学会・経済理論学会

㋺歴史学研究会・朝鮮史研究会・ソヴエト教育研究会・歴史教育協議会・部落問題研究会

㋩日朝協会・戦殁学生の会・政党

D：地方別

東京都、北海道、青森、京都、広島、山口、奈良、長野

Ⅱ　どこで月報を知つたか？（多い順）

1. 友　　人
2. 広告・書評
3. 研究会
4. 書　　店
5. その他

Ⅲ　よかつた論文

- ○　寺尾五郎　北朝鮮における農業研究に関する諸問題（No.１９.～２０）
- ○　旗田　巍　日韓会談の思想（No.１８）
- ○　梶村秀樹　李朝後半期朝鮮の社会経済構成に関する最近の研究をめぐつて（No.２０）

・・・・・・・・・・・・・・・・・・・・・・以上推薦者多数・・・・・・・・・・・

- ○　寺尾五郎　運動と研究における日本人の立場、朝鮮人の立場（No.１１）
- ○　畑田重夫　朝鮮戦争の一局面における国際政治の動態（No.１９）
- ○　畑田重夫　日韓会談反対運動の歴史的意義と役割（No.２０）
- ○　川越敬三　在日朝鮮人の法的地位問題について（No.１５）
- ○　藤島宇内　朝鮮人問題と日本人の立場（No.１７）
- ○　桜井　浩　北朝鮮における千里馬運動（No.１６）

IIII　希望するテーマ

1.　現代問題

北朝鮮の産業開発と貿易の現状

北朝鮮の社会科学

北朝鮮の人物紹介

共和国の対日感

朝鮮戦争について

朝鮮の独立斗争の歴史

韓国政治史

2. 日朝関係史

朝鮮文化が日本文化に与えた影響

帰化人の問題

植民地時代の遺産の整理と評価

3. 在日朝鮮人問題

民族教育について

在日朝鮮人の法的地位

4. そ の 他

朝鮮語学について

実学思想について

オリンピックと朝鮮

V 読者会の開催について

A：開催を希望する	91%
希望しない	9%
B：出席する	75%
出席しないか、あるいはできない	25%

C：希望回数　　（多い順）

1. 月 1 回
2. 年 2 回
3. 隔 月
4. 年 3・4 回
5. 数年に1回

（1964年1月10日）

資　料

朝鮮民主主義人民共和国　社会科学院からの寄贈図書目録　(1)

（1967年3月31日現在）

朝鮮通史　上・下巻　（朝文）
科学院歴史研究所　編
科学院出版社　発行
上巻1962年11月10日
下巻1958年9月9日

朝鮮経済思想史　上　（朝文）
キムガンジン
キムガンスン　著
ビョンラクジュ
科学院出版社　発行
1963年6月15日

朝鮮哲学史　上　（朝文）
ジョンジンソク
ジョンソンチォル
キムチョンウォン　著
科学院出版社　発行
1960年8月15日

考古学資料集第3集
各地遺跡整理報告　（朝文）
考古学・民俗学研究所
考古学研究室　著
科学院出版社　発行
1962年12月20日

民俗学研究叢書第2集
民俗学論文集　（朝文）
科学院考古学・民俗学
研究所　著
科学院出版社　発行
1959年9月25日

朝鮮土地制度史　中　（朝文）
パクシヒョン　著
科学院出版社　発行
1961年3月15日

朝鮮神話研究　（朝文）
ホンキムン　著
社会科学院出版社　発行
1964年10月10日

古朝鮮研究　（朝文）
リジリン　著
科学院出版社　発行
1963年2月28日

朝鮮部曲制にかんする研究　（朝文）
イムカンサン　著
科学院出版社　発行
1963年12月15日

三国史記　上・下巻　（朝文）
科学院古典研究室　飜訳・編集
科学院出版社　発行
上巻1958年6月30日
下巻1959年8月10日

後三国の出現と高麗によるその統一　（朝文）
リヨンジュン　著
科学院出版社　発行
1963年12月10日

元侵略者に反対する高麗人民の闘争　（朝文）
キムジェホン　著
科学院出版社　発行
1963年8月30日

高麗史　1～10巻　（朝文）
科学院古典研究所　編纂
パㇰ シ ヒョン　飜訳
ホン ヒ ウ
キㇺ ラㇰ チン
科学院出版社　発行
1962年11月30日
～1964年5月10日　発行

高麗史　1～3巻　（漢文）
科学院古典研究室　復刻校正
科学院　発行
1957年12月20日
～1958年6月25日

懲毖録　上・下巻　（朝文，原文付）
西厓　柳成竜　著
古典研究室　飜訳編纂
科学院出版社　発行
上巻1960年9月15日
下巻1960年10月15日

磻溪随録　1～14巻　（朝文）
古典研究室　飜訳編纂
科学院出版社　発行
1959年10月5日
～1963年12月30日

大典会通　（漢文）
科学院古典研究室　編
科学院出版社　発行
1960年8月30日

湛軒書　（漢文）
湛軒　洪大容　著
社会科学院出版社　発行
1965年10月30日

課農小抄　（朝文，原文付）
燕巌　朴趾源　著
ピョン ジン プン　飜訳
古典研究室　審査編集
科学院出版社　発行
1960年3月25日

李朝実録分類集　第二輯　官制1
第四輯　軍事1（漢文）
古典研究室李朝実録研究室　編纂
科学院出版社　発行
1961年3月10日
1962年3月25日

丁茶山　（朝文）
科学院哲学研究所　編
科学院出版社　発行
1962年7月30日

丁茶山の経済思想　（朝文）
キㇺ ガン ジン　著
科学院出版社　発行
1962年8月4日

大東水経　（朝文）
茶山　丁若鏞　著
科学院古典研究所　訳
科学院出版社　発行
1962年12月20日

経世遺表　1，2巻　（朝文）
茶山　丁若鏞　著
科学院古典研究所　訳
科学院出版社　発行
1963年2月28日
1963年5月10日

我国封建末期の経済状態　（朝文）
科学院歴史研究所　著
科学院出版社　発行
1963年3月30日

朝鮮近代革命運動史　（朝文）
科学院歴史研究所近世
最近世研究室　著
科学院出版社　発行
1961年8月30日

（所員　井　上　学　編）

私の意見

自分のことで一杯？

斎藤　力

ある労働組合に在日朝鮮人の帰国協定打切反対運動の要請に行ったときの話。

その1

――帰国協定の打切で朝鮮人が困るのはよくわかるが、陳情に行ってくれといわれても、いま、うちの組合は合理化（首切）で大変なんだ。正直にいって、他人のことより自分のことで手一杯だ。わるいけど勘弁して欲しい――

その2

――ところで毎月どれぐらいづつ帰還しているのか――

――一五〇名前後らしい――

――どうして、そんなに帰る人が少ないのだ。俺は、いつか千里馬という映画をみたが、北朝鮮という国は素晴しい国ではないか。できることなら、移り住みたいと思ったくらいだ。わからないね――

その3

ある教員組合へ民族教育擁護の運動の協力要請に行ったときの話。

――在日朝鮮人の苦労はよくわかる。歴史的ないきさつからみても、なんとかしなければならないが、なにぶんにも日本の教育それ自体が大変なんだ。教員自身が問題を山ほどかかえている。やらなければならないということはわかるのだが……――

自分の朝鮮問題の理解の不充分が一番いけないのだと思うが、こう正面切ってことわられたことがないだけに、すっかりどぎまぎしてしまい、なにをどう説明したのか自分にもよくおぼえがない。

後で考えてみると、要するに「自分のことで手一杯だから、朝鮮人のことまでやっておれない」ということと「素晴しい北朝鮮になぜもっと多くの人が帰国しないのか」という二点に、わたしの会った労働組合の幹部たちがひっかかっているらしいということがわかった。

話をきいてみると、誠にごもっともなものばかりである。便所に行くのにどれくらい時間がかかるか、職制が時計をもって測っているなどという物凄い合理化の模様をきかされると、

――大変でしょう頑張って下さい――

といいそうになって、帰国協定なんか、どこかに飛んでしまいそうな雰囲気になってしまう。

愛想よく返事をしてくれた団体でも、なかなか思うように運動が浸透していないのが現状のようだ。

どこに行っても確かに忙しい。暇の人間など見当たらない。忙しいからだめだということになると朝鮮人問題などやる人がなくなる。例えいたとしても儀礼的なものとならざるをえない。現にわたしの所属する支部も、役員は沢山いるが、日朝協会の活動を一生懸命する人はほとんどいない。しかし、同じ役員が、他の運動では極めて熱心

なのである。

　こういう人たちを日朝協会の側からみると「暇があったらやりましょう」というふうにみえるし、どうもそうなっているようだ。これでは運動が発展するわけがない。もっとも、

――国際親善運動など、大体その程度のものだ――

　という考え方もあるかも知れない。もしそうだとすれば、わたしもこの種の運動にたずさわることを考え直してみなければならない。わたしは、もっと大切ななにかがあるような気がするのだが、ところが、どうにもうまく説明できないのである。つまり、わからないのだ。運動をお願いして歩く人間がわからなくて、相手を説得できる筈がない。などと考えているところに、本誌の原稿依頼をうけたので、悩んでいることとの一端を卒直に書いてみた。諸先生および関係者の御指導を頂ければ幸いである。

（日朝協会活動家）

御奮闘に敬服

冠略。『朝鮮研究』五月号を拝読しましたが、とくに「事務所移転仕末記」を面白く読みました。朝鮮人の私には、「そんなことがあるのかな？」と、意外なほどの「庶民の中の朝鮮観」に驚きましたが、当の筆者の御苦労には、敬服しました。それでいて、ご自分を「人相が悪いので」とか書いたりして、読んだあとには、さらりとして微苦笑が湧き、むしろ、ユーモアを感じました。

　ともかく「朝鮮研究所」の方々は、当分、ある信念や、使命感がないことには難しい仕事のように思われました。その点中国研究所やソ連研究所に較べて、多難のようですけれども、皮肉にも「近くて一番遠い」ためでしょうか。そのうち、一番近い国となったときには、愉しいこともあり得るのではないでしょうか。筆者の御壮健を祈りながら。

五月二八日

（東京都文京区　一読者　K）

連帯の続編を

前略、わたしは貴研究所発行の『日・朝・中三国人民連帯の歴史と理論』を読んで、朝鮮問題の重要さを知り、日朝友好運動を本気でやる気になりました。あの本が出版されてから数年がすぎ、「日韓条約」が発効するなど、国内、外の情勢は大きな変化が起きています。

　それに対応すべき、理論創造が必要になってきているのではないかと、最近感じています。

　『日・朝・中三国人民連帯の歴史と理論』の続編ともいうべきものを心まちにしています。ぜひ、出版をして頂きたいと希望しています。

六月三日

（大阪・松原市　加波やすこ）

一二月号（68号）の「座談会」を読んで

つるまき　さちこ

『日朝中三国人民連帯の歴史と理論』の続編がいりようだと思っていた者です。

二つの疑問を申します。

① **日朝友好運動の本質は、現実のところ朝鮮蔑視観、植民思想の克服運動ではないか。**

吉岡さんの問題提起は、私の見聞している現実とぴったりしない感じです。たとえば「思想・信条をこえ」「日朝友好のためにたたかっている友好運動（6頁）」というものが実際にあるのだろうかと思います。〈朝鮮を蔑視することはいけない。植民地支配は、人間として国民として許すべきではないし、許されることではないのだった。〉という自覚なしに日朝友好運動に参加した人がいるのでしょうか。

「日本人に骨がらみ染みこんでいる朝鮮蔑視感は、どういう形でどう克服できるのか」このことを、研究所のようなところが積極的に追究し提起しないのがふしぎなほど、良心派の中にも、若い人の中にも、蔑視感はたっぷり存在します。厚い壁です。

「朝鮮蔑視」は、朝鮮侵略の手段として支配者が、国民にうえつけた感情であり、朝鮮支配後の結果として定着させられた実感ですし、「帝国主義との闘い」は、言いかえれば、「金と物の多いものが、金と物の少ないものを蔑視する思想との闘い」でもあります。心ここにあらざれば見れども見えず聞けども聞こえずで、ささやかでも意識変革のテコが入らなくては、この日本の中では「運動」にならないでしょう。「筋金」を抜いたら「活動」はあり得るでしょうが「運動」にはならない。

私には、当然のことと思われるのですが。

② **運動は、主体的な発想抜きでも可能か。**

清水さんは、「戦後の朝鮮人民に対する日本人民の見方は……」と指摘なさいます。相手が、すばらしく発展したからこちらの見方が変った、と言っていていいのでしょうか。

意識的に努力した人々が、朝鮮の変化と発展を知ろうとし、皆にも広く知らせ

る活動をしてきたその結果として、日本人民の見方が変化してきたのではないかと思いますが……。それに、社会主義朝鮮とか、抵抗する南の朝鮮人民といった認識対象の動きばかり注目する見方では、自分自身の内部に染みこんだ蔑視感は克服されず温存され続けるのではありませんか。

「憲法改正、軍備強化、核武装を独立の条件にし、日本人の手で日本を守れ」と言う労働者に会いました。「守れっていうけど、どこかから攻めてくるんですか」ときいたら、「朝鮮・中国が攻めてきます。」とまじめに答えるこの人は、長年の組合活動家で「マルク・スレーニン」もかじったことがあるそうでした。アメリカのベトナム侵略を憤慨して語るこの執行委員が「愛する妻子のためなら、ええ、わたしは征きますよ。」と防衛意識を持たされてしまう認識力の弱さ、精神構造の特長は、何かです。

〈よその国のすることは悪いが、自分の国のすることとしたことは悪くなく痛みを感じない〉これが、侵略国の国民に深く浸みこんでいる植民思想というものでしょう。この人は特別でなく日本人一般を代表しているにすぎません。お互い自分は例外だと言い切れるかどうか確かめる必要がありそうです。日韓条約闘争後のきびしい状況の中での日朝友好運動は、どうしても「日本人民として日朝両国の望ましい関係を展望し、その未来図の実現のために努力していく。このことは、日本人民自身の解放にとって必要なしごとだ」という創造主体的な立場を、軸にしなくてはと思います。

私には、吉岡さんの提起が、日本人民と朝鮮人民の真上から眺めてものを言っていらっしゃるように思えてなりません。

（投稿）

ひろく声を

西川　宏

昨年の『朝鮮研究』をふりかえってみて、大変親しみやすく、かつ、役に立つものになったと思います。科学技術・哲学・歴史・芸術・軍事等の小特集なり論文を今後とりあげて下さい。

「私の意見」も各方面の声を集めてほしいものですが、ただ64号の太田氏に対する67号の大村氏の反バクは、多くのものを教わりましたが、コワイ感じがしました。文化大革命に疑問を出しているのが大いにカンにさわったように察せられますが、これではうっかり「私の意見」など述べられないナと感じました。（このハガキもおそるおそる書いています）

その点では68号の「座談会」の討論は積極的・前向きのやり方だと思います。原則論と実践上の力点のおきどころがそれぞれ主張されていると感じます。だからどちらも私にとっては正しいことをおっしゃっていると思われますが、何回も読みかえして考えていきたいと思います。

皆さんがんばりましょう。

（投稿）

編纂者紹介

井上學（いのうえ　まなぶ）

1943年岡山県生まれ。法政大学修士課程修了
日本朝鮮研究所・亜東社の後、日本図書館協会勤務。海峡同人
著書　『日本反帝同盟史研究』不二出版、2008
訳書　金炅一『李載裕とその時代』共訳、同時代社、2006
論文　「研究ノート　1945年10月10日「政治犯釈放」」『三田学会雑誌』105巻４号、2013。『海峡』掲載論文　「史料紹介　軍事委員会「罪状書」1948年５月１日」23号、2009、「戦後日本共産党の在日朝鮮人運動に関する「指令」をめぐって」24号、2011、「資料紹介　高充京「強制退去」関係資料」25号、2015、「日本共産党第４回・第５回大会決定「行動綱領」「党規約における朝鮮問題」」26号、2015、「戦後変革期社会運動と朝鮮問題―1946年４月～５月」27号、2016
＊『海峡』創刊号～ 25号の総目次は井上氏が作成し、25号に掲載されている。井上氏の戦前期の反帝同盟関係論文は同誌が参考になる。『戦後日本共産党関係資料』解題不二出版、2008。他に２編の資料集がある。なお、本資料集の解説は絶筆と思われる。

樋口雄一（ひぐち　ゆういち）

1940年生まれ。中央大学政策文化総合研究所客員研究員、在日朝鮮人運動史研究会会員、海峡同人
著書　『協和会―戦時下朝鮮人統制組織の研究』1986、『戦時下朝鮮農民の生活誌』1998、『金天海―在日朝鮮人社会運動家の生涯』2014（以上、社会評論社）、『日本の朝鮮人・韓国人』2002（同成社）、『戦時下朝鮮民衆と徴兵』2001（総和社）、『朝鮮人戦時労働動員』2005、『東アジア近現代通史５』（以上、岩波書店、共著）ほか
論文　「朝鮮人少女の日本への強制連行について」『在日朝鮮人史研究』20号、1990、「植民地下朝鮮における自然災害と農民移動」『法学新報』109巻１・２号、2002、「植民地末期の朝鮮農民と食」『歴史学研究』867号、2010、「朝鮮人強制動員研究の現況と課題」『大原社会問題研究所雑誌』686号、2015ほか
資料　編・解説『協和会関係資料集』1995、編・解説『戦時下朝鮮民衆の生活』2010（以上、緑蔭書房）

在日朝鮮人資料叢書15　〈在日朝鮮人運動史研究会監修〉

日本朝鮮研究所初期資料　1

2017年４月15日　第１刷発行

編纂者……………井上學／樋口雄一
発行者……………南里知樹

発行所……………株式会社 緑蔭書房
〒173-0004 東京都板橋区板橋１-13-１
電話 03(3579)5444／FAX 03(6915)5418
振替 00140-8-56567

印刷所……………長野印刷商工株式会社
製本所……………ダンクセキ株式会社

Printed in Japan
落丁・乱丁はお取替えいたします。
ISBN978-4-89774-178-9